W0389910

Knut Hamsun

MYSTERIEN

Werkausgabe in Einzelbänden

Knut Hamsun

MYSTERIEN

Roman

Aus dem Norwegischen von
Siegfried Weibel

Mit einem Nachwort von
Walter Baumgartner

List Verlag
München · Leipzig

I

Letztes Jahr, mitten im Sommer, war eine kleine norwegische Küstenstadt Schauplatz einiger höchst außergewöhnlicher Begebenheiten. Es tauchte ein Fremder in der Stadt auf, ein gewisser Nagel, ein merkwürdiger und eigentümlicher Scharlatan, der eine Menge auffälliger Dinge tat und ebenso plötzlich wieder verschwand, wie er gekommen war. Dieser Mann wurde gar von einer jungen und geheimnisvollen Dame besucht, die in Gott weiß welcher Angelegenheit kam und kaum wagte, mehr als nur einige Stunden im Ort zu bleiben, und wieder abreiste. Doch all dies ist nicht der Anfang ...

Der Anfang ist der, daß sich, als das Dampfschiff gegen sechs Uhr abends am Kai anlegte, zwei, drei Reisende an Deck zeigten, darunter einer in einer abstechenden gelben Kluft und einer breiten Samtmütze. Dies war der Abend des 12. Juni; denn an diesem Tag wurde an vielen Stellen im Ort anläßlich Fräulein Kiellands Verlobung, die eben am 12. Juni bekanntgegeben wurde, geflaggt. Der Bursche vom Hotel Central ging sofort an Bord, und der Mann in der gelben Kluft übergab ihm dann sein Gepäck; gleichzeitig gab er sein Billett bei einem der Steuerleute ab; doch danach begann er, statt an Land zu gehen, auf dem Deck auf und ab zu schreiten. Er schien stark bewegt zu sein. Als das Dampfschiff zum dritten Mal läutete, hatte er noch nicht einmal seine Rechnung für den Verzehr beglichen.

Während er damit beschäftigt war, blieb er plötzlich

stehen und sah, daß das Schiff bereits ablegte. Er stutzte für einen Moment, dann winkte er zum Hotelburschen an Land hinüber und sagte zu ihm über die Reling hinweg:

Gut, nehmen Sie trotzdem mein Gepäck mit, und machen Sie für mich ein Zimmer fertig.

Damit nahm ihn das Schiff weiter den Fjord hinaus.

Dieser Mann war Johan Nilsen Nagel.

Der Hotelbursche zog dessen Gepäck auf seinem Karren mit; es bestand nur aus zwei kleinen Koffern und einem Pelz – ein Pelz, obwohl es doch mitten im Sommer war – sowie aus einem Handkoffer und einem Geigenkasten. Alles war ohne Etiketten.

Tags darauf in der Mittagszeit kam Johan Nagel beim Hotel vorgefahren, zweispännig auf dem Landweg kam er gefahren. Er hätte ebensogut, ja weit besser, den Seeweg nehmen können, und trotzdem kam er vorgefahren. Er hatte zusätzliches Gepäck dabei: auf dem Vordersitz stand noch ein Koffer, und neben diesem lagen eine Reisetasche, ein Mantel und ein Plaidgurt, der einige Dinge enthielt. Auf dem Plaidgurt war mit Perlen *J. N. N.* gestickt.

Noch im Wagen sitzend, fragte er den Hotelwirt nach seinem Zimmer, und als er in den ersten Stock geleitet wurde, fing er an, die Wände zu untersuchen, wie dick sie seien und ob man etwas aus den Nebenzimmern hören könne. Dann fragte er plötzlich das Mädchen:

Wie heißen Sie?

Sara.

Sara. Und übrigens: kann ich etwas zu essen bekommen? Aha, Sie heißen Sara? Hören Sie, sagte er weiterhin, ist hier in diesem Haus einmal eine Apotheke gewesen?

Sara antwortete verwundert:

Ja. Aber das ist mehrere Jahre her.

Aha, mehrere Jahre? Doch, mir war gleich so, als ich in den Flur kam; ich erkannte es nicht am Geruch, ich hatte aber trotzdem so ein Gefühl. Jaja.

Als er zum Essen herunterkam, öffnete er während der ganzen Mahlzeit seinen Mund nicht für ein einziges Wort.

Seine Mitreisenden vom letzten Abend auf dem Dampfschiff, die beiden Herren, die oben am Tischende saßen, hatten, als er eingetreten war, einander zugefeixt, trieben recht offensichtlich sogar Spaß mit seinem gestrigen Mißgeschick, ohne daß er sich anmerken ließ, etwas davon mitzubekommen. Er aß schnell, lehnte den Nachtisch kopfschüttelnd ab und erhob sich unvermittelt, indem er sich rücklings über das Taburett gleiten ließ. Er steckte sich sofort eine Zigarre an und verschwand die Straße hinunter.

Und jetzt blieb er bis weit nach Mitternacht weg; kurz bevor die Uhr drei schlug, kam er zurück. Wo er gewesen war? Es stellte sich später heraus, daß er zum Nachbarort zurückgegangen war, den ganzen langen Weg, den er am Vormittag gefahren gekommen war, hatte er hin und her zu Fuß gemacht. Er mußte wohl etwas von höchster Wichtigkeit zu erledigen gehabt haben. Als Sara ihm aufschloß, war er naßgeschwitzt; er lächelte dem Mädchen jedoch mehrmals zu und war in ausgezeichneter Laune.

Gott, welch entzückenden Nacken Sie haben, Menschenskind! sagte er. Ist hier Post für mich angekommen, während ich weg war? Also für Nagel, Johan Nagel? Huch, gleich drei Telegramme! Ach, hören Sie, können Sie mir nicht den Gefallen tun und das Bild dort von der Wand nehmen? Damit ich es nicht mehr zu sehen brauche. Es ist so ärgerlich, hier auf dem Bett zu liegen und es dauernd vor Augen zu haben. Napoleon der Dritte hatte nämlich keinen so grünen Bart. Vielen Dank auch.

Als Sara gegangen war, blieb Nagel mitten im Zimmer stehen. Er stand völlig still. Er fing an, ganz abwesend auf einen bestimmten Punkt an der Wand zu starren, und abgesehen davon, daß sein Kopf immer mehr auf die eine Seite sank, bewegte er sich nicht. Dies hielt eine ganze Weile an.

Er war von unterdurchschnittlicher Größe und hatte ein gebräuntes Gesicht mit einem merkwürdig dunklen Blick und einem feinen, femininen Mund. An dem einen Finger trug er einen einfachen Ring aus Blei oder Eisen. Er war sehr breit in den Schultern und mochte achtundzwanzig oder dreißig Jahre alt sein, jedenfalls nicht über dreißig. Sein Haar begann an den Schläfen zu ergrauen.

Er erwachte aus seinen Gedanken mit einem heftigen Ruck, einem so heftigen, daß es mutwillig sein mochte, ganz so als hätte er sich, obwohl er doch allein im Zimmer war, diesen Ruck lange zurechtgelegt. Dann holte er ein paar Schlüssel aus der Hosentasche, etwas Kleingeld und eine Art von Rettungsmedaille an einem bedauernswert mißhandelten Band; diese Dinge legte er auf den Tisch neben seinem Bett. Danach steckte er seine Brieftasche unter das Kopfkissen und holte aus der Westentasche seine Uhr hervor und ein Fläschchen, ein kleines Medizinfläschchen, das als gifthaltig gekennzeichnet war. Er behielt die Uhr einen Augenblick lang in der Hand, ehe er sie weglegte, doch das Fläschchen steckte er sofort zurück in die Tasche. Jetzt zog er seinen Ring ab und wusch sich; er strich mit den Fingern sein Haar zurück, in den Spiegel sah er überhaupt nicht.

Er war bereits zu Bett gegangen, als er plötzlich seinen Ring vermißte, der vergessen auf dem Waschtisch lag, und als ob er nicht ohne diesen schäbigen Eisenring sein könne, stand er noch einmal auf und streifte ihn über. Schließlich erbrach er die drei Telegramme, hatte aber das erste noch nicht durchgelesen, bevor er ein ziemlich kurzes, leises Lachen anschlug. Er lag da und lachte ganz für sich allein; seine Zähne waren außerordentlich schön. Dann wurde sein Gesicht wieder ernst, und kurz danach schleuderte er die Telegramme mit größter Gleichgültigkeit weg. Sie schienen sich gleichwohl auf eine große, wichtige Sache zu beziehen; es war darin die Rede von zweiundsechzigtausend Kronen für einen Landbesitz, ja, einem Angebot über die Barauszahlung der gesamten Summe, falls der Verkauf sofort zustande käme. Eine trockne, kurze Geschäftskorrespondenz, an der nichts Lächerliches war; aber sie war ohne Unterschrift. Einige Minuten später war Nagel eingeschlafen. Die beiden Kerzen, die auf dem Tisch brannten und die er zu löschen vergessen hatte, erhellten sein glattrasiertes Gesicht und seine Brust und warfen einen ruhigen Schein auf die Telegramme, die offen ausgebreitet auf dem Tisch lagen ...

Am Morgen danach schickte Nagel einen Boten zum Postamt und bekam einige Zeitungen, darunter auch ein paar ausländische, aber keinen Brief. Seinen Geigenkasten stellte er mitten im Zimmer, als wolle er ihn zur Schau stellen, auf einen Stuhl; er öffnete ihn aber nicht und ließ das Instrument unangetastet.

Im Laufe des Vormittags machte er nichts anderes, als einige Briefe zu schreiben und, ein Buch lesend, in seinem Zimmer auf und ab zu gehen. Außerdem kaufte er in einem Laden ein Paar Handschuhe, und etwas später, als er auf den Marktplatz ging, bezahlte er zehn Kronen für einen kleinen roten Welpen, den er gleich darauf dem Wirt verehrte. Den Welpen hatte er zum Gelächter aller Leute Jakobsen getauft, obschon es sich doch um ein Weibchen handelte.

Er unternahm also an diesem ganzen Tag nichts. Er hatte in der Stadt keine Geschäfte und machte keine Besuche, sprach auf keinem der Ämter vor und kannte keine Seele. Im Hotel wunderte man sich etwas über seine auffällige Gleichgültigkeit fast allem, ja sogar seinen eigenen Sachen gegenüber. So lagen noch die drei Telegramme für jedermann offen auf dem Tisch seines Zimmers; er hatte sie seit dem vorigen Abend nicht mehr angerührt. Er konnte es auch unterlassen, auf direkt an ihn gerichtete Fragen zu antworten. Der Wirt hatte zweimal versucht, aus ihm herauszubekommen, was er eigentlich sei und weshalb er in die Stadt gekommen wäre, doch er hatte es beide Male in den Wind geschlagen. Noch ein eigentümlicher Zug trat an ihm im Laufe des Tages hervor: Obwohl er überhaupt keinen Menschen in der Stadt kannte und sich an niemand gewandt hatte, war er doch am Eingang des Friedhofs vor einer der jungen Damen der Stadt stehengeblieben, hatte haltgemacht, sie angesehen und sich ohne ein erklärendes Wort sehr tief verbeugt. Die betreffende Dame war übers ganze Gesicht errötet. Danach hatte sich der freche

Mensch auf dem Landweg hinausgetrollt, ganz bis zum Pfarrhof und daran vorbei – was er übrigens auch in den folgenden Tagen tat. Immer mußte ihm geöffnet werden, nachdem das Hotel schon für den Abend geschlossen hatte, so spät kam er von seinen Wanderungen heim.

Dann, am dritten Morgen, gerade als Nagel aus seinem Zimmer kam, wurde er vom Wirt angesprochen, der ihn grüßte und einige liebenswürdige Worte sagte. Sie spazierten auf die Veranda hinaus und nahmen beide Platz, und der Wirt verfiel darauf, ihm eine Frage bezüglich der Versendung einer Kiste mit frischem Fisch zu stellen:

Wie soll ich bloß diese Kiste dort verschicken, können Sie mir das sagen?

Nagel sah die Kiste an, lächelte und schüttelte den Kopf.

Nein, davon verstehe ich nichts, antwortete er.

Ach, nicht. Ich dachte, daß Sie vielleicht etwas herumgekommen sind und andernorts das eine oder andere gesehen haben, wie man da verfährt.

O nein, ich bin nicht viel gereist.

Pause.

Nein, Sie haben sich vielleicht eher mit – ja, mit anderen Dingen befaßt. Sind Sie vielleicht Geschäftsmann?

Nein, ich bin kein Geschäftsmann.

Also, dann sind Sie nicht geschäftlich hier bei uns?

Keine Antwort. Nagel steckte sich eine Zigarre an und rauchte bedächtig und schaute in die Luft. Der Wirt beobachtete ihn von der Seite.

Wollen Sie uns nicht einmal etwas vorspielen? Ich habe gesehen, Sie haben eine Geige dabei, sagte der Wirt von neuem.

Nagel antwortete gleichgültig:

Ach nein, das habe ich aufgegeben.

Kurz danach stand er ohne weiteres auf und ging. Nach einem Augenblick kam er zurück und sagte:

Hören Sie, mir ist eingefallen: Sie können mir die Rechnung ausstellen, wann Sie wollen. Mir ist es ja egal, wann ich bezahle.

Danke, danke, antwortete der Wirt, das eilt nicht. Wenn

Sie für längere Zeit hierbleiben, müssen wir es wohl etwas billiger machen. Ich weiß nicht, ob Sie vorhaben, länger hierzubleiben?

Nagel wurde mit eins lebhaft und antwortete sofort; ohne erkennbaren Grund nahm sein Gesicht sogar eine leichte Rötung an.

Doch, es kann gut sein, daß ich etwas längere Zeit hierbleibe, sagte er. Das hängt von den Umständen ab. Apropos, ich habe es Ihnen vielleicht nicht gesagt: Ich bin Agronom, Landwirt, ich komme von einer Reise, und es könnte sein, daß ich mich für gewisse Zeit hier niederlasse. Aber vielleicht habe ich sogar vergessen ... Mein Name ist Nagel, Johan Nilsen Nagel.

Damit kam er näher und drückte recht herzlich die Hand des Wirts und bat um Verzeihung, weil er sich nicht früher vorgestellt hatte. In seinen Gesichtszügen war keine Spur von Ironie zu entdecken.

Mir fällt ein, daß wir Ihnen vielleicht ein beßres und ruhigeres Zimmer herrichten sollten, sagte der Wirt. Jetzt wohnen Sie genau neben der Treppe, und das ist nicht immer angenehm.

Nein danke, das ist nicht nötig, das Zimmer ist ausgezeichnet, ich bin damit sehr zufrieden. Außerdem kann ich von meinem Fenster aus den ganzen Marktplatz überblicken, und das ist doch kurzweilig.

Wenig später sagte der Wirt noch:

Ja, Sie nehmen sich jetzt also für eine gewisse Zeit frei? Sie werden jedenfalls den Sommer eine Weile lang hierbleiben?

Nagel antwortete:

Zwei, drei Monate, vielleicht auch länger, ich weiß nicht so genau. Es kommt ganz auf die Umstände an. Es wird sich zeigen.

Ein Mann, der in diesem Augenblick gerade vorbeiging, grüßte den Wirt. Es war ein unansehnlicher Mann, klein von Wuchs und äußerst armselig gekleidet; sein Gang war so beschwerlich, daß es auffiel, und doch kam er ziemlich schnell voran. Obwohl er sich sehr tief verneigte, griff der

Wirt nicht zum Hut; Nagel hingegen nahm seine Samtmütze ab.

Der Wirt sah ihn an und sagte:

Diesen Mann nennen wir Minute. Er ist nicht ganz richtig im Kopf, schade drum, er ist ein herzensguter Kerl.

Das war alles, was über Minute gesprochen wurde.

Ich habe gelesen, sagt Nagel plötzlich, ich habe vor einigen Tagen in den Zeitungen von einem Mann gelesen, der irgendwo hier draußen tot im Wald gefunden wurde, was für einer war das eigentlich? Ein Karlsen, glaube ich? War er von hier?

Ja, antwortet der Wirt, er war der Sohn von einer hiesigen Schröpferin; Sie können ihr Haus von hier aus sehen, das rote Dach dort hinten. Er war jetzt nur die Ferien über hier, und dabei nahm er sich dann auch gleich das Leben. Und das ist äußerst schade, er war ein begabter Junge und sollte bald Pfarrer werden. Ach ja, man weiß nicht recht, was man dazu sagen soll; aber es ist doch etwas verdächtig; denn wenn beide Pulsadern durchgeschnitten sind, dann kann es doch wohl schwerlich ein Unfall gewesen sein. Jetzt hat man auch das Messer gefunden, ein kleines Federmesser mit weißem Heft; die Polizei hat es gestern spätabends gefunden. Vermutlich war eine Liebesgeschichte mit im Spiel.

Ach so. Aber gibt es denn wirklich irgendwelche Zweifel, daß er sich selbst umgebracht hat?

Man hofft das Beste, das heißt, es gibt auch welche, die glauben, er könne mit dem Messer in der Hand spaziert und dann so tückisch gestolpert sein, daß er sich an beiden Händen zugleich verletzt hat. Haha, ich halte das für unwahrscheinlich, für sehr unwahrscheinlich. Aber er kommt ganz bestimmt in geweihte Erde. Nein, er ist wohl leider nicht gestolpert!

Sie sagen, daß man das Messer erst gestern abend gefunden hat, lag denn das Messer nicht neben ihm?

Nein, es lag einige Schritte weit entfernt. Nachdem er es benutzt hatte, warf er es weg, weiter in den Wald hinein; es war reiner Zufall, daß es gefunden wurde.

So. Doch welchen Grund hätte er haben sollen, das Messer wegzuwerfen, wenn er bereits mit offenen Schnittwunden dalag? Es wäre sowieso allen klar, daß er ein Messer benutzt haben mußte?

Ja, weiß Gott, was er sich dabei gedacht hatte; aber da war wohl, wie gesagt, eine Liebesgeschichte mit im Spiel. Ich habe noch nie so was Verrücktes gehört; je mehr ich darüber nachdenke, desto haarsträubender kommt es mir vor.

Weshalb glauben Sie, daß eine Liebesgeschichte mit im Spiel war?

Aus verschiedenen Gründen. Dazu will ich aber lieber nichts sagen.

Aber hätte er nicht von selbst fallen können, unfreiwillig? Er lag doch so abscheulich; lag er nicht auf dem Bauch und mit dem Gesicht in einer Pfütze?

Doch, und er war fürchterlich verdreckt. Aber das muß nichts heißen, er kann auch damit eine Absicht gehabt haben. Vielleicht hat er auf diese Weise den Todesschmerz in seinem Gesicht kaschieren wollen. Man weiß es nicht.

Hatte er etwas Schriftliches bei sich?

Er soll beim Gehen etwas auf ein Stück Papier geschrieben haben; er pflegte übrigens oft die Wege entlangzugehen und an etwas zu schreiben. Nun denkt man sich, daß er das Messer zum Anspitzen des Bleistifts oder derlei benutzt hat, und dann soll er vornübergestürzt sein und sich zuerst genau in die Pulsader des einen Handgelenks ein Loch gestochen haben, danach genau in die Pulsader des anderen Handgelenks, alles im selben Sturz. Hahaha. Aber er hat ganz richtig etwas Schriftliches hinterlassen, er hielt ein kleines Stückchen Papier in der Hand, und auf dem Papier standen die Worte: Möge dein Stahl so scharf sein wie dein letztes Nein!

Was für ein Unsinn. War das Messer stumpf?

Ja, es war stumpf.

Hätte er es nicht erst wetzen können?

Es war nicht sein Messer.

Wessen Messer war es denn?

Der Wirt überlegt ein bißchen, aber sagt dann:

Es war Fräulein Kiellands Messer.

War es das Messer Fräulein Kiellands? fragte Nagel. Und kurz darauf fragte er weiter: Na, und wer ist Fräulein Kielland?

Dagny Kielland. Sie ist die Tochter des Pfarrers.

Aha. Das ist ja sehr merkwürdig. Hat man so was schon gehört! War denn der junge Mann so in sie vergafft?

Ja, das war er wohl. Übrigens sind alle in sie vergafft, er war da nicht der einzige.

Nagel versank in Gedanken und sagte nichts weiter. Dann bricht der Wirt das Schweigen und erklärt:

Ja, was ich Ihnen jetzt erzählt habe, ist ein Geheimnis, und ich bitte Sie ...

Ach so, antwortet Nagel. Ja, Sie können völlig beruhigt sein.

Als Nagel kurz danach zum Frühstück hinunterging, stand der Wirt bereits in der Küche und teilte mit, daß er endlich eine ordentliche Unterhaltung mit dem gelben Mann von Nummer 7 geführt habe. Er ist Agronom, sagte der Wirt, und er kommt aus dem Ausland. Er sagt, daß er mehrere Monate hierbleiben werde, Gott weiß, was für ein Mann das ist.

II

Am Abend desselben Tages passierte es, daß Nagel plötzlich auf Minute stieß. Es ergab sich ein langweiliges und endloses Gespräch zwischen ihnen, ein Gespräch, das gut und gerne drei Stunden dauerte.

Das Ganze verlief von Anfang bis Ende dergestalt:

Johan Nagel saß im Café des Hotels und hielt eine Zeitung in der Hand, als Minute hereinkam. Um die Tische saßen auch noch einige weitere Leute, darunter eine dicke Bauersfrau mit einem schwarz-roten gestrickten Tuch um die Schultern. Minute schien allgemein bekannt zu sein; er grüßte höflich nach rechts und links, als er hereinkam, wurde aber mit lautem Rufen und Gelächter empfangen. Selbst die Bauersfrau stand auf und wollte mit ihm tanzen.

Heute nicht, heute nicht, sagt er ausweichend zu der Frau, und damit hält er direkt auf den Wirt zu und wendet sich, die Mütze in der Hand, an ihn:

Ich habe die Kohlen in die Küche hinaufgetragen, und dann gibt es heute wohl nichts mehr?

Nein, antwortet der Wirt, was sollte sonst noch sein?

Nein, sagt auch Minute und tritt verschüchtert zurück.

Er war außerordentlich häßlich. Er hatte ruhige, blaue Augen, aber hervorstehende, unheimliche Schneidezähne und einen äußerst verrenkten Gang, weil er versehrt war. Sein Haar war ziemlich grau; der Bart allerdings war dunkler, doch so dünn, daß überall das Gesicht durchschimmerte. Dieser Mann war einmal Seemann gewesen, lebte jetzt aber bei einem Verwandten, der unten an der Landungsbrücke eine kleine Kohlenhandlung hatte. Wenn er mit jemand sprach, sah er selten oder nie auf.

Man rief ihn von einem der Tische drüben, ein Herr in grauer Sommerkleidung winkt ihm eifrig zu und zeigt ihm eine Bierflasche.

Kommen Sie und nehmen Sie ein Glas Muttermilch. Außerdem will ich sehen, wie es Ihnen steht, Ihren Bart los zu sein, sagt er.

Ehrerbietig, immer noch mit der Mütze in der Hand und mit krummem Rücken, nähert sich Minute dem Tisch. Als er an Nagel vorbeikam, grüßte er ihn eigens und bewegte ein klein wenig die Lippen. Er stellt sich vor dem grauen Herrn auf und flüstert:

Nicht so laut, Herr Assessor, ich bitte Sie. Sie sehen, es sind Fremde da.

Herrgott noch mal, sagt der Assessor, ich wollte Sie doch nur zu einem Glas Bier einladen. Und dann kommen Sie und schimpfen mich hier aus, zu laut zu sein.

Nein, Sie mißverstehen mich, und ich bitte um Entschuldigung. Doch wenn Fremde anwesend sind, möchte ich nicht gern wieder mit dem alten Unfug anfangen. Ich kann auch kein Bier trinken, nicht jetzt.

Ach so, das können Sie nicht? Sie können kein Bier trinken?

Nein, ich danke Ihnen, jetzt nicht.

Ach so, Sie danken mir jetzt nicht? Wann danken Sie mir denn? Hahaha, Sie sind vielleicht ein Pfarrerssohn! Achten Sie doch mal darauf, wie Sie sich ausdrücken.

Oh, Sie mißverstehen mich, aber das macht nichts.

So, so, keinen Unsinn. Was ist denn los mit Ihnen?

Der Assessor zieht Minute auf einen Stuhl herunter, und Minute sitzt auch einen Augenblick, steht dann aber wieder auf.

Nein, lassen Sie mich in Ruhe, sagt er, ich vertrage das Trinken nicht; in letzter Zeit vertrage ich es noch weniger als früher, Gott weiß, woher das kommt. Ehe ich mich's versehe, bin ich betrunken und finde mich nicht mehr zurecht.

Der Assessor erhebt sich, sieht Minute fest an, drückt ihm ein Glas in die Hand und sagt:

Trinken Sie.

Pause. Minute sieht auf, streicht das Haar aus der Stirn und schweigt.

Nun, um Ihnen zu Willen zu sein; aber nur ein paar Tropfen, sagt er dann. Wirklich nur etwas, um die Ehre zu haben, mit Ihnen anzustoßen!

Trinken Sie aus! ruft der Assessor und muß sich abwenden, um nicht loszulachen.

Nein, nicht alles, nicht alles. Warum soll ich austrinken, wenn es mir zuwider ist? Ja, nehmen Sie es mir nicht übel, und machen Sie deswegen kein Gesicht; dann tu' ich es eben dieses eine Mal, wenn Sie durchaus wollen. Ich hoffe, es steigt mir nicht in den Kopf. Es ist lächerlich, aber ich vertrage so wenig. – Prost!

Austrinken, austrinken! schreit der Assessor erneut, ganz bis zum Grund! So, ja, so ist's richtig. So, jetzt setzen wir uns und schneiden Grimassen. Fürs erste können Sie ein bißchen mit den Zähnen knirschen, dann schneide ich Ihnen den Bart ab und mache Sie um zehn Jahre jünger. Doch erst knirschen Sie also mit den Zähnen.

Nein, das tue ich nicht, nicht im Beisein aller dieser fremden Leute. Das dürfen Sie nicht verlangen, ich tue es wirklich nicht, antwortet Minute und will gehen. Ich habe auch keine Zeit, sagt er.

Auch keine Zeit? Das ist schlimm. Haha, das ist wirklich schlimm. Nicht einmal Zeit?

Nein, nicht jetzt.

Hören Sie her: Wenn ich Ihnen jetzt erzählte, daß ich Sie mir schon lange in einem anderen Mantel, als Sie ihn jetzt anhaben, vorstelle ... Lassen Sie mich mal sehen, doch, der ist doch vollständig verrottet, was, sehen Sie! Er verträgt nicht die leiseste Berührung. Und der Assessor findet ein kleines Loch, durch das er den Finger bohrt. Er gibt nach, er hält nicht das geringste aus, hier, sehen Sie, nein, wollen Sie wohl hersehen!

Lassen Sie mich in Ruhe! Um Gottes willen, was habe ich Ihnen getan? Und lassen Sie meinen Mantel sein!

Herrgott noch mal, ich verspreche Ihnen doch einen anderen Mantel, gleich morgen, ich verspreche es unter – lassen Sie mich sehen: eins, zwei, vier, sieben – also sieben Zeugen. Was haben Sie nur heute abend? Sie spielen sich auf und sind barsch und wollen uns alle niedermachen. Doch, das tun Sie. Nur weil ich Ihren Mantel antippe.

Ich bitte um Verzeihung, es war nicht meine Absicht, barsch zu sein; Sie wissen, daß ich Ihnen jedweden Gefallen tue, aber ...

Na, dann tun Sie mir den Gefallen und setzen Sie sich.

Minute streicht sein graues Haar aus der Stirn und setzt sich.

Gut, tun Sie mir weiterhin den Gefallen und knirschen Sie ein bißchen mit den Zähnen.

Nein, das tu' ich nicht.

So, das tun Sie nicht, was! Ja oder nein!

Nein, du lieber Gott, was habe ich Ihnen denn getan? Können Sie mich nicht in Frieden lassen? Warum soll gerade ich mich vor allen zum Narren machen? Der Fremde dort drüben sieht her, das ist mir aufgefallen, er beobachtet uns, und auch er lacht vermutlich. So ist es immer, am ersten Tag, als Sie als Assessor hierher kamen, hatte Doktor Stenersen mich am Schlafittchen und brachte Ihnen sofort bei, mit mir Schabernack zu treiben, und nun bringen Sie dem Herren dort drüben dasselbe bei. Der eine nach dem anderen lernt es.

So so, ja oder nein?

Nein, hören Sie! schreit Minute und springt vom Stuhl auf. Doch als hätte er Angst, zu hochfahrend gewesen zu sein, setzt er sich wieder und fügt hinzu: Ich *kann* auch gar nicht mit den Zähnen knirschen, glauben Sie mir doch.

Sie *können* nicht? Haha, natürlich können Sie. Sie knirschen ganz hervorragend mit den Zähnen.

Gott helfe mir, ich kann es nicht!

Hahaha! Aber Sie haben das doch schon einmal gemacht.

Ja, aber da war ich betrunken, ich erinnere mich nicht daran, alles schwirrte vor meinen Augen. Ich war danach zwei Tage krank.

Stimmt, sagt der Assessor, Sie waren damals betrunken, das gebe ich zu. Warum sitzen Sie hier eigentlich und plappern dies vor allen Leuten aus? So weit wäre ich nicht gegangen.

Zu diesem Zeitpunkt ging der Wirt aus dem Café. Minute schweigt; der Assessor sieht ihn an und sagt:

Na, was wird nun? Denken Sie an den Mantel.

Ich denke dran, antwortet Minute, aber ich will und kann nicht mehr trinken, damit Sie es wissen.

Sie wollen und können! Haben Sie gehört, was ich sagte? Wollen und können, sagte ich. Und wenn ich es in Sie reinschütten muß, so ... Mit diesen Worten steht der Assessor mit Minutes Glas in der Hand auf. So, Maul auf!

Nein, bei Gott im Himmel, ich trinke kein Bier mehr, schreit Minute bleich vor Erregung. Und keine Macht der Erde kann mich dazu bringen! Ja, Sie müssen mich schon entschuldigen, mir wird davon übel, Sie wissen nicht, wie es mir geht. Ich bitte Sie aufrichtig, tun Sie mir das nicht an. Da will ich lieber – lieber ohne Bier ein bißchen mit den Zähnen knirschen.

Na, das ist etwas anderes, das ist zum Teufel noch mal etwas ganz anderes, wenn Sie es ohne Bier machen wollen.

Ja, ich mache es lieber ohne Bier.

Und Minute knirscht endlich unter gellendem Lachen der Umhersitzenden mit seinen fürchterlichen Zähnen. Nagel liest scheinbar noch immer seine Zeitung; er sitzt ganz still auf seinem Platz am Fenster.

Lauter! lauter! schreit der Assessor; knirschen Sie lauter, sonst können wir nichts hören.

Minute sitzt steif und kerzengerade auf dem Stuhl, hält sich mit beiden Händen fest, als fürchte er herunterzufallen, und knirscht mit den Zähnen, daß sein Kopf vibriert. Alle lachen, die Bauersfrau lacht auch, so daß sie sich die Augen trocknen muß; sie weiß sich vor Lachen überhaupt nicht mehr zu helfen und spuckt aus schierer Verzückung sinnlos zweimal auf den Boden.

Gott bewahre mich vor euch! heult sie völlig außer sich. Nein, dieser Assessor!

So! Ich kann nicht lauter knirschen, sagt Minute, ich kann wirklich nicht, Gott ist mein Zeuge, Sie müssen mir glauben, jetzt kann ich nicht mehr.

Neinnein, also ruhen Sie sich etwas aus, und fangen Sie dann wieder an. Denn zähneknirschen müssen Sie. Danach schneiden wir Ihnen den Bart ab. Und jetzt trinken Sie Bier; doch, Sie müssen, sehen Sie, hier steht es schon.

Minute schüttelt den Kopf und schweigt. Der Assessor zückt sein Portemonnaie und legt ein Fünfundzwanzigörestück auf den Tisch. Dabei sagt er:

Sie machen es übrigens normalerweise für zehn, doch ich mißgönne Ihnen nicht die fünfundzwanzig, ich erhöhe Ihre Gage. So!

Piesacken Sie mich doch nicht weiter, ich tu' es nicht.

Sie tun es nicht? Sie weigern sich?

Gott im Himmel, hören Sie doch endlich auf, und lassen Sie mich in Ruhe! Ich laß mich nicht weiter wegen diesem Mantel kujonieren, ich bin schließlich auch ein Mensch. Was wollen Sie eigentlich von mir?

Ich will Ihnen jetzt eines sagen: Wie Sie sehen, schnipse ich dies bißchen Zigarrenasche in Ihr Glas, sehen Sie? Und ich nehme dieses unbedeutende Schwefelhölzchen hier und diese Kleinigkeit eines Schwefelhölzchens hier und werfe diese beiden Schwefelhölzchen in ebendieses Glas, während Sie zusehen. So! Und jetzt garantiere ich Ihnen, daß Sie Ihr Glas trotzdem bis auf den Grund austrinken werden. Ja, Sie werden es austrinken.

Minute sprang auf. Er zitterte sichtlich, sein graues Haar war ihm wieder in die Stirn gefallen, und er starrte dem Assessor geradewegs ins Gesicht. Einige Sekunden lang.

Nein, das geht zu weit, das geht zu weit! schreit sogar die Bauersfrau. Tun Sie das nicht! Hahaha. Gott behüte mich vor euch!

Sie wollen also nicht? Sie weigern sich? fragt der Assessor. Auch er erhebt sich und bleibt stehen.

Minute strengte sich an zu reden, brachte aber nicht ein Wort hervor. Alle sahen ihn an.

Da steht plötzlich Nagel von seinem Tisch am Fenster auf, legt die Zeitung hin und geht quer durch den Raum. Er übereilt sich nicht und macht keinen Lärm, doch trotzdem zog er die Aufmerksamkeit aller auf sich. Er bleibt bei Minute stehen, legt seine Hand auf dessen Schulter und sagt mit lauter, klarer Stimme:

Wenn Sie Ihr Glas nehmen und es diesem Bengel da auf den Kopf hauen, dann gebe ich Ihnen zehn Kronen in bar und stehe für alle möglichen Folgen ein. Er zeigte direkt ins Gesicht des Assessors und wiederholte: Ich meine diesen Bengel da.

Es wurde schlagartig völlig still. Minute schaute entgeistert von einem zum anderen und sagte: Aber ... Nein, aber ...? Weiter kam er nicht, doch er wiederholte dies mit zitternder Stimme immer wieder und so, als sei es eine Frage. Niemand sonst sagte etwas. Der Assessor trat verstört einen Schritt zurück und fand zu seinem Stuhl; sein Gesicht war ganz weiß geworden, und auch er sagte nichts. Sein Mund stand offen.

Ich wiederhole, beharrte Nagel laut und langsam, daß

ich Ihnen zehn Kronen dafür gebe, wenn Sie Ihr Glas auf den Kopf dieses Bengels hauen. Das Geld habe ich hier in der Hand. Sie brauchen sich auch nicht vor den Folgen zu fürchten. Und Nagel holte tatsächlich einen Zehnkronenschein hervor und zeigte ihn Minute.

Doch Minute führte sich sonderbar auf. Er machte sich sofort in eine Ecke des Cafés davon, lief mit seinen kleinen, verrenkten Schritten in diese Ecke und setzte sich dort hin, ohne zu antworten. Er saß mit gesenktem Kopf und schielte nach allen Seiten, wobei er mehrere Male wie in Angst die Knie hochzog.

Jetzt ging die Tür auf, und der Wirt kam zurück. Er war drüben am Ausschank mit seinen eigenen Sachen beschäftigt und achtete nicht darauf, was um ihn her passierte. Erst als der Assessor plötzlich aufsprang und beide Arme mit einem wütenden, fast lautlosen Ruf vor Nagel hochriß, wurde der Wirt aufmerksam und fragte:

Was in aller Welt ...?

Aber niemand gab etwas zur Antwort. Der Assessor schlug zweimal wild zu, stieß aber jedesmal gegen Nagels Fäuste. Er richtete nichts aus. Sein Mißerfolg reizte ihn, und er schlug dumm in die Luft, als wolle er sich alles vom Leibe halten, schließlich taumelte er seitlich die Tische entlang, rempelte an ein Taburett und fiel auf die Knie. Er japste laut, die ganze Gestalt war in ihrer Raserei nicht wiederzuerkennen; überdies hatte er seine Arme taub geschlagen an diesen beiden spitzen Fäusten, die, wo er auch hinschlug, in der Luft staken. Jetzt entstand ein allgemeiner Tumult im Café, die Bauersfrau und ihr Anhang flüchteten zur Tür, während die anderen sich überschrien und dazwischenfahren wollten. Schließlich erhebt der Assessor sich und geht auf Nagel zu, bleibt stehen und schreit, die Hände von sich gestreckt, schreit in lächerlicher Verzweiflung, weil er keine Worte findet:

Du verdammter ... hol dich der Teufel, du Lorbaß!

Nagel sah ihn an und lächelte, ging zum Tisch, nahm den Hut des Assessors und überreichte ihm diesen mit einer Verbeugung. Der Assessor riß den Hut an sich und wollte ihn in seiner Raserei zurückschleudern, besann sich jedoch und setzte ihn mit einem Ruck auf den Kopf. Dann wandte er sich um und ging zur Tür raus. Er hatte zwei große Dellen in seinem Hut, als er ging, und gab dadurch eine komische Figur ab.

Jetzt drängte sich der Wirt vor und verlangte nach Erklärung. Er wandte sich an Nagel, packte ihn am Arm und sagte:

Was geht hier vor? was hat das zu bedeuten?

Nagel antwortete:

Ach, wollen Sie es bitte unterlassen, mich am Arm zu packen; ich laufe nicht weg. Im übrigen geht hier nichts vor, ich habe den Mann, der gerade hinausging, beleidigt, und er wollte sich verteidigen, dazu ist nichts weiter zu bemerken, es ist alles in Ordnung.

Doch der Wirt wurde wütend und stampfte auf den Boden.

Keinen Ärger! schrie er, keinen Ärger! Wenn Sie Krach machen wollen, gehen Sie raus auf die Straße, doch hier drin will ich absolut nichts davon wissen. Ich glaube, alle fangen an überzuschnappen!

Ist ja schon gut! unterbrechen einige der Gäste, wir haben das Ganze doch mitgekriegt! Und mit dem Drang braver Leute, es mit dem jeweils gerade Siegenden zu halten, ergreifen sie vorbehaltlos Partei für Nagel. Sie erläuterten dem Wirt den ganzen Hergang.

Nagel selbst zuckte die Schultern und ging zu Minute hin. Ohne jede Einleitung fragte er den kleinen grauhaarigen Narren:

In welchem Verhältnis stehen Sie zu diesem Assessor, daß er Sie in solcher Weise behandeln kann?

Ach was! antwortet Minute. Ich stehe in gar keinem Verhältnis zu ihm, er ist mir fremd. Ich habe ihm nur einmal für zehn Öre auf dem Marktplatz vorgetanzt. Im übrigen treibt er immer seinen Spaß mit mir.

Sie tanzen also gegen Bezahlung vor Leuten?

Ja, ab und zu. Aber nicht oft, nur wenn ich diese zehn Öre brauche und sie nicht auf andere Weise auftreiben kann.

Was machen Sie denn mit dem Geld?

Es gibt allerhand, was ich mit dem Geld anfangen kann. Erstens bin ich ein dummer Mensch, ich bin nicht sehr aufgeweckt, und das bekommt mir nicht gut. Als ich Seemann war und selbst für mich aufkam, ging es in jeder Hinsicht besser; doch dann kam ich zu Schaden; ich fiel von der Rigg und zog mir einen Bruch zu, und seitdem habe ich mich nicht gut durchschlagen können. Ich bekomme mein Essen und alles, was ich sonst noch brauche, von meinem Onkel, ich wohne auch bei ihm und habe es gut, ja alles im Überfluß, denn mein Onkel hat einen Kohlenhandel, von dem er lebt. Aber ich trage auch selbst etwas zu meinem Unterhalt bei, besonders jetzt im Sommer, wo wir fast keine Kohlen verkaufen. Das ist die reine Wahrheit. Das sind die Tage, wo zehn Öre sehr gelegen kommen, ich kaufe dafür immer etwas und bringe es nach Hause. Was aber den Assessor anbelangt, ihm macht es Spaß, mich tanzen zu sehen, gerade weil ich einen Bruch habe und nicht ordentlich tanzen kann.

Es geschieht also mit Willen Ihres Onkels, daß Sie gegen Bezahlung auf dem Markt tanzen?

Nein, nein, das nicht, das dürfen Sie wirklich nicht glauben. Er sagt oft: Weg mit diesem Kaspergeld! Ja, er nennt es oft Kaspergeld, wenn ich mit meinen zehn Öre ankomme, und schimpft mich aus, weil mich die Leute zum besten halten.

Nun, dies war also das erste. Jetzt das zweite?

Wie bitte?

Jetzt das zweite?

Das verstehe ich nicht.

Sie sagten, *erstens* seien Sie ein dummer Mensch; nun, und jetzt zweitens?

Ja, wenn ich das gesagt habe, bitte ich um Entschuldigung.

Sie sind also nur dumm?

Ich bitte aufrichtig um Vergebung!

War Ihr Vater Pfarrer?

Ja, mein Vater war Pfarrer.

Pause.

Hören Sie, sagt Nagel, wenn Sie dabei nichts versäumen, so lassen Sie uns für eine Weile zu mir hinaufgehen, auf mein Zimmer, wollen Sie? Rauchen Sie? Gut! Ja, bitte, ich wohne oben. Ich wäre Ihnen sehr dankbar, wenn Sie zu mir heraufkommen würden.

Zur großen Verwunderung aller gingen Nagel und Minute in die erste Etage hinauf, wo sie den ganzen Abend über zusammenblieben.

III

Minute nahm sich einen Stuhl und steckte sich eine Zigarre an.

Trinken Sie nichts? fragte Nagel.

Nein, ich trinke nicht viel, das bringt mich zu schnell durcheinander, und ich sehe doppelt, antwortete sein Gast.

Haben Sie jemals Champagner getrunken? Ja, das haben Sie natürlich?

Ja, vor vielen Jahren, auf der Silberhochzeit meiner Eltern, da habe ich Champagner getrunken.

War das gut?

Ja, ich erinnere mich, daß es gut geschmeckt hat.

Nagel klingelte und bekam Champagner.

Während sie an den Gläsern nippen und dazu rauchen, sagt Nagel plötzlich, indem er Minute fest ansieht:

Sagen Sie mir – ja, es ist nur eine Frage, und sie wird Ihnen vielleicht lächerlich vorkommen; aber könnten Sie sich für eine gewisse Summe als Vater eines Kindes eintragen lassen, dessen Vater Sie nicht sind? Es fällt mir nur so ein.

Minute sah ihn mit weit geöffneten Augen an und schwieg.

Für eine kleinere Summe, fünfzig Kronen, oder lassen Sie uns sagen, bis zu einigen hundert Kronen? fragt Nagel. Es kommt nicht so genau drauf an, für wieviel.

Minute schüttelt den Kopf und schweigt eine ganze Weile.

Nein, antwortet er dann.

Könnten Sie nicht doch? Ich würde in diesem Fall bar bezahlen.

Das hilft nichts. Nein, ich kann das nicht tun, damit kann ich Ihnen nicht dienen.

Warum eigentlich nicht?

Bitten Sie mich nicht, lassen Sie mich. Auch ich bin ein Mensch.

Na, das war vielleicht allzu grob; weshalb sollten Sie jemandem eine solche Gefälligkeit erweisen? Aber ich hätte Lust, Ihnen noch eine Frage zu stellen: Wären Sie willens ... würden Sie für fünf Kronen in der ganzen Stadt herumgehen, auf Ihrem Rücken eine Zeitung oder eine Papiertüte befestigt, hier am Hotel beginnen und den Weg über den Markt und die Anlegestelle nehmen – würden Sie das tun? Und für fünf Kronen?

Minute läßt den Kopf beschämt sinken und wiederholt mechanisch: fünf Kronen. Sonst antwortete er nichts.

Nun ja, wenn Sie wollen, dann zehn Kronen; lassen Sie uns zehn Kronen sagen. Sie würden es also für zehn Kronen tun?

Minute streicht das Haar aus der Stirn.

Ich begreife nicht, daß alle Leute, die hierherkommen, im voraus wissen, daß ich für alle den Narren mache, sagt er.

Wie Sie sehen, kann ich Ihnen das Geld sofort geben, fährt Nagel fort; das liegt ganz bei Ihnen.

Minute heftet die Augen auf den Schein, starrte einen Augenblick verloren auf dieses Geld, schleckt sich die Lippen danach und stößt hervor:

Ja, ich ...

Entschuldigung! sagt Nagel rasch; Entschuldigung, daß ich Sie unterbreche, sagt er nochmals, um den anderen am Sprechen zu hindern. Wie lautet Ihr Name? Ich weiß nicht, ich glaube nicht, daß Sie mir gesagt haben, wie Sie heißen?

Mein Name ist Grøgaard.

Grøgaard. Sind Sie mit jenem Hans Jacob Grøgaard, dem Verfassungsmann, verwandt?

Ja, das auch.

Worüber haben wir noch gesprochen? Ach so, Grøgaard? Ja, Sie wollen dann natürlich nicht auf solche Art diese zehn Kronen verdienen?

Nein, flüstert Minute schwankend.

Hören Sie jetzt zu, sagt Nagel und spricht sehr langsam. Ich werde Ihnen diese zehn Kronen mit Freuden geben, weil Sie *nicht* tun wollten, was ich Ihnen vorschlug. Und ich werde Ihnen außerdem noch weitere zehn Kronen geben, wenn Sie mir die Freude machen, diese anzunehmen. Springen Sie nicht auf; dieses kleine Entgegenkommen macht mir nichts aus, ich habe jetzt gerade viel Geld, ziemlich viel Geld, das wird mich also nicht in Verlegenheit bringen. – Als er das Geld hervorgesucht hatte, fügte Nagel hinzu: Sie machen mir damit eine Freude. Bitte sehr!

Doch jetzt sitzt Minute stumm da, sein Glück steigt ihm zu Kopf, und er kämpft gegen die Tränen an. Er zwinkert mit den Augen und schluckt. Nagel sagt:

Sie mögen wohl so um die vierzig Jahre sein?

Dreiundvierzig, ich bin dreiundvierzig.

Nun stecken Sie das Geld ein. Bitte schön! – Wie heißt der Assessor, mit dem wir unten im Café gesprochen haben?

Das weiß ich nicht, wir nennen ihn nur den Assessor. Er ist Assessor im Büro des Bezirksgerichts.

Jaja, das ist auch egal, Sagen Sie mir ...

Entschuldigung! – Minute kann nicht länger an sich halten, er ist überwältigt und will sich absolut deutlicher ausdrücken, auch wenn er stammelt wie ein Kind. Entschuldigen Sie und vergeben Sie mir! sagt er. Und einige Zeit lang kann er nichts weiter herausbringen.

Was wollten Sie sagen?

Danke, aufrichtigen Dank von einem aufrichtigen ...

Pause.

Damit sind wir doch fertig.

Nein, warten Sie noch! rief Minute. Ja, Entschuldigung, aber wir sind noch nicht damit fertig. Sie glaubten, daß ich es nicht tun *wollte*, daß ich starrköpfig gewesen sei und daß ich mir ein Vergnügen daraus gemacht hätte, mich auf die Hinterbeine zu stellen; aber so wahr es einen Gott gibt ... Können wir denn sagen, wir seien damit fertig, wenn Sie vielleicht sogar den Eindruck bekommen haben, daß ich auf den Preis schielte und es nicht für fünf Kronen machen wollte? Und das war, was ich nur noch sagen wollte.

Es ist ja gut. Ein Mann mit Ihrem Namen und Ihrer Bildung sollte auch nicht solche Sperenzchen machen. Mir fiel ein ... ja, Sie kennen natürlich alle Verhältnisse in der Stadt, nicht wahr? Ich will Ihnen sagen, ich denke daran, hier eine Zeitlang zu wohnen, mich hier wirklich diesen Sommer für einige Monate niederzulassen, was halten Sie davon? Sind Sie von hier?

Ja, ich bin hier geboren; mein Vater war hier Pfarrer, und ich habe hier die letzten dreizehn Jahre gewohnt, seitdem ich verkrüppelt bin.

Liefern Sie Kohlen aus?

Ja, ich trage Kohlen herum, in die Häuser. Das macht mir nichts aus, falls Sie deshalb fragen. Ich bin es seit langem gewöhnt, und es schadet mir nicht, wenn ich nur beim Treppensteigen vorsichtig bin. Nur im letzten Winter bin ich gestürzt und habe mich ramponiert, so daß ich lange Zeit am Stock gehen mußte.

Ach wirklich? Wie ist das passiert?

Tja, es war auf der Treppe der Bank, und es war etwas Eis auf den Stufen. Ich steige also mit einem ziemlich schweren Sack hinauf. Als ich so bis zur Mitte gekommen war, sehe ich ganz oben auf der Treppe Konsul Andresen, der gerade herunterkommt. Da will ich kehrtmachen und wieder hinuntergehen, damit der Konsul vorbeikommen kann; er sagte nicht, daß ich das tun sollte; es war selbstverständlich, und ich hätte es auch unaufgefordert getan; doch in diesem Augenblick hatte ich das Pech, auf der Stufe auszurutschen und zu fallen. Ich traf mit der rechten Schulter auf. Wie steht es mit Ihnen? sagt da der Konsul zu mir, Sie schreien nicht, Sie haben sich also nicht weh getan? Nein, sage ich, ich habe noch Glück gehabt. Aber es dauerte keine fünf Minuten, bevor ich zweimal hintereinander ohnmächtig wurde; außerdem schwoll mein Unterleib an, aufgrund der alten Sache. Der Konsul hat mich hinterher übrigens reichlich bedacht, obwohl er keine Schuld hatte.

Trugen Sie sonst keinen Schaden davon? Haben Sie sich nicht den Kopf geschlagen?

O ja, ich habe mir ein bißchen den Kopf geschlagen. Ich habe auch eine Weile lang Blut gespuckt.

Und der Konsul hat Ihnen in der Zeit, als Sie krank waren, geholfen?

Ja, außerordentlich. Er ließ mir alles mögliche zukommen, er vergaß mich an keinem Tag. Aber das beste von allem war, daß der Konsul an dem Tag, als ich wieder auf den Beinen war und ihn aufsuchte, um mich zu bedanken, bereits die Flagge hatte hissen lassen. Er hatte ausdrücklichen Befehl gegeben, die Flagge einzig mir zu Ehren zu hissen, obwohl es auch der Geburtstag von Fräulein Fredrikke war.

Wer ist Fräulein Fredrikke?

Das ist seine Tochter.

So. Ja, das war doch reizend von ihm ... Oh, hören Sie, Sie wissen nicht, weswegen man hier in der Stadt vor einigen Tagen geflaggt hat?

Vor einigen Tagen? Lassen Sie mich sehen, war das vor ziemlich einer Woche? Dann war es wegen der Verlobung Fräulein Kiellands, Dagny Kiellands Verlobung. O ja, der eine nach dem anderen verlobt sich und heiratet und zieht weg. Ich habe jetzt beinahe über das ganze Land verstreut Freunde und Bekannte, und es ist niemand dabei, den ich nicht wiedersehen möchte. Ich habe alle von ihnen spielen, zur Schule gehen, konfirmiert und erwachsen werden sehen. Dagny ist erst dreiundzwanzig Jahre alt, und sie ist der Liebling der ganzen Stadt. Und sie ist schön. Sie hat sich mit Leutnant Hansen verlobt, der mir seinerzeit ebendiese Mütze verehrte, die ich hier habe. Er stammt ebenfalls von hier.

Hat dieses Fräulein Kielland blondes Haar?

Ja, sie hat helles Haar. Sie ist außergewöhnlich schön, und alle haben sie gern.

Ich habe sie wahrscheinlich drüben am Pfarrhof gesehen. Hat sie meistens einen roten Sonnenschirm dabei?

Genau! Soweit ich weiß, gibt es hier auch sonst niemand, der einen roten Sonnenschirm hat. Sie haben sie gesehen, wenn Sie eine Dame gesehen haben mit einem dicken gelben Zopf auf dem Rücken. Es gibt sonst niemand hier in der Umgebung, der ihr gliche. Aber Sie haben vielleicht noch nicht mit ihr gesprochen?

Doch, vielleicht auch mit ihr gesprochen. – Und Nagel fügt für sich selbst gedankenvoll hinzu: Das also war Fräulein Kielland!

Ja, aber nicht richtig. Sie haben vielleicht kein längeres Gespräch mit ihr gehabt? Das haben Sie noch gut. Sie lacht laut, wenn sie etwas lustig findet, und oft kann sie auch wegen fast nichts lachen, weil sie so fröhlich ist. Wenn Sie mit ihr reden, werden Sie sehen, wie aufmerksam sie auf das hört, was Sie sagen, ganz bis Sie fertig sind, und dann erst antwortet sie. Doch wenn sie antwortet, bekommt sie oft rote Wangen. So ist das, es steigt ihr zu Kopf; ich habe es häufig beobachtet, wenn sie mit jemand geredet hat, sie wird sehr schön. Bei mir hingegen ist es anders, mit mir plaudert sie ohne weitere Umstände, wenn es sich ergibt. Ich könnte etwa auf der Straße zu ihr hingehen, und sie würde anhalten und mir die Hand geben, auch wenn sie es eilig hätte. Wenn Sie das nicht glauben, können Sie ja mal darauf achten.

Ich glaube es gerne. Sie haben also an Fräulein Kielland eine gute Freundin?

Natürlich nur insofern, als sie stets nachsichtig mit mir ist. Anders kann es ja nicht sein. Ich bin ab und zu, wenn ich eingeladen werde, auf dem Pfarrhof, und soweit ich bemerken konnte, war ich auch dann nicht unwillkommen, wenn ich unangemeldet dorthin gegangen bin. Fräulein Dagny hat mir auch Bücher geliehen, als ich krank war, ja sie kam selbst mit ihnen hier heraus, hat sie den ganzen Weg unterm Arm getragen.

Was für Bücher mögen das wohl gewesen sein?

Sie meinen, was für Bücher das wohl sein mögen, die ich lesen und verstehen könne?

Diesmal verstehen Sie mich falsch. Ihre Frage ist scharfsinnig, aber Sie verstehen mich falsch. Sie sind ein interessanter Mann. Ich meinte, was für Bücher sind es wohl, die diese junge Dame selbst besitzt und liest? Das hätte ich gerne gewußt.

Ich erinnere mich, daß sie mir einmal Arne Garborgs *Bauernstudenten* brachte, und zwei andere, eins davon war wohl Turgenjews *Rudin*. Bei einer anderen Gelegenheit jedoch las sie mir laut aus Garborgs *Unversöhnlichen* vor.

Und das waren ihre eigenen Bücher?

Ja, sie gehörten dem Vater. Der Name des Vaters stand darin.

Apropos: als Sie damals, wie Sie erzählen, zu Konsul Andresen kamen, um sich zu bedanken ...

Ja, ich wollte ihm für seine Hilfe danken.

Ja gut. Aber war die Flagge an jenem Tag bereits gehißt, *bevor* Sie kamen?

Ja, er hatte sie wegen mir hissen lassen. Er hat es mir selbst gesagt.

Ja, sehen Sie mal an. Aber hätte es nicht anläßlich des Geburtstages sein können, daß die Flagge gehißt war?

Doch, das war es wohl. Das kann gut sein, das ist auch recht so. Es wäre eine Schande gewesen, wenn die Flagge nicht zu Fräulein Fredrikkes Geburtstag gehißt worden wäre.

Ja, da haben Sie auch recht ... Nun zu etwas anderem: Ihr Onkel, wie alt ist der?

Er ist wohl so um die siebzig Jahre alt. Nein, das ist vielleicht zuviel, aber er ist jedenfalls über sechzig. Er ist sehr alt, aber für sein Alter rüstig. Er kann zur Not noch immer ohne Brille lesen.

Wie heißt er?

Er heißt auch Grøgaard. Wir heißen alle beide Grøgaard.

Hat Ihr Onkel ein Haus, oder wohnt er zur Miete?

Das Zimmer, in dem wir wohnen, hat er gemietet, aber der Kohlenschuppen, der gehört ihm selbst. Es fällt uns nicht schwer, die Miete zu bezahlen, falls Sie daran denken. Wir bezahlen mit Kohlen, und manchmal kann auch ich mit der einen oder anderen Arbeit für etwas aufkommen.

Ihr Onkel trägt wohl keine Kohlen aus?

Nein, das ist meine Aufgabe. Er wiegt sie ab und leitet alles, und ich trage. Ich kann ja leichter von Haus zu Haus gehen, weil ich stärker bin.

Natürlich. Und dann haben Sie also eine Frau, die Sie bekocht.

Pause.

Entschuldigung, antwortet Minute, seien Sie deswegen nicht verärgert; aber ich möchte gerne gehen, wenn es Ihnen recht ist. Sie behalten mich womöglich hier, um mir eine Freude zu machen, denn Sie selbst können kaum Vergnügen daran haben, von meinen Verhältnissen zu hören. Es mag auch sein, daß Sie mit mir aus einem anderen, mir unverständlichen Grund reden, und in diesem Fall wäre es in Ordnung. Wenn ich jetzt gehen sollte, gibt es niemand, der mich behelligen wird, das dürfen Sie nicht glauben. Ich treffe eigentlich keine schlechtgesinnten Menschen. Der Assessor steht nicht vor der Tür, um mich abzupassen und sich zu rächen, falls Sie so was befürchten. Und selbst dann würde er mir auf keinen Fall Ärger machen, das glaube ich nicht.

Mir machen Sie eine Freude, wenn Sie bleiben; aber Sie sollen sich nicht verpflichtet fühlen, mir etwas zu erzählen, nur weil ich Ihnen ein paar Kronen für Tabak vorgestreckt habe. Sie können tun, was Ihnen gefällt.

Ich bleibe! ich bleibe! ruft Minute, und Gott segne Sie! ruft er. Ich bin glücklich, daß Sie durch mich etwas Zerstreuung finden, obwohl ich mich schäme, sowohl wegen meiner Person als auch wegen meines Aufzugs hier. Ich hätte wohl etwas anständiger aussehen können, wenn ich etwas Zeit zur Vorbereitung gehabt hätte. Was ich anhabe, ist einer der alten Mäntel des Onkels, und er hält nichts aus, das ist völlig richtig, er verträgt nicht mal einen Fingerdruck. Hier hat mir der Assessor auch noch einen langen Riß gemacht, den Sie hoffentlich entschuldigen ... Nein, was eine Frau betrifft, die Essen kocht, dafür haben wir keine Frau. Wir kochen und waschen alles selbst. Das fällt nicht sonderlich schwer, und wir machen damit ja auch so wenig wie möglich her. Wenn wir zum Beispiel morgens Kaffee kochen, trinken wir den Rest am Abend, ohne ihn wieder aufzuwärmen, und genauso ist es mit dem Mittagessen, das wir sozusagen ein für allemal kochen, wenn es gerade paßt. Was mehr können wir uns in unserer Lage wünschen? Und außerdem bin ich für die Wäsche zuständig. Das ist bisweilen ein kleiner Zeitvertreib, wenn ich nichts anderes zu tun habe.

Jetzt ertönt unten im Hotel eine Glocke, und man hört Leute die Treppe zum Abendessen hinuntergehen.

Es läutet zum Essen, sagt Minute.

Ja, antwortet Nagel. Aber er steht nicht auf und zeigt auch keine Anzeichen von Ungeduld, ganz im Gegenteil, er setzt sich bequemer zurecht und fragt: Sie kannten vielleicht auch diesen Karlsen, den man hier kürzlich tot im Wald gefunden hat? War das nicht ein trauriges Ereignis?

O ja, ein äußerst trauriges Ereignis. Ja, ich habe ihn sogar sehr gut gekannt. Ein prächtiger Mensch und ein edler Charakter. Wissen Sie, was er einmal zu mir gesagt hat? Ich bin früh an einem Sonntagmorgen zu ihm gerufen worden, das ist jetzt ein halbes Jahr her, es war im Mai vorigen Jahres. Er bat mich, für ihn einen Brief zu überbringen. – Ja, sagte ich, das werde ich erledigen; aber ich habe heute so untaugliches Schuhwerk an, ich kann in diesen Schuhen schlecht Leute aufsuchen. Wenn Sie meinen, dann gehe ich nach Hause und borge mir andere aus. – Nein, das ist nicht nötig, antwortete er, ich kann mir nicht vorstellen, daß es etwas ausmacht, es sei denn, Sie werden in diesen da naß. – Sogar daran dachte er, daß ich in den Schuhen vielleicht naß werden könnte! Na, und dann steckt er mir verstohlen eine Krone in die Hand und übergibt mir den Brief. Als ich bereits draußen im Flur war, reißt er die Tür wieder auf und kommt mir nach: er strahlt so übers ganze Gesicht, daß ich anhalte und ihn ansehe, und seine Augen sind voller Wasser. Dann umarmt er mich, er drückt sich ganz dicht an mich und umarmt mich tatsächlich und sagt: Gehen Sie nun mit dem Brief, alter Freund; ich werde Ihnen das nie vergessen. Wenn ich einmal Pfarrer bin und im Amt bin, dann sollen Sie kommen und die ganze Zeit bei mir bleiben. Ja, gehen Sie jetzt, und Glück sei mit Ihnen! – Ja, er kam nun leider nie in ein Amt; aber er hätte mir gegenüber bestimmt sein Wort gehalten, wenn er am Leben geblieben wäre.

Und dann überbrachten Sie den Brief?

Ja.

Und freute sich Fräulein Kielland, als sie ihn bekam?

Wie können Sie wissen, daß er für Fräulein Kielland war?

Wie ich das wissen kann? Sie sagten es ja eben selbst.

Sagte ich das selbst? Das ist nicht wahr.

Hehe, ist das nicht wahr? Glauben Sie, daß ich hier vor Ihnen sitze und Sie anlüge?

Nein, Entschuldigung, es kann gut sein, daß Sie recht haben; aber ich hätte es jedenfalls nicht sagen dürfen. Das geschah aus Versehen. Nein, habe ich das wirklich gesagt?

Warum nicht? Hat er Ihnen denn verboten, es zu erzählen?

Nein, nicht er.

Aber sie?

Ja.

Ja, ist gut, ich werde es für mich behalten. Aber können Sie verstehen, warum er sich gerade jetzt ans Sterben machte?

Nein, das kann ich nicht. Das Schicksal hat es wohl so gewollt.

Wissen Sie, wann er begraben werden soll?

Morgen mittag.

Dann wurde nicht mehr über diese Sache geredet. Eine Zeitlang sagte keiner von ihnen etwas. Sara steckte den Kopf zur Tür herein und meldete, daß das Essen fertig sei. Kurz danach sagte Nagel:

Ja, jetzt ist also Fräulein Kielland verlobt. Wie sieht er aus, ihr Bräutigam?

Es ist Leutnant Hansen, ein adretter und ganz vortrefflicher Mann. Ja, bei ihm wird sie nichts entbehren müssen.

Ist er reich?

Ja, sein Vater ist sehr reich.

Ist er Kaufmann?

Nein, er ist Reeder. Er wohnt ein paar Häuser von hier. Es ist übrigens kein großes Haus, das er hat, aber er braucht kein größeres, wenn der Sohn weg ist, sind nur die beiden Alten übrig. Sie haben auch eine Tochter, aber die ist in England verheiratet.

Und wieviel, glauben Sie, mag der alte Hansen besitzen?

Er hat vielleicht eine Million. Niemand weiß es.

Pause.

Ja, sagt Nagel dann, es ist ungerecht verteilt in dieser Welt. Was, wenn Sie nun etwas von diesem Geld hätten, Grøgaard?

Nein, Gott segne Sie, wozu das? Wir sollen mit dem zufrieden sein, was wir haben.

So heißt es ... Da fällt mir gerade ein, Sie etwas zu fragen: Sie haben sicher nicht sonderlich Zeit für andere Arbeit, wenn Sie all diese Kohlen austragen müssen? Nein, das kann ich verstehen. Doch ich hörte Sie den Wirt fragen, ob er heute noch mehr für Sie zu tun hätte?

Nein, antwortet Minute und schüttelt den Kopf.

Es war unten im Café. Sie sagten, daß Sie die Kohlen in die Küche gebracht hätten, und dann gibt es heute wohl nichts mehr? fragten Sie.

Das hatte einen anderen Grund. Das haben Sie bemerkt? Nein, die Sache ist die, daß ich gehofft hatte, das Geld für die Kohlen sofort zu bekommen, aber ich habe nicht gewagt, geradeheraus danach zu fragen. So hängt das Ganze zusammen. Wir waren gerade jetzt in Verlegenheit, und wir setzten unsere Hoffnung auf dieses Geld.

Wieviel könnten Sie gebrauchen, um aus dieser Verlegenheit zu kommen? fragt Nagel.

Gott bewahre Sie! ruft Minute mit lauter Stimme. Reden Sie nicht mehr davon, uns ist bereits mehr als reichlich geholfen. Das Ganze drehte sich um sechs Kronen, und jetzt sitze ich hier mit Ihren zwanzig in der Tasche, Gott möge es Ihnen vergelten! Wir waren allerdings diese sechs

Kronen schuldig, unserem Kaufmann, der sie für Kartoffeln und einiges andere bekommen sollte. Er hatte uns die Rechnung geschickt, und wir beide haben angestrengt überlegt, wo wir das Geld dazu hernehmen sollten. Aber jetzt hat es keine Not mehr, wir können beruhigt schlafen und morgen aufstehen und wieder zufrieden sein.

Pause.

Ja, ja, es ist vielleicht am besten, wenn wir austrinken und für heute abend auseinandergehen, sagt Nagel und erhebt sich. Prost! Ich hoffe doch, es bleibt nicht das letzte Mal, daß wir uns getroffen haben. Sie müssen wirklich versprechen wiederzukommen, ich wohne also hier auf Nummer 7. Für diesmal vielen Dank!

Nagel sagte dies in völlig aufrichtiger Weise und schüttelte Minutes Hand. Er begleitete seinen Gast hinunter und folgte ihm bis zur Haustür, hier nahm er, wie bereits einmal zuvor, seine Samtmütze ganz ab und grüßte mit tiefer Verbeugung.

Dann ging Minute. Er verbeugte sich unzählige Male, während er rückwärts die Straße hinaufging. Aber er brachte kein Wort heraus, obwohl er sich die ganze Zeit bemühte, etwas zu sagen.

Als Nagel das Speisezimmer betrat, entschuldigte er sich bei Sara unnötig höflich, weil er zu spät zum Abendessen kam.

IV

Johan Nagel erwachte am Morgen, als Sara anklopfte und ihm seine Zeitungen brachte. Er sah sie flüchtig durch und warf sie, nachdem er jeweils mit ihnen fertig war, auf den Boden. Eine Notiz, daß Gladstone wegen Erkältung zwei Tage lang das Bett gehütet habe, jetzt aber wieder wohlauf sei, las er zweimal durch und brach darauf in Lachen aus. Dann legte er die Arme in den Nacken und versank in folgenden Gedankengang, alles, während er ab und zu laut mit sich selbst sprach:

Es ist gefährlich, mit einem offenen Taschenmesser durch den Wald zu gehen. Wie leicht kann man nicht so unbeholfen stolpern, daß die Klinge sowohl über einem wie auch über zwei Handgelenken zuklappt. Wie erging es nicht dem Karlsen ... Es ist übrigens auch gefährlich, mit einem kleinen Arzneifläschchen in der Westentasche herumzugehen. Man kann unterwegs fallen, das Fläschchen geht zu Bruch, Splitter dringen in den Menschen, und das Gift geht ins Blut. Kein Weg ist ohne Gefahr. Na und? Es gibt doch einen Weg ohne Fall – jenen, den Gladstone geht. Ich sehe Gladstones Miene, haushälterisch klug, wenn er einen Weg beschreitet: wie er es vermeidet, fehlzutreten, wie die Vorsehung im Verein mit ihm hilft, ihn zu beschirmen. Jetzt ist auch seine Erkältung vorbei. Gladstone wird leben, bis er an Wohlergehen krepiert.

Pastor Karlsen, warum hast du dein Gesicht in einer Pfütze gesuhlt? Soll die Frage offenbleiben, ob es dazu diente, deine Todesgrimassen zu verbergen, oder ob dich der Krampf dazu zwang? Du hast übrigens deine Zeit gewählt wie ein Kind, das im Dunkeln Angst hat, glänzender Tag, Mittagsstunde, und du lagst mit einem Abschied in der Hand. Kleiner Karlsen, kleiner Karlsen!

Und warum hast du mit deinem kleinen brillanten Vorhaben den Wald aufgesucht? Kanntest du den Wald, und hatte er dir mehr zu sagen als ein Acker, ein Weg oder ein See? Es spazierte im Wald der Knab den ganzen Tag, la la la la. Da haben wir nun zum Beispiel die Wälder von Vardal, am Weg oberhalb von Gjøvik. Dort liegen und dösen und sich vergessen, in die Luft starren, auf Teufel komm raus in den Himmel stieren, hehe, so daß man fast mitbekommt, wie da oben über einen gewispert und geflüstert wird: Der da, sagt Mama selig, nein, wenn der hierherkommt, zieh ich meines Weges, sagt sie und macht es zu einer Kabinettsfrage. Hehe, antworte ich und sage: Pst, ich möchte nicht stören, ich möchte keinesfalls stören! Und dies sage ich gerade so laut, daß ich mir die allgemeine Aufmerksamkeit zweier Engelweibchen zuziehe, der hochgeschätzten Tochter des Jairus und der Svava Bjørnson. Hehehe.

Was zum Teufel liege ich hier und lache? Soll das Überlegenheit sein? Nur Kinder sollten das Recht haben zu lachen und ganz junge Mädchen, sonst niemand. Das Lachen ist ein Rudiment aus der Affenzeit, ein widerwärtiger und schamloser Laut aus der falschen Kehle. Kitzelt man mich unterm Kinn, wird es von irgendwo aus dem Körper herausgetrieben. Was sagte nicht einmal der Schlachter Hauge zu mir, der Schlachter Hauge, der selbst ein lautes Lachen hatte und sich damit sehr bemerkbar machte? Er sagte, daß keiner, der im Vollbesitz seiner Sinne ...

Nein, was für ein nettes Kind er hatte! Als ich sie damals auf der Straße traf, regnete es: sie trug einen Napf in der Hand und hatte das Geld für die Dampfküche verloren, sie weinte. Mama selig, sahst du aus deinem Himmel, daß ich nicht einen einzigen Schilling besaß, mit dem ich das Kind hätte aufmuntern können? daß ich mir auf der Straße die Haare raufte und keine Öre besaß? Da kam die Musik vorbei; die adrette Diakonissin wandte sich auf einmal um und schenkte mir einen hellen Blick; dann ging sie still nach Hause, den Kopf gebeugt, vermutlich über sich selbst betrübt, wegen des hellen Blicks, den sie mir geschenkt hatte. Doch im selben Augenblick riß mich ein langbärtiger Mann mit weichem Filzhut am Arm, sonst wäre ich überfahren worden. Ja, weiß Gott, ich wäre ...

Horch! Eins ... zwei ... drei; wie langsam sie schlägt! Vier ... fünf ... sechs ... sieben ... acht; ist es schon acht? Neun ... zehn. Es ist schon zehn Uhr! Ja, dann muß ich auf. Wo aber schlug diese Uhr? im Café konnte es wohl nicht sein? Nun, das ist egal, egal, egal. Aber war das gestern abend im Café nicht ein ganz possierlicher Auftritt? Minute schlotterte, ich kam wie bestellt. Es hätte ganz bestimmt damit geendet, daß er sein Bier mitsamt der Zigarrenasche und den Zündhölzern getrunken hätte. Na und? Darf man dich naseweisen Grobian fragen: na und? Warum mische ich mich in die Angelegenheiten anderer? Warum bin ich überhaupt in diese Stadt gekommen? Geschah dies wegen irgendeiner Katastrophe im Universum, zum Beispiel wegen Gladstones Erkältung? Hehehe, Gott helfe dir,

Kind, wenn du die Wahrheit sprichst: daß du eigentlich auf dem Weg nach Hause warst, aber daß dich plötzlich der Anblick dieser Stadt – klein und jämmerlich wie sie ist – so aufwühlte, daß du kurz vor den Tränen warst, wegen der geheimnisvollen und fremdartigen Freude beim Anblick aller Flaggen. Apropos: es war der 12. Juni, es war Fräulein Kiellands Verlobung, wofür man flaggte. Und zwei Tage später traf ich sie selbst.

Warum mußte ich sie gerade an jenem Abend treffen, als ich mich in einer herzzerreißenden Verfassung befand und es mir schnurz war, was ich tat? Wenn ich das Ganze überdenke, dann schäme ich mich wie ein Hund:

Guten Abend, Fräulein! Ich bin ein Fremdling, vergeben Sie mir, ich gehe spazieren und weiß nicht, wo ich hingelangt bin.

Minute hat recht, sie errötet sofort, und wenn sie antwortet, errötet sie noch tiefer.

Ja, wo wollen Sie hin? sagt sie und mißt mich mit den Augen.

Ich nehme meine Mütze in die Hand und stehe barhäuptig, und während ich noch immer mit der Mütze in der Hand dastehe, fällt mir ein zu antworten:

Seien Sie so freundlich, mir zu sagen, wie weit es bis in die Stadt ist, die genaue Entfernung.

Das weiß ich nicht, sagt sie; nicht von hier aus. Aber der erste Hof, zu dem Sie gelangen, ist der Pfarrhof, und von da aus in die Stadt sind es nicht ganz drei Kilometer. Damit will sie so ohne weiteres gehen.

Ja, vielen Dank, sage ich, wenn aber der Pfarrhof auf der anderen Seite dieses Waldes liegt, so erlauben Sie mir, Sie zu begleiten, falls Sie dorthin oder gar noch weiter wollen. Die Sonne scheint nicht mehr, lassen Sie mich Ihren Sonnenschirm tragen. Ich werde Sie nicht belästigen, ich werde nicht einmal reden, wenn Sie dies wünschen, wenn ich nur an Ihrer Seite gehen und auf das Vogelgezwitscher hören darf. Nein, gehen Sie nicht, nicht sofort! Warum laufen Sie weg!

Doch als sie trotzdem fortlief und nicht auf mich hören

wollte, da sprang ich ihr nach, damit sie meine Entschuldigung hören konnte:

Mag der Teufel Ihr klares Angesicht holen, wenn es nicht den stärksten Eindruck auf mich gemacht hat!

Doch jetzt rannte sie so wild davon, daß ich sie nach ein paar Minuten aus dem Blick verlor. Den schweren blonden Zopf nahm sie beim Laufen einfach in die Hand. Etwas Derartiges hab' ich noch nie gesehen.

So hat sich das abgespielt. Ich wollte sie nicht beängstigen, ich hatte nichts Böses im Sinn; ich könnte ein bißchen was drauf wetten, daß sie ihren Leutnant gern hat, es fiel mir nicht ein, mich in dieser Hinsicht bei ihr aufzudrängen. Aber es ist egal, es ist alles egal; ihr Leutnant wird mich vielleicht fordern, hehe, er wird sich mit dem Assessor verbünden, dem Assessor des Bezirksrichters, und mich fordern ...

Hätte übrigens gerne gewußt, ob der Assessor Minute einen neuen Mantel gibt? Wir können einen Tag warten, wir können vielleicht zwei Tage warten, hat er es aber nicht innerhalb der nächsten zwei Tage getan, dann erinnern wir ihn daran. Punktum. Nagel.

Ich weiß von einer armen Frau hier, sie hat mich so schamhaft angesehen, als wolle sie um etwas bitten, hat es aber noch nicht gewagt. Ich bin von ihren Augen völlig besessen, obwohl ihr Haar weiß ist, ich habe viermal einen Umweg gemacht, um ihr nicht begegnen zu müssen. Sie ist nicht alt, sie ist nicht aus Alter weiß geworden; ihre Augenbrauen sind noch schrecklich schwarz, grauenhaft schwarz, die Augen darunter glühen. Sie trägt fast immer einen Korb vorne unter der Schürze, und deswegen schämt sie sich wohl. Wenn sie an mir vorbeigekommen ist, drehe ich mich um und sehe, daß sie zum Markt hinuntergeht und ein paar Eier aus dem Korb nimmt, und diese zwei, drei Eier verkauft sie dann an den ersten besten, woraufhin sie wieder nach Hause geht, mit dem Korb unter der Schürze wie vorher. Sie wohnt in einem winzigen Haus unten am Kai; das Haus ist einstöckig und nicht gestrichen. Ich habe sie einmal durchs Fenster gesehen, es hängen keine Vorhänge davor, nur ein paar weiße Blumen habe ich dort gesehen, und sie stand weit hinten in der Stube und starrte mich an, als ich vorbeiging. Gott mag wissen, was für ein Mensch sie ist; und ihre Hände sind ganz klein. Ein Almosen könnte ich dir wohl geben, weißes Mädchen, aber ich würde dir lieber wirklich helfen.

Ich weiß übrigens genau, warum mich deine Augen so betören, ich wußte es schon von Anfang an. Es ist merkwürdig, daß eine Jugendliebe einem so lange anhängen und sich bei allen möglichen Gelegenheiten wieder melden kann. Aber *ihr* herrliches Gesicht hast du nun mal nicht, und du bist viel älter als sie. Ach ja, und dann heiratete sie trotzdem einen Telegraphisten und zog nach Kabelvåg! Na, jedem nach seinem Geschmack; ich konnte ihre Liebe nicht erwarten und bekam sie auch nicht. Da ist nichts zu machen ... So, da schlägt die Uhr halb elf ... Nein, wahrhaftig, da ist nichts zu machen. Doch wenn du nur wüßtest, wie innig ich an dich zehn, zwölf Jahre lang gedacht und dich nie vergessen habe ... Hehe, das ist ja aber auch mein eigener Fehler, sie kann nichts dafür. Während sich andere Leute ein Jahr lang erinnern und damit basta, so sind es bei mir zehn.

Ich trage der weißen Eierfrau Hilfe an, ja, sowohl ein Almosen als auch Hilfe, wegen ihrer Augen. Ich habe ja reichlich Geld, zweiundsechzigtausend Kronen für einen Landbesitz, und das bar auf die Hand. Hoho, ich brauche nur einen Blick auf den Tisch zu werfen und finde vor meinen Augen drei telegraphische Dokumente von größtem Wert ... Ei, welch Schabernack und Streich! Man ist Agronom und Kapitalist, man verkauft nicht ohne weiteres beim ersten Angebot, man schläft darüber und bedenkt sich. Das macht man, man bedenkt sich. Und dieweil stutzt kein Mensch, obwohl man absichtlich beim Schabernack so grob und beim Streich so dick wie nur möglich aufträgt. Mensch, dein Name ist Esel! Man kann dich an den Nüstern herumführen, wie man will.

Aus meiner Westentasche dort drüben guckt zum Beispiel ein kleiner Flaschenhals hervor. Das ist Medizin, das ist Blausäure, ich bewahre sie der Kuriosität wegen auf und habe nicht den Mut, sie zu schlucken. Weshalb also trage ich sie bei mir, und weshalb habe ich sie mir besorgt? Auch das Humbug, nur Humbug, moderner Dekadenzhumbug, Reklame und Blasiertheit. Pfui ... So zart und fein wie Porzellein ist meiner Krankheit Medizein ...

Oder nehmen wir mal solch ein unschuldig Ding wie meine Rettungsmedaille. Ich habe sie, wie man so sagt, ehrlich verdient, man pfuscht überall rein, man rettet Menschen. Doch Gott weiß, ob das meinerseits wirklich ein Verdienst war. Urteilen Sie selbst, meine Herren und Damen: Da steht ein junger Mann an der Reling, er weint, seine Schultern zucken, als ich ihn anspreche, sieht er mich mit verstörtem Gesicht an und flitzt plötzlich runter in den Salon. Ich folge ihm, der Mann hat sich bereits schlafengelegt. Ich untersuche die Passagierliste, finde den Namen des Mannes und sehe, daß er nach Hamburg will. Dies ist der erste Abend. Ich beobachte ihn von jetzt ab ständig, ich überrasche ihn an unerwarteten Orten und sehe ihm ins Gesicht. Weshalb tue ich das? Meine Herren und Damen, urteilen Sie selbst! Ich sehe ihn weinen, etwas quält ihn grausam, und er blickt oft mit verrückter und verzückter Miene in die Tiefe. Geht mich das was an? Ganz entschieden nein, und daher urteilen Sie selbst, genieren Sie sich nicht! Ein paar Tage vergehen, wir haben Gegenwind und hohe See. Nachts um zwei kommt er nach achtern, ich liege dort schon auf der Lauer und beobachte ihn, der Mond macht sein Gesicht gelb. Was jetzt? Er wendet sich hierhin und dorthin, streckt die Arme hoch und springt, mit den Beinen voran, über Bord. Einen Schrei zurückzuhalten vermag er jedoch nicht. Bereute er seinen Entschluß? Bekam er im letzten Augenblick Angst? Wenn nicht, weshalb schrie er dann? Meine Herren und Damen, was hätten Sie an meiner Stelle getan? Ich stelle es Ihnen völlig anheim. Möglicherweise hätten Sie den ehrlichen, wenngleich etwas wankenden Mut eines Unglücklichen respektiert und wären still in Ihrem Versteck geblieben, ich hingegen brülle zum Kapitän auf der Brücke hinauf und gehe über Bord, auch ich, und vor lauter Eile sogar mit dem Kopf voran. Ich schlage um mich wie ein Rasender, ich plansche in alle Richtungen, und ich höre, daß oben auf dem Schiff mit Donnerstimmen gerufen wird. Dann stoße ich plötzlich gegen seinen Arm, der ist ausgestreckt, die Finger gespreizt. Er strampelt etwas mit den Beinen. Gut, ich packe ihn am Nacken, er wird schwerer und schwerer, er legt sich auf die faule Haut und strampelt nicht mehr; schließlich macht er sogar einen Ruck, um freizukommen. Ich wirble mit ihm herum, die See geht hoch und schlägt unsere Schädel zusammen, und mir wird schwarz vor Augen. Was sollte ich tun? Ich knirsche mit den Zähnen und fluche ohne Ende, und ich halte den Kerl stur und steif am Nacken, die ganze lange Zeit, bis das Boot endlich kommt. Was hätten Sie getan? Ich rettete ihm das Leben wie ein roher und rücksichtsloser Bär, na und? Ja, habe ich das Urteil nicht bereits Ihnen überlassen, meine Herren und Damen? Sie brauchen kein Blatt vor den Mund zu nehmen, was ging das mich an? Doch angenommen, sage ich, dem Mann wäre sehr daran gelegen gewesen, die Ankunft in Hamburg zu vermeiden? Da haben wir das ganze Dilemma! Er hätte vielleicht jemanden treffen sollen, den er nicht treffen wollte. Doch die Medaille ist eine Medaille für eine verdienstvolle Tat, und ich trage sie in meiner Tasche, ich werfe sie keineswegs vor die Säue. Auch dies müssen Sie beurteilen, urteilen Sie freiweg, was zum Teufel ging es mich an? Das Ganze ging mich so wenig an, daß ich mich nicht einmal an den Namen des unglücklichen Mannes erinnere, obwohl er ganz bestimmt noch heute am Leben ist. Weshalb tat er es? Vielleicht aus hoffnungsloser Liebe, vielleicht war wirklich eine Frau im Spiel, ich weiß es nicht; doch mir ist das auch egal. Basta! ...

Ja, die Frauen, die Frauen! Da haben wir nun zum Beispiel Kamma, die kleine Dänin Kamma. Gott behüte dich! Zärtlich wie eine kleine Taube, völlig krank vor Zärtlichkeit und dazu lauter Hingabe, aber trotzdem imstande, einem den letzten Schilling abzuschmeicheln, ja einen bis zur Armut auszusaugen, nur indem sie ihren verschlagenen

Kopf auf die Seite legt und flüstert: Simonsen, kleiner Simonsen! Na, Gott mit dir, Kamma, du warst voller Hingabe, geh jetzt von mir aus zum Teufel, wir sind quitt ...

Und jetzt stehe ich auf ...

Nein, man muß sich vor derlei in acht nehmen. Mein Sohn, hüte dich vor der Gunst der Frauen, sagt ein großer Autor – oder was auch immer ein großer Autor sagt. Karlsen war ein Schwächling, ein Idealist, der für seine großen Gefühle in den Tod ging, das heißt für seine dünnen Nerven, was wiederum heißen will, aus Mangel an kräftiger Kost und Arbeit im Freien ... hehe, und Arbeit im Freien. »Möge dein Stahl so scharf sein wie dein letztes Nein!« Er ruinierte sich sein ganzes Andenken auf Erden durch das Zitat eines Dichters. Gesetzt den Fall, ich hätte Karlsen zur rechten Zeit getroffen, meinetwegen an seinem letzten Tag, aber doch eine halbe Stunde vor der Katastrophe, und daß er mir da erzählt hätte, er wolle in seiner Todesstunde jemand zitieren, dann hätte ich etwa folgendes gesagt: Sehen Sie mich an, ich habe meine Sinne beisammen, ich bin im Namen der Menschheit daran interessiert, daß Sie Ihre letzte Stunde nicht mit einem Zitat irgendeines großen Dichters besudeln. Wissen Sie, was ein großer Dichter ist? Ja, ein großer Dichter ist ein Mensch, der sich nicht schämt, der sich wirklich nicht geniert. Andere Narren haben Augenblicke, wo sie, alleine mit sich, vor Scham erröten; nicht aber der große Dichter. Sehen Sie mich doch einmal an: Wollen Sie jemand zitieren, dann zitieren Sie einen Geographen, und blamieren Sie sich nicht. Victor Hugo – haben Sie Sinn für das Komische? Baron Lesdain sprach eines Tages mit Victor Hugo. Im Verlauf des Gesprächs fragte der hinterlistige Baron Lesdain: Wer ist Ihrer Meinung nach der größte Dichter Frankreichs? – Victor Hugo grinste und biß sich auf die Lippen und sagte endlich: Alfred de Musset ist der zweitgrößte! Hehehe. Aber Sie haben vielleicht keinen Sinn für das Komische? Wissen Sie, was Victor Hugo 1870 tat? Er schrieb eine Proklamation an die Bewohner der Erde, in der er den deutschen Truppen aufs strengste verbot, Paris zu belagern und zu bombardieren. Ich habe hier sowohl Kindeskinder wie andere Verwandte, ich wünsche nicht, sie von Granaten getroffen zu sehen, sagte Victor Hugo.

Schau dir das an, ich habe noch immer keine Schuhe. Wo bleibt denn Sara mit den Schuhen? Die Uhr ist bald elf und sie ist noch immer nicht mit den Schuhen vorbeigekommen.

Also zitieren wir einen Geographen ...

Diese Sara hat übrigens eine entzückende Figur. Wenn sie geht, beben die Hüften, sie sind genau wie die Lenden einer feisten Stute. Das ist ganz großartig. Möchte wissen, ob sie in ihrem Leben je verheiratet war? Jedenfalls kreischt sie nicht eben übermäßig, wenn man ihr in die Seite piekt, und sie spreizt die Beine sicher zu allem möglichen ... Nein, von einer Ehe habe ich genug gesehen, ihr sogar beigewohnt, sozusagen. Hm. Meine Herren und Damen, es war eines Sonntags abends auf einem Bahnhof in Schweden, auf dem Bahnhof Kungsbacka. Ich muß Sie aber bitten, genau zu beachten, daß es an einem Sonntagabend war. Sie hatte große, weiße Hände, er eine nagelneue Kadettenuniform und noch keinen Bart, so jung war er. Sie kamen zusammen aus Göteborg, und jung war auch sie, beide waren sie die reinen Kinder. Ich beobachtete sie, hinter meiner Zeitung sitzend; weil ich dort saß, waren sie völlig hilflos; die ganze Zeit sahen sie sich an. Das Mädchen hatte glänzende Augen und konnte sich auf ihrem Platz nicht ruhig halten. Plötzlich pfeift der Zug, Kungsbacka; er bekommt ihre Hand zu fassen, sie verstanden sich; und sobald der Zug anhielt, sprangen sie beide eiligst ab. Jetzt läuft sie auf »Damen« zu, er schreitet ihr nach, dicht hinter ihr – weiß Gott, er vertut sich, auch er geht in »Damen«! Und hastig schließen sie hinter sich die Tür. Im gleichen Moment schmettert die Kirchenglocke in der Stadt oben mit ihrem Geläut los, weil es Sonntagabend war. Unter vollem Glockengeläut waren sie dort drin; drei Minuten, vier Minuten, fünf Minuten vergehen; wo bleiben sie? Sie sind noch immer dort, und die Kirchenglocke läutet, Gottvater weiß, ob sie nicht zu spät kommen! Da öffnet er endlich die Tür und äugt hinaus. Er war barhäuptig, sie steht dicht hinter ihm und setzt ihm die Mütze auf, und er dreht sich zu ihr um und lächelt. Dann ist er in einem Satz die Treppe hinunter, sie kommt nach, noch an ihren Kleidern nestelnd, und als sie den Zug erreichten und ihre Plätze einnahmen, hatte keine Seele sie beobachtet, nein, keine Seele außer mir. Die Augen des Mädchens waren ganz golden, als sie mich ansah und lächelte, aber ihre kleine Brust hüpfte hoch auf und nieder, auf und nieder. Einige Minuten später waren sie beide eingeschlafen; sie starben weg, wo sie saßen, so herrlich müde waren sie.

Was halten Sie davon? Meine Herren und Damen, meine Erzählung ist zu Ende. Ich übergehe die vortreffliche Dame dort drüben, jene mit der Lorgnette und dem männlich hochstehenden Kragen, das will besagen, die mit den blauen Strümpfen; ich wende mich an die zwei, drei von Ihnen, die ihre Tage nicht mit zusammengebissenen Zähnen und in gemeinnützigen Unternehmungen verleben. Entschuldigung, falls ich jemanden verletzt habe, ich bitte besonders die verehrte Dame mit der Lorgnette und den blauen Strümpfen um Vergebung. Sieh an, jetzt erhebt sie sich, sie erhebt sich! Weiß Gott, entweder will sie ihres Weges gehen oder jemanden zitieren. Und falls sie jemanden zitieren will, dann will sie mich wohl widerlegen. Und falls sie mich widerlegen will, dann wird sie etwa folgendes sagen: Hm! wird sie sagen, mein Herr, Sie haben die paschahafteste Vorstellung vom Leben, die mir bisher zu Ohren gekommen ist. Bedeutet *dies* zu leben? Ich weiß nicht, ob Sie, mein Herr, gänzlich unbedarft hinsichtlich dessen sind, was einer der größten Denker der Welt über das Leben gesagt hat: Zu leben ist Krieg gegen die Trolle im Gewölbe von Herz und Hirn, sagt er...

Zu leben ist Krieg gegen die Trolle, ja. Im Gewölbe von Herz und Hirn. Das stimmt. Meine Herren und Damen, der Norweger Per Fuhrknecht fuhr eines Tages einen großen Dichter. Während sie nun so fuhren, sagt also der einfältige Per Fuhrknecht: Mit Verlaub, zu dichten, was eigentlich bedeutet das Ihrer Meinung nach? – Dem großen

Dichter kneift sich im Gesicht der Mund zusammen, er spannt seine Vogelbrust aufs äußerste und bringt folgende Worte hervor: Zu dichten heißt, über sich selbst Gerichtstag halten. – Worauf sich der Norweger Per Fuhrknecht in jeder Faser getroffen fühlte.

Elf Uhr. Die Schuhe, wo zum Teufel bleiben die Schuhe? ... Na, aber wenn es gilt, sich gegen alles und alle zur Wehr zu setzen –

Eine hohe, bleiche Dame, in Schwarz gekleidet und mit rotestem Lächeln, wollte mir wohl, zupfte mich am Ärmel und wollte mich beruhigen. Erzeugen Sie erst einmal eine solche Bewegung wie der Dichter, sagte sie, dann haben Sie vielleicht das Recht mitzureden, sagte sie.

Hehe, antwortete ich. Ich, der nicht einmal einen Dichter kennt und nie mit einem gesprochen hat; ich, der ich Agronom bin und von klein auf mit Guano und Kleieschlamm aufgewachsen bin, ich, der ich nicht einmal von einem Regenschirm dichten könnte, ganz zu schweigen von Tod und Leben und dem ewigen Frieden!

Ja, ja, oder wie ein anderer großer Mann, sagt sie dann. Sie machen sich wichtig und verunglimpfen alle großen Männer. Aber die großen Männer stehen noch immer, und sie werden stehen bleiben, so lange Sie leben, Sie werden sehen.

Meine liebe Frau, antwortete ich, und ich beuge ehrerbietig mein Haupt; meine liebe Frau, wie halbgebildet, du großer Gott, wie geistig schlicht gewirkt das klingt, was Sie da sagten. Entschuldigung übrigens, daß ich so direkt bin; doch wenn Sie statt einer Frau ein Mann wären, würde ich bei meiner Seligkeit beeiden, daß Sie ein Mann der Liberalen seien. Ich putze nicht alle großen Männer herunter, aber ich beurteile doch nicht die Größe eines Mannes nach dem Umfang der Bewegung, die er zustande gebracht hat, ich beurteile ihn von mir selbst ausgehend, ausgehend vom Ermessen meines eigenen kleinen Hirns, meines seelischen Urteilsvermögens. Ich beurteile ihn sozusagen nach dem Geschmack, den seine Tätigkeit in meinem Mund hinterläßt. Es ist keine Wichtigtuerei, es ist ein Ausschlag der subjektiven Logik meines Blutes. Es kommt nicht vor allem darauf an, eine Bewegung hervorzurufen, um in Høivåg, Kreis Lillesand, die Kirchenlieder Kingos durch diejenigen Landstads verdrängen zu lassen. Es geht keineswegs darum, zwischen einem Haufen Anwälten, Journalisten oder galiläischen Fischern Aufruhr zu veranstalten oder eine Schrift über Napoleon *le petit* herauszugeben. Worauf es ankommt, ist, die *Macht* zu beeinflussen und zu erziehen, die Auserwählten und Überlegenen, die Herrenmenschen, die Großen, Kaiphas, Pilatus und den Kaiser. Was würde es helfen, das Pack in Bewegung zu bringen, wenn ich gleichwohl dem Kreuz überantwortet werde? Man kann das Pack so zahlreich werden lassen, daß es sich ein Stück Herrschaft unter den Nagel reißen kann; man kann ihm ein Schlachtermesser in die Hand drücken und ihm gebieten, zu hauen und zu stechen, und man kann es im Eselstrieb bei einer Abstimmung zur Übermacht gelangen lassen; aber einen *Sieg* erringen, in geistigen Grundwerten siegen, die Welt im Endeffekt eine Handbreit weiterbringen – nein, das kann das Pack nicht, das kann es nicht. Die großen Männer sind vortreffliche Konversationsthemen, doch der erhabene Mann, die erhabenen Männer, die Herren, die Weltgeister zu Pferde, die müssen sich sogar scharf besinnen, um zu wissen, wen man meint, wenn von den großen Männern die Rede ist. So bleibt denn der große Mann übrig, mit dem Haufen, der wertlosen Majorität, dem Anwalt, der Lehrerin, dem Journalisten und dem Kaiser von Brasilien als Bewunderer.

Na, na, sagt die Frau ironisch ... Der Vorsitzende klopft auf den Tisch und bittet um Ruhe, aber die Frau läßt nicht locker und sagt trotzdem: Na, da Sie doch nicht *alle* großen Männer angreifen, nennen Sie doch einige oder nennen Sie wenigstens einen, der auch vor Ihren Augen Gnade findet. Darauf wäre ich gespannt.

Ich antworte dann:

Das könnte ich natürlich tun. Doch das Problem ist, daß Sie mich dann allzu brutal beim Wort nehmen würden. Nennte ich einen oder zwei oder zehn, so würden Sie nur davon ausgehen, daß ich außer diesen keine weiteren wüßte. Und außerdem, warum sollte ich das tun? Wenn ich Ihnen die Wahl ließe zwischen zum Beispiel Leo Tolstoi, Jesus Christus und Immanuel Kant, dann müßten sogar Sie sich besinnen, bevor Sie unter diesen den rechten wählten. Sie würden etwa sagen, alle diese seien große Männer gewesen, jeder auf seine Art, und darin würde Ihnen die ganze liberale und fortschrittliche Presse recht geben ...

Ja, wer ist denn nun der Größte von diesen, Ihrer Meinung nach? unterbricht sie.

Meiner Meinung nach, meine Dame, ist nicht der am größten, der im *Umsetzen* am flinksten war, selbst wenn es jetzt und immer dieser ist, der in der Welt den meisten Spektakel macht. Nein, die Stimme *meines* Blutes sagt, am größten ist *der*, der das Dasein mit dem meisten Grundwert, dem meisten positiven Profit angereichert hat. Der große Terrorist ist am größten, diese Dimension, das unerhörte Hebewerk, das Planeten wuchten kann.

Aber von den drei Genannten ist es doch wohl Christus, der ...? ... ist es Christus, ja! beeile ich mich zu sagen. Sie haben ganz recht, liebe Frau, und es freut mich, daß wir jedenfalls in diesem Punkt übereinstimmen ... Nein, ich veranschlage überhaupt die Umsatzfähigkeit, die Verkündergabe sehr gering, diese rein formelle Begabung, im Maul jederzeit ein Wort parat zu haben. Was ist ein Verkünder, ein professioneller Verkünder? Ein Mann, der den negativen Nutzen des Zwischenhändlers erzielt, ein Agent in Waren. Und je mehr er in Ware macht, desto größere Weltberühmtheit erlangt er! Hehe, so ist das, je marktschreierischer er ist, desto größer die Ausweitung des Geschäfts. Doch welcher Wert liegt darin, meinem guten Nachbarn Ola Norweger Fausts Ansichten über das Dasein zu verkünden! Wird dies vielleicht das Denken des kommenden Jahrhunderts verändern?

Aber wie wird es denn Ola Norweger ergehen, wenn keiner ...?

Mag Ola Norweger zur Hölle fahren! unterbreche ich. Ola Norweger hat in dieser Welt nichts anderes zu schaffen, als, bis er schwarz wird, auf den Tod zu warten, das heißt, sich je eher desto besser aus dem Staub zu machen. Ola Norweger ist dazu da, die Erde zu düngen, er ist der Soldat, über den Napoleon mit beschlagenem Pferd hinweggaloppiert, das ist Ola Norweger – damit Sie es wissen! Ola Norweger ist, reite mich der Teufel, nicht einmal ein Anfang, geschweige denn das Resultat von etwas; er ist nicht einmal ein Komma in dem großen Buch, sondern ein Fleck auf dem Papier. Das ist Ola Norweger ...

Pst! Um Gottes willen! sagt die Frau entgeistert und sieht zum Vorsitzenden auf, ob er mich nicht hinausweisen will.

Gut! antworte ich, hehehe, gut, ich werde nichts mehr sagen. Doch in dem Augenblick bemerke ich ihren hübschen Mund, und ich sage: Gute Frau, Entschuldigung, daß ich Sie so lange mit Gerede und Geschwätz aufgehalten habe. Ansonsten muß ich mich jedoch sehr für Ihr Wohlwollen bedanken. Ihr Mund ist zauberhaft schön, wenn Sie lächeln. Adieu.

Jetzt aber errötet sie übers ganze Gesicht und lädt mich nach Hause ein. Einfach zu sich in ihr Heim, dorthin, wo sie wohnt. Hehehe. Sie wohnt in der und der Straße, die und die Nummer. Sie will mit mir gerne etwas mehr über dies hier sprechen, sie ist nicht einig mit mir und hätte wohl vielerlei einzuwenden. Wenn ich morgen abend käme, würde sie ganz alleine sein. Ob ich also morgen abend käme? Ja, gern. Also auf Wiedersehen.

Und dann wollte sie doch nichts anderes von mir, als mir eine neue, weiche Decke, ein folkloristisches Muster, ein Webstück aus Hallingdal, zeigen.

Lirum larum leide, die Sonne scheint auf der Heide ...

Er sprang aus dem Bett, zog die Vorhänge hoch und sah hinaus. Die Sonne schien auf den Markt, und die Luft war ruhig. Er läutete. Er wollte Saras Nachlässigkeit mit den Schuhen dazu benutzen, ihr heute etwas näherzukommen. Wollen wir mal sehen, aus welchem Holz sie geschnitzt ist, dieses Drontheimer Mädchen mit Augen voll Geschlecht. Es ist bestimmt reiner Humbug.

Er faßte sie kurzerhand um den Leib.

Wollnse wohl loslassen! sagte sie erbost und stieß ihn weg.

Da fragte er kalt:

Warum habe ich meine Schuhe nicht eher bekommen?

Ja, wegen die Schuhe müssense vielmalz entschuldign, antwortet Sara. Wir ham heut Wäsche, wir ham so viel zu tun.

Er blieb bis zwölf Uhr zu Hause, danach ging er auf den Friedhof hinaus und nahm an Karlsens Begräbnis teil. Er hatte wie gewöhnlich seinen gelben Anzug an.

V

Als Nagel auf den Friedhof kam, war noch niemand zu sehen. Er ging zum Grab und schaute hinunter; es lagen zwei weiße Blumen unten auf dem Grund. Wer hatte sie dorthin geworfen, und mit welcher Absicht? Ich habe diese weißen Blumen schon einmal gesehen, dachte er. Plötzlich fiel ihm ein, daß er unrasiert war. Er sah auf die Uhr, überlegte einen Augenblick und ging dann schnell wieder in die Stadt. Mitten auf dem Marktplatz sah er den Assessor des Bezirksrichters auf sich zukommen; Nagel steuerte direkt auf ihn zu und sah ihn an, aber keiner der Herren sagte etwas, sie grüßten auch nicht. Nagel ging in die Barbierstube. Im selben Augenblick begannen die Kirchenglocken den Trauerzug einzuläuten.

Nagel ließ sich reichlich Zeit, redete mit niemand, gab überhaupt kein Wort von sich, sondern begutachtete statt dessen mehrere Minuten lang die Bilder an den Wänden, ging von Wand zu Wand und besah sich jedes einzelne. Endlich kam er an die Reihe und legte sich in den Stuhl.

Gerade als er fertig war und wieder auf die Straße trat, sah er abermals den Assessor des Bezirksrichters, der umgekehrt zu sein schien und nun auf etwas wartete. Er trug einen Stock in der linken Hand, doch kaum daß er Nagel erblickte, nahm er ihn in die rechte Hand und begann damit zu fuchteln. Beide gingen langsam aufeinander zu. Er hatte keinen Stock, als ich ihm vorhin begegnete, sagte Nagel zu sich selbst. Der ist nicht neu; er hat ihn nicht gekauft, er hat ihn geliehen. Der Stock ist aus spanischem Rohr.

Als sie auf gleicher Höhe waren, blieb der Assessor stehen; Nagel hielt ebenfalls sofort an; beide blieben fast gleichzeitig stehen. Dann schob Nagel seine Samtmütze nach vorn, wie um sich im Nacken zu kratzen, und setzte sie wieder zurecht; der Assessor hingegen pflanzte seinen Stock hart in die Pflastersteine und lehnte sich darauf zurück. Derart stand er einige Sekunden und sagte noch immer nichts. Plötzlich richtete er sich auf, wandte Nagel den Rücken zu und ging seines Weges. Nagel sah ihn schließlich um die Ecke der Barbierstube verschwinden.

Dieser stumme Auftritt vollzog sich unter den Augen mehrerer Leute. Unter anderem hatte ein Mann, der Lotteriescheine aus einer Lostrommel verkauft, das Ganze gesehen. Etwas abseits von ihm saß ein Mann, der mit Gipsfiguren handelt, und dieser Mann hatte ebenfalls den merkwürdigen Auftritt verfolgt; Nagel erkannte in dem Gipsmann einen der Gäste wieder, die am vorigen Abend die Szene im Café miterlebt und später dem Wirt gegenüber Nagels Partei ergriffen hatten.

Als Nagel das zweite Mal zum Friedhof hinaufkam, stand dort bereits der Pfarrer und hielt eine Rede. Es war schwarz vor Leuten. Nagel ging zum Grab hin, ließ sich aber abseits auf einer großen, neuen Marmorplatte nieder, die folgende Inschrift trug: »Vilhelmine Meek. Geboren am 20. Mai 1873, gestorben am 16. Februar 1891«. Mehr stand dort nicht. Die Platte war nagelneu, und der Untergrund, auf dem sie ruhte, war frisch festgestampft.

Nagel winkte einen kleinen Jungen zu sich.

Siehst du den Mann dort drüben, den in dem braunen Mantel? fragte er.

Ja, der mit der Schirmmütze? Das ist Minute.

Geh und bitte ihn herzukommen.

Und der Junge ging.

Als Minute kam, erhob sich Nagel, reichte ihm die Hand und sagte:

Guten Tag, mein Freund. Es freut mich, Sie wiederzusehen. Haben Sie den Mantel bekommen?

Den Mantel? Nein, noch nicht. Aber ich werde ihn noch bekommen, antwortete Minute. Ich muß Ihnen für gestern vielmals danken – und Dank für alles! Jaja, heute begraben wir also Karlsen! Ach ja, in Gottes Namen, wir müssen uns damit abfinden.

Sie setzten sich beide auf die neue Marmorplatte und sprachen miteinander. Nagel zog einen Bleistift aus der Tasche und fing an, auf die Platte zu schreiben.

Wer liegt hier begraben? fragte er.

Vilhelmine Meek. Wir nannten sie übrigens nur Mina Meek, wegen der Kürze. Sie war fast noch ein Kind; ich glaube nicht, daß sie zwanzig wurde.

Nein, der Inschrift nach war sie nicht einmal achtzehn. War auch sie ein guter Mensch?

Sie sagen das so merkwürdig; aber ...

Mir ist an Ihnen nur die schöne Eigenart aufgefallen, daß Sie über alle Menschen Gutes reden, über wen auch immer.

Ich bin sicher, hätten Sie Mina Meek gekannt, Sie wären mit mir einer Meinung. Sie war eine außergewöhnlich gute Seele. Wenn jetzt jemand Gottes Engel ist, dann sie.

War sie verlobt?

Verlobt? Nein, beileibe nicht. Nicht, soweit ich weiß. Sie war bestimmt nicht verlobt; sie betete andauernd, und sie sprach laut mit Gott, oft mitten auf der Straße, so daß alle es hörten. Und dann hielten die Leute an und standen still; alle mochten Mina Meek.

Nagel steckte den Bleistift in die Tasche. Auf dem Stein stand etwas geschrieben, ein Vers, er nahm sich auf dem weißen Marmor nicht gut aus.

Minute sagte:

Sie erregen viel Aufsehen. Ich stand dort drüben und hörte mir die Rede an; aber ich bemerkte, daß mindestens die Hälfte des Gefolges mit Ihnen beschäftigt war.

Mit mir?

Ja. Viele flüsterten und fragten sich gegenseitig, wer Sie seien. Auch jetzt sehen sie hierher.

Was ist das für eine Dame, mit der großen schwarzen Feder am Hut?

Die mit dem weißen Griff am Sonnenschirm? Das ist Fredrikke Andresen, Fräulein Fredrikke, von der ich Ihnen erzählt habe. Und die, die daneben steht, die gerade jetzt herschaut, das ist die Tochter des Polizeimeisters; sie heißt Fräulein Olsen, Gudrun Olsen. Ja, ich kenne sie alle. Dagny Kielland ist auch hier; sie trägt heute ein schwarzes Kleid, und das steht ihr fast besser als jedes andere Kleid; haben Sie sie gesehen? Ja, die haben übrigens heute alle schwarze Kleider an, das ist eine Selbstverständlichkeit; ich rede hier nur Unsinn. Sehen Sie den Herrn mit dem blauen Überzieher und der Brille? Das ist Doktor Stenersen. Er ist nicht der Amtsarzt hier, er ist nur praktizierender Arzt und hat letztes Jahr geheiratet. Seine Frau steht weiter weg; ich weiß nicht, ob Sie eine kleine dunkle Dame mit Seidensaum am Mantel sehen können? Ja, das ist seine Frau. Sie kränkelt etwas und muß immer warm angezogen sein. Da kommt auch der Assessor ...

Nagel fragte:

Können Sie mir Fräulein Kiellands Verlobten zeigen?

Nein, das ist Leutnant Hansen. Er ist nicht hier, er ist auf See; er reiste schon vor mehreren Tagen ab; er ist sofort nach der Verlobung abgereist

Nach einer kurzen Stille sagte Nagel:

Auf dem Grund des Grabes lagen zwei Blumen, zwei weiße Blumen – Sie wüßten nicht, woher die gekommen sind?

Doch, antwortet Minute. Das heißt ... fragen Sie? ist das eine Frage? ... Es ist peinlich, das zu erzählen; ich hätte sie vielleicht am Sarg anbringen lassen können, hätte ich darum gebeten und sie nicht auf diese Art sozusagen weggeworfen; aber was hätten nun zwei Blumen hergemacht? Und wo auch immer ich sie angebracht hätte, es blieben doch nur zwei Blumen. Da stand ich lieber frühmorgens kurz nach drei auf, ich könnte ebensogut sagen, heute nacht, und legte sie ins Grab. Ich war auch unten und legte sie zurecht, und ich sagte ihm unten im Grab zweimal laut Lebewohl. Das machte auf mich so starken Eindruck, daß ich hinterher in den Wald ging und mir vor Kummer die Hände vors Gesicht schlug. Es ist seltsam, von jemand für immer zu scheiden, und obwohl Jens Karlsen in jeder Beziehung so hoch über mir stand, war er mir doch ein guter Freund.

Die waren also von Ihnen, die Blumen?

Ja, sie waren von mir. Aber ich habe es nicht getan, um damit großzutun; Gott ist mein Zeuge. Eine solche Kleinigkeit ist auch nicht der Rede wert. Ich kaufte sie gestern abend, nachdem ich von Ihnen weggegangen war. Vom Onkel hatte ich nämlich eine halbe Krone zur freien Verwendung bekommen, als ich ihm Ihr Geld brachte; er war auch so froh, daß er mich fast zu Boden gerissen hätte. Ja, er kommt sicher dieser Tage und dankt Ihnen; doch, doch, das tut er, ich weiß, daß er es tun wird. Als ich nun diese halbe Krone bekam, fiel mir auf einmal ein, daß ich keine Blumen für das Begräbnis besorgt hatte, und da ging ich hinunter zum Kai ...

Sie gingen hinunter zum Kai?

Ja, zu einer Dame, die dort unten wohnt.

In einem einstöckigen Haus?

Ja.

Hat die Dame weißes Haar?

Ja, vollständig weißes Haar; haben Sie sie gesehen? Sie ist die Tochter eines Kapitäns, ist aber ansonsten sehr arm. Sie wollte meine halbe Krone zuerst nicht nehmen, ich habe sie aber dennoch auf einen Stuhl gelegt, obwohl sie protestierte und mehrmals nein sagte. Sie ist so scheu und leidet bestimmt wegen ihrer Bescheidenheit des öfteren Not.

Wissen Sie, wie sie heißt?

Martha Gude.

Martha Gude.

Nagel zog sein Notizbuch hervor, schrieb ihren Namen auf und sagte:

Ist sie verheiratet gewesen? Ist sie Witwe?

Nein. Sie war lange Zeit mit ihrem Vater unterwegs, solange er ein Schiff führte; aber seit er gestorben ist, wohnt sie hier.

Hat sie denn keine Verwandten?

Das weiß ich nicht. Nein, sie hat bestimmt keine.

Wovon lebt sie dann?

Weiß Gott, wovon sie lebt. Niemand weiß es. Aber sie wird wohl sicherlich etwas aus der Armenkasse bekommen.

Hören Sie, Sie sind also bei dieser Dame im Haus gewesen, dieser Martha Gude, wie sieht es da drin aus?

Wie kann es in einer alten, armseligen Stube aussehen? Da stehen ein Bett, ein Tisch, ein paar Stühle; es sind wohl übrigens drei Stühle, beim Nachdenken, denn es steht auch einer in der Ecke am Bett; der hat roten Plüsch, muß aber an der Wand lehnen, sonst steht er nicht, so ramponiert ist der. Mehr gibt es meiner Erinnerung nach nicht.

Gibt es sonst wirklich nichts mehr? Hängt keine Uhr an der Wand, ein altes Gemälde oder etwas in der Art?

Nein. Warum fragen Sie danach?

Der Stuhl, der nicht stehen kann, ich meine den mit dem roten Plüsch, wie sieht der aus? Ist er sehr alt? Weshalb steht er denn dort am Bett? Kann man auf ihm nicht sitzen? Ist es ein Stuhl mit hoher Rückenlehne?

Ja, mit hoher Rückenlehne, glaube ich, ich erinnere mich nicht genau.

Drüben am Grab begann man zu singen. Die Sarglegung war beendet. Als auch der Gesang zu Ende war, wurde es einen Augenblick vollkommen still; dann begannen die Leute sich nach allen Seiten zu zerstreuen. Der größte Teil ging den Friedhof hinunter zu der großen Pforte, andere blieben stehen und sprachen leise miteinander. Eine Abteilung von Herren und Damen schlug den Weg auf Minute und Nagel zu ein, alles junge Leute, Damen mit blanken, erstaunten Augen, die die beiden musterten. Dagny Kiellands Gesicht errötete stark, sie hielt aber die Augen starr geradeaus gerichtet und sah weder nach rechts noch nach links; auch der Assessor des

Bezirksrichters sah nicht auf, er sprach jedoch gedämpft mit einer der Damen.

Als sie vorbeikamen, blieb Doktor Stenersen, der auch dabei war, stehen. Er winkte Minute, der sich erhob. Nagel blieb alleine sitzen.

Wollen Sie den Herrn bitten ... hörte er den Doktor sagen; mehr hörte er nicht. Aber kurz danach wurde sein Name ziemlich laut genannt, und da erhob auch er sich. Er nahm seine Mütze tief ab und grüßte.

Der Doktor bat um Entschuldigung: er hatte von einer Dame, von einer der Damen, die momentan in seiner Begleitung waren, Fräulein Meek, den undankbaren Auftrag, den Herrn zu bitten, mit dem Stein, der Grabplatte, etwas vorsichtig zu sein und nicht darauf zu sitzen. Die Platte sei neu, sie sei gerade erst niedergelegt worden, das Fundament sei noch frisch, die Erde sehr weich, so daß das Ganze, ehe man sich's versah, zusammengepreßt werden könnte. Es sei die Schwester der Verstorbenen, die darum gebeten habe.

Nagel bat vielmals um Verzeihung. Es war eine Gedankenlosigkeit seinerseits, eine Achtlosigkeit, und er verstünde die Besorgnis des Fräuleins wegen des Steins vollkommen. Er dankte auch dem Doktor.

Unterdessen hatten sie langsam begonnen zu gehen. Als sie zur Pforte hinunter gekommen waren, verabschiedete sich Minute, und der Doktor und Nagel blieben allein. Erst jetzt stellten sie sich einander vor.

Der Doktor fragte:

Und Sie wollen sich jetzt vielleicht für einige Zeit hier niederlassen?

Ja, antwortete Nagel. Man muß sich doch dem Brauch fügen, den Sommer über auf dem Land leben und Ferien machen, sich für den Winter stärken, dann wieder zupacken ... Es ist eine amüsante kleine Stadt, die Sie hier haben.

Woher kommen Sie? Ich frage mich die ganze Zeit, welchen Dialekt Sie haben.

Ich komme ursprünglich aus der Finnmark, ich bin

finnischer Abkunft. Aber ich habe ein bißchen hier und da gelebt.

Jetzt kommen Sie aus dem Ausland?

Nur aus Helsingfors.

Sie unterhielten sich zunächst über einige gleichgültige Dinge, doch kamen bald auf andere Fragen zu sprechen, auf die Wahlen, die Mißernte in Rußland, die Literatur und den dahingeschiedenen Karlsen.

Was meinen Sie, haben Sie heute einen Selbstmörder begraben? fragte Nagel.

Der Doktor konnte es nicht sagen, wollte es nicht sagen. Es gehe ihn nichts an, und er wolle sich deshalb nicht einmischen. Es werde so viel geredet. Und überhaupt, warum sollte es kein Selbstmörder sein? Alle Theologen sollten sich umbringen.

Warum denn?

Warum? Weil deren Rolle ausgespielt war, weil unser Jahrhundert sie hat überflüssig werden lassen. Die Leute hatten begonnen, selbst zu denken, und ihr religiöses Gefühl war immer weiter ausgelaugt worden.

Ein Liberaler! dachte Nagel. Er konnte nicht begreifen, welcher Gewinn es für den Menschen war, daß man das Leben aller Symbole, aller Poesie beraubte. Es dürfte übrigens noch die Frage sein, ob das Jahrhundert die Theologen überflüssig gemacht hatte, alldieweil das religiöse Gefühl eben *nicht* im Rückgang war ...

Sicherlich nicht in den niederen Schichten des Volkes – obwohl es auch dort immer mehr –; doch unter aufgeklärten Menschen war es eindeutig im Abnehmen.

Aber übrigens, darüber sprechen wir nicht mehr, unterbrach der Doktor brüsk; wir haben zu verschiedene Standpunkte. Der Doktor war Freidenker, der Doktor hatte diese Einwände schon so viele Male gehört, daß er es nicht zählen konnte. Und hatte ihn dies bekehrt? Zwanzig Jahre lang war er sich treu geblieben. Als Arzt gehörte es zu seinen Obliegenheiten, den Leuten die »Seele« löffelweise zu entfernen! Nein, dem Aberglauben war er entwachsen ... Was halten Sie von den Wahlen?

Die Wahlen? Nagel lachte. Ich hoffe das Beste, sagte er.

Ja, ich auch, sagte der Doktor. Es wäre eine ewige Schande, wenn das Kabinett für ein so durch und durch demokratisches Programm keine Mehrheit bekäme. Der Doktor war ein Liberaler und Radikaler, war es, seit er etwas Verstand abgekriegt hatte. Er hege große Befürchtungen für den Ausgang im Bezirk Buskerud; die kleinen Wahlkreise habe er abgeschrieben. Die Sache ist die, sagte er darauf, wir von den Liberalen haben zuwenig Geld. Sie und andere, die jetzt Geld haben, Sie sind gehalten, uns zu unterstützen. Wahrhaftig ging es jetzt doch ein bißchen um die Zukunft des ganzen Landes.

Ich? habe ich Geld? fragte Nagel. Ach, damit ist es nicht weit her.

Ja, ja, auch wenn Sie nicht gerade Millionär sind. Jemand hat erzählt, Sie seien der reine Geldsack, daß Sie zum Beispiel einen Landbesitz von zweiundsechzigtausend Kronen hätten.

Hehehe, so etwas Verdrehtes habe ich noch nie gehört. Es beschränkt sich auf ein kleines Erbe mütterlicherseits, das ich dieser Tage angetreten habe, einige wenige tausend Kronen. Das ist alles. Einen Landbesitz jedoch habe ich nicht, das ist eine Mystifkation.

Sie waren zum Haus des Doktors gekommen, ein gelbgestrichenes zweigeschossiges Haus mit Veranda. Die Farbe war an mehreren Stellen abgeblättert. Die Dachrinnen hingen in Fetzen. Im oberen Stock fehlte eine Scheibe, die Gardinen waren nicht gerade sauber. Nagel fühlte sich durch das unordentliche Aussehen des Hauses abgestoßen und wollte sofort gehen; aber der Doktor sagte:

Wollen Sie nicht mit hereinkommen? Nicht? Dann hoffe ich, Sie später zu sehen. Meine Frau und ich würden uns sehr freuen, wenn Sie uns besuchen würden. Sie wollen nicht jetzt mit hineinkommen und meiner Frau guten Tag sagen?

Ihre Frau war auf dem Friedhof? Sie ist wohl kaum schon heimgekommen.

Stimmt, da haben Sie recht; sie ging mit den anderen. Na ja, schauen Sie dann später einmal herein, wenn Sie vorbeikommen.

Nagel schlenderte wieder zum Hotel hinunter; doch als er es eben betreten wollte, fiel ihm etwas ein. Er schnippte mit den Fingern, schlug ein kleines, kurzes Gelächter an und sagte laut: Es wäre interessant nachzuschauen, ob der Vers noch dort steht! Damit ging er abermals zum Friedhof hoch und blieb vor Mina Meeks Grabstein stehen. Nirgends war ein Mensch zu sehen; aber der Vers war ausgewischt. Wer hatte das getan? Von seinen Buchstaben war nicht die geringste Spur zurückgeblieben.

VI

Am Morgen danach befand sich Nagel in einer empfindsamen und beschwingten Stimmung. Sie hatte ihn befallen, als er im Bett lag, es war, als ob die Decke seines Zimmers plötzlich höher und höher stiege, ins Unendliche stiege und sich in ein fernes, klares Himmelsgewölbe verwandelte. Und er fühlte mit einmal einen milden, süßen Wind über sich, als läge er draußen in grünem Gras. Auch die Fliegen summten überall im Zimmer; es war ein warmer Sommermorgen.

Er war im Nu in seinen Kleidern, verließ das Hotel, ohne zu essen, und schlenderte in die Stadt. Es war elf.

Aus Haus nach Haus tönten bereits die Klaviere; durch die offenen Fenster waren von Karree zu Karree unterschiedliche Melodien zu hören, und ein nervöser Hund antwortete weit oben in der Straße mit langgezogenem Geheul. Nagel wurde von einem hellen Behagen erfüllt, unwillkürlich begann er leise vor sich hin zu singen, und als er an einem alten Mann vorbeiging, der ihn grüßte, fand er Gelegenheit, ihm einen Schilling in die Hand zu drücken.

Er kam an ein großes, weißes Haus. Ein Fenster wird im ersten Stock aufgeschlagen, eine weiße, schmale Hand hängt den Haken ein. Der Vorhang bewegt sich noch, die

Hand ruht noch auf dem Haken, und Nagel hatte ein Gefühl, als stehe jemand hinter dem Vorhang und beobachte ihn. Er blieb stehen und starrte hinauf, er stand über eine Minute fest auf seinem Posten; aber niemand kam zum Vorschein. Er sah auf das Schild über der Tür: F. M. Andresen, Dänisches Konsulat.

Nagel wollte gerade gehen, aber als er sich umwandte, streckte Fräulein Fredrikke ihr langes, vornehmes Gesicht heraus, und ihre erstaunten Augen sahen ihm nach. Er blieb wieder stehen, ihre Blicke begegneten sich, ihre Wangen begannen sich zu färben; doch wie um allem zu trotzen, zog sie die Ärmel ihres Kleides etwas hinauf und lehnte sich auf den Ellbogen ins Fenster. Sie lehnte ziemlich lange auf diese Art, eine Veränderung war nicht abzusehen, und schließlich mußte Nagel dem ein Ende bereiten und gehen. Im selben Augenblick nahm in seinem Kopf eine sonderbare Frage Gestalt an. Ob wohl die junge Dame hinter dem Fenster auf Knien lag? In diesem Fall – dachte er – ist es unter dem Dach des Konsuls nicht sehr hoch, da das Fenster kaum über sechs Fuß hoch war und nur einen Fuß unterhalb des Dachstuhls abschloß. Er mußte wegen dieses belanglosen Einfalls über sich selbst lachen; was zum Teufel hat er sich um Konsul Andresens Wohnung zu scheren!

Und er schlenderte weiter.

Unten am Anleger war die Arbeit in vollem Gang. Stauer, Zöllner und Fischer hasteten, ihrer jeweiligen Beschäftigung nachkommend, durcheinander, Gangspille rasselten, zwei Dampfschiffe pfiffen fast gleichzeitig zum Ablegen. Die See war spiegelglatt, die Sonne lag darüber und machte das Wasser zu einer einzigen goldnen Platte, in der die Schiffe und Boote bis mitten zum Bauch eingeschmolzen waren. Von einem ungeheuren Dreimaster weit draußen war eine klägliche Drehorgel zu hören, und wenn die Dampfpfeifen und Gangspille einen Augenblick schwiegen, tönte ihre traurige Melodie wie eine bebende, verhauchende Mädchenstimme, die sich aufgeben will. An Bord des Dreimasters hatte man auch mit der Drehorgel seinen Spaß und fing an, nach ihrer rührenden Weise Polka zu tanzen.

Nagels Auge fiel auf ein Kind, ein winzig kleines Mädchen, das dastand und eine Katze an sich drückte; die Katze ließ sich völlig duldsam herunterhängen, so daß ihre Hinterpfoten fast auf der Erde ruhten, und sie rührte sich nicht. Nagel tätschelte dem Mädchen die Wange und sagte zu ihr:

Ist das deine Katze?

Ja. Zwei, vier, sechs, sieben.

Aha, du kannst schon zählen?

Ja. Sieben, acht, elf, zwei, vier, sechs, sieben.

Er ging weiter. In Richtung des Pfarrhofs taumelte sonnentrunken eine weiße Taube seitlings den Himmel herab und verschwand hinter den Baumwipfeln; sie sah aus wie ein leuchtender Silberpfeil, der in der Ferne zur Erde fiel. Ein kurzer, fast lautloser Schuß löste sich irgendwo, und kurz danach stieg ein blauer Rauchschwaden aus dem Wald jenseits der Bucht auf.

Als er an den letzten Steg gekommen und einige Male über den öden Kai auf und ab spaziert war, stieg er ohne weiteres Nachdenken die Anhöhe hinauf und ging in den Wald. Er ging gut und gerne eine halbe Stunde, ständig weiter und weiter in den Wald hinein, und auf einem kleinen Pfad hielt er schließlich. Alles war still, nicht einmal ein Vogel war zu sehen, und am Himmel befand sich nicht eine Wolke. Er zog sich noch einige Schritte vom Weg zurück, suchte sich einen trocknen Fleck und legte sich seiner ganzen Länge nach auf den Rücken. Zur Rechten hatte er den Pfarrhof, zur Linken die Stadt und über sich das unendliche Meer aus blauem Himmel.

Was, wenn man dort oben wäre, zwischen Sonnen umhertriebe und Kometenschweife die Stirn fächeln fühlte! Wie war nicht die Erde klein, und die Menschen winzig; ein Norwegen mit zwei Millionen Hinterwäldlern und einer Hypothekenbank, die einem zu überleben hilft! Was war das schon, für so wenig Mensch zu sein? Man boxte sich im Schweiße seines Angesichts ein paar staubige Jahre durch, um dann trotzdem zu vergehen, trotzdem! Nagel faßte sich an den Kopf. Ach, das wird damit enden, daß er sich aus der Welt schaffte und mit allem Schluß machte! Würde er damit je Ernst machen können? Ja. Bei Gott im Himmel, ja, er würde nicht zurückschrecken! Und in diesem Augenblick war er ganz entzückt, diesen simplen Ausweg in der Hinterhand zu haben; vor Begeisterung trat ihm Wasser in die Augen, und er atmete fast lauthals. Er schaukelte bereits auf dem Himmelsmeer umher und fischte mit einer Silberangel und sang dazu. Und das Boot war aus duftendem Holz, und die Ruder blinkten wie weiße Schwingen, das Segel aber, das war aus hellblauer Seide und geschnitten wie ein Halbmond ...

Eine bebende Freude durchfuhr ihn, er vergaß sich, fühlte sich hingerissen und versteckte sich im rasenden Sonnenschein. Die Stille ließ ihn völlig besessen von Zufriedenheit werden, nichts störte ihn, nur in der Luft oben sauste der weiche Ton, der Ton des ungeheuren Stampfwerks, Gott, der sein Rad trat. Der Wald rundum rührte kein Blatt und keine Nadel. Nagel kroch vor Behagen zusammen, zog die Knie an und schüttelte sich, weil alles so gut war. Er wurde gerufen, und er antwortete Ja; er stemmte sich auf den Ellbogen und sah sich um. Niemand war da. Er sagte noch einmal Ja und horchte; aber niemand zeigte sich. Das war doch sonderbar, er hatte so deutlich jemand nach ihm rufen hören; er dachte nicht länger darüber nach, es war vielleicht nur eine Einbildung, er wollte sich auf keinen Fall stören lassen. Er befand sich in einem rätselhaften Zustand, voll psychischen Wohlbefindens; jeder Nerv in ihm war wach, er vernahm Musik in seinem Blut, fühlte sich mit der gesamten Natur verwandt, mit der Sonne und den Bergen und allem anderen, spürte sich aus Bäumen und Moos und Halmen her umrauscht vom eigenen Ichgefühl. Seine Seele wurde groß und volltönend wie eine innere Orgel, und ständig war ihm bewußt, wie die milde Musik in seinem Blut gleichsam auf und nieder glitt.

Er blieb noch einige Zeit liegen und genoß seine Einsamkeit. Dann hörte er unten auf dem Pfad Schritte, wirkliche Schritte, die er nicht mißdeuten konnte. Er reckte den Kopf hoch und sah einen Mann, der aus der Stadt kam. Der Mann trug ein langes Brot unterm Arm und zog an einem Strick eine Kuh hinter sich her; er wischte sich andauernd den Schweiß aus dem Gesicht und ging wegen der Hitze in bloßen Hemdsärmeln, trotzdem aber hatte er einen dicken roten Wollschal doppelt um den Hals. Nagel lag still und beobachtete den Bauern. Da hatten wir ihn! Das war der Hinterwäldler, der Norweger, hehe, doch, das war der Eingeborene, mit der Stulle unterm Arm und dem Rindviech im Schlepp! Oh, welch ein Anblick! Hehehehehe, Gott steh dir bei, du trefflicher Wikinger Norwegens, wenn du den Schal ein bißchen lockerst und den Läusen Auslauf gibst! Du würdest nicht überleben, du würdest frische Luft abkriegen und sterben. Und die Presse würde deinen verfrühten Abgang beklagen und eine große Nummer daraus machen; doch um dem Wiederholungsfall vorzubeugen, würde der liberale Parlamentsabgeordnete Hein Kleinkrämer eine Novelle zur strikten Befriedung des nationalen Ungeziefers einbringen.

In Nagels Hirn keimte eine fröhliche Bitterkeit nach der anderen. Er stand auf und ging mißgelaunt und gereizt nach Hause. Nein, dauernd bekam er recht, überall nur Läuse, Stinkkäse und Luthers Katechismus. Und die Menschen waren Bürger mittlerer Größe in dreigeschossigen Hütten; Essen und Trinken waren ihnen nur Notdurft, sie machten es sich mit Toddy und Wahlpolitik behaglich und handelten tagaus tagein mit Kernseife und Messingkämmen und Fisch. Doch nachts, wenn es donnerte, da lagen sie und lasen vor lauter Angst in ihrem Johan Arendt. Ja, her mit einer einzigen handfesten Ausnahme, laß sehen, ob sich das machen läßt! Her mit zum Beispiel einem ausgereiften Verbrechen, einer hervorragenden Sünde! Aber nicht diese lächerliche und bürgerliche Abc-Verirrung, nein, die seltene und haarsträubende Ausschweifung, die delikate Ruchlosigkeit, die Kardinalsünde, voll roher Höllen-Herrlichkeit. Nein, das Ganze war kleinlich. Was halten Sie von den Wahlen, mein Herr? Ich hege große Befürchtungen für den Ausgang in Buskerud ...

Aber als er wieder am Anleger vorbeikam und um sich her das geschäftige Leben sah, heiterte sich seine Stimmung nach und nach auf, er wurde aufs neue froh und begann wieder zu singen. Das war kein Wetter zum Trübsalblasen, das war schönes Wetter, Schönwetter, ein leuchtender Junitag. Die ganze kleine Stadt lag blinkend im Sonnenschein, wie verzaubert.

Als er durch die Hoteltür trat, hatte er längst schon all seine Bitterkeit vergessen; sein Herz war ohne Groll, in seinem Innern strahlte erneut die Vorstellung von einem Boot aus duftendem Holz und einem hellblauen Seidensegel, das geschnitten war wie ein Halbmond.

Er bewahrte seine Stimmung den ganzen Tag. Er ging gegen Abend noch einmal aus, nahm wieder den Weg zur See hinunter und fand erneut die tausend Kleinigkeiten, die ihn in Verzückung brachten. Die Sonne sank, das brutale, brennende Licht wurde gedämpft und goß sich weich über das Wasser; und wenn Lärm von den Schiffen draußen kam, dann hörte er sich stiller an. Nagel sah, daß hier und da in der Bucht Flaggen gehißt wurden, auch von mehreren Häusern in der Stadt wehten Fahnen, und kurz danach hörte im ganzen Hafen die Arbeit auf.

Er dachte nicht weiter darüber nach, er wanderte wieder in den Wald hinauf, wanderte auf und ab, ging ganz bis zu den Wirtschaftsgebäuden des Pfarrhofs und sah in den Hofplatz hinein. Von dort ging er wiederum in den Wald, bohrte sich hinein zur dunkelsten Stelle, die er finden konnte, und setzte sich auf einen Stein. Er stützte den Kopf in die eine Hand und trommelte mit der anderen auf dem Knie. So saß er lange Zeit, vielleicht eine ganze Stunde, und als er endlich aufstand und ging, war die Sonne ganz unten. Der erste Stich von Dämmerung war über die Stadt gekommen.

Eine große Überraschung erwartete ihn. Als er aus dem Wald gekommen war, entdeckte er rings auf den Höhen eine Menge lodernder Feuer, vielleicht zwanzig Holzstöße, die zu allen Seiten wie kleine Sonnen brannten. Draußen auf dem Wasser gab es ein Gewimmel von Booten, und an Bord der Boote riß man Zündhölzer an, die mit roter und grüner Flamme leuchteten. Von einem der Boote, in dem ein Quartett sang, stiegen sogar einige Raketen auf. Viel Volk war auf den Beinen, drüben beim Dampfschiffkai saß und stand es schwarz von Leuten.

Nagel tat einen kleinen Ausruf der Verwunderung. Er wandte sich an einen Mann und fragte, was die Feuer und Flaggen zu bedeuten hätten. Der Mann sah ihn an, spuckte aus, sah ihn wieder an und antwortete, es sei der 23. Juni, Sankthans. Na, es war Mittsommernacht! Ja, das hatte übrigens seine Richtigkeit, das war kein Mißverständnis, das stimmt auch mit dem Datum überein. Man stelle sich vor, heute abend Sankthans, ein Gutes häuft sich übers andere, obendrein war Sankthans! Nagel rieb sich vergnügt die Hände, und auch er schlenderte hinüber zum Dampfschiffkai, und er sagte mehrere Male zu sich selbst, daß er doch einem makellosen Glück ausgesetzt sei.

In einer Schar von Damen und Herren sah er schon von weitem Dagny Kiellands blutroten Sonnenschirm, und als er dort in der Schar auch Doktor Stenersen entdeckte, überlegte er nicht erst, sondern ging zu ihm hin. Er grüßte, drückte die Hand des Doktors und blieb lange Zeit barhäuptig stehen. Der Doktor stellte ihn der Gesellschaft vor; auch Frau Stenersen reichte ihm die Hand, und er setzte sich neben sie. Die Frau war bleich und hatte eine gräuliche Hautfarbe, die sie kränklich aussehen ließ; sie war jedoch sehr jung, kaum über zwanzig. Sie war warm angezogen.

Nagel setzte die Mütze auf und sagte, zu allen gewandt:

Ich bitte Sie entschuldigen zu wollen, daß ich mich in Ihre Gesellschaft dränge, daß ich so ungebeten komme ...

Mein Bester, Sie machen uns ein Vergnügen, unterbrach die Frau Doktor liebenswürdig. Vielleicht könnten Sie gar ein Lied zum Vortrag bringen?

Nein, das kann ich nicht, antwortete er, ich bin musikalisch so unbegabt wie nur irgend möglich.

Ganz im Gegenteil, es ist gut, daß Sie gekommen sind; wir haben gerade über Sie gesprochen, äußerte der Doktor. Sie spielen doch Geige?

Nein, antwortete Nagel wieder und schüttelte den Kopf; er lächelte auch. Das tu' ich nicht. Doch plötzlich, ohne ersichtlichen Anlaß, erhebt er sich und sagt, während seine Augen ganz glänzend werden: Ja, heute bin ich froh. Es war den ganzen Tag so schön, seit ich heute morgen aufwachte; ich bin zehn Stunden im herrlichsten Traum gewandelt. Stellen Sie sich nur vor: ich werde buchstäblich von der Vorstellung verfolgt, ich befände mich in einem Boot aus duftendem Holz und einem halbmondförmig geschnittenen Segel aus hellblauer Seide. Ist das nicht schön? Den Duft des Bootes kann ich nicht beschreiben, wie gern ich auch wollte, wie geschickt ich auch wäre, es ins rechte Wort zu setzen. Doch stellen Sie sich vor, mir ist, daß ich zum Fischen draußen bin und daß ich eine Silberangel dazu habe. Entschuldigen Sie, finden nicht jedenfalls Sie, meine Damen, daß dies ... Nein, ich weiß nicht.

Keine der Damen antwortete; sie sahen einander verlegen an und fragten einander mit den Augen, was zu tun sei. Doch schließlich fing eine nach der anderen an zu lachen; sie kannten keine Schonung, sie lachten sehr laut über das Ganze.

Nagel sah von einer zur anderen, seine Augen waren noch immer blank, und er dachte offensichtlich noch immer an das Boot mit dem blauen Segel. Aber beide Hände zitterten leicht, obgleich sein Gesicht ruhig blieb.

Der Doktor kam ihm zu Hilfe und sagte:

Ja, das ist also eine Art Halluzination, die ...

Nein, Verzeihung, antwortete er. Doch, meinetwegen; warum nicht? Es kommt nicht darauf an, wie Sie es *nennen*. Ich bin den ganzen Tag lang herrlich bezaubert gewesen, ob das nun Halluzination ist oder nicht. Es begann heute morgen, als ich noch im Bett lag. Ich hörte eine Fliege summen, dies war meine erste bewußte Wahrnehmung, nachdem ich erwacht war; danach sah ich die Sonne durch ein Loch im Vorhang hereinsickern, und mit einem Schlag keimte in mir eine empfindsame und beschwingte Stimmung auf. In meiner Seele hatte ich das Gefühl von Sommer, stellen Sie sich ein weiches Wispern im Gras vor, und daß dies Wispern durch Ihr Herz zieht. Halluzination – ja, das war es wohl, ich weiß es nicht; berücksichtigen Sie jedoch, daß ich mich in einem gewissen Zustand von Empfänglichkeit befunden haben muß, daß ich die Fliege gerade im richtigen Augenblick hörte, daß ich in diesem Augenblick gerade diese Art und Portion von Licht brauchte, also nur einen Strahl Sonne durch ein Loch im Vorhang, und so weiter. Als ich dann später aufstand und ausging, sah ich zuerst eine hübsche Dame in einem Fenster – dabei sah er zu Fräulein Andresen hinüber, die die Augen niederschlug –, danach sah ich eine große Anzahl von Schiffen, dann ein kleines Mädchen, das eine Katze in den Armen hielt, und so weiter, lauter Dinge, von denen jedes seinen Eindruck auf mich machte. Kurz danach ging ich in den Wald, und dort bekam ich dann das Boot und den Halbmond zu sehen, nur indem ich auf dem Rücken lag und hinauf in den Himmel stierte.

Die Damen lachten noch immer; auch der Doktor schien von ihrem Gekicher angesteckt zu werden, er sagte mit einem Lächeln:

Und Sie fischten dann also mit einer Silberangel?

Ja, mit einer Silberangel.

Hahaha.

Da stieg plötzlich das Blut in Dagny Kiellands Gesicht, und sie sagte:

Ich kann sehr gut verstehen, daß eine solche Vorstellung ... Ich für meinen Teil kann das Boot und das Segel so deutlich sehen, diesen blauen Halbmond ... und stellen Sie sich vor, eine weiße Silberangel so hinab durch das Wasser! Ich finde das schön.

Mehr konnte sie nicht sagen, sie stammelte und blieb stecken; sie sah zu Boden.

Nagel befreite sie sofort:

Nicht wahr? Ich sagte mir auch sofort: paß auf, das ist ein Omen, eine Vorausdeutung. Das soll dir zur Mahnung dienen: fische nicht im trüben, fische nicht im trüben! Sie fragten, Doktor, ob ich spiele? Ich spiele nicht, durchaus nicht; ich schleppe einen Geigenkasten mit, doch es ist nicht einmal eine Geige drin, der Kasten ist voll schmutziger Wäsche, leider. Ich finde nur, es würde sich gut machen, unter den Koffern auch einen Geigenkasten zu haben, deswegen habe ich ihn mir angeschafft. Ich weiß nicht, ob Sie hiernach einen zu schlechten Eindruck von mir haben; daran wäre wohl nichts mehr zu ändern, obwohl mir das wirklich leid täte. Übrigens ist an dem Ganzen die Silberangel schuld.

Die verblüfften Damen lachten nicht mehr; selbst der Doktor, der Assessor Reinert – der Assessor am Bezirksgericht – und der Adjunkt saßen alle drei mit offenem Mund da und gafften. Alle miteinander sahen auf Nagel, der Doktor wußte offensichtlich nicht, was er davon halten sollte. Was in aller Welt war in diesen wildfremden Kerl gefahren? Nagel selbst setzte sich still nieder und schien nichts mehr sagen zu wollen. Das peinliche Schweigen wollte, so schien es, kein Ende nehmen. Doch jetzt kam Frau Stenersen zu Hilfe. Sie war die Liebenswürdigkeit selbst, saß dort wie eine Übermutter und paßte auf, daß niemand Schaden nahm. Sie runzelte mutwillig die Stirn und machte sich älter, als sie war, nur um ihren Worten größeres Gewicht verleihen zu können.

Sie kommen aus dem Ausland, Herr Nagel?

Ja, gnädige Frau.

Aus Helsingfors, glaube ich, sagte mein Mann?

Ja, aus Helsingfors. Das heißt, dort war ich zuletzt. Ich bin Agronom, ich bin dort kurzzeitig auf der Schule gewesen.

Pause.

Und wie finden Sie die Stadt? fragte die Frau wieder.

Helsingfors?

Nein, die hier.

Oh, das ist eine vortreffliche Stadt, ein bezaubernder Ort! Ich will nicht mehr von hier fort, nein, wirklich nicht. Hehe, ja, lassen Sie sich übrigens dadurch nicht zu sehr erschrecken, einmal werde ich wohl doch abreisen, es hängt von den Umständen ab ... Apropos, sagte er dann und erhob sich wieder, falls ich durch mein Kommen gestört haben sollte, bitte ich vielmals um Entschuldigung. Tatsache ist: ich wäre sehr froh, wenn ich hier sitzen und mit Ihnen zusammensein dürfte. Ich habe eigentlich nicht viele, mit denen ich zusammensein kann, und ich bin allen fremd, so daß ich mir angewöhnt habe, zuviel mit mir selbst zu reden. Sie machen mir eine Freude, wenn Sie vollständig darüber hinwegsehen, daß ich mich unter Ihnen befinde, und sich ansonsten weiter so unterhalten wie vor meinem Eintreffen.

Seitdem Sie zu uns gestoßen sind, haben Sie doch wahrlich zu beträchtlicher Abwechslung beigetragen, sagte Reinert mit gehässiger Betonung.

Darauf antwortete Nagel:

Ja, Ihnen, Herr Assessor, habe ich eine persönliche Abbitte zu leisten, und ich will Ihnen alle Genugtuung gewähren, die Sie verlangen; aber nicht jetzt. Nicht wahr? Nicht jetzt?

Nein, das gehört nicht hierher, sagte auch Reinert.

Heute bin ich außerdem glücklich, fuhr Nagel fort, und ein warmes Lächeln flog über sein Gesicht. Dieses Lächeln hellte sein Gesicht auf, er sah für einen Augenblick aus wie ein Kind. – Wir haben hier einen wunderbaren Abend, und bald werden die Sterne angezündet. Feuer brennen überall auf den Höhen, und von der See her hören wir Lieder. Hören Sie nur! das ist nicht so übel. Ich verstehe nichts davon; aber ist dies nicht recht schön? Es erinnert mich ein bißchen an eine Nacht auf dem Mittelmeer, an der Küste von Tunis. Es war ein gutes Hundert Passagiere an Bord, ein Chor irgendwo aus Sardinien. Ich gehörte nicht zur Gesellschaft und konnte nicht singen, ich saß nur an Deck und hörte zu, während der Chor im Salon unten sang. Das dauerte fast die ganze Nacht lang; ich werde nie vergessen, wie schön es in der schwülen Nacht klang. Ich zog heimlich alle Türen zum Salon zu; kapselte sozusagen den Gesang ein, und dann war es, als kämen die Töne vom

Meeresgrund, ja als würde das Schiff mit brausender Musik in die Ewigkeit einlaufen. Stellen Sie sich etwas in Richtung eines Meeres voller Gesang vor, einen unterirdischen Chor.

Fräulein Andresen, die Nagel am nächsten saß, sagte unwillkürlich:

Ja, Gott, wie schön das gewesen sein muß!

Ich habe nur einmal etwas Schöneres gehört, und das war im Traum. Aber es ist jetzt lange her, daß ich das träumte, da war ich noch ein Kind. Man träumt nicht mehr so Schönes, wenn man erwachsen wird.

Nicht? sagte das Fräulein.

O nein. Doch das ist natürlich eine Übertreibung, aber ... An meinen letzten Traum erinnere ich mich noch so deutlich: Ich sah ein offnes Moor ... Entschuldigung übrigens, ich rede die ganze Zeit und plage Sie damit, mir zuzuhören. Das kann auf die Dauer zu langweilig werden. Ich rede nicht immer so viel.

Nun öffnete Fräulein Kielland den Mund und sagte:

Hier gibt es bestimmt niemand, der Ihnen nicht lieber zuhören würde, als selbst etwas zu erzählen. – Und indem sie sich zu Frau Stenersen beugte, flüsterte sie: Können Sie ihn nicht dazu bringen? Tun Sie es, Liebste. Hören Sie nur, was für eine Stimme er hat.

Nagel sagte lächelnd:

Ich werde ja gern weiter faseln. Überhaupt bin ich heute abend dazu aufgelegt; weiß Gott, was mit mir los ist ... Na, der kleine Traum, der war nun übrigens nichts Besonderes. Nun, ich sah also ein offnes Moor, ohne Bäume, nur mit einer Unzahl von Wurzeln, die überall wie seltsam verdrehte Schlangen herumlagen. Zwischen all diesen verkrümmten Baumwurzeln ging nun ein Wahnsinniger umher. Ich sehe ihn noch immer, er war bleich und hatte einen dunklen Bart, aber der Bart war so kurz und dünn, daß sein Gesicht überall durchschimmerte. Weit aufgerißnen Blicks starrte er um sich, und seine Augen waren voller Leiden. Ich lag hinter einem Stein versteckt, und ich rief ihn an. Da sieht er sofort zu dem Stein hin und stutzte nicht darüber, woher der Ruf kam; es war, als wisse er, daß ich genau dort liege, obwohl ich gut versteckt war. Er starrte immerzu auf den Stein. Ich dachte: er findet mich trotzdem nicht, und im schlimmsten Fall kann ich weglaufen, wenn er kommt. Und obwohl es mir unangenehm war, daß er zu mir her starrte, rief ich, um ihn zu ärgern, doch wieder. Er machte ein paar Schritte auf mich zu, er hatte den Mund geöffnet und wollte wohl beißen; aber er kam nicht von der Stelle, die Wurzeln türmten sich vor ihm auf, er wurde von Wurzeln niedergedrückt und kam nicht vom Fleck. Ich rief wieder; ich rief etliche Male hintereinander, um ihn anständig zu reizen, und er fing an, sich durch die Wurzeln zu arbeiten und sie wegzuschieben, er schmiß sie armweise beiseite und kämpfte hart, um bis zu mir zu kommen; aber es war vergebens. Er begann auch zu stöhnen, so daß ich es bis zu mir her hörte, und seine Augen waren starr vor Schmerz. Als ich mich aber so absolut sicher sah, stand ich auf und schwang die Mütze und zeigte mich ihm in voller Gestalt und reizte ihn, indem ich ihm unablässig Hallo zurief und auf den Boden stampfte und Hallo rief. Ich ging sogar näher an ihn ran, um ihn noch blutiger zu reizen, ich streckte die Finger aus und zeigte auf ihn und rief in niederträchtiger Nähe seines Ohres Hallo, um ihn, wenn möglich, noch weiter aus der Fassung zu bringen; darauf ging ich wieder zurück und ließ ihn dort stehen und erkennen, daß ich ihm so nahe gewesen war. Aber er gab noch nicht ganz auf, er kämpfte immer noch mit den Wurzeln, quälte sich schmerzverhärtet damit ab, sie wegzuräumen, riß sich blutig, schlug sich ins Gesicht, stellte sich auf die Zehen und schrie zu mir herüber. Ja, können Sie sich das vorstellen, er stand auf den Zehen hochgereckt und sah mich an und schrie! Und sein Gesicht troff dabei vor Schweiß und war von fürchterlichem Schmerz entstellt, weil er mich nicht packen konnte. Ich wollte ihn noch weiter aufstacheln, ich ging noch näher, schnippte dicht vor seiner Nase und sagte in grausamstem Hohn tihihihihi. Ich schleuderte eine Baumwurzel nach ihm, traf ihn auf den Mund, es gelang mir, ihn fast umzuhauen; er aber spuckte nur das Blut aus und faßte sich an den Mund und fing wieder an, mit den Wurzeln zu ackern. Da glaubte ich, es wagen zu können, ich streckte die Hand aus und wollte ihn anlangen, ich wollte mit dem Finger auf seine Stirn tippen und mich dann wieder zurückziehen. Doch im gleichen Augenblick bekam er mich zu packen. Herrgott, wie entsetzlich war es, als er mich packte! Er griff wütend zu und krallte sich an meiner Hand fest. Ich schrie auf; doch er hielt mich nur an der Hand, und dann folgte er mir. Wir gingen aus dem Moor, die Baumwurzeln stellten für ihn, da er meine Hand zu fassen hatte, kein Hindernis mehr dar, und wir kamen zu dem Stein, wo ich mich zuerst versteckt hatte. Als wir dorthin gekommen waren, warf sich der Mann vor mir nieder und küßte, wo ich gegangen war, die Erde; blutig und zerrissen lag er vor mir auf den Knien und dankte mir, weil ich gut zu ihm gewesen sei, er segnete mich auch und bat Gott, mich zum Dank zu segnen. Seine Augen waren offen und voller guter Gebete zu Gott für mich, und er küßte, nicht meine Hand, nein, nicht einmal meine Schuhe, sondern die Erde, die meine Schuhe berührt hatten. Ich sagte: Warum küßt du die Erde gerade da, wo ich gegangen bin? – Weil, sagte er, weil mein Mund blutet, und ich deine Schuhe nicht beschmutzen will. – Er wollte meine Schuhe nicht beschmutzen! – Dann sagte ich wieder: Aber warum dankst du mir, wo ich doch Schlechtes an dir getan und dir Schmerz zugefügt habe? – Ich danke dir, antwortete er, weil du mir nicht *mehr* Schmerz zugefügt hast, weil du gut zu mir warst und mich nicht noch mehr gemartert hast. – Ja, sagte ich da, aber warum hast du mich angeschrien und den Mund geöffnet, um mich zu beißen? – Ich wollte dich nicht beißen, antwortete er, ich öffnete den Mund, um dich um Hilfe zu bitten; aber ich brachte kein Wort heraus, und du verstandest mich nicht. Dann aber schrie ich vor wahrhaft großem Schmerz. – Darum schriest du? fragte ich wieder. – Ja, darum! ... Ich sah den Wahnsinnigen an, er spuckte noch immer Blut aus, betete aber trotzdem für mich zu Gott; ich sah, daß ich ihn bereits früher gesehen hatte und daß ich ihn kannte; es war ein alternder Mann mit grauem Haar und einem kurzen, spärlichen Bart – es war Minute.

Nagel schwieg. Ein Ruck durchfuhr die Gruppe. Assessor Reinert schlug die Augen nieder und sah lange Zeit zu Boden.

Minute? War er es? fragte Frau Stenersen.

Ja, er war es, antwortete Nagel.

Uff, mir wird beinahe unheimlich zumute.

Stellen Sie sich vor, ich hab's gewußt! sagte Dagny Kielland unvermittelt. – Ich erkannte ihn gleich von dem Augenblick an, wo Sie sagten, daß er niederkniete und die Erde küßte. Ich versichre Ihnen, ich habe ihn wiedererkannt. Haben Sie noch mehr mit ihm gesprochen?

Ach nein, ich habe ihn nur ein paarmal getroffen ... Doch hören Sie, es scheint, als hätte ich die Stimmung verdorben; liebe Frau, Sie sind ja ganz bleich! Was in aller Welt ... es war doch nur ein Traum!

Ja, so was gehört sich nicht! sagte auch der Doktor. Was zum Teufel kümmert uns, daß Minute ... laßt ihn meinetwegen jede Baumwurzel in Norwegen küssen. Seht, jetzt weint sogar das Fräulein Andresen. Hahaha.

Ich weine überhaupt nicht, antwortete sie; das fällt mir gar nicht ein. Ich will aber gerne zugeben, daß dieser Traum Eindruck auf mich gemacht hat. Und ich glaube übrigens, daß er das auch auf Sie gemacht hat.

Auf mich? rief der Doktor. Keine Spur, natürlich! Hahaha, ich glaube, ihr fangt alle an durchzudrehen. Nein, jetzt verschaffen wir uns ein bißchen Bewegung. Auf, alle Mann! Es fängt an, etwas zugig zu werden. Frierst du, Jetta?

Nein, ich friere nicht, laßt uns sitzen bleiben, antwortete die Frau.

Doch der Doktor war jetzt darauf versessen, sich zu bewegen; er wollte sich absolut bewegen; es sei zugig, sagte er nochmals, und er wolle sich jetzt bewegen, auch wenn er der einzige bleibe. Da erhob sich Nagel und folgte ihm.

Sie gingen einige Male den Kai auf und ab, schoben sich durch die Menschenmasse, unterhielten sich und erwiderten die Grüße der Leute. Auf diese Weise gingen sie vielleicht eine halbe Stunde, dann rief Frau Stenersen zu ihnen hinunter:

Nein, jetzt kommt endlich mal zurück! – Wißt ihr, was uns eingefallen ist, während ihr weg wart? Ja, wir haben beschlossen, morgen abend ist bei uns große Gesellschaft. Ja, Sie, Herr Nagel, müssen unbedingt kommen! Jetzt müssen Sie aber wissen, daß unter einer großen Gesellschaft bei uns nichts anderes zu verstehen ist, als möglichst wenig zu essen und zu trinken ...

Und möglichst viel Heckmeck, ja, unterbrach der Doktor munter. Doch, ich kenne das. Nun, aber das ist keine üble Idee; von dir habe ich schon weit Schlimmeres gehört, Jetta. – Der Doktor war prompt guter Laune und lachte bei der Aussicht auf den bevorstehenden Abend gutmütig über das ganze Gesicht. – Kommt nur nicht zu spät, sagte er, und hoffentlich werde ich nicht weggeholt.

Aber kann ich in dieser Aufmachung erscheinen? fragte Nagel. Ich habe nichts anderes.

Alle lachten, und Frau Stenersen antwortete:

Natürlich. Das ist ausgesprochen köstlich.

Auf dem Heimweg kam Nagel an der Seite Dagny Kiellands zu gehen. Er hatte keine Anstrengungen unternommen, neben ihr zu gehen, es ergab sich ganz zufällig; das Fräulein hatte auch nichts unternommen, dem vorzubeugen. Sie sagte gerade, daß sie sich bereits auf morgen abend freue, weil es bei Doktors immer so nett und frei sei, es seien so ausgezeichnete Menschen, sie verstünden, es so lustig werden zu lassen – da sagte Nagel plötzlich und mit leiser Stimme:

Darf ich hoffen, mein Fräulein, daß Sie mir die fürchterliche Verrücktheit von neulich im Wald vergeben haben!

Er sprach heftig, fast flüsternd, und sie war gezwungen zu antworten.

Ja, sagte sie, ich verstehe nun Ihr Betragen von jenem Abend besser. Sie sind ja nicht wie all die anderen Menschen.

Danke! flüsterte er. Oh, ich danke Ihnen, so wie ich noch

nie im Leben gedankt habe! Ja, warum bin ich nicht wie andere Menschen? Sie sollen wissen, mein Fräulein, daß ich mich den ganzen Abend angestrengt habe, den Eindruck, den Sie zunächst von mir bekommen haben mußten, abzumildern. Ich habe nicht ein Wort gesagt, das nicht für Sie berechnet gewesen wäre. Was sagen Sie dazu? Vergessen Sie nicht, ich hatte mich sehr gegen Sie vergangen, und ich mußte etwas tun. Ich gebe allerdings zu, daß ich den ganzen Tag über in einer etwas ungewöhnlichen Gemütslage gewesen bin; aber ich habe mich doch beträchtlich schlechter gemacht, als ich bin, und fast die ganze Zeit habe ich mich spaßeshalber etwas verdächtig gemacht. Es kam mir nämlich darauf an, Sie glauben zu machen, daß ich wirklich etwas Unberechenbares an mir hätte, daß ich *überhaupt* bizarre Verfehlungen beginge; ich hoffte dadurch, Ihre Vergebung um so leichter zu erlangen. Daher habe ich mich auch mit meinen Träumen zur unrechten Zeit und am unrechten Ort aufgedrängt, ja, ich habe mir sogar bezüglich eines Geigenkastens eine nachhaltige Blöße gegeben, freiwillig eine meiner Kapricen preisgegeben, wozu ich nicht gezwungen gewesen wäre ...

Entschuldigung! unterbrach sie ihn heftig, doch warum erzählen Sie mir jetzt das alles und ruinieren das Ganze wieder?

Nein, ich ruiniere es nicht. Wenn ich Ihnen erzähle, daß ich damals draußen im Wald wirklich einer spontanen boshaften Eingebung nachgab und Ihnen nachsetzte, dann werden Sie es verstehen. Mich überfiel bloß ein plötzlicher Drang, Sie zu erschrecken, weil Sie davonliefen. Ja, damals kannte ich Sie doch nicht. Aber wenn ich jetzt erzähle, daß ich genauso bin wie andere Menschen, dann werden Sie auch das verstehen. Ich habe mich heute abend mit äußerst exzentrischem Auftreten lächerlich gemacht und eine ganze Gesellschaft in Erstaunen versetzt, nur um Sie so weit milde zu stimmen, daß Sie mich jedenfalls anhören, wenn ich dann komme und es Ihnen genauer darlege. Das ist mir gelungen, Sie haben mich angehört und alles verstanden.

Nein, ich muß schlechterdings gestehen, daß ich Sie nicht ganz verstehe. Und dabei mag es bleiben; ich werde darüber nicht nachgrübeln ...

Nein, natürlich nicht; warum sollten Sie sich über diese Frage den Kopf zerbrechen? Aber es stimmt doch, diese Gesellschaft morgen abend wurde anberaumt, weil Sie alle miteinander glauben, ich sei ein unberechenbarer Herr, von dem man sich eine Menge kurioser Dinge erwarten könne? Ich werde Sie vielleicht enttäuschen, vielleicht sage ich nur Ha und Ja, vielleicht komme ich überhaupt nicht. Wer weiß.

Doch, natürlich müssen Sie kommen.

Muß ich das? sagte er und sah sie an.

Sie sagte nichts mehr. Sie gingen weiterhin nebeneinander.

Sie waren an den Weg zum Pfarrhof gelangt. Fräulein Kielland blieb stehen. Sie brach in Lachen aus und sagte:

Nein, so was! – Und sie schüttelte den Kopf.

Sie wartete auf die restliche Gesellschaft, die zurückgefallen war. Er wollte fragen, ob er sie heimbegleiten dürfe, er wollte es gerade wagen; doch im gleichen Augenblick wandte sie sich von ihm ab und rief nach hinten zum Adjunkt:

Kommen Sie schon, Adjunkt, kommen Sie schon! – Und sie winkte auch eifrig mit der Hand, um ihn anzutreiben.

VII

Um sechs Uhr am nächsten Abend trat Nagel in die Stube des Doktors. Er glaubte, allzu früh gekommen zu sein; doch die Gesellschaft vom vorigen Abend hatte sich bereits versammelt. Außerdem waren noch ein paar neue Gäste da, ein Rechtsanwalt und ein junger, blonder Student. An zwei Tischen trank man bereits Selters und Cognac; an einem dritten Tisch saßen die Damen, der Assessor Reinert und der junge Student und sprachen miteinander. Der Adjunkt, dieser schweigsame Mann, der selten oder niemals einen

Laut von sich gab, war schlichtweg schon betrunken, und jetzt, in angeheizter Stimmung und mit flammenden Wangen, erging er sich laut über Gott und die Welt. Da hätten wir nun Serbien, wo achtzig Prozent der Bevölkerung weder lesen noch schreiben kann, ist dort alles so viel besser? Ja, das wolle er doch wirklich fragen! – Und der Adjunkt sah mit grimmiger Miene umher, obwohl ihm keine Seele widersprochen hatte.

Die Gastgeberin rief Nagel und schaffte ihm am Tisch der Damen Platz. Was wolle er am liebsten trinken? Sie sprächen hier gerade über Kristiania, sagte sie. Es sei ja eine sonderbare Idee von Nagel, sich in einer Kleinstadt niederzulassen, wo er doch die Wahl habe und sogar in Kristiania sein könnte.

Nagel fand diese Idee nicht gar so sonderbar; er wollte den Sommer auf dem Land verbringen und Ferien machen. In Kristiania wäre er übrigens auf gar keinen Fall; Kristiania gehöre zu den letzten Orten, die er wählen würde.

Wirklich? Aber es sei ja immerhin die Hauptstadt. Es sei doch der Treffpunkt für alles, was es im Lande gebe an Größen und Berühmtheiten und Kunst und Theater und allem möglichen.

Ja, und außerdem alle die Fremden, die dort hinströmen! bemerkte Fräulein Andresen; fremde Schauspieler, Sänger, Musiker, Künstler jeglicher Art.

Dagny Kielland saß schweigend da und hörte nur zu.

O ja, das sei wohl richtig, räumte auch Nagel ein; er wisse auch selbst nicht, wie es komme, aber jedesmal, wenn Kristiania erwähnt werde, dann sähe er vor sich einen Abschnitt von Græensen, und es rieche nach ausgehängten Kleidern. Das sei wirklich wahr, und er erfinde dies nicht. Es mache auf ihn den Eindruck einer großtuerischen Kleinstadt mit ein paar Kirchen, ein paar Zeitungen, einem Hotel und einem gemeinsamen Pumpbrunnen, aber mit den größten Menschen von der Welt. Nirgends habe er die Menschen sich so brüsten sehen wie dort, und, Herrgott, wie viele Male habe er sich nicht weggewünscht, als er dort lebte!

Der Assessor konnte nicht begreifen, daß jemand eine solche Abneigung entwickeln könne – nicht nur gegen einen einzelnen Menschen, sondern gegen eine ganze Stadt, gegen die Hauptstadt eines Landes. Kristiania sei in Wirklichkeit jetzt nicht mehr so klein; es beginne unter den Städten von Rang seinen Platz einzunehmen. Und das Café Grand sei kein unbedeutendes Café.

Nagel erhob zunächst keinen Einspruch gegen das Grand. Aber kurz danach runzelte er die Stirn und bemerkte, so daß alle es hören konnten:

Das Grand ist ein *unvergleichliches* Café.

Das meinen Sie doch wohl nicht ernst?

Doch. Das Grand war jener famose Ort in der Stadt, wo alles Große Sitzung hielt. Da saßen die größten Maler der Welt, die hoffnungsvollste Jugend der Welt, die elegantesten Damen der Welt, die tüchtigsten Redakteure der Welt und die größten Dichter der Welt! Hehe, da saßen sie und blähten sich voreinander auf – der eine heilfroh über die Wertschätzung des anderen. Ich habe dort Jedermann sitzen und sich darüber freuen sehen, daß andere Jedermänner ihn beachten.

Diese Antwort erregte allgemeine Verärgerung. Der Assessor beugte sich zu Fräulein Kiellands Stuhl hinüber und sagte recht laut:

So was von Überheblichkeit hab' ich noch nicht gehört!

Sie wachte auf. Sie sah schnell zu Nagel hinüber; der hatte die Worte des Assessors ganz bestimmt gehört; aber sie schienen ihn nicht zu bekümmern. Im Gegenteil, er trank dem jungen Studenten zu und begann mit gleichgültiger Miene von etwas anderem zu reden. Ja, sein überlegenes Wesen ärgerte auch sie; Gott weiß, was er von ihnen allen halten mochte, wenn er meinte, ihnen ein solch geschwollnes Geschwätz vorsetzen zu können! So was von Dünkel, so was von Größenwahn! Als der Assessor sie fragte: Ja, was meinen denn Sie? antwortete sie mit hochgeschraubter Stimme: Was ich meine? Ich will meinen, daß Kristiania für mich gut genug ist.

Auch das störte Nagels Ruhe nicht. Als er diese laute,

halb an ihn gerichtete Stimme hörte, begann er das Fräulein mit nachdenklicher Miene anzusehen, als versuchte er sich darauf zu besinnen, womit er sie wohl verärgert haben könnte. Länger als eine Minute sah er sie unausgesetzt an und blinzelte mit den Augen und dachte nach, und währenddessen hatte er einen bekümmerten Ausdruck.

Jetzt aber hatte auch der Adjunkt mitbekommen, wovon die Rede war, und er protestierte dagegen, daß Kristiania kleiner als zum Beispiel Belgrad sei. Überhaupt sei Kristiania nicht kleiner als andere Hauptstädte von angemessener Größe ...

Hier begannen alle zu lachen. Der Adjunkt sah allzu komisch aus mit seinen heißen Wangen und seiner unerschütterlichen Überzeugung. Rechtsanwalt Hansen, ein winzig kleiner dicker Mann mit goldener Brille und blankem Schädel, lachte endlos über ihn und schlug sich auf die Schenkel und lachte.

Von angemessener Größe, von angemessener Größe! rief er. Kristiania ist nicht kleiner als andere Hauptstädte von gleicher Größe, von genau der gleichen Größe. Nicht viel kleiner. Ach, du meine Güte! Prost!

Nagel begann wieder mit dem Studenten Øien zu sprechen. Ja, in seinen jüngeren Tagen habe auch er – Nagel – für Musik geschwärmt, und da besonders für Wagner. Aber das habe sich mit den Jahren verloren. Er habe es auch nicht weiter gebracht, als die Noten zu lernen und ein paar Töne hervorzubringen.

Auf dem Klavier? fragte der Student. Klavier war sein Fach.

Nein, pfui! Auf der Geige. Aber wie gesagt: ich kam nicht voran und hörte sofort damit auf.

Zufällig streiften seine Augen Fräulein Andresen, die jetzt seit mindestens einer Viertelstunde hinten in einer Ecke am Kachelofen gesessen und sich mit dem Assessor unterhalten hatte. Ihr Blick begegnete dem Nagels, rasch, unabsichtlich, aber trotzdem rutschte sie auf ihrem Stuhl unruhig hin und her und blieb in dem, was sie sagen wollte, unversehens stecken.

Dagny saß da und schlug sich mit einer zusammengefalteten Zeitung in die Hand. Ihre langen, weißen Finger trugen keine Ringe. Nagel musterte sie heimlich. Du gütiger Gott, wie hübsch sie heute abend war; in dieser Beleuchtung, vor der dunklen Wand, sah ihr dicker, heller Zopf noch heller aus. Ihr Körper hatte, wenn sie saß, einen Anflug von Üppigkeit; doch wenn sie sich erhob, verschwand er. Sie hatte einen leichten, wiegenden Gang, als sei sie viel Schlittschuh gelaufen.

Nagel stand auf und ging zu ihr hin.

Sie hatte für einen Moment ihren dunkelblauen Blick auf ihn fallen lassen, und er rief, ohne weiter nachzudenken, aus:

Gott bewahre, wie schön Sie sind!

Diese Direktheit verwirrte sie völlig, sie behielt den Mund offen und wußte weder ein noch aus. Dann flüsterte sie:

Aber seien Sie doch manierlich!

Kurz danach erhob sie sich und ging zum Klavier, wo sie sich mit rotglühenden Wangen daran machte, in den Noten zu blättern.

Der Doktor, der darauf brannte, über Politik reden zu dürfen, fragte plötzlich ins Zimmer hinein:

Haben Sie heute die Zeitungen gelesen? Das *Morgenblatt* treibt's jetzt, zum Teufel noch mal, doch zu bunt! Das ist nicht mehr die Sprache gebildeter Leute, das ist nur noch vulgäres Gekeife.

Wenn aber dem Doktor nicht widersprochen wurde, kam er nicht richtig in Fahrt. Dies wußte Rechtsanwalt Hansen, und deshalb sagte er listig und liebenswürdig:

Sollten wir nicht eher sagen, auf beiden Seiten werden Fehler gemacht?

Was meinst du? rief der Doktor und sprang auf. Du willst doch wohl nicht sagen, daß ...

Der Tisch war gedeckt. Die Gesellschaft begab sich in das Eßzimmer, der Doktor redete weiter. Die Unterhaltung wurde bei Tisch fortgesetzt. Nagel, der zwischen der Dame des Hauses und dem jungen Fräulein Olsen, der

Tochter des Polizeimeisters, plaziert worden war, beteiligte sich nicht daran. Als man sich vom Tisch erhob, war man bereits weit in die europäische Politik vorgedrungen. Man äußerte seine Meinung über den Zaren, über Konstantin, über Parnell, und als man schließlich zur Balkanfrage schwenkte, fand der betrunkene Adjunkt wieder Gelegenheit, sich auf Serbien zu werfen. Er habe eben die *Statistische Monatsschrift* gelesen; es herrschten fürchterliche Zustände, die Schulen völlig vernachlässigt ...

Eines freut mich jedoch über alle Maßen, sagte der Doktor mit ganz feuchten Augen, und zwar, daß Gladstone noch lebt. Brauen Sie sich jetzt einen, meine Herren, dann trinken wir auf das Wohl von Gladstone, ja, von Gladstone, diesem großen und reinen Demokraten, dem Manne der Gegenwart und Zukunft!

Einen kleinen Moment, laßt uns auch mitmachen! rief seine Frau. Und sie schüttete Wein in die Gläser der Damen, ließ ihn vor lauter Eifer überlaufen und reichte mit bebenden Händen das Tablett herum.

Dann tranken alle.

Ja, ist das nicht ein toller Bursche! fuhr der Doktor fort und schnalzte mit der Zunge. Der Arme, er war jetzt eine Zeitlang erkältet, aber das geht hoffentlich vorüber. Keinen der derzeitigen Politiker möchte ich so ungern entbehren wie Gladstone. Gütiger Himmel, denke ich an ihn, dann steht er vor mir wie ein Leuchtturm, der die ganze Welt erhellt! ... Sie sehen so abwesend aus, Herr Nagel; stimmen Sie mir nicht zu?

Wie bitte? Ich stimme Ihnen selbstverständlich völlig zu.

Selbstverständlich. Nun ja, auch bei Bismarck gibt es manches, das mir imponiert, aber Gladstone!

Dem Doktor wurde noch immer nicht widersprochen, alle kannten seine Ergüsse. Schließlich verebbte das Gespräch so weit, daß der Doktor vorschlug, sich die Zeit mit Spielkarten zu vertreiben. Wer wolle spielen? Doch jetzt rief Frau Stenersen durch das ganze Zimmer:

Nein, ich muß doch sagen! Wißt ihr, was mir Student Øien jetzt gerade erzählt? Herr Nagel, Sie hätten Gladstone durchaus nicht immer für so hervorragend gehalten wie heute abend. Student Øien hat Sie einmal in Kristiania gehört – war es im Arbeiterverein? –, wo Sie Gladstone ganz ordentlich heruntergemacht haben. Sie sind mir vielleicht einer! Ist das denn wirklich wahr? Oder wollen Sie etwa leugnen!

Die Frau sagte dies völlig arglos, mit lächelndem Mund, und streckte spaßeshalber den Zeigefinger in die Höhe. Sie wiederholte, daß er sagen müsse, ob das wahr sei.

Nagel stutzte und antwortete:

Das muß ein Irrtum sein.

Ich will nicht sagen, daß Sie ihn heruntergemacht haben, sagte Øien; Sie opponierten stark. Ich erinnere mich etwa daran, daß Sie von Gladstone sagten, er sei bigott.

Bigott! Gladstone bigott! schrie der Doktor. Waren Sie betrunken, Mensch?

Nagel lachte.

Das war ich bestimmt nicht. Doch, vielleicht war ich betrunken, ich weiß es nicht. Es hört sich so an.

Ja, weiß Gott, das tut es! sagte der Doktor zufriedengestellt.

Nagel wollte sich nicht deutlicher ausdrücken, er vermied es, mehr zu sagen, und Dagny Kielland bat wieder Frau Stenersen, es zu forcieren:

Bringen Sie ihn dazu, zu erzählen, was er gemeint hat. Das ist so amüsant.

Ja, aber was meinten Sie denn eigentlich? fragte da Frau Stenersen. Sie haben sich doch wohl etwas dabei gedacht, als Sie opponierten? Also, sagen Sie uns das jetzt! Sie machen uns damit außerdem ein Vergnügen; denn wenn ihr jetzt anfangt, Karten zu spielen, dann wird es *zu* langweilig.

Das ist eine andere Sache, wenn ich damit die Gesellschaft aufmuntern kann, antwortet Nagel.

Wollte er mit dieser Bemerkung sich selbst und seine Rolle etwas ins Lächerliche ziehen? Er verzog ein wenig den Mund.

Er begann damit, daß er sich nicht an jenes Mal, von dem

Herr Øien sprach, erinnerte ... Hat jemand von Ihnen Gladstone gesehen und ihn reden gehört? Der bestimmende Eindruck, der sich einem vom Rednerpult aus aufdrängt, ist: das offene Auftreten des Mannes, seine große Redlichkeit. Es ist, als könne von gar nichts anderem die Rede sein als von Lauterkeit. Wie sollte dieser Mann den großen Frevel begehen können, sich gegen Gott zu versündigen! Und er selbst ist so tief von dieser Idee mit der Lauterkeit durchdrungen, daß er auch bei seinen Zuhörern das gleiche voraussetzt, tatsächlich sogar bei seinen Zuhörern nichts als Lauterkeit voraussetzt ...

Aber das ist doch ein hübscher Zug an ihm? Das zeigt seine Rechtschaffenheit und humane Gesinnung, unterbrach der Doktor. Ich habe noch nie so was Verdrehtes gehört!

Das meine ich auch; ich führe es ja nur zu seiner Charakterisierung an, als einen hübschen Zug in seinem Bild, hehehe. Ich will einen Vorfall erwähnen, der mir gerade jetzt einfällt; nein, ich brauche vielleicht nicht den ganzen Vorfall zu schildern, sondern nur den Namen Carey zu nennen. Ich weiß nicht, ob Sie alle sich erinnern, wie Gladstone in seiner Zeit als Minister die Spitzelberichte des Verräters Carey aufnahm. Er half ihm später übrigens hinüber nach Afrika, um ihn vor der Rache der Fenier zu retten. Na, nicht davon soll die Rede sein, das ist eine andere Geschichte; ich messe solchen Lappalien, die zu veranstalten ein Minister dann und wann vielleicht gezwungen sein kann, keine allzu große Bedeutung bei. Nein, um auf das zurückzukommen, wovon wir sprachen, so ist es ein Faktum, daß Gladstone als Redner die Lauterkeit in Person ist ... Nun hätten Sie Gladstone reden sehen und hören sollen, dann bräuchte ich nur auf seine Mimik während des Vortrags zu verweisen. Er ist seiner Lauterkeit so sicher, daß sich diese Sicherheit in seinem Blick widerspiegelt, in seiner Stimme, seiner Haltung und seiner Gestik. Seine Rede ist simpel und eingängig, langsam und endlos; oh, wie ewig lang sie dauert; sein Faden reißt nie ab! Sie hätten sehen sollen, wie er seine Bemerkungen reihum im Saale verteilt, ein bißchen für diesen Eisenhändler hier, ein bißchen für jenen Kürschner dort, wie er in solchem Maße weiß, wovon er redet, daß es scheint, er taxiere seine Worte auf eine Krone pro Stück. Doch, das ist wirklich ein erquicklicher Anblick! Gladstone ist nämlich Ritter des unbestreitbaren Rechts, und für dessen Sache streitet er. Es würde ihm niemals einfallen, dem Irrtum irgendein Zugeständnis zu machen. Das soll heißen: Wenn er weiß, das Recht ist auf seiner Seite, dann ist er gnadenlos darin, es handzuhaben, es hervorzuhalten, es in den Himmel zu heben, es vor den Augen der Zuhörer flattern zu lassen, um alle seine Widersacher zu demütigen. Seine Moral ist von gesündester und dauerhaftester Art, er arbeitet für das Christentum, für den Humanismus und für die Zivilisation. Würde jemand diesem Mann soundso viele tausend Pfund anbieten, damit er eine unschuldige Frau vor dem Schafott rette, würde er die Frau retten, das Geld mit Verachtung zurückweisen und sich das hinterher nicht als Verdienst anrechnen. Durchaus nicht; er würde sich das *nicht* als Verdienst anrechnen; solch ein Mann ist er. Er ist ein unermüdlicher Kämpfer und eifrig dabei, auf unsrem Erdball Gutes zu tun, wappnet sich täglich für Recht, Wahrheit und Gott. Und was für Schlachten er nicht gewinnt! Zwei und zwei ist vier, die Wahrheit hat gesiegt, die Ehre dafür gebührt Gott! ... Nun, Gladstone kann sich zu Höherem aufschwingen als zu zwei und zwei ist vier, ich habe ihn in einer Haushaltsdebatte nachweisen hören, daß siebzehn mal dreiundzwanzig dreihunderteinundneunzig ist, und er siegte vernichtend, siegte kolossal, er hatte abermals recht, und das Recht leuchtete aus seinen Augen, bebte in seiner Stimme und erhob ihn zur Größe. Doch jetzt stutzte ich wirklich und sah mir den Mann an. Ich begriff, daß er voller Lauterkeit war, aber trotzdem geriet ich ins Grübeln. Ich stehe da und denke über seine dreihunderteinundneunzig nach und finde, daß es stimmt, dessenungeachtet aber lasse ich es mir etwas auf der Zunge zergehen und sage mir dann: Nein, halt! siebzehn mal dreiundzwanzig ist dreihundert*sieben*undneunzig! Ich weiß wohl, daß es einundneunzig ist, trotzdem aber sage ich gegen mein beßres Wissen siebenundneunzig, um auf einer anderen Seite zu stehen als dieser Mensch, dieser Professional der Gerechtigkeit. In mir ist eine Stimme, die verlangt: Erhebe dich, erhebe dich gegen dieses Wie-geschmiert-Recht! Und ich erhebe mich und sage siebenundneunzig aus lauter innrem, brennendem Notstand, um mein Bewußtsein von Recht davor zu bewahren, in Grund und Boden banalisiert zu werden von diesem Mann, der so unanfechtbar auf der Seite des Rechts steht ...

Ich habe, strafe mich Gott, noch nie einen solchen Nonsens gehört! ruft der Doktor. Empört es Sie denn, daß Gladstone immer recht hat?

Nagel lächelte – ob aus Güte oder aus Dünkel, war nicht gut zu sagen. Er fuhr fort:

Es empört mich nicht, es demoralisiert mich eher. Na, ich rechne kaum damit, verstanden zu werden, aber das ist auch egal. Gladstone ist solch ein landfahrender Herold des Rechts und der Wahrheit, sein Hirn ist erstarrt vor anerkannten Resultaten. Daß zwei und zwei vier ist, ist für ihn die größte Wahrheit unter der Sonne. Und sollen wir leugnen, daß zwei und zwei vier ist? Natürlich nicht, ich sage das auch nur, um zu zeigen, wie ewig recht Gladstone hat. Es hängt doch nur davon ab, ob man wahrheitstoll genug ist, sich das bieten zu lassen, ob einem die Geisteskraft vor Wahrheit schon so lernfaul geworden ist, daß sie sich mit einer solchen Wahrheit kurzerhand zu Boden schlagen läßt. Darum geht es ... Na, aber Gladstone hat in solchem Maße recht und ist so voll Lauterkeit, daß es ihm bestimmt niemals einfallen wird, seine Wohltaten unserer Erdkugel gegenüber freiwillig einzustellen. Er muß ständig unterwegs sein, er ist überall vonnöten. So schlägt er denn der Welt seine Weisheit in Birmingham und seine Weisheit in Glasgow um die Ohren, bringt einen Korkenschneider und einen Advokaten zur gleichen politischen Anschauung, streitet gewaltig für die Sache seiner Überzeugung und strengt seine alten und getreuen Lungen auf das äußerste an, damit keines seiner kostbaren Worte den Zuhörern verlorengehe. Und wenn der Akt vorbei ist und das Volk gejubelt hat und Gladstone sich verbeugt hat, dann geht er abends nach Hause und legt sich hin und faltet die Hände und spricht ein Gebet und schläft ein, ohne den leisesten Verdacht in seiner Seele, ohne sich darüber zu schämen, daß er Birmingham gefüllt und Glasgow gefüllt hat – womit? Er hat nur das Gefühl, seine Pflicht gegen die Menschen erfüllt und gegen sich selbst recht getan zu haben, und dann schläft er ein, wie der Gerechte einschläft. Er wird nicht so sündig sein, zu sich selbst zu sagen: heute hast du deine Sache ein bißchen schlecht gemacht, du hast die zwei Baumwollspinner auf der ersten Bank gelangweilt, den einen hast du zum Gähnen gebracht – er wird sich das nicht sagen, weil er nicht sicher ist, ob das denn auch stimmte. Und lügen will er nicht, denn Lügen ist Sünde, und Gladstone will nicht sündigen. Nein, er wird sagen: mir schien, als habe ein Mann gegähnt; es kam mir merkwürdigerweise so vor, als habe er gegähnt; aber ich habe mich wohl vertan, der Mann wird wohl nicht gegähnt haben. Hehehe ... Ich weiß nicht, ob es etwas in dieser Richtung war, was ich in Kristiania darlegte; aber das ist auch egal. Auf jeden Fall gestehe ich, daß Gladstones geistige Größe auf mich stets einen ziemlich wenig überwältigenden Eindruck gemacht hat.

Armer Gladstone! sagte der Assessor Reinert.

Darauf antwortete Nagel nichts.

Nein, darüber sprachen Sie in Kristiania nicht, erklärte Øien. Sie hatten sich Gladstone wegen seines Verhältnisses zu den Iren und Parnell vorgenommen und sagten unter anderem, ein bedeutender Geist sei er nicht. Ich erinnere mich, daß Sie das sagten. Er sei eine große und brauchbare, aber der Natur nach lediglich ordinäre Kraft, ein ungeheurer Kleiner Finger von Beaconsfield.

Ich erinnere mich, mir wurde das Wort entzogen, hehehe. Gut, aber ich unterschreibe auch das; warum nicht? Das macht es ja wohl nicht schlimmer, als es schon ist. Doch richten Sie mich mild!

Da sagte Doktor Stenersen:

Sagen Sie mal: sind Sie ein Anhänger der *Rechten*?

Nagel sperrte erstaunt die Augen auf; dann brach er in Lachen aus und antwortete:

Ja, was glauben Sie?

Im selben Augenblick läutete es an der Sprechzimmertür des Doktors. Seine Frau sprang auf; natürlich, jetzt mußte der Doktor wieder hinaus, leider. Aber sonst dürfe noch niemand aufbrechen, durchaus nicht, auf keinen Fall vor zwölf. Fräulein Andresen solle sich einfach wieder hinsetzen; Anna solle mehr heißes Wasser bringen, viel heißes Wasser. Die Uhr sei erst zehn.

Herr Assessor, Sie trinken ja gar nichts.

Doch, der Assessor kam nicht zu kurz.

Ja, aber Sie dürfen nicht aufbrechen. Sie müssen alle hierbleiben. Dagny, du bist so still?

Nein, Dagny war nicht stiller als üblich.

Jetzt trat der Doktor aus dem Sprechzimmer ein. Man möge ihn entschuldigen, er müsse weg; gefährlicher Fall, Verblutung. Na, es sei nicht so weit weg, daß er in zwei, drei Stunden nicht wieder zurück sein könne; hoffe, dann die Gesellschaft noch zu treffen. Adieu zusammen, adieu, Jetta.

Dann verschwand der Doktor eilig. Eine Minute später sah man ihn sich mit einem anderen Mann zusammen den Weg zur Landungsbrücke sputen, solche Eile hatte er.

Die Frau des Hauses sagte:

Ja, laßt uns jetzt etwas ausdenken ... Uff, Sie können mir glauben, es ist oft ziemlich langweilig, hier allein zurückzubleiben, wenn mein Mann weggeht. Vor allem in den Winternächten ist es richtig schlimm, da kann ich oft nicht sicher sein, daß er auch wieder zurückkommt.

In diesem Haus sind keine Kinder, wie ich sehe? fragte Nagel.

Nein, keine Kinder ... Na, ich fange an, mich an diese langen Nächte zu gewöhnen; aber am Anfang war es scheußlich. Ich versichre Ihnen, ich habe mich so gefürchtet, im Dunkeln gefürchtet und hatte Angst – ja, leider, ich fürchte mich auch im Dunkeln –, daß ich manchmal aufstehen mußte und zum Mädchen ging, um bei ihr zu schlafen ... Nein, jetzt sag du auch einmal was, Dagny! Woran denkst du gerade? Natürlich, an den Liebsten.

Dagny wurde rot, lachte aus Verlegenheit und antwortete:

Ja sicher, ich denke an ihn. Das ist ja wohl verständlich. Aber frag doch lieber, an was der Assessor Reinert denkt; er hat den ganzen Abend noch kein Wort gesagt.

Der Assessor protestierte; er hatte sich mit den Damen Olsen und Andresen unterhalten, sozusagen eine bedeutende Aktivität im stillen entwickelt, war die ganze Zeit aufmerksam gewesen, den politischen Darlegungen der anderen gefolgt, kurz gesagt ...

Fräulein Kiellands Verlobter ist nämlich wieder auf See, sagte die Dame des Hauses zu Nagel. Er ist Marineoffizier, er ist unterwegs nach Malta – war es nicht Malta?

Ja, nach Malta, antwortete Dagny.

Ja, solche Leute sind schnell verlobt! Er macht einen dreiwöchigen Abstecher nach Hause zu den Eltern, und dann eines Abends ... Ja, diese Leutnants!

Prima Kerle! fand Nagel. In der Regel schöne, abgehärtete Menschen mit forschem Mut und offenen Gesichtern. Ihre Uniform sei auch so schön, und sie trügen sie mit Grandezza. Doch, die Seeoffiziere hätten ihn immer bezaubert.

Da wendet sich plötzlich Fräulein Kielland an Øien und fragt lächelnd:

Ja, das sagt Herr Nagel jetzt. Was aber hat er in Kristiania gesagt?

Alle fingen an zu lachen; Rechtsanwalt Hansen rief angetrunken:

Ja, was hat er in Kristiania gesagt – in Kristiania? was hat Herr Nagel dort gesagt? Hahaha, du meine Güte! Prost!

Nagel stieß mit ihm an und trank. Er sei wirklich seit jeher von Seeoffizieren angetan gewesen. Er wolle sogar so weit gehen und sagen, wenn er ein Mädchen wäre, dann würde er einen Seeoffizier haben wollen, alles andere wäre uninteressant.

Darüber lachte man wieder; der Rechtsanwalt stieß begeistert mit allen Gläsern an, die er auf dem Tisch sah, und trank. Doch Dagny sagte plötzlich:

Allen Leutnants wird nachgesagt, so unbedarft zu sein. Das glauben Sie also nicht?

Nonsens. Aber außerdem, selbst wenn dies der Fall wäre, würde er als Mädchen trotzdem einen hübschen Mann einem klugen Mann vorziehen. Unbedingt! Und besonders, wenn er ein *junges* Mädchen wäre. Was fängt man mit einem Hirn ohne Körper an? Ja – könnte man sagen –, aber was fängt man denn mit einem Körper ohne Hirn an? Und doch, das sei Teufel noch eins ein Unterschied. Shakespeares Eltern, die konnten nicht lesen. Na, Shakespeare selbst konnte wohl auch nicht besonders gut lesen, aber er sei doch eine historische Gestalt geworden. Aber wie dem auch sei, so dürfte ein Mädchen wohl eher von einem gelehrten und häßlichen als von einem schönen und dummen Mann genug bekommen. Nein, wäre er ein junges Mädchen und hätte die Wahl, dann würde er vor allen Dingen einen schönen Mann nehmen. Um die Ansichten dieses Mannes über norwegische Politik und Nietzsches Philosophie und die Dreieinigkeit Gottes könnten sich die Geier balgen.

Hier können Sie Fräulein Kiellands Leutnant sehen, sagte die Frau des Hauses und kam mit einem Album.

Dagny sprang auf. Es entfuhr ihr ein: O nein! aber gleich darauf setzte sie sich wieder hin. Ja, aber das Bild ist schlecht, sagte sie dann; er sieht noch viel besser aus.

Nagel sah einen schönen jungen Mann mit Vollbart. Frei und gerade saß er an einem Tisch und hatte die Hand auf dem Säbel. Sein etwas spärliches Haar hatte er in der Mitte gescheitelt; er sah etwas englisch aus.

Ja, das stimmt wirklich, er ist eigentlich viel hübscher als hier, sagte auch die Frau des Hauses. Ich war selbst einmal in ihn verliebt, in meinen Mädchentagen ... Aber sehen Sie sich diesen Mann daneben an. Das ist ein junger Theologe, der jetzt gerade gestorben ist, Karlsen, sein Name war Karlsen. Er ist vor ein paar Wochen umgekommen. Das war so traurig. Nicht wahr? Jaja, er war es, den wir vorgestern begraben haben.

Es war ein kränklich aussehendes Wesen mit hohlen Wangen und mit Lippen, so schmal und zusammengekniffen, daß sie aussahen wie ein schlichter Strich im Gesicht. Die Augen waren groß und dunkel, die Stirn ungewöhnlich hoch und klar; doch seine Brust war flach und die Schultern nicht breiter als bei einer Frau.

Das war Karlsen. So sah er aus. Nagel dachte bei sich, zu diesem Gesicht passen blaue Hände und Theologie. Er wollte eben einflechten, es sei dies ein beklemmendes Gesicht, als er bemerkte, daß der Assessor Reinert seinen Stuhl neben Dagnys rückte und anfing, mit ihr zu sprechen. Da blätterte er in dem Album weiter vor und zurück und schwieg, um nicht zu stören.

Da Sie über meine Schweigsamkeit heute abend geklagt haben, sagte der Assessor, ist es mir vielleicht gestattet, Ihnen eine Begebenheit vom Kaiser-Besuch zu erzählen, eine wahre Geschichte. Sie fiel mir jetzt eben ein ...

Sie unterbrach ihn und sagte leise:

Worüber haben Sie denn den ganzen Abend lang dort hinten in der Ecke so ein Spektakel gemacht? erzählen Sie mir lieber das. Ich wollte Ihnen doch nur einen Wink geben, als ich sagte, Sie seien schweigsam gewesen. Sie waren natürlich wieder einmal boshaft. Es ist wirklich häßlich von Ihnen, ständig nachzuäffen und alles mögliche zu verspotten. Es stimmt schon, er protzt schrecklich mit dem eisernen Ring am kleinen Finger, hält ihn hoch und sieht ihn an und putzt ihn. Na, aber es kann gut sein, daß er das in Gedanken macht. Er hat sich jedenfalls nicht so affektiert angestellt, wie Sie es darstellten. Doch im übrigen ist er so geschwollen und halb übergeschnappt, daß er es verdient. Aber Gudrun, du bist mit deinem Gelächter wirklich zu weit gegangen. Er hat ganz sicher gemerkt, daß du ihn ausgelacht hast.

Gudrun kam hinzu, verteidigte sich, behauptete, daß es einzig und allein die Schuld des Assessors war, er sei so komisch gewesen, unwiderstehlich. Schon allein die Art, in der er sagte: Gladstones Größe hat mir nie imponiert – *mir*!

Still, du sprichst auch jetzt wieder zu laut, Gudrun. Er hat dich gehört, ja doch, er hat sich umgedreht. Aber du, hast du bemerkt ... als er unterbrochen wurde, hat ihn das nicht die Spur aufgebracht; nicht wahr? Er hat uns alle fast traurig angesehen. Stell dir vor, jetzt fang' ich schon an zu bereuen, daß wir hier sitzen und über ihn klatschen. Ja, erzählen Sie Ihre Geschichte vom Kaiser-Besuch, Assessor.

Und der Assessor erzählte. Da es kein Geheimnis war, sondern eine ganz unschuldige Begebenheit mit einer Frau und einem Blumenstrauß, sprach der Assessor lauter und lauter, schließlich hörte ihm das ganze Haus zu. Die Erzählung war umständlich und dauerte mehrere Minuten. Als sie zu Ende war, sagte Fräulein Andresen:

Herr Nagel, erinnern Sie sich an gestern abend, die Geschichte von dem Sängerchor auf dem Mittelmeer ...?

Nagel schlug das Album eilends zu, sah ins Zimmer und nahm einen fast furchtsamen Ausdruck an. War das Spiel oder Aufrichtigkeit? Er antwortete leise, daß er sich vielleicht in Einzelheiten geirrt haben könnte, aber nicht absichtlich, und er habe die Geschichte nicht erfunden, sie sei erlebt.

Nein, mein Lieber, ich wollte auch nicht sagen, daß Sie sie erfunden haben, antwortete sie lachend. Aber können Sie sich auch erinnern, was sie antworteten, als ich es schön fand? Daß Sie nur *einmal* zuvor etwas Schöneres gehört hätten, und das im Traum.

Doch, er erinnerte sich, er nickte.

Wollen Sie uns denn nicht auch diesen Traum erzählen! Doch, tun Sie es. Sie erzählen so besonders. Wir alle bitten Sie.

Aber jetzt weigerte er sich. Er kam mit vielen Entschuldigungen, sagte, es sei nur Belanglosigkeit, ein Traum ohne Anfang und Ende, ein Hauch von Vorspiegelung während des Schlafs. Nein, das könne nicht einmal mit Worten wiedergegeben werden; man kenne ja solche vagen, flüchtigen Eindrücke, die man nur wie einen Strahl fühlen könne und die dann blitzartig wieder weg seien. Man könne selbst urteilen, wie dumm das Ganze sei, wenn sich der Traum in einem weißen Wald aus Silber abspielte ...

Ja gut, ein Wald aus Silber. Und dann?

Nein. Er schüttelte den Kopf.

Er wolle für sie sehr gerne alles mögliche tun, ja sie solle ihn nur auf die Probe stellen. Aber diesen Traum könne er nicht erzählen, sie müsse ihm glauben.

Gut, aber dann etwas anderes. Wir alle bitten Sie.

Er tauge nicht dazu, nicht heute abend. Entschuldigung.

Dann fielen einige gleichgültige Worte, ein paar kindische Fragen und Antworten, der reine Unsinn. Dagny sagte:

Sie könnten alles mögliche für Fräulein Andresen tun, was zum Beispiel könnten Sie denn tun?

Man lachte über diesen Einfall, und Dagny selbst lachte auch. Nach kurzem Nachdenken sagte Nagel:

Für *Sie* könnte ich etwas Schlimmes tun.

Etwas Schlimmes für mich also. Lassen Sie uns hören. Einen Mord zum Beispiel?

Ja doch. Ich könnte einen Eskimo totschlagen, ihm die Haut abziehen und daraus eine Briefmappe für Sie machen.

Sieh einer an! Jetzt aber Fräulein Andresen, was könnten Sie für sie tun? Etwas unerhört Gutes?

Ja, vielleicht, ich weiß nicht. Apropos, das mit dem Eskimo habe ich irgendwo gesehen. Sie dürfen nicht glauben, das sei meine eigene Erfindung.

Pause.

Sie alle sind unglaublich liebenswürdige Menschen, sagte er dann. Sie wollen die ganze Zeit, daß *ich* mich hervortun soll und vor Ihnen allen meine Histörchen ausplaudre. Nur weil ich fremd bin.

Der Adjunkt sah verstohlen auf die Uhr.

Damit Sie es wissen, sagte die Frau des Hauses, Sie dürfen nicht gehen, bevor mein Mann zurück ist. Strengstens verboten. Machen Sie, was Sie wollen, doch gehen dürfen Sie nicht.

Dann gab es Kaffee, und die Gesellschaft wurde sofort

lebhafter. Der Rechtsanwalt, der mit dem jungen Studenten disputiert hatte, sprang auf, dieser dicke Mann sprang leicht wie eine Feder und schlug verzückt die Hände zusammen; selbst der Student rieb sich die Finger und ging zum Klavier, wo er ein paar Akkorde anschlug.

Ach ja, rief die Gastgeberin, wie konnten wir vergessen, daß Sie Klavier spielen. Jetzt müssen Sie weitermachen, doch, unbedingt!

Und der Student wollte im Grunde gerne spielen. Er könne nicht viel, doch falls man nichts gegen ein bißchen Chopin einzuwenden habe, oder vielleicht einen Walzer von Lanner ...

Nagel applaudierte emsig der Musik und sagte zu Dagny:

Nicht wahr, wenn man diese Art Musik hört, dann möchte man am liebsten in einem kleinen Abstand davon sitzen, in einem Nebenzimmer oder sonstwo, mit der Hand der geliebten Person in seiner und ganz und gar schweigen! Ich weiß nicht, aber ich habe mir immer vorgestellt, daß dies himmlisch sein müsse.

Sie musterte ihn. Meinte er diesen Quatsch? In seinem Gesicht war keine Ironie, und sie stimmte deshalb in den gleichen banalen Ton ein:

Ja. Aber es darf nicht zu hell sein; nicht wahr? Und die Sessel sollten möglichst niedrig und weich sein. Und draußen müßte es regnen und dunkel sein.

Sie war heute abend ganz ungewöhnlich schön. Diese dunklen Augen in dem hellen Gesicht erzielten eine starke Wirkung. Obwohl sie keine ganz weißen Zähne hatte, lachte sie gerne, lachte sogar über ganz unbedeutende Dinge; ihr Mund war ja auch rot und voll, so daß man sofort auf ihn aufmerksam wurde. Aber das Merkwürdigste war vielleicht, daß wenn sie sprach, regelmäßig ein Schimmer Rot über ihre Wangen glitt und sich sofort wieder verflüchtigte.

Nein, jetzt ist der Adjunkt schon wieder verschwunden! rief die Doktorsfrau. Natürlich, natürlich! Auf diesen Mann ist kein Verlaß, immer dasselbe. Ich hoffe wenigstens, daß Sie, Herr Assessor, gute Nacht sagen, bevor Sie gehen?

Der Adjunkt hatte den Weg durch die Küche genommen, hatte sich in aller Stille weggeschlichen, wie er das immer zu tun pflegte, müde nach seinem Rausch, bleich und übernächtigt, und war nicht mehr zurückgekommen. Nagels Gesicht wechselte bei dieser Nachricht plötzlich den Ausdruck. Der Gedanke durchfuhr ihn, daß er es wagen könne, Dagny seine Begleitung durch den Wald anzutragen, an Stelle des Adjunkts. Er bat sie auch unmittelbar und schob es nicht auf, beschwor sie sowohl mit den Augen wie mit seinem gesenkten Kopf, und dann fügte er schließlich hinzu:

Und ich werde ganz brav sein!

Sie lachte und antwortete:

Ja, ja, danke, wenn Sie brav sein wollen, gut.

Jetzt wartete er nur noch auf den Doktor, um aufbrechen zu können. Bei der Aussicht auf diesen Gang durch den Wald wurde er lebhafter als vorher, redete über alles mögliche mit, brachte alle zum Lachen und war ausgesucht liebenswürdig. Er war so hingerissen, so voller Glück, daß er auch versprach, nach Frau Stenersens Garten zu sehen, und, da er halber Fachmann sei, die Beschaffenheit der Erde in der unteren Ecke des Gartens, wo die kranken Johannisbeersträucher standen, zu untersuchen. Doch, er würde die Läuse schon in Schach halten, selbst wenn er sie besprechen, beschwören müsse.

Ob er auch der Hexerei kundig sei?

Er stümpere in allen möglichen Sparten. Hier könnte man zum Beispiel sehen, daß er einen Ring trug, einen unansehnlichen Ring aus Eisen, doch mit den wunderbarsten Eigenschaften. Sollte man das glauben, wenn man ihn sah? Aber würde er diesen Ring eines Abends um zehn Uhr verlieren, mußte er ihn spätestens bis zwölf wieder auftreiben, sonst erginge es ihm schlecht. Er habe ihn von einem uralten Griechen bekommen, einem Kaufmann in Piräus. Ja, er habe diesem Mann immerhin einen Gegendienst geleistet und ihm obendrein für den Ring einen Strang Tabak verehrt.

Aber glaube er tatsächlich daran?

Ja, ein bißchen. Wirklich! Er sei schon einmal durch ihn geheilt worden.

In Richtung See hörte man einen Hund bellen. Die Frau des Hauses sah auf die Uhr, doch, das war der Doktor, sie kannte den Hund. Oh, wie schön das war; die Uhr war zwölf, und er war bereits zurück! Sie klingelte, und es wurde mehr Kaffee gebracht.

Aha, es ist ein solch besonderer Ring, Herr Nagel? Und Sie glauben also fest an ihn?

Ziemlich fest. Das heißt: er hatte gute Gründe, nicht ganz an ihm zu zweifeln. Ja, konnte es denn nicht gleichgültig sein, woran man glaubt, solange man nur selbst, in seinem Innern, das eine für so gut wie das andere hält? Der Ring hatte ihn von Nervosität geheilt, hatte ihn fest und stark gemacht.

Die Frau des Hauses lachte eine Weile, dann fing sie an, ihm heftig zu widersprechen. Nein, sie könne diese Art von blasiertem Geschwätz nicht ausstehen – Entschuldigung, sie nenne es blasiertes Geschwätz –, und sie sei sicher, daß auch Herr Nagel selbst nicht glaube, was er sage. Wenn man so etwas von gebildeten Menschen höre, was müsse man da nicht vom Mann aus dem Volke erwarten? Wo käme man da hin? Dann könnten ja auch die Ärzte einpacken.

Nagel verteidigte sich. Doch, das eine sei beinah so gut wie das andere. Es sei der Wille, es sei der Glaube und die Veranlagung, auf die es beim Patienten ankomme. Die Ärzte aber brauchten deswegen nicht einzupacken, auch die hätten ihre Gemeinde, ihre Gläubigen, sie hätten die gebildeten Menschen, und die gebildeten Menschen würden durch Mixturen geheilt, während die Ketzer, die einfachen Leute, durch Eisenringe, verbrannte Menschenknochen und Friedhofserde geheilt würden. Hatte man nicht Beispiele dafür gesehen, daß Patienten durch klares Wasser genesen sind, wenn man ihnen nur einredete, daß es eine ausgesuchte Arznei sei? Welche Erfahrungen hatte man unter anderem nicht von Morphiumkranken her? Wenn man solche merkwürdigen Vorkommnisse erlebte, dann könne doch der nichtdoktrinäre Mensch sich den Teufel darum kümmern und seine Unabhängigkeit hinsichtlich des Glaubens in die akademische Medizin erklären. Na, im übrigen dürfe man aber nicht den Eindruck haben, daß er sich auf diese Sachen verstehen wolle, er sei kein Fachmann und habe nicht das Wissen. Schließlich sei er auch gerade so guter Laune, daß er auch den anderen nicht die Laune verderben wolle. Die gnädige Frau müsse ihm wirklich verzeihen, sie alle müßten ihm verzeihen.

Alle Augenblicke sah er auf die Uhr und knöpfte sich bereits die Jacke zu.

Mitten in dieses Geplauder platzte der Doktor. Er war nervös und verstimmt, wünschte mit erzwungener Lebhaftigkeit guten Abend und dankte seinen Gästen, weil sie noch nicht gegangen waren. Na ja, dem Adjunkt sei nicht zu helfen, und Friede sei mit ihm; aber sonst war die Gesellschaft vollzählig. Ja, das sei ein Kampf in dieser Welt!

Nun begann er, wie es seine Gewohnheit war, von seinen Krankenbesuchen zu sprechen. Seine saure Miene rührte daher, daß seine Patienten seine Erwartungen enttäuscht hatten, sie hätten sich wie Idioten und Esel aufgeführt, am liebsten hätte er sie einsperren lassen. Wo er gerade herkam, was für ein Haus! Die Frau krank, der Vater der Frau krank, der Sohn der Frau krank; und ein Gestank im ganzen Haus! Na, aber der Rest der Familie trotzdem gesund und rotbackig, die kleinen Kinder kerngesund. Es sei unbegreiflich, phänomenal; nein, er verstehe das nicht: Da lag dieser alte Mann, der Vater der Frau, mit einer Hiebwunde, so groß wie nur was. Dann habe man nach einer Frau mit Hausmitteln geschickt, und die hatte das Blut dann auch ganz richtig gestillt; aber womit hatte sie es gestillt? Schändlich, strafbar; nicht auszusprechen, es stank danach; oh, es war zum Eingehn! Und außerdem, bei nächstbester Gelegenheit, der kalte Brand in der Wunde! Ja, wäre er heute abend nicht zur Stelle gewesen, weiß der Herrgott! Man sollte doch das Quacksalbergesetz ausweiten, das sollte man wirklich tun, und diesen Leuten das Handwerk legen ... Na, das Blut war gestillt. Aber jetzt kommt der Sohn, ihr erwachsener Sohn, ein langer Schweinigel, der sich einen Ausschlag im Gesicht geholt hatte. Ich hatte ihm unlängst die Salben gegeben und ausdrücklich gesagt: Diese gelbe Salbe eine – eine – Stunde lang und die weiße Salbe, die Zinksalbe, den Rest des Tages. Was tut er? Nimmt natürlich die falsche Salbe, die weiße für eine Stunde, und die gelbe, die wie die Hölle brennt und zieht, reibt er für den ganzen Tag und die ganze Nacht ein. Das macht er ganze zwei Wochen. Das Seltsamste ist jedoch: Der Kerl erholt sich, erholt sich trotz seiner Dummheit; er wurde gesund! Ein Ochse, ein Rindvieh, das gesund wird, was zum Teufel er auch nimmt! Er erscheint heute abend vor mir mit einer Visage, auf der nicht eine Runzel zu finden ist. Glück, schweinisches Glück! Der Mann hätte sein Gesicht für lange Zeit verheeren können, doch glaubt ihr, er zuckte auch nur mit der Wimper... Dann ist da die Mutter des Jungen, die Frau. Sie ist krank, entkräftet, matt, schwindlig, nervös, schlechter Appetit, Malessen. Baden! sage ich. Baden und waschen und Wasser auf den Körper, zum Teufel! Koch ein Kalb und vertilg was Fleisch, reiß die Fenster auf und laß frische Luft rein, keine nassen Füße, nach draußen gehen, schmeiß das Buch da weg, den Johann Arendt, schmeiß es ins Feuer, und so weiter; aber vor allem Bäder und Abreibungen und wieder Bäder, sonst hilft meine Medizin nicht. – Na, Kalbfleisch könne sie sich nicht leisten, da kann man nichts weiter machen; aber sie badet, badet, sie kriegt ein bißchen Dreck runter, sie kriegt davon Gänsehaut, sie friert, sie klappert vor soviel Reinlichkeit mit den Zähnen, und da hört sie mit dem Wasser auf! Jawohl, jetzt könne sie es nicht länger aushalten, sauber zu sein! Was jetzt! Ja, jetzt besorgt sie sich eine Kette, eine Gichtkette, Voltakreuz oder wie das heißt, und hängt sich das um. Ich will das Ding sehen: eine Zinkplatte, ein Flatschen, ein paar Haken, ein paar kleinere Haken, das ist das Ganze. Zum Teufel, sage ich, wozu haben Sie das? Tja, das habe ihr etwas geholfen, ihr wirklich geholfen, es habe die Schmerzen im Kopf gelindert, sie wieder ein bißchen aufgewärmt. Ja doch, diese Haken und diese Zinkplatte haben ihr geholfen! Was soll man dazu sagen? Ich könnte auf einen Pin spucken und ihr den geben, und er würde ihr genausoviel helfen; aber sagen Sie ihr das! Nehmen Sie das da weg, rufe ich, sonst behandle ich Sie nicht, ich rühre Sie nicht an! Und was glauben Sie, macht sie? Sie hält an der Zinkplatte fest und läßt mich gehen! Hihihi, läßt mich gehen! Großer Gott! Nein, man sollte nicht Arzt sein, man sollte Medizinmann sein ...

Der Doktor setzt sich in großer Aufgeregtheit zum Kaffee. Seine Frau wechselt einen Blick mit Nagel, dann sagt sie lachend:

Herr Nagel hätte es genauso wie diese Frau gemacht. Gerade bevor du kamst, haben wir davon gesprochen. Herr Nagel glaubt nicht an deine Wissenschaft.

So, das tut Herr Nagel nicht! bemerkt der Doktor kurz. Neinnein, das kann Herr Nagel halten, wie er will.

Verärgert, gekränkt, voller Zorn auf diese miesen Patienten, die seine Anordnungen umgangen hatten, trank der Doktor wortlos seinen Kaffee. Er war erbittert darüber, daß alle ihn so ansahen. Macht irgendwas, fangt an, sagte er. Doch nach dem Kaffee wurde er wieder munter, sprach eine Weile mit Dagny, machte sich über seinen Schiffer, den Mann, der ihn zu den Kranken gerudert hatte, lustig; er kam wieder auf seine Unannehmlichkeiten als Arzt zu sprechen und wurde erneut gereizt. Noch war es ihm unmöglich, diesen Fehlgriff mit den Salben zu vergessen; all das sei nur Roheit und Aberglaube und Eselei. Insgesamt gäbe es draußen im gemeinen Volk eine schreckliche Unaufgeklärtheit.

Ja, aber der Mann wurde doch gesund?

Der Doktor hätte am liebsten seine Zähne in Dagny geschlagen, als sie das sagte. Er richtete sich auf. Der Mann wurde gesund; ja, und? Das schließt doch nicht aus, daß die Dummheit draußen im gemeinen Volk himmelschreiend ist. Der Mann wurde gesund, ja, das wurde er; aber was, wenn der Mann sich das Maul weggeätzt hätte? Sollte etwa seine viehische Unvernunft verteidigt werden?

Dieser schmähliche Zusammenstoß mit einem Bauernlümmel, der seinen Vorschriften völlig zuwidergehandelt hatte und doch geheilt worden war, irritierte den Doktor mehr als alles andere und machte seinen sonst so milden Blick hinter den Brillengläsern ganz wild. Er war von dem arglistigen Glückstreffer hinters Licht geführt worden, wegen einer Zinkplatte beiseite geschoben worden, und er konnte es nicht vergessen, bevor er auf den Kaffee auch noch ein Glas starken Toddy getrunken hatte. Dann sagte er plötzlich:

Du, Jetta, ich habe dem Mann, der mich geholt hat, fünf Kronen gegeben, damit du Bescheid weißt. Hahaha, ich habe so einen Kerl noch nie gesehen, sein ganzer Hosenboden war weg; aber eine Kraft im Körper und eine Abgestumpftheit! Der reine Satan! Er sang den ganzen Hinweg über. Er glaubte steif und fest, daß er mit einer Angelrute den Himmel erreichen könne, wenn er auf dem Gipfel des Etjeberges stehen würde. Dann mußt du aber auf den Zehen stehen, sagte ich. Ja, das verstand er nicht, er nahm es ernst und schwor drauf, daß er so gut wie nur irgendeiner auf den Zehen stehen könne. Hahaha, hat man so was schon gehört! Aber unterhaltsam war er.

Endlich erhob sich Fräulein Andresen, um zu gehen, und jetzt standen alle auf. Als Nagel gute Nacht sagte, dankte er so warm, so aufrichtig, daß er den Doktor, der die letzte Viertelstunde etwas sauer auf ihn gewesen war, vollständig entwaffnete. Kommen Sie bald wieder! Sagen Sie, haben Sie eine Zigarre? Stecken Sie sich doch eine Zigarre an. Und der Doktor bugsierte ihn noch einmal hinein, damit er sich eine Zigarre mitnehme.

Unterdessen wartete Dagny fertig angezogen auf der Treppe.

VIII

Helle Nächte.

Es war eine schöne Nacht.

Die zwei, drei Menschen, die noch in den Straßen zu sehen waren, hatten frohe Gesichter; auf dem Friedhof war immer noch ein Mann und schob eine Schubkarre, und er sang leise. Sonst war alles so still, daß nichts anderes als dieser Gesang zu hören war. Die Stadt sah von der Höhe des Doktorhauses aus wie ein seltsames, verzweigtes Rieseninsekt, ein Fabeltier, das sich flach auf den Bauch geworfen und Arme und Hörner und Fühlhörner in alle Richtungen ausgestreckt hatte; nur hier und da rührte es ein Glied oder zog eine Kralle an – wie jetzt unten an der See, wo eine winzig kleine Dampfjolle lautlos in die Bucht glitt und eine Furche durch das schwarze Wasser zog.

Der Rauch von Nagels Zigarre stieg blau nach oben. Er sog bereits den Duft von Wald und Gras ein, und ein Gefühl durchdringender Zufriedenheit ergriff ihn, eine eigentümliche und starke Freude, die ihm Wasser in die Augen trieb und ihm fast den Atem nahm. Er ging an Dagnys Seite; sie hatte noch nichts gesagt. Als sie am Friedhof vorbeigekommen waren, hatte er ein paar lobende Worte über Doktors geäußert, aber sie hatte nicht geantwortet. Jetzt hatten ihn Stille und Schönheit der Nacht so tief berauscht, waren so leidenschaftlich auf ihn eingedrängt, daß seine Atemzüge kurz wurden und sein Blick verschwommen. Ja, wie war es herrlich in den hellen Nächten! Mit lauter Stimme sagte er:

Nein, sehen Sie die Höhen, wie klar sind sie dort drüben! Ich bin so froh, mein Fräulein, ich bitte Sie, seien Sie so freundlich, Nachsicht mit mir zu haben; denn heute nacht könnte ich vor Glück Dummheiten begehen. Sehen Sie die Kiefern hier und die Steine und das Moos und die Wacholdersträucher, sie gleichen in diesem Nachtlicht sitzenden Menschen. Und die Nacht ist kühl und rein; sie beklemmt nicht mit seltsamen Ahnungen, und nirgends keimen heimliche Gefahren, oder? Jetzt dürfen Sie nicht unzufrieden mit mir sein, das dürfen Sie nicht. Es ist genau so, als gingen Engel durch meine Seele und sängen ein Lied. Mache ich Ihnen angst?

Sie war stehengeblieben, und deshalb fragte er, ob er ihr angst mache. Sie sah ihn lächelnd an mit ihrem blauen Blick, wurde wieder ernst und sagte:

Ich habe darüber nachgedacht, was für ein Mensch Sie sein mögen.

Dies sagte sie, während sie noch immer still stand und ihn ansah. Während des ganzen Weges sprach sie mit bebender, klarer Stimme, als sei sie ein wenig ängstlich und ein wenig froh.

Dann begann folgendes Gespräch zwischen ihnen, ein Gespräch, das, so langsam sie auch gingen, den ganzen Wald hindurch dauerte und das von einem zum anderen sprang, von Stimmung zu Stimmung, mit all der bewegten Unruhe, die über beiden war:

Haben Sie an mich gedacht? Wirklich? Aber ich habe sicher viel, viel mehr an Sie gedacht. Ich wußte schon, bevor ich eintraf, von Ihnen, ich hörte Ihren Namen an Bord des Dampfschiffes, per Zufall bekam ich ihn zu hören; ich belauschte ein Gespräch. Und ich ging hier am 12. Juni an Land. Am 12. Juni ...

So was, gerade am 12. Juni!

Ja. Und die Stadt flaggte, und ich fand, es sei eine so betörende Stadt, deshalb ging ich hier an Land. Und sofort hörte ich mehr über Sie ...

Sie lächelte und fragte:

Ja, das hörten Sie wohl von Minute?

Nein. Ich hörte, daß alle Sie gern hätten, alle Leute, und daß alle Sie bewunderten ... Und Nagel erinnerte sich plötzlich an den Theologen Karlsen, der ihretwegen sogar sein Leben beendet hatte.

Sagen Sie mir, sagte sie, Sie meinten das ernst, was Sie über die Seeoffiziere sagten?

Ja? Warum?

Nun, denn dann sind wir uns einig.

Warum sollte ich das nicht ernst meinen? Ich schwärme für sie und habe das immer getan, ich bewundere ihr freies Leben, ihre Uniformen, ihre Gesundheit und Furchtlosigkeit; zum größten Teil sind es auch außerordentlich angenehme Menschen.

Jetzt aber sprechen wir von Ihnen. Was haben Sie mit dem Assessor Reinert ins reine zu bringen?

Nichts. Mit dem Assessor Reinert, sagen Sie?

Gestern abend baten Sie ihn für etwas um Entschuldigung, und den ganzen heutigen Abend haben Sie fast kein Wort mit ihm gesprochen. Pflegen Sie denn alle Leute zu beleidigen und sich dann hinterher zu entschuldigen?

Er lachte und sah auf den Weg nieder.

Tatsache ist, antwortete er, daß es sehr unrichtig von mir war, den Assessor zu beleidigen. Doch ich bin völlig sicher, daß es wieder gut wird, wenn ich erst mal mit ihm gesprochen habe. Ich bin ein wenig jähzornig, ein wenig grob; das Ganze fing damit an, daß er mich anstieß, als er durch eine Tür kam. Eine Kleinigkeit also, eine Unachtsamkeit seinerseits; aber ich springe sofort auf wie ein Verrückter und belege ihn mit Schimpfnamen, halte ihm einen Bierkrug drohend unter die Nase und mache eine Beule in seinen Hut. Da ging er dann; als gebildeter Mensch mußte er gehen. Aber hinterher bereute ich mein Betragen, und ich habe mich entschlossen, es wiedergutzumachen. Natürlich, auch ich wäre ein wenig zu entschuldigen, ich war an diesem Tag nervös und hatte ein paar Unannehmlichkeiten gehabt. Aber davon weiß ja niemand etwas, so etwas kann man nicht erzählen, und da übernehme ich lieber die ganze Schuld.

Er hatte geredet, ohne weiter nachzudenken, vollkommen aufrichtig, als wolle er beiden Seiten Gerechtigkeit widerfahren lassen. Auch sein Gesichtsausdruck verriet keine Hintergedanken. Doch Dagny hielt jäh an, sah ihm erstaunt ins Gesicht und sagte:

Nein, aber ... so hat es sich doch gar nicht abgespielt? Ich habe es anders gehört.

Minute lügt! rief Nagel mit heißen Wangen.

Minute? Ich habe es überhaupt nicht von Minute gehört. Warum lügen Sie über sich selbst? Ich habe es von einem Mann auf dem Markt gehört, von dem Gipsfigurenhändler, der hat mir das Ganze erzählt. Er hat es auch von Anfang bis Ende mitgekriegt.

Pause.

Warum lügen Sie über sich selbst? Das verstehe ich nicht, fuhr sie fort, und sie sah ihn die ganze Zeit an. Ich habe die Geschichte heute gehört, und ich wurde darüber so froh, das heißt: ich fand, Sie hatten so ungewöhnlich schön gehandelt, so ungewöhnlich überlegen. Das stand Ihnen so gut. Hätte ich diese Geschichte nicht heute vormittag gehört, dann hätte ich mich wohl kaum getraut, jetzt hier mit Ihnen zu gehen. Das sage ich Ihnen ganz aufrichtig.

Pause.

Dann sagt er:

Und jetzt bewundern Sie mich deswegen?

Ich weiß nicht, antwortete sie.

Ja doch, jetzt bewundern Sie mich.

Hören Sie, fährt er dann fort, das ist ja alles nur eine Komödie. Sie sind ein ehrlicher Mensch, es ist mir zuwider, Sie zu beschwindeln, ich will Ihnen sagen, wie es zusammenhängt.

Und jetzt erklärt er ihr, frech und offnen Blicks, wie er das Ganze berechnet habe:

Wenn ich diesen Zusammenstoß mit dem Assessor auf *meine* Art darstelle, die Sache ein wenig verdrehe, sogar ein bißchen lüge, so tue ich das im Grunde – im Grunde – nur aus purem Kalkül. Ich versuche, aus dieser Affäre jedweden Vorteil zu ziehen. Sie sehen, ich bin Ihnen gegenüber aufrichtig. Ich setze nämlich voraus, daß Ihnen die eine oder andere Seele doch einmal den korrekten Hergang erzählt, und wenn ich mich da schon im voraus so schlecht wie möglich gemacht habe, dann profitiere ich davon, streiche einen unermeßlichen Gewinn ein. Ich erhalte dadurch einen Anstrich von Größe, von Edelmut, der seinesgleichen sucht – nicht wahr? –, das aber geschieht nun einzig und allein durch eine Betrügerei, so platt, so simpel, daß es

Sie empört, wenn Sie von ihr hören. Ich finde es richtig, zu diesem offnen Eingeständnis zu schreiten, weil Sie Ehrlichkeit verdienen. Was ich jetzt aber erreiche, ist natürlich, Sie tausend Meilen von mir fortzujagen, leider.

Sie sah ihn beharrlich an, mutmaßte über diesen Mann und seine Worte, dachte nach und versuchte, sich eine Meinung zu bilden. Was sollte sie glauben? Wo wollte er hin mit seiner Offenheit? Plötzlich hält sie wieder an, schlägt die Hände zusammen und bricht in ein hohes, klares Lachen aus.

Nein, Sie sind doch der frechste Mensch, von dem mir je zu Ohren gekommen ist! Man stelle sich vor, Sie laufen herum und verbreiten Geschichten, eine rüder als die andere, und mit ernstem Gesicht, nur um sich selbst runterzuputzen! Aber damit erreichen Sie doch nichts! So etwas Verrücktes habe ich noch nie gehört! Woher nehmen Sie die Sicherheit, daß ich jemals den korrekten Hergang zu hören bekommen würde? Sagen Sie mir das! Nein, halt, sagen Sie doch nichts, Sie würden wieder lügen. Pfui, wie häßlich das von Ihnen ist, hahahahaha. Aber hören Sie: wenn Sie nun berechnen, so und so wird das laufen, und sich das Ganze zurechtlegen und erreichen, was Sie erhoffen, weshalb gehen Sie dann nachträglich her und verscherzen alles wieder, indem Sie Ihre – wie Sie es nennen – Betrügerei offenbaren? Sie taten auch gestern abend etwas Ähnliches. Ich kann Sie nicht verstehen. Warum denn aber berechnen Sie alles übrige und berechnen doch *nicht*, daß Sie selbst Ihre Schwindeleien wieder aufdecken werden?

Er gab keineswegs auf, er dachte einen Augenblick nach und antwortete:

Aber ich berechne das, ja, auch das berechne ich. Sie werden es selbst einsehen. Wenn ich gestehe, hier freimütig gestehe, dann riskiere ich eigentlich nichts dabei, ich riskiere nicht viel. Erstens ist es nämlich nicht sicher, daß mir derjenige, dem ich gestehe, glaubt. *Sie* zum Beispiel glauben mir in diesem Augenblick nicht. Aber was hat das zur Folge? Ja, es hat zur Folge, daß ich doppelt profitiere. Ich profitiere enorm, mein Gewinn wächst wie eine Lawine, meine Größe wird hoch wie ein Berg. Nun, und zweitens werde ich aus dieser Spekulation in jedem Fall mit Profit hervorgehen, auch wenn Sie mir glaubten. Sie schütteln den Kopf? Nein, tun Sie das nicht; ich versichre Ihnen, ich habe dieses Verfahren ziemlich oft angewandt und habe damit stets gewonnen. Wenn Sie tatsächlich glauben, daß mein Geständnis ehrlich ist, dann werden Sie jedenfalls von meiner Offenheit völlig erschlagen sein. Sie werden sagen: Nun, er hat mich angeschmiert, aber er erzählt es hinterher, und ohne dazu gezwungen zu sein; seine Frechheit ist mystisch, er schreckt vor absolut nichts zurück, er versperrt mir mit seinen Eingeständnissen förmlich den Weg! Kurz gesagt: ich bringe Sie dazu, auf mich zu starren, ich entfache Ihre Neugier, damit Sie sich mit mir beschäftigen, ich bringe Sie dazu, sich aufzulehnen. Es ist doch keine Minute her, daß Sie selbst sagten: Nein, ich kann Sie nicht verstehen! Sehen Sie, das sagten Sie, weil Sie versucht hatten, mich zu erforschen – etwas, das mir wiederum einen Kitzel verursacht, ja was mir geradezu süß erscheint. Auf jeden Fall heimse ich also meinen Profit ein, egal was Sie nun glauben oder nicht glauben.

Pause.

Und Sie wollen mir weismachen, sagte sie, Sie hätten diese ganze Schlaumeierei im voraus kalkuliert? Sie hätten jedem Zufall vorgebeugt, hätten alle Verhaltensmaßregeln getroffen? Hahaha. Jetzt aber wird mich nichts mehr aus Ihrem Mund verblüffen, nein, ab jetzt bin ich auf alles gefaßt. Na, genug davon, Sie hätten viel schlechter lügen können, Sie sind ziemlich geschickt.

Er bestand hartnäckig auf dem Seinen und bemerkte, daß nach dieser ihrer Entscheidung sein Edelmut ein Fels sein müsse. Und er wolle ihr so sehr danken, hehehe, doch, er habe alles erreicht, was er angestrebt hatte. Aber es sei allzu freundlich von ihr, allzu gütig ...

Jaja, unterbrach sie, lassen Sie es nun gut sein.

Jetzt aber war er es, der anhielt.

Ich sage Ihnen nochmals, daß ich Sie beschwindelt habe! sagte er und starrte sie an.

Einen Augenblick sahen sie sich an; ihr Herz begann stärker zu klopfen, und sie wurde etwas bleich. Warum nur war ihm soviel daran gelegen, sie das Schlechteste von ihm denken zu lassen? So gern und so willig er sonst nachgab, war er in diesem Punkt nicht vom Fleck zu bewegen. Welch fixe Idee, welch Unvernunft! Ungehalten rief sie aus:

Ich kann nicht begreifen, warum Sie hier vor mir Ihr Innerstes nach außen krempeln! Sie versprachen doch, brav zu sein.

Ihre Heftigkeit war wirklich echt. Ihr wurde es zu bunt mit seinem Starrsinn, der so fest war, so unerschütterlich, daß er sie schwankend machte. Es kränkte sie, so durcheinandergebracht zu werden. In ihrer Erregung schlug sie mit dem Sonnenschirm in ihre Hand.

Er war sehr unglücklich und verlor darüber viele hilflose und schnurrige Worte. Schließlich mußte sie wieder lachen und gab ihm zu verstehen, daß sie ihn nicht ernst nähme. Er sei unmöglich, bleibe unmöglich und werde immer unmöglich sein. Ja, bitte schön, wenn er das so lustig fände. Aber kein Wort mehr über diese fixe Idee, kein Wort...

Pause.

Erinnern Sie sich, sagte er, hier war es, wo ich Sie das erste Mal traf. Niemals werde ich vergessen, wie feenhaft Sie aussahen, als Sie flohen. Wie eine Elfe, eine Vision... Aber jetzt will ich Ihnen etwas Märchenhaftes erzählen, das ich erlebt habe.

Es sei übrigens nur ein Stummel von Erlebnis, es sei schnell erzählt. Er saß einmal in seinem Zimmer, in einer kleinen Stadt, nicht in Norwegen, es sei ganz egal, wo das war; um es kurz zu machen, er saß also an einem lauen Herbstabend in seinem Zimmer. Das war vor acht Jahren, 1883. Er saß mit dem Rücken zur Tür und las in einem Buch.

Hatten Sie eine Lampe an?

Allerdings, draußen war es stockdunkel. Ich saß und las. Da geht jemand draußen, ich höre deutlich Schritte auf der Treppe, ich höre auch, daß bei mir angeklopft wird. Herein! Niemand kommt. Ich öffne die Tür; niemand draußen. Es steht absolut niemand draußen. Ich klingle nach dem Mädchen. Ist jemand die Treppe hinaufgegangen? Nein, niemand sei die Treppe hinaufgegangen. Schön, gute Nacht! Das Mädchen geht.

Ich setze mich wieder zum Lesen hin. Da fühle ich einen Atem, einen Luftzug, wie vom Atem eines Menschen, und ich höre, wie es flüstert: Komm! Ich sehe mich um; da ist niemand. Ich lese wieder, werde fuchtig und sage: Teufel auch! Da sehe ich auf einmal neben mir einen kleinen bleichen Mann mit rotem Bart und strohigem, steifem Haar, das steil nach oben ragt; der Mann steht an meiner linken Seite. Er zwinkert mir mit dem einen Auge zu, ich zwinkre zurück; wir hatten uns vorher noch nie gesehen, aber wir zwinkerten uns ein bißchen zu. Da klappe ich das Buch mit der rechten Hand zu, der Mann geht zur Tür und verschwindet; ich folgte ihm mit den Augen und sah, wie er verschwand. Ich stehe auch auf und gehe zur Tür, und da höre ich es wieder flüstern: Komm! Gut, ich ziehe einen Mantel an, streife die Galoschen über die Füße und gehe hinaus. Du solltest dir eine Zigarre anstecken, dachte ich, und ich kehre wieder in mein Zimmer zurück und stecke eine Zigarre an. Ich nehme auch noch weitere Zigarren mit, weiß Gott warum ich das tat, aber ich tat es jedenfalls und ging wieder hinaus.

Es war stockfinster, und ich sah nichts, aber ich fühlte, daß der kleine Mann an meiner Seite war. Ich ruderte mit den Armen herum, um ihn zu fassen zu kriegen, und ich stellte mich stur, beschloß, mich nicht zu rühren, wenn er mir nicht näheren Bescheid geben würde; aber er war nicht zu finden. Ich versuchte auch, ihm im Dunkeln in verschiedene Richtungen zuzuzwinkern, aber es half nichts. Gut! sagte ich, ich gehe nicht, weil du es willst, sondern weil ich es will, ich gehe spazieren; merk dir bitte, daß ich nur einen Spaziergang mache. Ich sprach laut, damit er es hörte. Ich ging mehrere Stunden, war aufs Land hinausgekommen, in einen Wald, ich spürte taunasse Zweige und Blätter mir ins Gesicht schlagen. Tja! sagte ich schließlich und zog die Uhr hervor, wie um auf sie zu sehen, tja, jetzt gehe ich also wieder nach Hause! Aber ich ging nicht wieder nach Hause, war außerstande umzukehren, es trieb mich ständig weiter. Es ist übrigens ein makelloses Wetterchen, sagte ich da, du kannst doch eine Nacht oder zwei so weitermachen, du hast Zeit genug! Dies sagte ich, obwohl ich müde war und ziemlich durchnäßt vom Tau. Und ich steckte mir eine neue Zigarre an, und der kleine Mann war ständig bei mir, ich fühlte, daß er mich anpustete. Und ich ging immerfort, ging in alle möglichen Richtungen, nie aber heimwärts zur Stadt. Meine Füße begannen zu schmerzen, ich war vom Tau naß bis an die Knie, und mein Gesicht brannte wegen der feuchten Zweige, die mich streiften. Ich sagte: Es mag ein wenig sonderbar erscheinen, daß ich um diese Tageszeit hier herumlaufe; aber es ist eine Gewohnheit von mir, ein Brauch von Kindesbeinen an, die größten Wälder aufzusuchen, die es gibt, um nachts darin zu spazieren. Und ich ging mit zusammengebissenen Zähnen weiter. Da schlägt die Turmuhr unten in der Stadt zwölf, eins, zwei, drei, vier, ganz bis zwölf; ich zähle die Schläge. Dieser bekannte Ton munterte mich sehr auf, obwohl es mich auch ärgerte, daß wir uns noch nicht weiter von der Stadt entfernt hatten, nachdem wir schon so lang herumgestapft waren. Gut, aber die Turmuhr schlug, und genau als der zwölfte Schlag fiel, steht der kleine Mann wieder leibhaftig vor mir und sieht mich an und lacht. Ich werde das mein Lebtag nicht vergessen, er war so quicklebendig, ihm fehlten zwei Vorderzähne, und er hielt die Hände auf dem Rücken ...

Aber wie konnten Sie ihn im Dunkeln sehen?

Er leuchtete. Er leuchtete von einem wundersamen Licht, das scheinbar hinter ihm war, von seinem Rücken ausstrahlte und ihn durchsichtig machte; sogar seine Kleider wurden so hellicht wie ein Tag, seine Hose war verschlissen und viel zu kurz. Das alles sah ich in einer Sekunde. Die Erscheinung versetzte mich in Erstaunen, unwillkürlich schloß ich die Augen und trat einen halben Schritt zurück. Als ich wieder aufsah, war der Mann weg ...

Oh ...!

Es geht noch weiter. Ich war zum Turm gekommen. Vor mir stand ein Turm, ich stieß dagegen, und ich sah ihn deutlicher und deutlicher, einen schwarzen, achteckigen Turm, wie der Turm der Winde in Athen, falls Sie davon eine Zeichnung gesehen haben. Ich hatte niemals von einem Turm in diesem Wald gehört, aber es gab ihn: ich stehe vor diesem Turm, ich höre wieder ein: Komm! und ich gehe hinein. Das Tor blieb hinter mir offen, und ich empfand das als Erleichterung.

Drinnen im Gewölbe treffe ich wieder den kleinen Mann; es brannte eine Lampe an der einen Wand, und ich sah ihn gut; er kam mir entgegen, als wäre er die ganze Zeit da drin gewesen, lachte leise und verharrte starrend vor mir, während er lachte. Ich sah in seine Augen, und mir schien, sie seien angefüllt mit vielen grauenhaften Dingen, die diese Augen im Leben gesehen hatten. Er zwinkerte mir wieder zu, aber ich erwiderte das Zwinkern nicht, ich wich vor ihm zurück, als er sich mir näherte. Plötzlich höre ich hinter mir leichte Schritte, ich wende den Kopf und sehe eine junge Frau hereinkommen.

Nun, ich sehe sie an und empfinde dabei Freude; sie hatte rotes Haar und schwarze Augen, aber sie war spärlich bekleidet und ging barfüßig auf dem Steinboden. Ihre Arme waren nackt und ohne Flecken.

Sie mustert uns beide einen Augenblick, beugt dann tief den Kopf vor mir und geht zu dem kleinen Mann hin. Wortlos fängt sie an, seine Kleider aufzuknöpfen und seinen Körper abzutasten, als ob sie nach etwas suche, und kurz danach zieht sie aus dem Futter seines Mantels eine brennende Flamme hervor, ein kleines, wild leuchtendes Licht, das sie sich an den Finger hängt. Das Licht leuchtet so stark, daß es die Lampe drüben an der Mauer vollständig überstrahlte. Der Mann stand völlig still und lachte fortgesetzt leise, während er durchsucht wurde. Gute Nacht! sagte die Frau und zeigte auf eine Tür, und der Mann, dieses fürchterliche, seltsame Halbtier, ging. Ich blieb allein mit einer neuen Person zurück.

Sie kam auf mich zu, verbeugte sich wieder tief vor mir und sagte, ohne zu lächeln, ohne die Stimme zu heben:

Woher kommst du?

Aus der Stadt, schönes Mädchen, antwortete ich. Ich komme aus der Stadt.

Fremder, vergib meinem Vater! sagte sie plötzlich. Füge uns deshalb nichts Böses zu; er ist krank, er ist wahnsinnig, du hast seine Augen gesehen.

Ja, ich habe seine Augen gesehen, antwortete ich, und ich fühlte, daß sie Macht über mich hatten, ich folgte ihnen.

Wo trafst du ihn? fragte sie.

Bei mir zu Hause, in meinem Zimmer. Ich las gerade, als er kam.

Da schüttelte sie den Kopf und schlug ihre Augen nieder.

Aber laß dich dadurch nicht betrüben, schönes Kind, sagte ich da; ich habe diese Wanderung gern gemacht, ich habe dadurch nichts versäumt und bereue nicht, dich getroffen zu haben. Schau, ich bin froh und zufrieden, lächle du nun auch!

Aber sie lächelte nicht, sie sagte:

Zieh die Schuhe aus. Du darfst heute nacht nicht von hier gehen, ich werde deine Kleider trocknen.

Ich sah an meinen Kleidern hinab, sie waren tropfnaß, aus meinen Schuhen lief Wasser. Ich tat, was sie mir sagte, und zog die Schuhe aus und gab sie ihr. Aber als ich das getan hatte, blies sie die Lampe aus und sagte:

Komm!

Warte noch, sagte ich und hielt sie zurück. Wenn ich nicht hier schlafen soll, warum läßt du mich dann schon jetzt die Schuhe ausziehen?

Das darfst du nicht wissen, antwortete sie.

Und ich bekam es nicht zu wissen.

Sie führte mich durch die Tür in einen dunklen Raum; ein Geräusch war vernehmbar, wie wenn uns etwas nachschnüffelte, und ich fühlte eine weiche Hand auf meinem Mund, und die Stimme des Mädchens sagte laut:

Ich bin es, Vater. Der Fremde ist fort – fort.

Aber ich hörte noch einmal, daß der mißgestaltete Wahnsinnige uns nachwitterte.

Wir stiegen eine Treppe hinauf, sie hielt meine Hand, und keiner von uns sprach. Wir kamen wieder in ein Gewölbe, in dem kein Lichtstrahl zu sehen war, überall war schwarze Nacht.

Still! flüsterte sie, hier ist mein Bett.

Und ich tastete nach dem Bett und fand es.

Zieh jetzt auch deine anderen Kleider aus, flüsterte sie wieder.

Ich zog sie aus und gab sie ihr.

Gute Nacht! sagte sie.

Ich hielt sie zurück und bat sie zu bleiben: Warte noch, geh nicht. Jetzt weiß ich, warum du mich da unten die Schuhe ausziehen ließest; ich werde sehr still sein, dein Vater hat mich nicht gehört – komm!

Aber sie kam nicht.

Gute Nacht! sagte sie wieder und ging ...

Pause. Dagny war flammend rot geworden, ihre Brust hob und senkte sich rasch, ihre Nasenflügel bebten. Sie fragte schnell:

Ging sie?

Pause.

Jetzt verwandelt sich meine Nacht und wird wie ein Feenmärchen, eine rosenrote Erinnerung. Stellen Sie sich eine helle, helle Nacht vor ... Ich war alleine; das Dunkel um mich her war schwer und dick wie Samt. Ich war müde, meine Knie zitterten, ich war auch etwas verstört. Dieser Halunke von einem Geisteskranken, der mich mehrere Stunden lang durch nasses Gras im Kreis geführt hatte, mich wie ein Stück Vieh geführt hat, nur mit seinem Blick und seinem Komm, Komm! Nächstes Mal reiß' ich ihm die Lampe weg und zertrümmre ihm damit sein Maul! Ich war ziemlich erbittert, steckte mir zornig eine Zigarre an und ging ins Bett. Ich lag eine Weile und sah auf die Glut meiner Zigarre, dann höre ich das Tor unten zufallen, und alles wird still.

Zehn Minuten verstrichen. Beachten Sie: ich liege hellwach auf einem Bett und rauche eine Zigarre. Plötzlich wird das Gewölbe von einem Rauschen erfüllt, als würden überall in der Decke Ventile geöffnet. Ich stemme mich auf den Ellbogen und lasse meine Zigarre ausgehen, starre ins Dunkel und kann nichts entdecken. Ich lege mich wieder hin und horche, und ich glaube, entfernte Töne zu hören, ein phantastisches tausendstimmiges Spiel, irgendwo um mich herum, hoch oben unterm Himmel vielleicht, aber tausendstimmig und leise. Dieses Spiel tönt unablässig und kommt näher und näher, und schließlich wogt es direkt über mir, über dem Dach des Turms. Ich stütze mich wieder auf den Ellbogen. Jetzt erlebe ich etwas, das mich noch heute, wenn ich daran denke, mit einem seltsamen, übernatürlichen Genuß berauscht: Ein Strom von winzig kleinen, blendenden Wesen bricht plötzlich auf mich herab; sie sind völlig weiß, es sind Engel, Myriaden kleiner Engel, die von oben niederströmen wie eine schiefe Mauer aus Licht. Sie füllen das Gewölbe, es sind vielleicht Millionen, sie bewegen sich in Wogen zwischen Boden und Decke, und sie singen, sie singen und sind völlig nackt und weiß. Mein Herz wird still, überall sind Engel, ich horche und höre ihren Gesang, sie streifen meine Augendeckel und setzen sich in mein Haar, und das ganze Gewölbe füllt sich mit dem Duft aus ihren kleinen aufgerißnen Mündern.

Ich liege dort auf den Ellbogen und strecke meine Hand nach ihnen aus, und einige von ihnen setzen sich auch drauf; sie sehen auf meiner Hand aus wie ein bebendes Siebengestirn. Aber ich beuge mich vor und sehe ihnen in die Augen, und ich sehe, daß diese Augen blind sind. Ich lasse diese sieben Blinden frei und fange sieben andere ein, und auch die sind blind. Ach, sie alle waren blind – der ganze Turm war voller blinder Engel, die sangen.

Ich rührte mich nicht, mir stockte der Atem, als ich dies sah, und um dieser blinden Augen willen glitt ein schmerzlicher Wehklang durch meine Seele.

Eine Minute verstrich. Ich liege und horche und höre irgendwo weit entfernt einen schweren, groben Schlag, ich höre ihn so grausam deutlich, er hallte noch lange nach: es war wieder die Turmuhr der Stadt, die schlug. Es schlug eins.

Und plötzlich verstummte der Gesang der Engel. Ich sah sie sich wieder ordnen und wegfliegen, sie schwärmten hoch zum Dach, drängelten zum Aufbruch, standen wie eine schiefe Mauer aus purem Licht, und sie alle sahen mich an, als sie aufbrachen. Der letzte wandte sich um und blickte mich noch einmal mit seinen blinden Augen an, ehe er verschwand.

Dies ist meine letzte Erinnerung, dieser eine Engel, der sich umwandte und mich ansah, obwohl er blind war. Dann wurde alles dunkel. Ich fiel ins Bett zurück und schlief ein ...

Als ich erwachte, war es heller Tag. Ich war immer noch allein in dem Gewölbe. Meine Kleider lagen vor mir auf dem Boden. Ich befühlte sie, sie waren noch etwas naß, aber ich zog sie trotzdem an. Dann geht die Tür auf, und das Mädchen vom Abend vorher zeigt sich wieder.

Sie kommt ganz nah zu mir her, und ich sage:

Wo kommst du her? wo warst du heute nacht?

Dort oben, antwortet sie und zeigt zum Dach des Turms hinauf.

Hast du nicht geschlafen?

Nein, ich habe nicht geschlafen. Ich habe gewacht.

Aber hast du heute nacht nicht Musik gehört? fragte ich. Ich habe eine unsagbare Musik gehört.

Und sie antwortete:

Doch, ich war es, die spielte und sang.

Du warst es? Sage mir, Kind, warst du es?

Ich war es.

Sie reichte mir die Hand und sagte: Aber komm jetzt, ich werde dich ein Stück begleiten.

Und wir verließen den Turm Hand in Hand und gingen hinaus in den Wald. Die Sonne schien auf ihr goldenes Haar, und ihre schwarzen Augen waren herrlich. Ich nahm sie in meine Arme und küßte zweimal ihre Stirn, danach fiel ich vor ihr auf die Knie. Sie löste mit bebenden Händen ein schwarzes Band, das sie umhatte, und knüpfte es mir um das Handgelenk; doch während sie dies tat, weinte sie und war bewegt. Ich fragte:

Warum weinst du? Verlaß mich, wenn ich dir Böses angetan habe!

Aber sie antwortete nur:

Kannst du die Stadt sehen?

Nein, antwortete ich, ich kann die Stadt nicht sehen. Kannst du?

Steh auf und laß uns weitergehen, sagte sie. Wieder führte sie mich. Ich blieb wieder stehen und drückte sie an meine Brust und sagte:

Wie du mich in dich verliebt machst, wie du mich mit Glück erfüllst!

Und auch sie bebte in meinen Armen, aber sie sagte trotzdem:

Jetzt muß ich umkehren. Du kannst schon die Stadt sehen?

Ja, antwortete ich, das kannst du doch auch?

Nein, antwortete sie.

Warum nicht? fragte ich.

Sie zog sich von mir zurück und sah mich mit großen Augen an, und bevor sie ging, verbeugte sie sich zum Abschied tief vor mir. Als sie einige Schritte entfernt war, wandte sie sich noch einmal um und sah mich an.

Da aber sah ich, daß auch ihre Augen blind waren ...

Nun verging eine Zeit von zwölf Stunden, über die ich nichts aussagen kann und die für mich verschwunden sind. Ich weiß nicht, wo sie geblieben sind; ich habe mich jedoch vor den Kopf geschlagen und gesagt: Es handelt sich um zwölf Stunden, sie müssen irgendwo hier drin sein, sie haben sich nur versteckt, und ich muß sie finden. Aber ich habe sie nicht gefunden ...

Es ist wieder Abend, ein dunkler, lauer Herbstabend. Ich sitze in meinem Zimmer und halte ein Buch in der Hand. Ich sehe an meinen Beinen hinab, sie sind noch ein bißchen naß; ich schaue auf mein Handgelenk, und ein Stückchen schwarzes Band ist drum herum gebunden. Es hat alles seine Richtigkeit.

Ich klingle nach dem Mädchen und frage, ob hier in der Nähe ein Turm stehe, irgendwo im Wald, ein schwarzer, achteckiger Turm? – Das Mädchen nickt und sagt: Ja, dort ist ein Turm. – Und wohnen dort auch Leute? – Ja, ein Mann wohnt dort; aber er ist krank, er ist besessen; man nennt ihn den Irrwisch. Und der Irrwisch hat eine Tochter, und sie wohnt auch im Turm; sonst wohnt niemand dort. – Schön, gute Nacht!

Dann gehe ich ins Bett.

Und früh am nächsten Morgen begebe ich mich in den Wald hinaus. Ich wandre den gleichen Weg und sehe die gleichen Bäume, und ich finde auch den Turm. Ich nähere mich der Pforte und treffe dort auf einen Anblick, der mein Herz stillstehen läßt. Auf der Erde liegt das blinde Mädchen, zerschmettert von einem Sturz, tot, völlig zerfetzt. Da liegt sie, mit offenem Mund, und die Sonne scheint auf ihr rotes Haar. Und oben an der Dachkante des Turmes flattert noch ein Fetzen ihres Kleides, der dort hängengeblieben ist; aber unten auf dem Kiesweg geht der kleine Mann, der Vater, und schaut auf die Leiche. Seine Brust krümmt sich im Krampf, und er heult laut; aber er weiß nichts anderes zu tun, als um die Leiche herumzulaufen und sie anzusehen und zu heulen. Als er mich ansah, erzitterte ich vor seinem grauenhaften Blick und flüchtete panisch in die Stadt. Ich habe ihn auch nie wieder gesehen …

Das war mein Erlebnis.

Es trat eine lange Stille ein. Dagny sah zu Boden und ging besonders langsam. Endlich sagte sie:

Mein Gott, welch ein merkwürdiges Erlebnis!

Dann trat erneut Stille ein, und Nagel versuchte sie ein paarmal mit einer Bemerkung über den tiefen Frieden im Wald zu brechen.

Können Sie spüren, wie der Wald gerade hier duftet? Meine Liebe, wir wollen uns etwas hinsetzen!

Sie setzte sich, immer noch still, immer noch versonnen, und er setzte sich ihr gegenüber.

Er fühlte sich verpflichtet, sie wieder aufzumuntern. Es

sei doch eigentlich kein trauriges Märchen, es sei ein lustiges Märchen. Pah! Nein, in Indien – in Indien, da seien die Märchen etwas anderes, die nähmen einem den Atem und durcheisten einen mit Grausen. Es gebe zwei Sorten von indischen Märchen: die überirdisch herrlichen von Diamantenhöhlen, Prinzen aus den Bergen, verführerischen Schönheiten vom Meer, Geistern der Erde und der Luft, Perlenpalästen, Schlössern im fernen Abendland, fliegenden Pferden, Wäldern aus Silber und Gold. Andere beschrieben mit Vorliebe das Mystische, das Große und Besondere und Wunderbare; überhaupt überträfe niemand die Leute des Ostens darin, kolossale Trugbilder auszubrüten, Fieberausgeburten sich aufbäumender Hirne. Ihr Leben verlebten sie von Anbeginn in einer Märchenwelt, und sie sprächen ebenso leicht von den wilden Feenpalästen hinter den Bergen wie von dem stummen Gewaltigen in der Wolke, der großen Macht, die dort oben im Raum herumfuhrwerkt und Sterne kaut. Aber all das komme daher, daß diese Menschen unter einer anderen Sonne lebten und Früchte aßen statt Beefsteak.

Dagny fragte:

Aber haben wir nicht selbst ausgezeichnete Märchen?

Wunderbare. Nur von anderer Art. Wir hatten keinen Begriff von einer Sonne, die bis zur Unsinnigkeit leuchten und brennen kann. Unsere Troll-Märchen hielten sich an die Erde, hielten sich unter der Erde, sie waren Ausgeburten einer lederhosenen Phantasie, ausgebrütet in dunklen Winternächten in Blockhütten mit Rauchablässen im Dach. Hatte sie jemals die Märchen aus Tausendundeiner Nacht gelesen? Diese Märchen aus dem Gudbrandstal, diese merkwürdige Bauernpoesie, diese Phantasien zu Fuß, die gehörten uns, die seien *unser* Geist. Wir erschauderten nicht bei unseren Märchen, die seien launig und putzig, wir lachten darüber. Unser Held sei kein prächtiger Prinz, sondern ein gewitzter Küster. Wie bitte? Na ja, die Märchen aus dem Nordland, sind die nicht genauso? Was hätten wir aus dem mystischen und rohen Zauber des Meeres machen können? Schon allein ein solches Nordlandboot wäre für den Orientalen ein Fabelschiff, ein Gefährt der Geister. Hatte sie ein solches Schiff schon gesehen? Nicht? Es sehe aus, als hätte es ein Geschlecht, als sei es ein großes tierisches Weibchen, ausgebeult von Jungen im Bauch und flach am Hintern, als wolle es sich setzen. Seine Schnute stehe nach oben wie ein Horn, das alle vier Winde herabrufen könne ... Nein, wir lebten zu weit nördlich. Na, das sollte in aller Bescheidenheit nur die Ansicht eines Agronomen über ein geographisches Phänomen sein.

Jetzt war sie wohl all seines Geredes etwas überdrüssig, ihre blauen Augen schienen ihn ein wenig zu verspotten, und sie fragte:

Wie spät ist es überhaupt?

Wie spät? sagte er geistesabwesend, vielleicht eins. Es ist frühe Nacht, die Uhrzeit ist belanglos!

Pause.

Was halten Sie von Tolstoi? fragte sie.

Ich halte nichts von ihm, antwortete er prompt und sprang sofort darauf an. Ich finde, daß *Anna Karenina* und *Krieg und Frieden* und ...

Da fragte sie lächelnd:

Und welche Meinung haben Sie vom ewigen Frieden?

Dieser Hieb saß. Er wechselte den Ausdruck und wurde verwirrt.

Wie meinen Sie? ... Ach so, ich habe Sie zu Tode gelangweilt.

Glauben Sie mir, es fiel mir bloß so ein, sagte sie hastig und wurde rot. Sie dürfen das nicht falsch auffassen. Die Sache ist: wir wollen einen Basar auf die Beine stellen, einen unterhaltsamen Benefizabend für das Militär. Das war mir nur auf einmal so durch den Kopf gegangen.

Pause. Plötzlich sieht er zu ihr auf, und seine Augen strahlen.

Ich bin heute abend froh, muß ich Ihnen sagen, und deshalb habe ich vielleicht zuviel geschwätzt. Ich bin über alles froh, zuallererst, weil ich hier mit Ihnen zusammen gehe; dann bin ich auch froh, weil ich finde, daß diese Nacht die schönste ist, die ich je erlebt habe. Ich begreife das nicht. Es ist, als sei ich ein Teil dieses Waldes oder dieses Bodens, ein Ast an einer Kiefer oder ein Stein, meinetwegen auch ein Stein, aber ein Stein, der durchdrungen ist von all dem zarten Duft und Frieden, der uns umgibt. Sehen Sie, dort drüben, jetzt wird es hell; dort ruht ein Streifen aus Silber.

Beide sahen sie zu dem weißen Streifen.

Auch ich bin heute abend froh, sagte sie.

Und dies sagte sie, ohne dazu gezwungen zu sein, aus freien Stücken, unvermittelt, als bereite es ihr Freude, das zu sagen. Nagel sah ihr aufmerksam ins Gesicht und bekam wieder Wasser auf seine Mühle. Nervös, impulsiv begann er loszulegen, über Sankthans, daß der Wald dastände und wogte und brauste, wogte und brauste, daß der grauende Tag dort drüben eine Veränderung in ihm bewirke, andere Mächte in seinem Innern an die Herrschaft bringe. Grundtvig singt: Wir fühlen's als des Lichtes Kinder, die Nacht ist nun vorbei! – Aber falls er zuviel spreche, da könne er ihr vielleicht lieber ein kleines Kunststück mit einem Halm und einem Zweig zeigen, wobei der Halm sich als stärker erweise als der Zweig. Alles wolle er für sie tun ... Sehen Sie, da, lassen Sie mich Ihnen nur zeigen, wie das kleinste Ding Eindruck auf mich macht, dieser freistehende Wacholderstrauch dort. Der beugt sich uns förmlich entgegen und sieht *gut* aus. Und von Kiefer zu Kiefer spannt die Spinne ihre Netze; sie gleichen so einer merkwürdigen chinesischen Arbeit, gleichen einer Sonne, gesponnen aus Wasser. Sie frieren doch nicht? Ich bin sicher, jetzt tanzen um uns warme, lachende Elfenmädchen; aber ich will trotzdem ein Feuer anzünden, wenn Sie frieren ... Da fällt mir ein: war es nicht hier in der Nähe, wo Karlsen gefunden wurde?

War das die Vergeltung für den Hieb, den er von ihr bekommen hatte? Ihm war alles zuzutrauen.

Mit einem Ausdruck von Unwillen fuhr sie auf und antwortete:

Lassen Sie *ihn* in Ruhe, ich bitte Sie. Nein, so was!

Verzeihung! sagte er sofort und lenkte ein. Man sagt nur,

er sei von Ihnen so eingenommen gewesen – und das kann ich ihm nicht verdenken ...

Eingenommen von mir? Sagt man nicht auch, daß er sich wegen mir umgebracht habe, mit meinem Federmesser? Nein, jetzt müssen wir gehen.

Sie erhob sich. Sie hatte etwas traurig gesprochen, ohne Verlegenheit und ohne Verstellung. Er war äußerst erstaunt. Sie wußte, daß sie einen ihrer Anbeter sogar in den Tod getrieben hatte, und sie machte weiter nichts daraus, spottete nicht darüber, nützte es aber auch nicht zu ihrem Vorteil aus, sprach nur davon, wie von einem beklagenswerten Vorfall, und beließ es dabei. Die langen, hellen Nackenhaare fielen über den Kragen des Kleides, und ihre Wange hatte eine warme, frische Farbe, worüber ein Dunkel vom Nachttau lag. Wenn sie ging, wiegte sie sich ein wenig in den hohen Hüften.

Sie waren aus dem Wald herausgekommen, eine helle Lichtung lag vor ihnen, ein Hund bellte, und Nagel sagte:

Da ist schon der Pfarrhof. Wie sieht das beschaulich aus, diese großen, weißen Gebäude mit dem Garten und der Hundehütte und der Fahnenstange mitten im dichtesten Wald. Glauben Sie nicht, mein Fräulein, daß Sie sich doch wieder hierher sehnen werden, wo Sie nun einmal fortgehen, ich meine, wenn Sie sich verheiraten? Ja, das hängt wohl davon ab, wo Sie wohnen werden.

Daran habe ich noch nicht gedacht, antwortete sie. Und sie fügte hinzu: Jedem Tag seine Sorgen.

Jedem Tag seine Freuden! sagte er.

Pause. Bestimmt dachte sie nun über seine Worte nach.

Hören Sie, sagte sie, Sie dürfen sich nun nicht wundern, daß ich noch so spät in der Nacht draußen unterwegs gewesen bin; oder doch? Hier pflegen wir das so zu tun. Hier in der Gegend sind wir nämlich alle bloß Bauern, bloß Naturkinder. Der Adjunkt und ich sind hier auf dem Weg bis in den hellen Morgen umhergegangen und haben uns unterhalten.

Der Adjunkt? Mir will scheinen, er sei ein Mann von äußerst wenig Worten.

Ja, ich war es auch, die am meisten gesprochen hat, das heißt: ich habe gefragt, und er hat geantwortet ... Was tun Sie jetzt, wenn Sie heimkommen?

Jetzt? antwortete Nagel. Wenn ich heimkomme? Ich lege mich hin und schlafe bis – ja, gegen Mittag, schlafe wie ein Stein, sterbe weg, ohne aufzuwachen und ohne zu träumen. Was tun Sie?

Machen Sie sich keine Gedanken? Bleiben Sie nicht lange Zeit liegen und denken an Verschiedenes? Können Sie denn gleich schlafen?

Augenblicklich. Sie können das nicht?

Hören Sie, da singt schon ein Vogel. Nein, es muß später sein, als Sie sagen; wollen Sie mich bitte Ihre Uhr sehen lassen. O Gott, es ist ja drei Uhr, fast vier! Warum sagten Sie vor kurzem, es sei erst eins?

Verzeihen Sie mir! antwortete er.

Sie sah ihn an, übrigens ohne Mißvergnügen, und sagte:

Sie hätten mich nicht zu beschwindeln brauchen. Ich wäre trotzdem so lange draußen geblieben, ich sage nur, wie es ist. Ich hoffe, Sie legen dem nicht mehr Bedeutung bei, als Sie dürfen. Ich habe nicht viel Ablenkung, und die wenige, die sich mir bietet, ergreife ich mit beiden Händen. So bin ich es gewohnt zu leben, seitdem wir hierher kamen, ich glaube nicht, daß jemand Anstoß daran nimmt. Ja, das weiß ich übrigens nicht, aber das kann auch egal sein. Papa jedenfalls sagt nichts dazu, und nach ihm richte ich mich. Kommen Sie, wir gehen noch ein kleines Stück.

Sie gingen am Pfarrhof vorbei, in den Wald auf der anderen Seite. Die Vögel sangen; der weiße Streifen Tag im Osten wurde breiter und breiter. Das Gespräch flaute ein wenig ab und drehte sich um gleichgültige Dinge.

Dann kehrten sie um und gingen zum Tor des Pfarrhofs zurück.

Ja, da bin ich, Bello! sagte sie zu dem Hund, der an seiner Kette zerrte. Also danke für die Begleitung, Herr Nagel; es war ein großartiger Abend. Jetzt habe ich auch meinem Verlobten etwas zu berichten, wenn ich schreibe.

Ich werde sagen, daß Sie ein Mann seien, der mit niemand und nichts einverstanden ist, dann wird er sich entsetzlich wundern. Ich sehe ihn vor mir, wie er über dem Brief sinniert und ihn doch nicht begreift. Nein, er ist nämlich so gänzlich gut, Gott, wie gut er ist! Er widerspricht niemand. Es ist nur schade, daß Sie ihn nicht treffen, während Sie hier sind. Gute Nacht!

Und Nagel antwortete gute Nacht, gute Nacht, und sah ihr nach, bis sie im Haus verschwunden war.

Nagel nahm seine Mütze ab und trug sie in der Hand durch den Wald. Er war außerordentlich gedankenvoll; mehrere Male blieb er stehen und sah vom Weg auf, starrte einen Augenblick gerade vor sich hin und ging dann wieder mit kleinen, langsamen Schritten weiter. Was für eine Stimme! Was für eine Stimme sie hatte! Hatte man jemals so was gehört, eine Stimme, die vor Gesang zitterte!

IX

Tags darauf, in der Mittagszeit.

Nagel war gerade aufgestanden und, ohne zu essen, ausgegangen. Er war schon weit unten in der Stadt, angelockt vom strahlenden Wetter und dem munteren Leben am Anleger. Plötzlich wandte er sich an einen Mann und fragte nach dem Bezirksgericht. Der Mann gab ihm Bescheid, und Nagel ging sofort dorthin.

Er klopfte an und trat ein, ging an ein paar schreibenden Herren vorbei, hin zum Assessor Reinert, den er um eine private Unterredung bat – es werde nicht lange dauern. Der Assessor erhob sich etwas unwillig und folgte ihm in ein Nebenzimmer.

Hier sagte Nagel:

Ich bitte Sie zu entschuldigen, daß ich noch einmal auf diese Sache zurückkomme, aber es geht um die Geschichte mit Minute, Sie wissen schon. Ich tue Ihnen hiermit meine tiefste Abbitte.

Ich betrachte diese Angelegenheit durch Ihre Entschuldigung in Anwesenheit einer ganzen Gesellschaft an Sankthans als geregelt und beigelegt.

Sehen Sie, das ist nun außerordentlich nett, sagte Nagel. Aber ich bin mit dieser Regulierung nicht recht zufrieden, Herr Assessor. Das heißt: ich bin damit zufrieden, was mich betrifft, nicht aber Minute. Mir wäre höchlich daran gelegen, daß Sie einsehen könnten, daß auch Minute seine Wiedergutmachung haben muß und daß Sie der Mann sind, der ihm dazu zu verhelfen hat.

Sie meinen, ich sollte hingehen und diesen Trottel wegen einem bißchen Schabernack um Verzeihung bitten, meinen Sie das? Wäre es nicht am besten, Sie kümmerten sich um Ihre eigenen Angelegenheiten und nicht ...

Jajajaja, das kennen wir bereits! Doch zurück zur Sache: Sie haben Minutes Mantel zerrissen und ihm dafür einen anderen versprochen, erinnern Sie sich daran?

Jetzt will ich Ihnen eines sagen: Sie befinden sich hier in einem behördlichen Amtszimmer und schwadronieren über eine private Sache, die Sie nicht einmal was angeht. Hier bin *ich* zu Hause. Sie brauchen nicht durch das Büro zurückzugehen, Sie finden die Straße auch durch diese Tür.

Damit öffnete der Assessor die kleine Tür.

Danke. Aber um ernst zu bleiben, Sie sollten Minute augenblicklich den Mantel, den Sie ihm versprochen haben, schicken. Er braucht ihn, wissen Sie, und er glaubte Ihnen aufs Wort.

Der Assessor riß die Tür bis zum Anschlag auf und sagte: Bitte sehr!

Minute ging doch davon aus, daß Sie ein ehrlicher Mensch seien, fuhr Nagel fort, und Sie sollten ihn nicht betrügen.

Doch jetzt öffnete der Assessor auch die Tür zum Büro und rief zu den beiden Herren dort drin. Nagel lüpfte die Mütze und ging sofort. Er sagte kein Wort mehr.

Wie unersprießlich war diese Sache doch abgelaufen! Es wäre viel besser gewesen, es gar nicht erst versucht zu haben! Nagel begab sich heim, frühstückte, las Zeitungen und spielte mit dem Welpen Jakobsen.

Später am Nachmittag sah er aus seinem Zimmerfenster Minute, an einem Sack tragend, über den schweren, schottrigen Weg vom Kai heraufkommen. Er trug einen Kohlensack. Er ging äußerst gebeugt und konnte nicht vor sich her sehen, weil ihn seine Bürde fast zu Boden drückte. Er war auf den Beinen so verquer und ging so schief, daß seine Hose an der Innenseite zu reinen Fetzen zerfressen war. Nagel ging ihm entgegen und traf ihn unten an der Post, wo Minute den Sack einen Augenblick abgesetzt hatte.

Die beiden grüßten sich mit übereinstimmend tiefer Verbeugung. Als Minute sich aufrichtete, sank seine linke Schulter weit herab. Nagel packt ihn plötzlich an dieser Schulter, und ohne jegliche Einleitung, ohne loszulassen, sagt er sehr aufgebracht:

Haben Sie zu jemand über das Geld, das ich Ihnen gegeben habe, geplappert, es irgendeinem Menschen gesagt?

Minute antwortete erstaunt:

Nein, das habe ich nicht, überhaupt nicht.

Lassen Sie sich davon in Kenntnis setzen, fuhr Nagel bleich vor Erregung fort, daß, wenn Sie jemals ein Wort über die paar Schillinge verlieren, dann schlage ich Sie tot – tot! Bei Gott im Himmel! Verstehen Sie mich? Und daß mir auch Ihr Onkel dichthält.

Minute erstarrte mit aufgerissenem Mund und stammelte hier und da ein Wort: er werde nichts sagen, kein Wort, er verspreche es, es sei ein Gelöbnis ...

Als wolle er seine Aufgebrachtheit entschuldigen, fügte Nagel sofort hinzu:

Dies ist ein Loch von Stadt, ein Nest, ein Kuhdorf! Wo ich gehe und stehe, starrt man mir nach, ich kann mich nicht bewegen. Aber ich will diese allseitige Bespitzelung nicht, ich schere mich den Teufel um all die Leute. Ich habe Sie jetzt gewarnt. Ich will Ihnen sagen: ich habe Grund anzunehmen, daß zum Beispiel dieses Fräulein Kielland vom Pfarrhof etwas zu geschickt dabei ist, Sie hereinzulegen und zum Ausplaudern zu bringen. Ich will von ihrer Neugier nichts wissen, nicht die Spur! Ich war übrigens gestern abend mit ihr zusammen. Sie ist eine große Kokette. Na, das gehört nicht hierher. Ich will Sie nur noch einmal bitten, über diese Kleinigkeit, die zwischen uns war, zu schweigen. Es ist übrigens gut, daß ich Sie jetzt getroffen habe, fuhr Nagel fort. Ich möchte mit Ihnen auch über eine andere Sache sprechen: Vorgestern saßen wir zusammen auf einem Grabstein oben auf dem Friedhof.

Ja.

Ich schrieb einen Vers auf den Stein, ich gebe zu, einen schlechten und unpassenden Vers, aber das gehört nicht zur Sache, ich schrieb jedenfalls den Vers. Als ich von dort wegging, stand der Vers da, doch als ich einige Minuten später wieder dorthin ging, war er weggewischt – war das Ihr Werk?

Minute sieht zu Boden und antwortet:

Ja.

Pause. Doch stammelnd, ganz unruhig darüber, bei dieser Dreistigkeit, die er auf eigene Faust begangen hatte, ertappt worden zu sein, will Minute sich erklären:

Ich wollte gerne verhüten ... Sie kannten Mina Meek nicht, daran liegt es, sonst hätten Sie es nicht getan, das nicht geschrieben. Ich sagte mir auch gleich: er ist entschuldigt, er ist fremd in der Stadt, und ich, der ich hier zu Hause bin, kann es ja leicht einrenken; sollte ich das etwa nicht tun? Ich habe den Vers ausgewischt. Es hatte ihn noch niemand gelesen.

Woher wissen Sie, daß niemand ihn gelesen hatte?

Keine Seele hatte ihn gelesen. Nachdem ich Sie und Doktor Stenersen bis zur Pforte begleitet hatte, ging ich sofort zurück und wischte ihn aus. Ich war nicht länger als ein paar Minuten fort gewesen.

Nagel sah ihn an, nahm seine Hand und drückte sie, ohne etwas zu sagen. Die beiden blickten sich an; Nagels Mund zuckte ein bißchen.

Auf Wiedersehen! sagte er ... Stimmt ja: haben Sie den Mantel bekommen?

Hm. Aber wenn ich ihn eines Tages brauche, dann werde ich ihn bekommen. In drei Wochen soll ...

In diesem Augenblick ging die weißhaarige Eierfrau vorbei, Martha Gude, mit dem Korb unter der Schürze und die schwarzen Augen niedergeschlagen. Minute grüßte, Nagel grüßte auch, aber sie antwortete kaum, ging nur zügig vorbei, eilte zum Markt, wo sie ihre zwei, drei Eier ablieferte, und zog dann wieder mit ihren Schillingen in der Hand von dort ab. Sie hatte ein grünes, dünnes Kleid an. Nagel ließ dieses grüne Kleid nicht aus den Augen. Er sagte:

In drei Wochen brauchen Sie also den Mantel, was ist denn in drei Wochen los?

Hier soll ein Basar abgehalten werden, eine große Abendunterhaltung; haben Sie das nicht gehört? Ich soll bei den Lebenden Bildern mitmachen, Fräulein Dagny hat mich bereits dazu ausersehen.

So! sagte Nagel gedankenvoll. Na, Sie werden den Mantel schleunigst bekommen, sogar einen neuen Mantel an Stelle des alten. Der Assessor hat mir das heute gesagt. Er ist im Grunde nicht so schlecht, der Mann ... Aber hören Sie, das müssen Sie sich ausdrücklich merken: Sie dürfen ihm nicht danken, niemals! Sie dürfen unter keinen Umständen ihm gegenüber den Mantel erwähnen, er will keinen Dank haben. Verstehen Sie? Das würde ihn genieren, sagte er. Sie sehen wohl auch selbst ein, daß es taktlos von Ihnen wäre, ihn an den Tag zu erinnern, an dem er betrunken war und mit einer Beule im Hut das Hotel verließ.

Ja.

Sie sagen auch Ihrem Onkel nicht, woher Sie den Mantel haben; keine Seele darf das wissen, der Assessor verlangte es ausdrücklich. Sie können doch wohl verstehen, daß es peinlich für ihn wäre, wenn es in der Stadt die Runde machte, daß er pflege, sich gegenüber jedem X-beliebigen zu vergessen, und hinterher genötigt sei, dies mit Mänteln wiedergutzumachen.

Ja, das verstehe ich.

Hören Sie, da fällt mir ein: warum benutzen Sie zum Ausliefern der Kohlen nicht lieber eine Karre?

Das kann ich wegen meines Gebrechens nicht, ich tauge nicht zum Ziehen. Ich kann ein ziemliches Gewicht aushalten, wenn ich es mir mit Umsicht auflade, aber ich kann nicht unablässig ziehen und mich auf diese Weise strapazieren, dann überanstrenge ich mich, bekomme große Schmerzen und falle auf die Nase. Aber mit einem Sack geht es nicht schlecht.

Gut. Sehen Sie wieder einmal zu mir herauf. Denken Sie an Nummer 7; kommen Sie einfach herein.

Damit schob er einen Geldschein in Minutes Hand und ging schnell die Straße hinunter, auf den Kai zu. Die ganze Zeit hatte er das grüne Kleid vor sich im Auge behalten, dem er jetzt folgte.

Als er zu Martha Gudes kleinem Haus kam, hielt er einen Augenblick an und spähte um sich. Keiner beobachtete ihn. Er bekam keine Antwort, als er anklopfte. Zweimal zuvor war er an ihrer Tür gewesen und hatte auch da keine Antwort erhalten; nun aber hatte er sie so deutlich vom Markt gleich nach Hause gehen sehen, und er wollte nicht mehr umkehren, ohne dort drin gewesen zu sein. Er öffnete resolut die Tür und trat in die Stube.

Sie stand mitten im Zimmer und sah ihn an. Ihr Gesicht war alteriert und bleich, sie war so verkrampft, daß sie die Hände einen Moment von sich gestreckt hielt, weil sie weder aus noch ein wußte.

Ich bitte Sie, verzeihen Sie meine Aufdringlichkeit, mein Fräulein, sagte Nagel und grüßte ungewöhnlich ehrerbietig.

Ich wäre Ihnen so dankbar, wenn ich die Erlaubnis bekäme, einen Augenblick mit Ihnen zu sprechen. Seien Sie nicht besorgt, mein Anliegen ist schnell erledigt. Ich habe Sie bereits ein paarmal vergebens aufgesucht, und erst heute hatte ich das Glück, Sie zu Hause anzutreffen. Mein Name ist Nagel, ich bin fremd hier und wohne zur Zeit drüben im Hotel Central.

Sie sagte noch immer nichts, aber stellte einen Stuhl hin und zog sich Richtung Küchentür zurück. Sie war fürchterlich verlegen und nestelte an ihrer Schürze, während sie ihn ansah.

Die Stube sah aus, wie er es sich vorgestellt hatte: ein

Tisch, ein paar Stühle und ein Bett waren ungefähr alles, was sich darin befand. Im Fenster standen einige Pflanzen mit weißen Blüten, doch es waren keine Vorhänge davor; der Boden war nicht sauber. Nagel sah auch den armseligen Stuhl mit der hohen Lehne drüben in der Bettecke. Er hatte nur noch zwei Beine und lehnte zerbrochen und erbärmlich an der Wand. Die Sitzfläche hatte einen roten Plüschbezug.

Wenn ich Sie nur beruhigen könnte, mein Fräulein! sagte Nagel wieder. Nicht immer, wenn ich irgendwo eintrete, fürchtet man sich so vor mir, hehehe; es ist nämlich nicht das erste Mal, daß ich hier in der Stadt bei Leuten im Haus bin; Sie sind nicht die einzige, die ich belästige. Ich gehe von Haus zu Haus, probiere es überall, ja, Sie haben vielleicht davon gehört? Nicht? Aber es ist so. Meine Tätigkeit bringt das mit sich, ich bin nämlich Sammler, ich sammle alle Arten von alten Sachen, ich kaufe altmodische Sachen und bezahle dafür, was sie wert sein mögen. Ja, erschrecken Sie nicht, mein Fräulein, ich stecke nichts ein, wenn ich gehe, hehehe, diese schlechte Angewohnheit ist mir fremd. Sie dürfen ganz beruhigt sein. Bekomme ich etwas nicht im guten gekauft, dann ist eben nichts zu machen.

Aber ich habe keine alten Sachen, sagte sie endlich, und sie sah ordentlich verzweifelt aus.

Das sagt man immer, antwortete er. Nun, ich gebe zu, daß es Dinge gibt, die man liebgewonnen haben kann und von denen man sich deshalb schwerlich trennen will, Dinge, die um sich zu haben man seit jeher gewöhnt war, Erbstücke von seinen Eltern oder gar Großeltern. Aber andererseits stehen sie nun da, diese abgedankten Sachen und taugen zu kaum was; warum sollten die dann den Platz wegnehmen und Einnahmen entgegenstehen? In diesen unnützen Familienstücken versteckt sich nämlich so mancher Schilling, und schließlich fallen sie vollkommen zusammen und müssen auf den Dachboden geschafft werden. Warum sie da nicht lieber verkaufen, solange dazu Zeit ist? Einige Leute werden böse, wenn ich komme, und antworten mir, sie besäßen keine alten Sachen – schön, das muß jeder selber wissen, ich verneige mich und gehe. Daran ist nichts zu ändern. Andere Leute werden betreten und genieren sich, mir zum Beispiel eine Bratpfanne ohne Boden zu zeigen. Die verstehen sich darauf eben nicht besser. Aber das sind nun hauptsächlich die einfältigen Geister, die keine Ahnung davon haben, wie stark ausgeprägt die Sammlermanie geworden ist. Ich sage ausdrücklich Manie, ich sehe ein, daß es die reine, schiere Manie ist, die mich treibt, und ich nenne das Kind daher beim Namen. Im übrigen aber tangiert das nur mich und meine eigenen Angelegenheiten. Was ich nun sagen wollte: es ist von diesen Leuten nahezu lächerlich und dumm, sich zu genieren, eine Antiquität vorzuzeigen. Wie sehen nicht diese Waffen und Ringe aus, die man aus den Hünengräbern buddelt! Aber haben sie deswegen vielleicht keinen Wert? Ja, nicht wahr, mein Fräulein! Sie sollten zum Beispiel meine Sammlung von Kuhglocken sehen! Ich habe eine Glocke – aus einfachem Eisenblech übrigens –, die bei einem Indianerstamm sogar als Gottheit angebetet worden ist. Stellen Sie sich vor, die hat unendliche Jahre an einem Zeltpfahl im Lager gehangen und Gebete und Opfer entgegengenommen. Ja, da können Sie mal sehen! Na, eigentlich schweife ich wohl von meinem Anliegen ab. Wenn ich auf das Kapitel von meinen Glocken zu sprechen komme, dann rede ich gern zuviel.

Ja, aber ich habe wirklich keine solchen alten Sachen, sagte Martha nochmals.

Darf ich, sagte Nagel langsam und mit erfahrener Miene, darf ich mir zum Beispiel diesen Stuhl dort ansehen? Es ist nur eine Frage, ich rühre mich natürlich nicht hier weg, bevor ich Ihre Erlaubnis bekomme. Ich habe ihn übrigens von meinem Platz aus hier schon ein wenig im Visier gehabt, gleich seit ich hereinkam.

Martha wird verwirrt, sie antwortet:

Den ... Ja, bitte sehr ... die Beine sind kaputt ...

Die Beine sind kaputt, völlig richtig! Na und? Was hat das zu besagen? Gerade deshalb vielleicht, ja gerade deshalb! Dürfte ich fragen, woher haben Sie den?

Jetzt hatte Nagel den Stuhl in die Hand genommen, er drehte und wendete ihn nach allen Seiten und besah ihn in allen Einzelheiten. Er war ohne Vergoldung, nur mit einer einzigen Verzierung auf dem Rückenstück, einer Art Krone, aus Mahagoni geschnitzt. Der Rücken wies übrigens Messerkerben auf. Auf dem Rahmen um den Sitz war an mehreren Stellen Tabak geviertelt worden; die Narben waren noch zu sehen.

Wir haben ihn von irgendwo aus dem Ausland, ich weiß nicht, woher. Mein Großvater brachte einmal mehrere solcher Stühle mit nach Hause, aber jetzt ist nur noch dieser eine übrig. Mein Großvater war Seemann.

So. Und Ihr Vater, war der auch Seemann?

Ja.

Dann sind Sie vielleicht mitgefahren? Entschuldigen Sie, daß ich frage.

Ja, ich bin viele Jahre lang mitgefahren.

Wirklich? Wie interessant! Viele Länder gesehen, auf salziger Woge gekreuzt, wie man so sagt! Sieh einer an! Und dann haben Sie sich hier wieder niedergelassen? Ach ja, zu Hause ist es doch am allerbesten, ja, hier zu Hause ... Apropos, Sie haben keine Idee, wo Ihr Großvater an diesen Stuhl gekommen sein kann? Ich will Ihnen nämlich sagen, daß mir sehr daran gelegen ist, etwas über das Vorleben der Dinge zu wissen, sozusagen ihren Lebenslauf zu kennen.

Nein, ich weiß nicht, woher er ihn hat, das ist so lange her. Vielleicht aus Holland? Nein, ich weiß nicht.

Er merkte zu seiner Zufriedenheit, daß sie immer lebhafter wurde. Sie war weiter ins Zimmer getreten, war fast neben ihm zu stehen gekommen, während er mit dem Stuhl hantierte und sich an ihm scheinbar nicht satt sehen konnte. Er redete ununterbrochen, machte seine Bemerkungen über die Arbeit, war entzückt, als er auf der Rückseite der Lehne eine kleine eingelegte Scheibe entdeckte, in die wiederum eine andere Scheibe eingelegt war – einfache Arbeit, geschmacklose Kinderei, die nicht einmal gut ausgeführt war. Der Stuhl war morsch, und er behandelte ihn sehr vorsichtig.

Ja, sagte sie dann, wenn Sie wirklich ... ich meine: sollte es Ihnen Vergnügen machen, diesen Stuhl zu besitzen, dann dürfen Sie ihn gerne behalten. Ich werde ihn selbst ins Hotel rüberbringen, wenn Sie es wünschen. Ich habe keinerlei Verwendung für ihn. – Und plötzlich mußte sie über seinen Eifer, in den Besitz dieses wurmstichigen Möbels zu kommen, lachen. Der hat ja eigentlich nicht mehr als ein einziges ordentliches Bein, sagte sie.

Er sah sie an. Ihre Haare waren weiß, aber ihr Lächeln war jung und feurig, und ihre Zähne herrlich. Als sie lachte, wurden ihre Augen vor Wasser blank. Welch eine schwarzäugige alte Jungfer! Nagel verzog keine Miene.

Das freut mich, sagte er in einem trockenen Ton, daß Sie sich entschließen, mir den Stuhl zu überlassen. Jetzt kommen wir zum Preis. Nein, Verzeihung, warten Sie noch, lassen Sie mich ausreden, ich will nicht, daß Sie etwas fordern, den Preis bestimme ich immer selbst. Ich taxiere eine Sache, biete dafür soundsoviel, und damit basta! Sie könnten womöglich eine horrende Summe verlangen. Sie könnten mich ausnehmen wollen, warum nicht? Dagegen können Sie einwenden, daß Sie wohl eigentlich nicht so gierig aussehen – gut, das gebe ich gerne zu; aber trotzdem, ich habe es mit allen möglichen Menschen zu tun und mag es, den Preis selbst zu bestimmen, dann weiß ich, was ich tue. Das ist ein Prinzip von mir. Was hindert Sie, für diesen Stuhl zum Beispiel dreihundert Kronen zu verlangen, wenn Sie selbst bestimmen können? Sie könnten das um so eher tun, da Sie wissen, daß es sich hier tatsächlich um ein kostbares und seltenes Möbel handelt. Aber so einen Phantasiepreis zu bezahlen ist mir unmöglich; ich sage das frei heraus, damit Sie sich keine Illusionen machen. Ich will mich doch nicht ruinieren, ich müßte ja verrückt sein, wenn ich Ihnen dreihundert Kronen für diesen Stuhl bezahlen würde; kurz und gut: ich gebe Ihnen dafür zweihundert, keinen Schilling mehr. Was eine Sache meiner Meinung nach wert ist, bezahle ich, aber nicht mehr.

Sie sagte kein Wort, sie starrte ihn an und sperrte die

Augen auf. Schließlich glaubte sie, daß er scherze, und fing wieder an zu lachen, zaghaft und verwirrt zu lächeln.

Ruhig zog Nagel die roten Scheine aus der Tasche und fächelte damit ein paarmal durch die Luft. Den Stuhl ließ er aber unterdessen nicht aus den Augen. Er sagte:

Ich will nicht leugnen, daß Sie möglicherweise von jemand anderem mehr hätten bekommen können, ich will ehrlich sein und gestehe es; *etwas* mehr hätten Sie vielleicht herausschlagen können. Aber jetzt habe ich mir nun einmal die runde Summe von zweihundert Kronen für jenes Ding da vorgestellt, und ich finde nicht, daß ich gut höher gehen kann. Machen Sie jetzt, was Sie wollen; aber überlegen Sie zuerst. Zweihundert Kronen sind ja auch ein Sümmchen.

Nein, antwortete sie mit ihrem verschüchterten Lächeln, behalten Sie Ihr Geld.

Mein Geld behalten! Was soll das bedeuten? Darf ich fragen, was an diesem Geld auszusetzen ist? Glauben Sie, es ist selbstgedruckt? ja, Sie werden mich doch wohl nicht verdächtigen, es gestohlen zu haben, hehehe, was?

Sie lachte nicht mehr. Es sah aus, als sei es dem Mann ernst, und sie begann, darüber nachzudenken. Wollte er bei ihr etwas erreichen, der verrückte Mensch? Bei diesen Augen konnte man ihm allerlei zutrauen. Gott weiß, ob er nicht etwas ausklügelte, ob er ihr nicht eine Falle stellte. Warum kam er gerade zu ihr mit seinem Geld? Endlich schien sie einen Entschluß gefaßt zu haben, und sie sagte:

Wenn Sie mir durchaus eine oder zwei Kronen für den Stuhl geben wollen, dann bin ich dafür dankbar. Ich will jedenfalls nicht mehr haben.

Er erschien höchst verwundert, er trat einen Schritt näher und sah sie an. Dann brach er in Lachen aus.

Aber ... haben Sie bedacht ... Das ist jetzt doch das erste Mal, daß mir in meiner ganzen Sammlerzeit so was vorkommt! Na, ich verstehe Spaß ...

Das ist nicht spaßig. Ich habe noch nie so was Verrücktes gehört! Ich will nicht mehr haben, ich will gar nichts haben. Nehmen Sie den Stuhl, wenn Sie wollen!

Nagel lachte aus vollem Hals.

Ich verstehe einen weiteren Scherz, und ich weiß ihn zu würdigen, ja ich bin wirklich hingerissen, hol mich der Teufel! Ich lach' mich immer schief über einen guten Scherz. Aber jetzt sollten wir doch wohl zu einer Vereinbarung kommen, oder? Was meinen Sie, wenn wir jetzt einfach die Sache abmachen, bevor wir wieder in schlechte Laune kommen? Über kurz stellen Sie den Stuhl vielleicht wieder weg in die Ecke und veranschlagen ihn auf fünfhundert.

Nehmen Sie den Stuhl. Ich ... Was haben Sie vor?

Beide starrten sich an.

Wenn Sie glauben, daß ich irgend etwas anderes vorhabe, als den Stuhl zu einem annehmbaren Preis zu bekommen, dann irren Sie sich, sagte er.

Martha rief:

Herrgott noch mal, nehmen Sie ihn – nehmen Sie ihn!

Ich müßte Ihnen für Ihr großartiges Entgegenkommen natürlich sehr verbunden sein. Aber wir Sammler haben doch auch ein bißchen Ehre im Leib, so jämmerlich sie oft auch sein mag, und diese Ehre hindert mich, stellt sich sozusagen widerstrebend auf die Hinterbeine, wenn ich versuche, mir einen kostbaren Gegenstand zu erschwindeln. Die ganze Sammlung würde in meiner – des Besitzers – Achtung sinken, wenn ich solch einen eingeschmuggelten Gegenstand unter die anderen brächte, das würde einen gewissermaßen falschen Anstrich über jedes kleinste Ding legen. Hehehe, ich muß übrigens lachen, das ist doch allzu widersinnig, daß ich hier stehen und Ihre Sache vertreten muß, anstatt nur auf meinen eigenen Vorteil zu sehen. Aber wenn Sie mich dazu zwingen, dann.

Sie gab nicht auf, nein, er kam bei ihr nicht weiter. Sie blieb stur dabei, entweder nahm er den Stuhl für eine Kleinigkeit, ein oder zwei Kronen, oder ließ ihn da. Da angesichts dieser Halsstarrigkeit nichts half, sagte er schließlich, um den Schein zu wahren:

Gut, lassen wir das für heute auf sich beruhen. Aber versprechen Sie mir, daß Sie den Stuhl an niemand anderes verkaufen, ohne mich vorher davon zu unterrichten, wollen Sie das? Damit Sie es wissen, ich lasse ihn mir nicht entgehen, selbst wenn er noch ein bißchen teurer wird. Ich bin jedenfalls bereit, soviel wie jeder andere zu zahlen, und ich war auch zuerst da.

Als Nagel nach draußen gekommen war, ging er mit langen, gereizten Schritten die Straße hinunter. Welch eine Steifnackigkeit bei diesem Mädchen, wie arm und mißtrauisch sie war! Hast du das Bett gesehen! sagte er zu sich; unten nicht einmal Stroh, oben nicht einmal ein Laken, sondern zwei Unterröcke, die sie an kalten Tagen vielleicht sogar anziehen muß. Und trotzdem so bange davor, sich auf etwas so Unbekanntes einzulassen, daß sie das beste Angebot ausschlägt! Doch was zum Satan ging ihn das übrigens an? Nein, das ging ihn eigentlich nichts an. Aber das war doch ein stures Ding, was? Wenn er jemand zu ihr schicken würde, um noch mehr für den Stuhl zu bieten, den Preis hochzutreiben, würde sie auch dann Verdacht schöpfen? Diese dumme Person, diese dumme Person! Aber was wollte er auch da, wo er sich nichts als eine vernichtende Abweisung holte?

Ehe er sich's versah, war er in seinem Ärger bis zum Hotel gekommen. Er hielt an, kehrte noch ebenso gereizt um und begab sich wieder die Straße hinunter, zu J. Hansens Schneiderei, in die er eintrat. Hier zog er den Meister beiseite, bestellte unter vier Augen einen Mantel, einen Mantel von der und der Art, und gebot dem Schneider, diese Bestellung jedem gegenüber geheimzuhalten. Wenn der Mantel fertig sei, solle er unverzüglich zu Minute gesandt werden, zu Grøgaard, dem krummen Kohlenträger, der...

Sollte er für Minute sein?

Ja, na und? Keine Neugier! Was sollte diese Schnüffelei?

Ja aber, es sei wegen der Maße.

Na dann! Ja, er solle für Minute sein; das sei richtig; Minute könne selbst kommen und sich Maß nehmen lassen, warum nicht? Aber kein unnötiges Wort, kein Augengezwinker – also abgemacht? Und wann der Mantel fertig sein werde? In ein paar Tagen; gut!

Nagel blätterte das Geld sofort hin, sagte adieu und ging. Er rieb sich die Hände, sein Ärger war vorbei, und er sang. Doch doch, er würde trotzdem – trotzdem! Warte nur! Als er heimkam, stürzte er hinauf in sein Zimmer und klingelte; seine Hände zitterten vor Ungeduld, und die Tür war noch nicht auf, als er schon rief:

Telegrammformulare, Sara!

Er hatte gerade seinen Geigenkasten geöffnet, als Sara hereinkam, und sie sah da zu ihrem großen Erstaunen, daß dieser Kasten, den sie immer so vorsichtig behandelt hatte, nur schmutzige Wäsche und zuunterst einige Papiere und Schreibsachen enthielt; aber keine Geige. Sie ging nicht sofort wieder, sondern verharrte stierend.

Telegrammformulare! wiederholte er lauter, ich bat um Telegrammformulare.

Als er die Formulare endlich bekam, schrieb er an einen Bekannten in Kristiania eine Anordnung, hierorts an ein Fräulein Martha Gude anonym und diskret zweihundert Kronen zu senden, zweihundert Kronen, ohne ein schriftliches Wort. Verfüge tiefste Verschwiegenheit. Johan Nagel.

Aber das ging nicht, nein, wenn er es recht überlegte, mußte er diesen Plan verwerfen. War es nicht am besten, er erklärte es ein wenig ausführlicher und legte das Geld bei, um sicherzugehen, daß es auch abgeschickt wurde? Er zerriß das Telegramm, verbrannte es sofort und schrieb im Hui einen Brief. Doch, das war besser, ein ganz kleiner Brief war vollständiger, das könnte funktionieren. Doch, er wollte es ihr zeigen, ihr zu verstehen geben ...

Aber als er das Geld hineingesteckt und den Umschlag geschlossen hatte, dachte er noch eine Weile darüber nach. Sie könnte immer noch Verdacht schöpfen, sagte er zu sich; zweihundert Kronen seien eine zu runde Summe, obendrein eine Summe, die er ihr erst neulich unter die Nase gerieben hatte. Nein, das ging auch nicht! Er nahm noch einen Zehnkronenschein aus der Tasche, öffnete den Umschlag und veränderte den Betrag auf zweihundertundzehn Kronen. Jetzt versiegelte er den Brief und schickte ihn ab.

Noch eine ganze Stunde danach fand er diesen Streich

höchst vortrefflich, wenn er daran dachte. Es sollte wie ein wunderbarer Himmelsbrief über sie kommen, von oben, aus der Höhe, von unbekannten Händen auf sie fallengelassen. Und was würde sie sagen, wenn sie diese Schillinge bekam! Aber als er sich wieder fragte, was sie wohl sagen würde, wie sie das Ganze aufnehmen würde, wurde er wieder mutlos: Der Plan war gefährlich, allzu dreist, es war ein dummer und schlechter Plan. Das war es ja eben, daß sie nichts Vernünftiges sagen, sondern sich wie eine Gans aufführen würde. Wenn der Brief käme, würde sie ihn einfach nicht begreifen, sondern anderen überlassen, aus ihm schlau zu werden. Sie würde ihn am Schalter des Postamts ausbreiten, so daß sich die ganze Stadt damit beschäftigte, würde auf der Stelle das Ganze dem Ermessen der Postleute anheimstellen, vielleicht würde sie sich sogar stur stellen und sagen: nein, behalten Sie Ihr Geld! Und dann legt der Postbedienstete seinen Finger an die Nase und ruft: Warten Sie noch, halt, mir schwant etwas! Und er schlägt in den Büchern nach und findet, daß die gleiche Summe vor ein paar Tagen von hier abgeschickt worden ist, genau die exakt gleiche Summe, um nicht zu sagen, vielleicht die gleichen Scheine, zweihundertundzehn Kronen an die und die Adresse in Kristiania. Der Absender erweist sich als ein Johan Nagel, ein Fremder, der zur Zeit im Central wohnt ... Doch, solche Postbediensteten hatten eine unglaublich lange Nase, um damit zu schnüffeln ...

Nagel schellte wieder und veranlaßte den Hotelburschen, den Brief sofort zurückzuholen.

All diese nervöse Aufgeregtheit, in der er sich den ganzen Tag über befunden hatte, verleidete ihm schließlich das Ganze gründlich. Im Grund wünschte er alles zum Teufel! Was ging es ihn an, daß der Herrgott auf der Eriebahn im tiefsten Amerika einen Zusammenstoß mit Verlust von Menschenleben arrangierte? Nein, ganz entschieden nichts! Na, aber ebensowenig hatte er etwas zu schaffen mit der hochgeschätzten, hiesigen Jungfer Martha Gude.

Zwei Tage lang verließ er das Hotel nicht.

X

Samstag abend kam Minute in Nagels Hotelzimmer. Minute hatte seinen neuen Mantel an und strahlte vor Freude.

Ich traf den Assessor, sagte er, und er verzog keine Miene, sondern er fragte mich sogar, von wem ich den Mantel bekommen habe. So gewieft ging er vor, um mich auf die Probe zu stellen.

Und was antworteten Sie da?

Ich lachte und antwortete, das wolle ich nicht sagen, keinem Menschen, er müsse mich entschuldigen, auf Wiedersehen! ... Doch, ich will ihm schon antworten ... Sehen Sie, es ist jetzt sicher dreizehn Jahre her, seit ich einen neuen Mantel angehabt habe; ich habe nachgerechnet ... Ich muß Ihnen danken für das Geld, das Sie mir neulich gegeben haben. Es war viel zuviel Geld für einen verkrüppelten Menschen, was soll ich damit anfangen? Sie verwirren mich mit all Ihren Wohltaten so, daß es bei mir schon herumgeistert; es ist, als sei alles in mir losgelassen und könne sich nicht mehr beruhigen. Hahahaha. Aber Gott helfe mir, ich bin ein Kind. Ja, ich wußte schon, daß ich den Mantel einmal bekommen würde; was hatte ich nicht gesagt? Es dauert oft ein bißchen, aber ich warte niemals vergebens. Leutnant Hansen versprach mir einmal zwei Wollhemden, die er nicht mehr brauchte. Das ist jetzt zwei Jahre her, aber ich bin so sicher, sie zu bekommen, als hätte ich sie bereits an. So ist es immer, die Leute erinnern sich später daran und geben mir, was ich brauche, wenn die Zeit kommt. Aber finden Sie nicht, daß ich in ordentlichen Kleidern wie ein neuer Mensch aussehe?

Es ist lange her, seit Sie hier waren.

Es ist so: ich habe auf den Mantel gewartet, ich hatte mich entschlossen, Sie nicht wieder in dem alten aufzusuchen. Ich habe meine Eigenheiten, es kränkt mich, in einem zerrissenen Mantel gesellschaftlichen Umgang zu pflegen, Gott weiß warum, aber es ist, als sänke ich tief in meiner eigenen Achtung. Entschuldigen Sie, daß ich in Ihrer

Gegenwart von meiner Selbstachtung spreche, als sei die so wichtig. Aber das ist sie nicht, sie ist so klein wie nur möglich, das versichre ich Ihnen; aber ich spüre sie ab und zu trotzdem.

Wollen Sie Wein haben? Dann nicht. Aber Sie rauchen eine Zigarre?

Nagel läutete und ließ Wein und Zigarren hochbringen. Er selbst trank sofort gehörig, aber Minute rauchte nur und sah zu. Minute sprach in einem fort und schien nicht aufhören zu wollen.

Hören Sie, sagte Nagel plötzlich, mit Hemden ist es wohl ein wenig schlecht bestellt? Verzeihen Sie, daß ich frage.

Minute antwortete eilfertig:

Es war nicht deswegen, daß ich die beiden Hemden erwähnte. So wahr ich hier sitze, es war nicht deswegen.

Sicher nicht! Warum schreien Sie so? Wenn Sie nichts dagegen haben, dann zeigen Sie mir, was Sie unter dem Mantel anhaben.

Gerne, ja gerne, gerne! Sehen Sie, hier, auf dieser Seite. Und die andere Seite ist nicht schlechter...

Doch, warten Sie, die andere Seite ist schon etwas schlechter, wie ich sehe.

Aber kann man erwarten, daß es besser ist? ruft Minute. Nein, ich brauche jetzt keine Hemden, das stimmt nicht. Ich gehe sogar so weit zu behaupten, daß ein Hemd wie dieses allzu gut für mich ist. Wissen Sie, von wem ich es bekommen habe? Von Doktor Stenersen, ja von Doktor Stenersen selbst. Und ich glaube nicht, daß seine Frau etwas davon wußte, obwohl auch sie die Freigebigkeit selbst ist. Ich bekam es sogar zu Weihnachten.

Zu Weihnachten?

Sie finden, das sei eine lange Zeit? Ich zerfleddre doch ein solches Hemd nicht wie ein Tier, ich mühe mich doch nicht damit ab, Löcher hineinzukriegen, deshalb ziehe ich es auch nachts immer aus und liege nackt, um es nicht unnötig abzunutzen, wenn ich doch nur schlafe. Auf diese Weise schaffe ich, daß es viel länger hält, und ich kann mich frei unter Leuten bewegen, ohne mich aus dem Grund schämen zu müssen, daß ich kein anständiges Hemd hätte. Und jetzt bei den Lebenden Bildern kommt es mir sehr gelegen, daß ich noch ein Hemd habe, in dem ich mich zeigen kann. Fräulein Dagny hält immer noch daran fest, daß ich auftreten soll. Ich traf sie gestern an der Kirche. Sie sprach auch von Ihnen ...

Und ich werde Ihnen eine Hose besorgen. Es wird das Geld wert sein, Sie öffentlich auftreten zu sehen. Wenn der Assessor Ihnen einen Mantel gibt, werde ich Ihnen eine Hose geben, das ist nicht mehr als recht und billig. Doch tue ich das unter der üblichen Bedingung, daß Sie darüber den Mund halten.

Ja doch, ja doch.

Ich finde, Sie sollten ein bißchen trinken. Neinnein, machen Sie, was Sie wollen. Ich will heute abend trinken, ich bin nervös und etwas traurig. Wollen Sie mir eine indiskrete Frage gestatten? Ist es Ihnen bekannt, daß Sie unter den Leuten einen Spitznamen haben? Man nennt Sie Minute; wissen Sie das?

Ja, sicher weiß ich das. Ich fand es anfangs schwer, ich bat Gott, mir doch dabei zu helfen. Einen ganzen Sonntag ging ich im Wald herum und kniete alle Augenblicke nieder an den drei verschiedenen Stellen, die trocken waren – es war im Frühling, bei der Schneeschmelze. Aber das ist jetzt lange her, viele Jahre her, und keiner nennt mich jetzt anders als Minute, und das ist ja auch soweit in Ordnung. Warum wollten Sie denn wissen, ob mir das bekannt sei? Und was könnte ich dagegen tun, auch wenn es mir noch so bekannt ist?

Wissen Sie auch, wie Sie zu diesem blöden Namen gekommen sind?

Ja, das weiß ich. Das heißt: das ist jetzt lange her, das war, noch ehe ich ein Krüppel wurde, aber ich erinnere mich noch gut. Es war an einem Abend, oder richtiger, in einer Nacht bei einer Junggesellenfeier. Sie haben vielleicht das gelbe Haus unten bei der Zollstelle gesehen, wenn man hinuntergeht rechts? Ja, damals war es weiß gestrichen, und der Standesbeamte wohnte dort. Der Standesbeamte war Junggeselle und hieß Sørensen, ein richtig lustiger Vogel. Es war in einer Frühlingsnacht, ich kam vom Kai, wo ich auf und ab spaziert war und mir die Boote angesehen hatte. Als ich zu diesem gelben Haus komme, merke ich, daß da Gäste sind, denn ich höre gewaltigen Lärm und vielstimmiges Gelächter. Gerade als ich an den Fenstern vorbeikomme, erblickt man mich und klopft an die Scheiben. Ich gehe hinein und befinde mich vor Doktor Kolbye, Kapitän William Prante und dem Zöllner Folkedahl und noch vielen mehr, ja, die sind jetzt alle tot oder weggezogen, aber im ganzen waren es so sieben, acht und jeder einzelne stockbesoffen. Sie hatten alle Stühle zerkleinert, nur so zum Spaß, denn so wollte es der Standesbeamte haben, und sie hatten auch alle Gläser zerbrochen, so daß wir aus den Flaschen trinken mußten. Aber als ich auch noch dazukam und auch ich sturztrunken wurde, da fand der Lärm kein Ende mehr. Die Herren zogen sich aus und sprangen völlig nackt durch die Zimmer, obwohl wir nicht die Vorhänge heruntergelassen hatten, und da ich nicht mitmachen wollte, packten sie mich mit Gewalt und zogen mich aus. Ich schlug die ganze Zeit um mich und tat auch sonst, was ich konnte; ich wußte mir nicht anders zu helfen, ich bat sie um Verzeihung und reichte ihnen die Hand und bat sie um Verzeihung ...

Wofür baten Sie um Verzeihung?

Falls ich vielleicht etwas gesagt haben sollte, was sie dazu brachte, auf mich loszugehen. Ich reichte ihnen die Hand und bat sie um Verzeihung, um sie dazu zu bringen, mir so wenig wie möglich anzutun. Aber das nützte nichts, sie zogen mich gründlich aus. Der Doktor fand auch einen Brief, den ich in der Tasche hatte, und er machte sich daran, diesen Brief den anderen vorzulesen. Doch da wurde ich wieder ein bißchen nüchtern, denn der Brief war von meiner Mutter, die mir schrieb, wenn ich zur See fuhr. Kurz und gut: Ich nannte den Doktor einen Zapfhahn. Denn es war bekannt, daß er viel trank. Sie sind ein Zapfhahn! sagte ich. Darüber regte er sich furchtbar auf und wollte mich am

Nacken packen, aber davon konnten die andern ihn abhalten. Laßt uns ihn lieber ganz abfüllen! sagte der Standesbeamte, als wäre ich nicht schon längst betrunken genug gewesen. Und sie schütteten mehr in mich hinein, sogar aus verschiedenen Flaschen. Hinterher kamen dann zwei der Herren, wer, weiß ich jetzt nicht mehr, mit einem Bottich Wasser an; sie stellten den Bottich mitten auf den Boden und sagten, daß ich getauft werden soll. Ja, alle wollten, daß ich getauft werde, sie machten im Zusammenhang mit diesem Einfall ein gewaltiges Geschrei. Und sie fingen an, verschiedene Dinge ins Wasser zu kippen, um es dreckig zu machen, sie spuckten rein und schütteten Branntwein rein und besorgten sogar aus dem Schlafzimmer draußen das Schlimmste, was sie finden konnten, und schütteten es ins Wasser, und obendrauf streuten sie dann zwei Schaufeln Asche aus dem Kachelofen, um es noch etwas schmutziger zu machen. Dann sollte ich getauft werden. Warum können Sie nicht ebensogut einen der anderen taufen? fragte ich den Standesbeamten und umklammerte seine Knie. Wir sind schon getauft, antwortete er, auf eben die gleiche Art getauft, sagte er. Und ich glaubte das auch, denn so wollte er es immer mit allen haben, mit denen er verkehrte, daß sie getauft werden. Komm, ich will dich vor mein Antlitz laden! sagte der Standesbeamte dann zu mir. Aber gutwillig machte ich nicht mit, ich blieb stehen und hielt mich an der Türklinke fest. Kommst du zur Stunde, erwischst du auch die rechte Minute, sagte er. Aber nein, ich ging nicht. Da brüllte Kapitän Prante: Minute, Minute, das paßt! Er muß Minute getauft werden, Minute getauft werden! Und alle waren einig, daß ich Minute getauft werden müsse, weil ich so klein war. Jetzt aber packten mich zwei Mann und schleppten mich zum Standesbeamten und luden mich vor sein Antlitz, und da ich von Wuchs so unbedeutend bin, nahm mich der Standesbeamte ganz allein und tauchte mich im Bottich unter. Er tauchte meinen Kopf ganz unter und rieb meine Nase auf dem Grund des Bottichs, wo Asche und Glasscherben lagen, und danach holte er mich wieder hoch und sprach die Weiheworte. Dann sollten die

Paten ihren Part mit mir durchführen, und der bestand darin, daß sie mich einzeln hoch vom Boden hoben und mich wieder herunterfallen ließen, und als sie davon genug hatten, stellten sie sich in zwei Gruppen auf und warfen mich wie einen Ball von der einen Gruppe zur anderen; das machten sie, damit ich wieder trocken werden sollte, und sie machten damit weiter, bis es ihnen denn doch zu langweilig wurde. Dann rief der Standesbeamte: Halt! Und darauf ließen sie mich los und nannten mich alle zusammen Minute, schüttelten mir die Hand und nannten mich Minute, um meine Taufe zu besiegeln. Aber ich wurde noch einmal in den Bottich geschmissen, es war Doktor Kolbye, der mich mit meinem ganzen Gewicht da hineinschmiß, so daß ich mir an der Seite etwas brach, weil er nicht vergessen hatte, daß ich ihn einen Zapfhahn genannt hatte ... Von dieser Nacht an blieb der Spitzname an mir hängen. Am Tag darauf wußte die ganze Stadt, daß ich beim Standesbeamten gewesen und getauft worden war.

Und Sie hatten einen Rippenbruch. Aber am Kopf hatten Sie sich nicht verletzt, ich meine, am Kopf selbst?

Pause.

Das ist nun das zweite Mal, daß Sie mich fragen, ob ich irgendeinen Schaden am Kopf erlitten habe, und Sie denken sich vielleicht Ihr Teil dabei. Aber ich schlug mir damals nicht den Kopf, ich bekam keine Gehirnerschütterung, falls es das ist, was Sie befürchten. Doch ich stieß gegen den Bottich, so daß eine Rippe brach. Aber das alles ist wieder gut, Doktor Kolbye behandelte mir diesen Knochenbruch umsonst, und ich hatte keine Beschwerden mehr danach.

Nagel hatte während Minutes Rede kräftig getrunken, er läutete, bekam mehr Wein und trank wieder. Plötzlich sagt er:

Mir fällt ein, Sie zu fragen: glauben Sie, daß ich mich zu einem gewissen Grad auf Menschen verstehe? Starren Sie mich nicht mit so erstaunten Augen an, das ist nur eine kameradschaftliche Frage. Halten Sie mich für fähig, denjenigen, mit dem ich spreche, ein wenig zu durchschauen?

Minute sieht ihn scheu an und findet keine Antwort darauf. Dann sagt Nagel wieder:

Übrigens müssen Sie mich entschuldigen. Auch das vorige Mal, als ich das Vergnügen hatte, Sie bei mir zu haben, brachte ich Sie durch einige höchst dumme Fragen aus der Fassung. Sie erinnern sich, daß ich Ihnen unter anderem soundsoviel Geld anbot, um die Vaterschaft für ein Kind zu übernehmen, hehehe. Ich machte damals diesen Ausrutscher, weil ich Sie nicht kannte; jetzt hingegen verblüffe ich Sie von neuem, und das ungeachtet dessen, daß ich Sie äußerst gut kenne und sehr viel von Ihnen halte. Sehen Sie, heute nun tue ich das einzig und allein, weil ich nervös bin und schon höchst betrunken. Das ist die ganze Erklärung. Sie können natürlich genau merken, daß ich völlig voll bin? Ja klar können Sie das; warum sollten Sie sich verstellen? Aber was wollte ich noch sagen – doch, es würde mich wirklich interessieren zu wissen, für wieweit Sie mich in der Lage halten, die menschliche Seele zu durchschauen. Hehe, ich meine zum Beispiel, in der Stimme jener, mit denen ich spreche, einen ganz feinen Unterton hören zu können, ich höre unglaublich gut. Wenn ich dasitze und mich mit einem unterhalte, dann brauche ich den nicht anzusehen, um genau zu verfolgen, was er sagt, ich höre sofort heraus, ob er mir einen Bären aufbindet oder etwas verfälscht. Die Stimme ist ein gefährliches Instrument. Verstehen Sie mich recht: ich meine nicht gerade den materiellen Ton der Stimme, der kann hoch sein oder tief, klangvoll oder rauh, ich meine nicht das Stoffliche der Stimme, die Existenz des Tons, nein, ich halte mich an das Mysterium dahinter, an die Welt, aus der er hervorgeht ... Zum Teufel übrigens mit dieser Welt dahinter! Immer soll eine Welt dahinter sein! Was zum Teufel geht mich das an?

Nagel trank wieder und sprach weiter:

Sie werden so still? Lassen Sie sich durch meine Angeberei mit meiner Menschenkenntnis nur keinen Floh ins Ohr setzen, so daß Sie sich nicht mehr zu rühren trauen. Hehehe, doch, das würde nett aussehen! Aber jetzt habe ich vergessen, was ich sagen wollte. Jaja, dann erzähle ich etwas anderes, das mir nicht auf dem Herzen liegt, das ich aber trotzdem erzähle, bis mir wieder einfällt, was ich vergessen habe. Gott, was ich hier sabbre! Was halten Sie von Fräulein Kielland? Lassen Sie mich Ihre Meinung über sie hören. Meiner Meinung nach ist Fräulein Kielland eine solche Kokette, daß es sie eigentlich ungemein freuen würde, wenn auch andere, am liebsten so viele wie möglich – ich selbst inbegriffen –, hingingen und sich ihretwillen das Leben nähmen. Das ist meine Meinung. Sie ist betörend, ja, das ist sie, und es müßte ein süßer Schmerz sein, sich von ihrem Absatz zertreten zu fühlen, ja, und deshalb werde ich sie vielleicht auch einmal darum bitten, das will ich nicht ausschließen. Im übrigen steht das noch nicht an, ich habe noch Zeit ... Aber Gott bewahre mich, mit meinem Gerede heute abend lasse ich Sie noch vor Schreck erstarren! Habe ich Sie verletzt, ich meine, Sie persönlich?

Wenn Sie wüßten, wie schön Fräulein Kielland von Ihnen gesprochen hat! Ich traf sie gestern, sie unterhielt sich lange mit mir ...

Sagen Sie mir – ja Entschuldigung, daß ich Sie nicht aussprechen lasse; aber haben vielleicht auch Sie ein wenig von der Begabung, zu hören, was hinter Fräulein Kiellands materieller Stimme bebt! Aber jetzt merken Sie ganz sicher selbst, daß ich kapitalen Blödsinn rede! Ja, nicht wahr? Also! Aber es würde mich freuen, wenn auch Sie sich ein bißchen mit Menschen auskennten, dann würde ich Sie nämlich dazu beglückwünschen und sagen: wir sind zwei, wenn's hoch kommt, sind wir zwei, die sich damit auskennen, kommen Sie, wir wollen uns zusammenschließen zu einer Gesellschaft, einem kleinen Verein, und unser Wissen niemals gegeneinander verwenden – *gegeneinander*, verstehen Sie –, so daß ich zum Beispiel mein Wissen niemals gegen Sie einsetze, *selbst wenn ich Sie noch so sehr durchschaue.* Na, jetzt werden Sie unruhig und sehen wieder scheu aus! Lassen Sie sich von meiner Angeberei nur nicht für dumm verkaufen, ich bin betrunken ... Aber jetzt fällt mir zufällig ein, was ich vorhin sagen wollte, als ich anfing, von Fräulein Kielland zu sprechen, was ich gar nicht auf dem Herzen hatte. Warum sollte ich auch mit meiner Meinung über sie herausplatzen, wo Sie mich nicht gefragt haben! Ich habe wohl Ihre gute Laune völlig verdorben; können Sie sich erinnern, wie gut gelaunt Sie waren, als Sie hier vor ungefähr einer Stunde hereinkamen? Dieser ganze Unsinn kommt vom Wein ... Aber lassen Sie mich jetzt nicht noch einmal vergessen, was ich sagen wollte: als Sie von dem Junggesellenabend beim Standesbeamten erzählten, Sie erinnern sich, als Sie getauft wurden, da entstand merkwürdig genug in mir der Gedanke, daß auch ich einen Junggesellenabend veranstalten möchte, doch, Tod und Teufel, einen Junggesellenabend für einige Geladene, davon lasse ich mich nicht abbringen, ich will das auf die Beine stellen, und Sie müssen auch kommen, ich rechne fest mit Ihnen. Sie dürfen sich völlig darauf verlassen, daß Sie nicht noch einmal umgetauft werden, ich werde dafür sorgen, daß Sie mit der größten Zuvorkommenheit und Achtung behandelt werden; überhaupt werden keine Stühle und Tische zertrümmert. Aber ich würde gerne eines Abends einige Freunde bei mir sehen und am liebsten so schnell wie möglich, sagen wir, Ende der Woche. Was meinen Sie dazu?

Nagel trank wieder, trank zwei große Gläser. Minute antwortete auch darauf nichts. Seine erste kindliche Freude war offensichtlich verschwunden, und er schien dem Geseire seines Gastgebers nur aus reiner Höflichkeit zuzuhören. Er lehnte es beharrlich ab, etwas zu trinken.

Sie sind auf einmal so verblüffend still, sagte Nagel. Es ist ganz lächerlich, aber wissen Sie, daß Sie in diesem Augenblick aussehen, als fühlten Sie sich von etwas getroffen, von einem Wort getroffen, einer Andeutung. Ja, hat man so was schon gehört, von etwas *getroffen*! Ich habe bemerkt, daß Sie gerade jetzt ein bißchen zusammengezuckt sind? Na, dann nicht; dann habe ich mich geirrt! Haben Sie sich jemals vorgestellt, wie einem heimlichen Fälscher zumut sein müßte, wenn eines Tages ein Kriminalbeamter die Hand auf seine Schulter legte und ihm, ohne etwas zu sagen, in die Augen sähe? ... Aber was soll ich denn mit Ihnen anfangen, Sie werden immer trauriger und verschloßner? Ich bin heute nervös und quäle Sie zu Tode, aber ich *muß* reden, das ist nun mal meine Angewohnheit, wenn ich betrunken bin. Und Sie dürfen auch noch nicht weggehen, denn dann wäre ich gezwungen, eine Stunde mit Sara, dem Mädchen, zu sprechen, und das wäre vielleicht unpassend, um nicht davon zu reden, daß es langweilig wäre. Wollen Sie mir erlauben, Ihnen eine kleine Begebenheit zu erzählen? Meine Erzählung ist ohne Bedeutung, aber sie könnte Sie vielleicht etwas unterhalten, wie sie gleichzeitig meine Begabung zeigen dürfte, mich mit Menschen auszukennen. Hehehe, Sie sollen nämlich hören, daß, wenn es jemand gibt, der Menschen *nicht* durchschauen kann, dann bin ich es – falls diese Erklärung Sie vielleicht aufmuntern kann. Kurz und gut: ich kam einmal nach London – ja, es ist übrigens drei Jahre her, nicht länger –, und dort stiftete ich Bekanntschaft mit einer jungen, hinreißenden Dame, eine Tochter des Mannes, mit dem ich ein kleines Geschäft abzuwickeln hatte. Ich lernte die Dame ziemlich genau kennen, wir waren drei Wochen lang täglich zusammen und wurden gute Freunde. Eines Nachmittags will sie mir London zeigen, und wir ziehen also los, begucken Museen, Kunstsammlungen, Prachtbauten und Parks, und es wurde Abend, bevor wir uns auf den Heimweg begaben. Inzwischen begann ein Bedürfnis der Natur sich bei mir geltend zu machen, ich kam, freiweg gesagt, in eine gewisse Verlegenheit, in die man nach einem Spaziergang kommen kann, der einen ganzen Nachmittag dauert. Was sollte ich machen? Mich wegstehlen konnte ich nicht, und um Erlaubnis bitten, mich entfernen zu dürfen, wollte ich nicht. Kurz und gut: ich gebe nach, wo ich gehe und stehe, gebe einfach nach, lasse allem seinen Lauf und werde natürlich pudelnaß bis in die Schuhe. Doch was zum Teufel hätte ich tun sollen, sagen Sie mir das? Ich hatte glücklicherweise einen ungeheuer langen Mantel an, und ich hoffte, mit dem meinen Zustand verbergen zu können.

Nun wollte der Zufall, daß wir in einer hell erleuchteten Straße an einer Konditorei vorbeikamen, und hier bei dieser Konditorei bleibt, Gott helfe mir, meine Dame stehen und bittet mich, ihr ein Häppchen zu besorgen. Na, dies schien ja ein begreifliches Verlangen zu sein, wir waren einen halben Tag herumgelaufen und ganz erschöpft. Aber ich mußte es trotzdem abschlagen. Da sieht sie mich an und findet sicher, es sei häßlich von mir, das abzuschlagen, sie bittet mich, den Grund zu nennen. Ja, sage ich da, der Grund sei der und der, ich habe kein Geld, ich habe keinen Penny bei mir, nicht einen Penny. Na, das sei ein Grund, der gelte, das könne nicht bestritten werden, und die Dame hatte tatsächlich auch kein Geld bei sich, nein, nicht einen Penny. Und da stehen wir nun und sehen uns an und lachen über unsere Lage. Aber dann findet sie doch einen Ausweg, sie wirft einen Blick über die Häuser und sagt: Warten Sie, bleiben Sie einen Augenblick hier stehen, ich habe eine Freundin in dem Haus da, im ersten Stock, sie kann uns Geld geben! Und damit eilt meine Dame fort. Sie ist mehrere Minuten weg, und in dieser ganzen langen Zeit durchlebte ich die schlimmsten Qualen. Wie in aller Welt sollte ich mich verhalten, wenn sie jetzt mit dem Geld zurückkam? Ich *konnte* nicht in diese Konditorei gehen, wo das Licht so fürchterlich brannte und wo sich so viele Damen und Herren aufhielten; ich würde sofort vor die Tür geworfen werden, und letzteres wäre schlimmer als das erstere. Ich müßte die Zähne zusammenbeißen und sie bitten, mir den persönlichen Gefallen zu tun und selbst hineinzugehen, ich würde dann auf sie warten. Noch ein paar Minuten vergingen, dann kam meine Dame zurück. Sie war sehr zufrieden, ja geradezu fröhlich und sagte nur, ihre Freundin sei nicht zu Hause gewesen, was ja auch, recht besehen, egal sein könne; sie könne es gut noch einige Minuten aushalten, es würde doch nicht mehr als höchstens eine Viertelstunde dauern, bis sie sich an ihren eigenen Abendtisch setzen könne. Sie bat mich auch zu entschuldigen, daß sie mich hatte warten lassen. Und wer froh war, war ich, obwohl es doch eigentlich ich war, der dort durchnäßt ging und unter dieser Tour böse litt. Doch jetzt kommt das Beste von allem – ja, Sie haben den Rest vielleicht schon erraten? Doch, ich glaube bestimmt, daß Sie den Rest schon erraten haben; aber trotzdem will ich den auch noch erzählen: erst in diesem Jahr, 1891, ist mir aufgegangen, wie strohdumm ich mich eigentlich aufgeführt hatte. Ich habe die ganze Begebenheit noch einmal überdacht und die eine Kleinigkeit nach der anderen von größter Bedeutsamkeit gefunden: meine Dame ging gar keine Treppe hinauf, sie war durchaus nicht in irgendeinem ersten Stock oben. Wenn ich es recht bedenke, dann öffnete sie eine Durchgangstür zum Hinterhof und glitt dort hinein; mir schwant, daß sie auch durch genau die gleiche Tür wieder aus dem Hinterhof kam, auf gleitende und stille Weise. Was beweist das? Nein, bestimmt nichts; aber war es nicht doch ein eigentümlicher Umstand, daß sie nicht in den ersten Stock hinaufging, dagegen jedoch in den Hinterhof? Hehehe, ja, Sie verstehen das ganz ausgezeichnet, das kann ich sehen, aber mir ist das nicht vor 1891 eingefallen, drei Jahre danach. Sie verdächtigen mich doch wohl nicht, daß ich das Ganze schon im voraus ausgetüftelt hatte, daß ich den Spaziergang so lange wie möglich hinauszögerte, um meine Dame zum Äußersten zu zwingen, daß ich mich nicht von einer versteinerten Höhlenhyäne in einem Museum losreißen konnte, sondern daß ich dreimal dorthin zurückkehrte und daß ich gleichzeitig das Fräulein nicht aus den Augen ließ, damit sie nicht auf solche Weise in einen Hinterhof entschlüpfen könnte? Dessen verdächtigen Sie mich selbstverständlich nicht? Ich will nicht leugnen, daß jemand vielleicht so intrikat sein könnte, lieber selbst zu leiden, ja, lieber selbst vom Gürtel abwärts naß zu werden, als sich die befremdliche Befriedigung entgehen zu lassen, zu sehen, wie sich eine junge, entzückende Dame in irgendwelchen Qualen windet. Aber mir ist das, wie gesagt, erst in diesem Jahr aufgegangen, drei Jahre, nachdem die Geschichte passiert ist. Hehe, ja, was halten Sie davon?

Pause. Nagel trank und fuhr fort:

Jetzt können Sie sagen: aber was hat diese Geschichte mit mir und mit Ihnen und mit dem Junggesellenabend zu tun? Nein, bester Freund, ganz richtig, sie hat einfach nichts damit zu tun. Doch ich hatte Lust, sie trotzdem zu erzählen, als Kostprobe meiner Stupidität, was die menschliche Seele betrifft. Ach, die menschliche Seele! Was halten Sie etwa davon, daß ich mich in einer Morgenstunde vor einigen Tagen dabei ertappe – mich, Johan Nilsen Nagel, dabei ertappe –, an Konsul Andresens Haus dort oben auf dem Hügel vorbeizuwandern und darüber nachzugrübeln, wie hoch oder wie niedrig es wahrscheinlich bis zur Decke in seiner Wohnstube sein könnte? Was halten Sie davon? Aber das ist, wenn ich das denn ausdrücken darf, wiederum die menschliche Seele. Keine Kleinigkeit kommt ihr ungelegen, alles ist für sie von Bedeutung ... Welchen Eindruck macht es zum Beispiel auf Sie, wenn Sie spät eines Nachts von irgendeinem Treffen, irgendeiner Expedition nach Hause gehen und also völlig legitim unterwegs sind, und plötzlich stoßen Sie auf einen Mann, der an einer Ecke steht und Sie ansieht, ja, der den Kopf nach Ihnen umdreht, während Sie passieren, und Sie nur anstarrt und nichts sagt? Nun setze ich obendrein noch voraus, daß der Mann schwarze Sachen anhat und Sie von ihm nichts anderes sehen können als sein Gesicht und seine Augen, was dann? Ach, in der menschlichen Seele geht vieles vor sich ... Sie kommen eines Abends in eine Gesellschaft von, lassen Sie uns sagen, zwölf Leuten, und der dreizehnte – es mag eine Telegraphistin sein, ein armer Jurakandidat, eine Bürokraft, ein Dampfschiffskapitän, kurz gesagt, eine Person ohne jegliche Bedeutung – sitzt in einer Ecke und nimmt nicht an der Konversation teil und macht auch sonst in keiner Weise irgendwelchen Lärm; aber diese dreizehnte Person hat trotzdem ihren Wert, nicht nur an und für sich, sondern auch als ein Faktor in der geselligen Runde. Gerade weil sie jene Kleidung anhat, weil sie sich so stumm verhält, weil ihre Augen dermaßen dumm und nichtssagend die übrigen Gäste anblicken und weil ihre Rolle insgesamt darin besteht, so unbedeutend zu sein, trägt sie dazu bei, der Runde ihren Charakter zu geben. Gerade weil sie nichts sagt, wirkt sie negativ und erzeugt im ganzen Zimmer den schwachen Ton der Düsterkeit, der die anderen Gäste gerade so laut und nicht lauter sprechen läßt. Habe ich nicht recht? Diese Person kann dadurch buchstäblich zur mächtigsten in der Gesellschaft werden. Ich kenne mich, wie gesagt, nicht mit Menschen aus, aber trotzdem amüsiert es mich oft, zu beobachten, welch eine unheimliche Bedeutung den Kleinigkeiten innewohnen kann. So war ich zum Beispiel einmal Zeuge, wie ein wildfremder armer Ingenieur, der seinen Mund absolut nicht aufmachte ... Aber das ist eine andere Geschichte und hat nichts mit dieser zu tun, höchstens insofern, als beide mein Gehirn passiert und ihre Spuren hinterlassen haben. Um aber im Bild zu bleiben: wer weiß denn, ob Ihre Schweigsamkeit heute abend nicht diesen eigenartigen Ton über meine Worte legt – abgesehen von meinem ansehnlichen Rausch –, ob nicht diese Miene, die Sie jetzt aufsetzen, dieser halb scheue und halb unschuldige Ausdruck in Ihren Augen, mich gerade dazu stimuliert, so zu sprechen, wie ich es tue! Das ist ganz natürlich. Sie hören dem zu, was ich sage – was ich, ein Betrunkner, sage –, Sie fühlen sich hier und da auf die eine oder andere Art getroffen – um den bereits benutzten Ausdruck *getroffen* zu verwenden –, und ich fühle mich versucht, noch weiterzugehen und Ihnen wohl noch ein halbes Dutzend Worte ins Gesicht zu schleudern. Ich führe dies nur als Beispiel für die Bedeutung der Kleinigkeiten an. Übersehen Sie nicht die Kleinigkeiten, lieber Freund! Um Gottes willen, die Kleinigkeiten haben eine gewaltige Bedeutung ... Herein!

Es war Sara, die anklopfte und ihm meldete, daß das Abendessen fertig sei. Minute erhob sich sofort. Nagel war jetzt sichtlich betrunken und redete nicht einmal mehr klar; im übrigen widersprach er sich dauernd selbst und faselte immer schlimmer. Seine nachdenklichen Augen und die Adern, die an den Schläfen anschwollen, zeigten, daß ihm viele Gedanken durch den Kopf schwirrten.

Ja, sagte er, es wundert mich nicht, daß Sie gerne die Gelegenheit ergreifen, um zu gehen, nach all dem Geseire, das Sie heute abend ertragen mußten. Aber es gibt noch mehr, über das ich gerne auch Ihre Meinung gehört hätte, so haben Sie zum Beispiel keineswegs meine Frage beantwortet, was Sie in Ihrem innersten Herzen von Fräulein Kielland halten. Vor mir steht sie wie das seltenste und unerreichbarste Wesen, voller Liebreiz und rein und weiß wie Schnee – stellen Sie sich wirklich reinen und tiefen seidigen Schnee vor. So steht sie in Gedanken vor mir. Sollten Sie von dem, was ich vorher gesagt habe, einen anderen Eindruck bekommen haben, so ist das falsch ... Lassen Sie mich also das letzte Glas in Ihrer Gegenwart leeren; Prost! ... Doch jetzt fällt mir gerade noch was ein. Wenn Sie die Geduld hätten, sich noch für zwei kurze Minuten mit mir zu beschäftigen, wäre ich Ihnen wirklich außerordentlich verbunden. Die Sache ist die – kommen Sie ein bißchen näher, denn in diesem Haus hier sind die Wände dünn –, ja, also die Sache ist die: ich bin rettungslos verliebt in Fräulein Kielland. Jetzt hab' ich es gesagt! Das sind nur ein paar harte und armselige Worte, aber Gott im Himmel weiß, wie maßlos ich sie liebe und wie ich ihretwillen leide. Na, das ist eine Sache für sich, ich liebe, ich leide, es ist so, das gehört nicht hierher. Also! Aber ich hoffe, Sie werden meine Offenherzigkeit mit all der Diskretion behandeln, die sie verdient; versprechen Sie mir das? Danke, lieber Freund! Aber, sagen Sie, wie kann ich in sie verliebt sein, wenn ich sie doch noch vor kurzem eine große Kokette nannte? Man kann erstens sehr gut eine Kokette lieben; dem steht nichts im Wege. Doch damit halte ich mich nicht auf. Denn es kommt noch etwas anderes hinzu. Wie war das, hatten Sie zugegeben, daß Sie sich mit Menschen auskennen, oder nicht? Wenn Sie sich mit Menschen auskennten, würden Sie nämlich auch verstehen, was ich jetzt sage: ich kann unmöglich überzeugt sein, daß Fräulein Kielland wirklich eine Kokette ist. Das meine ich nicht im Ernst. Sie ist im Gegenteil ein besonders natürlicher Mensch – denken Sie zum Beispiel nur an ihre offene Art zu lachen, wo sie doch nicht einmal ganz weiße Zähne hat! Trotzdem aber kann ich das Meine dazu beitragen, die Ansicht zu verbreiten, daß Fräulein Kielland eine Kokette sei, das macht mir nichts aus. Und ich tue das nicht, um ihr zu schaden oder um mich zu rächen, sondern um mich selbst obenauf zu halten, ich tue es aus Eigenliebe, weil sie für mich unerreichbar ist, weil sie aller meiner Anstrengungen spottet, sie in mich verliebt zu machen, weil sie verlobt ist und bereits gebunden, sie ist verloren, gänzlich verloren. Sehen Sie, dies ist mit Ihrer Erlaubnis eine neue und kuriose Seite der menschlichen Seele. Ich könnte auf der Straße auf sie zutreten und mit dem größten Ernst im Beisein mehrerer Leute zu ihr sagen, scheinbar nur um sie zu demütigen und um ihr Schaden zuzufügen, könnte ich sie ansehen und sagen: Guten Tag, mein Fräulein! Gratuliere zum sauberen Unterrock! Ja, haben Sie schon so was Verrücktes gehört? Aber das könnte ich sagen. Was ich danach täte – ob ich nun heimlaufen und in mein Taschentuch schluchzen würde oder ob ich mir ein paar Tropfen aus dieser kleinen Flasche, die ich hier in der Westentasche trage, genehmigen würde –, das überspringe ich. Ebenso könnte ich eines Sonntags in die Kirche gehen, während ihr Vater, Pastor Kielland, Gottes Wort verkündet, durch das ganze Kirchenschiff spazieren, vor Fräulein Kielland stehenbleiben und laut sagen: Würden Sie mir erlauben, Ihnen ein bißchen an den Bausch zu fassen? Ja, was meinen Sie? Mit dem Bausch würde ich nichts Besonderes meinen, es sollte nur ein Wort sein, über das sie erröten müßte; vergönnen Sie mir doch, Sie ein bißchen an den Bausch zu fassen, würde ich sagen. Und danach könnte ich mich ihr vor die Füße werfen und sie anflehen, mich selig zu machen, indem sie mich anspuckt ... Jetzt sind Sie gründlich verschreckt; ja, ich gebe auch zu, daß ich blasphemische Reden führe, um so mehr, als ich zu einem Pfarrerssohn über eine Pfarrerstochter spreche. Verzeihen Sie mir, mein Freund, ich tue es nicht aus Bosheit, nicht aus purer Bosheit, sondern weil ich voll bis an die Kiemen bin ... Hören Sie her: Ich kannte einmal einen jungen Mann, der eine Gaslampe stahl, sie an einen Schrotthändler verkaufte und das Geld in Saus und Braus versoff. Das ist bei Gott wahr; es war sogar ein Bekannter von mir, ein Verwandter des verstorbenen Pfarrers Hærem. Aber was hat das mit meinem Verhältnis zu Fräulein Kielland zu tun? Nein, da haben Sie wiederum recht! Sie sagen nichts, aber ich kann sehen, daß Sie es bereits im Mund hatten und es sagen wollten, und das ist eine ganz richtige Bemerkung von Ihnen. Was aber Fräulein Kielland anbelangt, so ist sie für mich vollständig verloren, und ich beklage deshalb nicht sie, sondern mich selbst. Sie, der Sie so total nüchtern sind und die Menschen durchschauen, würden es auch verstehen, wenn ich eines Tages einfach in der Stadt das Gerücht verbreitete, daß Fräulein Kielland auf meinen Knien gesessen hätte, daß ich sie jetzt drei Nächte hintereinander an einem näher bezeichneten Ort drüben im Wald getroffen hätte und daß sie später Geschenke von mir entgegengenommen hat. Nicht wahr, Sie würden das verstehen? Ja, denn Sie kennen sich verteufelt gut mit Menschen aus, mein Freund, in der Tat, das tun Sie, kommen Sie mir bloß nicht mit Ausflüchten ... Ist es Ihnen noch nie passiert, daß Sie eines Tages auf der Straße gingen, vertieft in ihre eigenen, unschuldigen Gedanken, und ehe Sie sich's versahen, starrten alle Menschen Sie an, musterten Sie von oben bis unten? In diese Lage zu geraten ist äußerst peinlich. Beschämt bürsten Sie sich vorne und hinten ab, wie ein Dieb sehen Sie an Ihrem Anzug hinunter, um zu untersuchen, ob Sie etwa aufgeknöpft herumlaufen, und Sie werden so angefüllt mit bangen Ahnungen, daß Sie sogar den Hut abnehmen und nachsehen, ob daran möglicherweise noch der Preiszettel heftet, obwohl es ein alter Hut ist. Doch das alles hilft nichts, Sie finden nichts an sich in Unordnung, und Sie müssen es schön aushalten, daß jeder Schneidergeselle und jeder Leutnant Sie nach Belieben fixiert ... Aber, bester Freund, wenn dies schon eine Höllenpein ist, was soll man dann erst sagen, wenn man zu einem Verhör vorgeladen wird ... Jetzt sind Sie wieder zusammengezuckt? Ja, ist es nicht so? Stellen Sie sich vor, mir schien es ganz deutlich, als wären Sie ein bißchen zusammengezuckt ... na, aber also zu einem Verhör vorgeladen, vor den listigsten Urian von einem Polizeimann gestellt zu werden, vor dem ganzen Publikum in ein Kreuzverhör genommen zu werden, bei dem man auf zwölf verschiedenen Schleichwegen immer wieder auf den einen gleichen Punkt zurückkommt, oh, welch ein ausgesuchter Genuß für den, der mit dem Ganzen nichts zu schaffen hat, sondern nur dasitzt und zuhört! Nicht wahr, da stimmen wohl auch Sie zu? ... Gott weiß, ob hier nicht doch noch ein Glas Wein ist, wenn ich die Flasche auswringe ...

Er kippte den letzten Rest Wein runter und redete weiter:

Ich muß Sie im übrigen um Entschuldigung bitten, weil ich andauernd das Gesprächsthema wechsle. Diese vielen und plötzlichen Sprünge in meinem Gedankengang kommen sicherlich zum Teil daher, daß ich so betrüblich voll bin, zum Teil aber ist es überhaupt ein Fehler von mir. Die Sache ist: ich bin nur ein simpler Agronom, Schüler einer Kuhfladenakademie; ich bin ein Denker, der nicht gelernt hat zu denken. Na, lassen Sie uns nicht auf so spezielle Dinge eingehen, die interessieren Sie nicht, und für mich, der ich meine Lage bereits kenne, sind sie geradezu widerwärtig. Wissen Sie was, manchmal geht es so weit, wenn ich hier allein sitze und an allerhand Dinge denke und mich dann selbst unter die Lupe nehme, daß ich mich mit lauter Stimme Rochefort nenne und daß ich mich auf die Brust schlage und mich Rochefort nenne. Was werden Sie sagen, wenn ich Ihnen erzähle, daß ich einmal ein Petschaft mit einem Stachelschwein bestellte? ... Das bringt mich dazu, mich an einen Mann zu erinnern, den ich seinerzeit als einen anständigen, ganz alltäglichen und achtenswerten Studenten der Philologie an einer deutschen Universität kannte. Der Mann degenerierte, im Laufe von zwei Jahren wurde er sowohl Trunkenbold wie Romanautor. Traf er Fremde, und man fragte ihn, wer er sei, antwortete er schließlich nur noch, er sei ein Faktum. Ich bin ein Faktum! sagte er und kniff aus lauter Hochmütigkeit den Mund zusammen. Na, das interessiert Sie nicht ... Sie sprachen von einem Mann, einem Denker, der nicht gelernt hatte zu denken. Oder war ich es, der davon sprach? Verzeihung, jetzt bin ich nämlich sturztrunken; aber das macht nichts, lassen Sie sich dadurch nur nicht anfechten. Ich möchte Ihnen übrigens gern das mit dem Denker, der nicht denken konnte, erklären. Soweit ich Ihre Äußerung verstanden habe, würden Sie diesen Mann angreifen. Doch, ich bekam deutlich diesen Eindruck, Sie sprachen in einem höhnischen Ton; aber der Mann, den Sie erwähnten, verdient, einigermaßen als Ganzheit gesehen zu werden. Erstens war er ein großer Narr. Doch, doch, davon will ich nicht abrücken, er war ein Narr. Er trug stets einen langen, roten Schlips und lächelte vor lauter Narrheit. Ja, so närrisch war er, daß er immer wieder, wenn jemand zu ihm kam, in ein Buch vertieft dasaß, obwohl er niemals las. Er trug auch keine Strümpfe in den Schuhen, nur um sich eine Rose im Knopfloch leisten zu können. So war er. Aber das beste von allem war, daß er etliche Porträts hatte, Porträts einiger schlichter, netter Handwerkertöchter, und auf diese Porträts schrieb er dann irgendwelche hochgestochne und klangvolle Namen, nur um den Eindruck zu erwecken, daß er soundso viele vornehme Bekanntschaften habe. Auf eines der Bilder hatte er in deutlichen Buchstaben »Fräulein Stang« geschrieben, damit man glauben sollte, sie sei mit dem Regierungsoberhaupt verwandt, obwohl diese Person höchstens Hinz oder Kunz heißen konnte. Hehehe, was soll man zu einer solchen Aufgeblasenheit sagen? Er bildete sich ein, die Leute beschäftigten sich dauernd mit ihm, verleumdeten ihn. Die Leute verleumden mich! sagte er. Hehehe, glauben Sie wirklich, daß sich jemand die Mühe machte, ihn zu verleumden? Dann kam er eines Tages also in einen Juwelierladen und rauchte zwei Zigarren. Zwei Zigarren! Eine hielt er in der Hand und die andere im Mund, aber beide waren angesteckt. Er wußte vielleicht gar nicht, daß er zwei Zigarren auf einmal brennen hatte, und als ein Denker, der nicht zu denken gelernt hatte, fragte er auch nicht ...

Jetzt muß ich gehen, sagte Minute endlich leise.

Nagel erhob sich sofort.

Müssen Sie gehen? sagte er. Wollen Sie mich jetzt wirklich verlassen? Ja, diese Geschichte ist ja wohl auch zu lang, wenn man den Mann in seiner Ganzheit betrachten will. Na, dann heben wir uns das für ein anderes Mal auf. Ja so, Sie wollen jetzt absolut gehen? Hören Sie: Vielen, vielen Dank für den Abend! Hören Sie das? Ich bin jetzt auch ganz absonderlich betrunken; wie sehe ich eigentlich aus? Nehmen Sie einen Daumen, legen Sie den unter die Lupe und sehen Sie sich diesen Anblick an, was? Ja, ich verstehe Ihre Mimik; Sie sind ein unglaublich kluger Mann, Herr Grøgaard, und es ist mir ein Fest, Ihre Augen zu beobachten, so unschuldig sind sie. Stecken Sie sich noch eine Zigarre an, bevor Sie gehen. Wann kommen Sie nun wieder? Verdammt, das stimmt ja, Sie müssen zu dem Junggesellenabend kommen, hören Sie! Kein Härchen soll Ihnen gekrümmt werden ... Nein, denn ich will Ihnen sagen: es wird nur eine kleine, gemütliche Abendgesellschaft, eine Zigarre, ein Glas, ein Gespräch und neun mal neun Hurras fürs Vaterland, wegen Doktor Stenersen; nicht wahr? Das wird schon klappen. Und die Hose, von der wir gesprochen haben, werden Sie bekommen, hol mich der Teufel! Aber natürlich zu den üblichen Bedingungen. Ich danke Ihnen für Ihre Geduld heute abend. Lassen Sie mich Ihre Hand drücken! Stecken Sie sich eine neue Zigarre an, Mann ... Hören Sie, noch ein Wort: gibt es nichts, worum Sie mich bitten könnten? Denn wenn es etwas gibt, dann. Na, wie Sie wollen. Gute Nacht, gute Nacht.

XI

Dann brach der 29. Juni an. Es war ein Montag.

An diesem Tag geschahen ein paar ungewöhnliche Dinge; es tauchte sogar eine fremde Person in der Stadt auf, eine verschleierte Dame, die nach zweistündigem Aufenthalt wieder verschwand, nachdem sie im Hotel einen Besuch gemacht hatte ...

Schon früh am Morgen hatte Johan Nagel auf seinem Zimmer vergnügt gesummt und gepfiffen. Während er sich ankleidete, pfiff er lustige Melodien, als sei er über irgend etwas höchst erfreut. Den ganzen vorhergehenden Tag war er schweigsam und still gewesen, nach dem wirklich herben Rausch vom Samstag abend mit Minute. Er war mit langen Schritten im Zimmer auf und ab gegangen und hatte eine Menge Wasser getrunken. Als er jetzt am Montag morgen das Hotel verließ, summte er noch und sah äußerst zufrieden aus; in einem Anfall heller Freude sprach er sogar eine Frau an, die vor der Treppe stand, und gab ihr einige Schillinge.

Können Sie mir sagen, wo ich mir eine Geige leihen könnte? fragte er. Wissen Sie, ob es hier in der Stadt jemand gibt, der Geige spielt?

Nein, das weiß ich nicht, antwortete die Frau erstaunt.

Sie wußte es nicht, aber trotzdem gab er ihr vor Freude einige Schillinge und ging eilig weg. Er hatte Dagny Kielland mit ihrem roten Sonnenschirm aus einem Laden kommen sehen, und er ging ihr gleich nach. Sie war allein. Er verbeugte sich tief und sprach sie an. Sie wurde sofort flammend rot, wie sie das zu tun pflegte, und sie hielt den Sonnenschirm ein wenig vor sich, um es zu verbergen.

Sie sprach zuerst über ihren letzten Spaziergang durch den Wald. Sie sei eigentlich doch ein bißchen unvorsichtig gewesen, ja, denn sie habe sich wirklich etwas erkältet, obwohl das Wetter so warm gewesen war, sie sei noch nicht wieder ganz wohlauf. Dies sagte sie geradeheraus und aufrichtig, als vertraue sie sich einem alten Bekannten an.

Aber Sie dürfen es nicht bereuen; oder tun Sie es? sagte er und kam gleich zur Sache.

Nein, antwortete sie und sah verwundert aus; nein, ich bereue es nicht; wieso kommen Sie darauf? Nein, ich finde, es war eine unterhaltsame Nacht, obwohl ich weiß Gott die ganze Zeit vor dem Irrwisch, von dem Sie erzählten, Angst hatte. Ich habe seitdem auch von ihm geträumt. Ein fürchterlicher Traum!

Und dann sprachen sie eine Weile von dem Irrwisch.

Nagel unterhielt sich heute gerne, er gestand, daß auch er lächerliche Anfälle stummer Furcht vor irgend etwas habe, oft könne er zum Beispiel eine Treppe nicht hochgehen, ohne sich bei jedem Schritt umzudrehen und zu schauen, ob nicht jemand hinter ihm sei. Was war das? Ja, was das war! Etwas ganz Mystisches, etwas Seltsames, das zu begreifen die arme »allwissende« Wissenschaft zu engstirnig und zu grob sei, der Atem einer unsichtbaren Macht, ein Einfluß der blinden Kräfte des Lebens.

Wissen Sie, sagte er, daß ich in diesem Augenblick Lust hätte, von dieser Straße in eine andere abzubiegen, weil diese Häuser hier, diese Kantsteine links, die drei Birnbäume unten im Garten des Bezirksrichters, das alles zusammen einen antipathischen Einfluß auf mich ausübt, mich mit einem dumpfen Schmerz erfüllt. Wenn ich allein gehe, nehme ich niemals den Weg durch diese Straße, ich gehe außen herum, selbst wenn es ein Umweg für mich ist. Was ist das nur?

Dagny lachte.

Ich weiß es nicht. Aber Doktor Stenersen würde das bestimmt Nervosität und Aberglauben nennen.

Ganz richtig, so würde er es nennen! Ach, was ist das doch für eine hochmütige Dummheit! Sie kommen eines Abends in eine fremde Stadt, sagen wir in diese Stadt, warum nicht? Am Tag darauf machen Sie einen Gang durch die Straßen, um sie sich zum ersten Mal anzusehen. Sie fassen bei dieser Wanderung eine ausgesprochene heimliche Abneigung gegen bestimmte Straßen, bestimmte Häuser, während Sie sich von anderen Straßen und anderen Häusern angesprochen fühlen, froh und heimelig gestimmt werden. Nervosität? Jetzt aber gehe ich davon aus, Sie hätten Nerven wie Drahtseile, daß Sie im Grunde gar nicht wissen, was Nervosität ist. Weiter! Sie gehen immer noch durch die Straßen, Sie begegnen hundert Menschen und gehen gleichgültig an ihnen vorbei; doch plötzlich – während Sie zum Kai hinunterkommen und vor einem etwas ärmlichen, einstöckigen Haus ohne Vorhänge, aber mit einigen weißen Blumen im Fenster, stehenbleiben –

kommt Ihnen ein Mann entgegen, der Sie sofort in irgendeiner Weise beschäftigt. Sie sehen den Mann an, und der Mann sieht Sie an. Es ist weiter nichts Ungewöhnliches an ihm, außer daß er ärmlich gekleidet ist und ein wenig vornübergebeugt geht; es ist das erste Mal in Ihrem Leben, daß Sie mit ihm zusammentreffen, und Sie haben die bizarre Eingebung, daß der Mann Johannes heißt. Ausgerechnet Johannes. Warum glauben Sie, daß er ausgerechnet Johannes heißt? Das können Sie sich nicht erklären, aber Sie sehen es an seinen Augen, merken es an seinen Armbewegungen, hören es am Ton seiner Schritte; und es kommt nicht daher, daß Sie irgendwann zuvor einen anderen Mann getroffen haben, der diesem letzteren glich und der Johannes hieß, nein, daher kommt es nicht. Denn Sie haben niemals jemand getroffen, an den dieser Mann Sie erinnert. Aber dann stehen Sie da, mit Ihrem Erstaunen und Ihrem mystischen Gefühl, und können sich das nicht erklären.

Haben Sie einen solchen Mann hier in der Stadt getroffen?

Nein, nein, beeilte er sich zu antworten, ich nehme diese Stadt *nur als Beispiel*, dieses eingeschossige Haus und diesen Mann, ich nehme das nur als Beispiel. Aber nicht wahr, es ist sonderbar? ... Da passieren andere seltsame Dinge: Sie kommen in eine fremde Stadt und gehen in ein fremdes Haus, sagen wir, in ein Hotel, in dem Sie noch nie zuvor gewesen sind. Plötzlich haben Sie die ausgesprochen starke Empfindung, daß seinerzeit, vielleicht vor vielen Jahren, in diesem fremden Haus eine Apotheke gewesen sei. Wie kommen Sie darauf? Es gibt nichts, was daran erinnert, niemand hat es Ihnen gesagt, da ist kein Geruch nach Medikamenten, und an den Wänden sind nicht die geringsten Spuren von Regalen, und auf dem Boden ist kein Abdruck einer Theke. Und trotzdem wissen Sie es in Ihrem Herzen, daß in diesem Haus vor vielen Jahren eine Apotheke gewesen ist! Sie irren sich nicht, Sie sind für den Augenblick erfüllt von einer geheimnisvollen Mitwisserschaft, die Ihnen verborgene Dinge offenbart. Das ist Ihnen vielleicht noch nie passiert?

Ich habe noch nie darüber nachgedacht. Doch jetzt, wo Sie davon sprechen, glaube ich, daß ich so etwas auch schon erlebt habe. Jedenfalls habe ich oft Angst im Dunkeln, Angst vor nichts. Aber das ist vielleicht etwas anderes.

Gott weiß, was das eine ist und was das andere ist! Zwischen Himmel und Erde geht so vieles vor, seltsame, herrliche Dinge ohnegleichen und vollkommen unerklärliche Vorahnungen, stumme Schrecken, die Sie vor Unbehagen erbeben lassen. Stellen Sie sich vor, Sie hören, wie jemand in einer dunklen Nacht an der Wand entlangstreift. Sie sind hellwach, Sie sitzen mit unbestimmten Empfindungen am Tisch und rauchen Pfeife. Sie haben den Kopf voller Pläne, Sie wälzen diese Pläne, und Sie möchten damit unbedingt fertig werden. Da hören Sie plötzlich ganz deutlich, wie draußen jemand an der Wand entlangstreicht, am Paneel draußen, oder sogar in ihrem Zimmer, dort am Ofen, wo Sie auch einen Schatten auf der Brandmauer sehen. Sie nehmen den Schirm von der Lampe, damit es heller wird, und gehen zum Ofen hin. Sie stellen sich vor den Schatten und erblicken einen Ihnen unbekannten Menschen, einen Mann mittlerer Größe mit einem schwarz-weißen Wollschal um den Hals und mit ganz blauen Lippen. Er gleicht dem Kreuzbuben in einem französischen Blatt. Nun nehme ich an, Sie seien mehr neugierig als ängstlich, Sie rücken dem Kerl auf den Leib, um ihn mit einem Blick wegzufegen; doch er rührt sich nicht, obwohl Sie ihm so nahe sind, daß Sie sehen, wie er mit den Augen blinzelt und überhaupt so lebendig ist wie Sie selbst. Da nehmen Sie ihn von der gemütlichen Seite, Sie sagen etwa, obwohl Sie ihn vorher niemals gesehen haben: Ihr Name ist wohl nicht zufälligerweise Homan, Bernt Homan? sagen Sie. Und da er nicht antwortet, beschließen Sie, ihn Homan zu nennen, und sagen: warum zum Teufel sollten Sie nicht ein Bernt Homan sein? Und dann lachen Sie ihn aus. Aber er rührt sich noch immer nicht, und Sie wissen nicht, was Sie mit ihm anfangen sollen. Dann treten Sie einen Schritt zurück, pieken mit der Pfeifenspitze nach ihm und sagen: Bäh! Aber er verzieht das Gesicht für keinen Anflug von

Lächeln. Und jetzt platzt Ihnen der Kragen. Sie sind verärgert und versetzen dem Mann einen ordentlichen Stoß. Jetzt aber sieht der Mann aus, als befinde er sich allerdings irgendwo in der Nähe, doch Ihr Stoß war ihm völlig schnuppe. Er fällt nicht, er steckt beide Hände in die Taschen, tief in die Taschen, zieht die Schultern hoch und setzt eine Miene auf, als wolle er sagen: Na und? So wenig hat es ihn angefochten, daß Sie ihm einen Stoß versetzten. Na und! antworten Sie jetzt rasend und versetzen ihm noch einen Stoß unter die Brusthöhle. Jetzt erleben Sie folgendes: nach diesem letzten Stoß beginnt der Mann zu verdunsten, Sie stehen da und sehen mit Ihren eigenen Augen, daß er nach und nach ausgelöscht wird, immer undeutlicher wird, und schließlich ist nichts anderes mehr von ihm da als der Bauch, dann verschwindet der auch. Die ganze Zeit aber hat er die Fäuste in den Taschen gehabt und Sie mit diesem trotzigen Ausdruck angesehen, der zu sagen schien: Na und?

Dagny lachte wieder.

Nein, was für seltsame Abenteuer Sie erleben! Na und, wie weiter? Wie geht es weiter, der Schluß?

Tja, wenn Sie sich wieder an den Tisch setzen und mit den Plänen anfangen wollen, entdecken Sie, daß Sie sich Ihre Knöchel an der Brandmauer zerschlagen haben ... Was ich aber sagen wollte: erzählen Sie tags darauf die Geschichte Ihren Bekannten, dann bekommen Sie was zu hören. Sie haben geschlafen, antworten die. Hehehe, ja doch, Sie haben geschlafen, obwohl Gott und alle Engel wissen, daß Sie *nicht* geschlafen haben. Das ist doch nur Seminaristenweisheit und Roheit, es Schlaf zu nennen, wenn Sie hellwach an einem Ofen gestanden und eine Pfeife geraucht und mit einem Mann gesprochen haben. Dann kommt der Arzt. Es ist ein ausgezeichneter Arzt, der die Wissenschaft mit zusammengekniffnem Mund und Überlegenheit repräsentiert. Das da, sagt er, das ist doch nur Nervosität, sagt er. O Gott, was für eine Komödie! Gut. Aber das sei also Nervosität, das, sagt er. Für das Gehirn des Arztes ist das eine Sache von diesen und diesen Dimensionen, soundsoviel Zoll hoch und soundsoviel Zoll breit, etwas, was man in die Faust drücken kann, gute, dicke Nervosität. Und dann verschreibt er auf einem Papierfetzen Eisen und Chinin und kuriert Sie stehenden Fußes. So geht das! Aber stellen Sie sich vor, welche Engstirnigkeit und welche Bauernlogik, mit seinen Dimensionen und seinem Chinin in ein Gebiet einzudringen, auf dem nicht einmal die feinen und weisen Seelen sich die Sache haben erklären können.

Sie verlieren gleich einen Knopf, sagte sie.

Einen Knopf?

Sie deutete lächelnd auf einen der Jackenknöpfe, der an einem Faden baumelte.

Ob Sie ihn nicht ganz abtrennen? Sie werden ihn gleich verlieren.

Also fügte er sich ihr, er zog ein Messer aus der Tasche und schnitt den Knopf ab. Als er das Messer herauszog, fielen zugleich einiges Kleingeld und eine Medaille an einem traurig mißhandelten Band aus seiner Tasche. Er bückte sich hastig und hob die Sachen auf, während sie ihm dabei zusah. Da sagte sie:

Ist das eine Medaille? Aber wie behandeln Sie sie denn, sehen Sie sich das Band an! Was für eine Art Medaille ist das?

Das ist eine Rettungsmedaille ... Aber Sie dürfen wirklich nicht glauben, sie befinde sich aufgrund meines Verdienstes in meiner Tasche. Es ist nur Humbug.

Sie sah ihn an. Sein Gesicht war vollkommen ruhig, seine Augen offen, als ob er durchaus nicht lüge. Sie hatte noch immer die Medaille in der Hand.

Wollen Sie nun wieder anfangen! sagte sie. Wenn Sie sie nicht selbst verdient haben, wie können Sie dann so ein Ding bei sich haben, es mit sich rumtragen?

Ich habe sie gekauft! rief er und lachte. Sie gehört mir doch, ist mein Eigentum, ich besitze sie, so wie ich mein Taschenmesser besitze, meinen Jackenknopf. Warum sollte ich sie denn wegwerfen?

Aber daß Sie eine Medaille kaufen können! sagte sie.

Ja, es ist Humbug, ich leugne das nicht; aber was tut man nicht so manches Mal! Ich habe sie bei einer Gelegenheit den ganzen Tag auf der Brust getragen, damit geprotzt, einen Trinkspruch dafür angedient bekommen, hehehehehe. Die eine Art Humbug ist wohl ebensogut wie die andere?

Der Name ist herausgekratzt, sagte sie wieder.

Jetzt wechselte er plötzlich den Gesichtsausdruck und streckte die Hand nach der Medaille aus.

Ist der Name herausgekratzt? Das ist nicht möglich; lassen Sie mich sehen. Das ist nur eine Beschädigung, die sie in meiner Tasche bekommen hat. Ich habe sie zwischen dem Kleingeld gehabt, das ist alles.

Dagny sah ihn mißtrauisch an. Dann plötzlich schnippt er mit den Fingern und ruft aus:

Wie kann ich nur so gedankenlos sein! Der Name *ist* herausgekratzt, Sie haben recht, wie konnte ich das vergessen! Hehehe, ich habe den Namen selbst herausgekratzt, das ist völlig richtig. Es war ja nicht mein Name, der da drauf stand, es war der Name des Besitzers, der Name des Retters. Ich schabte ihn weg, gleich als ich sie erhalten hatte. Ich bitte Sie zu entschuldigen, daß ich Sie nicht gleich darüber aufgeklärt habe, es war nicht, um zu lügen. Ich dachte nämlich gerade an etwas anderes: wieso wurden Sie plötzlich so nervös wegen des Jackenknopfs, der fast abgefallen wäre? Was, wenn er abgefallen wäre? Sollte das eine Antwort auf das sein, was ich über die Nervosität und die Wissenschaft gesagt hatte?

Pause.

Aber was ist das bloß für eine auffällige Offenheit, die Sie mir gegenüber immer an den Tag legen, sagte sie, ohne auf seine Frage zu antworten. Ich weiß nicht, was das bezwecken soll. Ihre Anschauungen erscheinen etwas ungewöhnlich; zum Schluß nun lassen Sie mich noch ahnen, daß eigentlich alles zusammen nur Humbug ist, nichts ist edel, nichts rein, nichts groß; ist das Ihre Meinung? Kann es denn wirklich dasselbe sein, ob man sich eine Medaille für soundsoviel Kronen kauft oder ob man sie sich durch irgendeine Tat selbst erkämpft?

Er antwortete nicht. Da fuhr sie ganz langsam und ernst fort:

Ich verstehe Sie nicht. Manchmal, wenn ich Sie reden höre, frage ich mich, ob Sie wirklich bei Verstand sind. Entschuldigen Sie, daß ich das sage! Sie machen mich mit jedem Mal etwas unruhiger, immer noch gereizter; Sie verwirren meine Begriffe von allem, stellen mir, worüber Sie auch reden, die Dinge auf den Kopf. Woher kommt das? Ich habe niemand getroffen, der allem in mir in solchem Maß widersprochen hätte. Sagen Sie mir jetzt: was glauben Sie eigentlich selbst von dem, was Sie sagen: Was ist *im tiefsten Herzen* Ihre Meinung?

Sie hatte so ernst, so warm gefragt, daß er stutzte.

Wenn ich einen Gott hätte, sagte er, einen Gott, der mir wirklich hoch und heilig wäre, dann würde ich bei diesem Gott schwören, daß ich alles, was ich Ihnen gesagt habe, aufrichtig meine, absolut alles, und daß ich das Beste zu tun glaube, selbst wenn ich Sie verwirre. Sie sagten letztes Mal, als wir miteinander sprachen, ich stünde wie ein Widerspruch zu allem, was andere Leute von den Dingen hielten. Ja, das ist wahr, ich gebe zu, daß ich ein lebender Widerspruch bin, und ich verstehe das selbst nicht. Aber ich bin außerstande zu begreifen, daß nicht auch alle anderen Menschen das gleiche von den Dingen halten wie ich. In solchem Grad einleuchtend und durchsichtig scheinen mir die Fragen zu sein, und so *leuchtend* klar sehe ich ihren Zusammenhang. Das ist im tiefsten Herzen meine Meinung, mein Fräulein; ach könnte ich doch machen, daß Sie an mich glaubten, jetzt und immer.

Jetzt und immer, nein, das will ich nicht versprechen.

Es ist mir so unendlich viel daran gelegen, sagte er.

Sie waren in den Wald gekommen, sie gingen so dicht nebeneinander, daß sie sich oft mit den Ärmeln streiften. Und die Luft war so still, daß sie nur ganz leise zu sprechen brauchten. Hie und da zwitscherte ein Vogel.

Er blieb abrupt stehen und brachte auch sie dazu stehenzubleiben.

Wie ich mich in diesen Tagen nach Ihnen gesehnt habe!

sagte er. Nein, nein, erschrecken Sie nicht so; ich sage ja fast nichts, und ich will nichts erreichen, nein, ich mache mir soweit keine, keine Illusionen. Übrigens verstehen Sie mich vielleicht nicht einmal, ich beginne falsch und verspreche mich, ich sage, was ich gar nicht sagen wollte ...

Da er schwieg, meinte sie:

Wie sonderbar Sie heute sind!

Damit wollte sie weitergehen.

Aber er hielt sie nochmals an:

Liebes Fräulein, warten Sie noch! Haben Sie heute etwas Nachsicht mit mir! Ich fürchte mich, zu sprechen, ich habe Angst, daß Sie mir das Wort abschneiden und mich wegschicken! Und doch habe ich mir dies in vielen wachen Stunden durch den Kopf gehen lassen.

Sie sah ihn immer erstaunter an und fragte:

Wo soll das hinführen?

Wo das hinführen soll? Darf ich Ihnen das mit unverblümten Worten sagen? Es führt dahin ... dahin, daß ich Sie liebe, Fräulein Kielland. Ja, eigentlich verstehe ich auch nicht, daß Sie das so erstaunen kann, ich bin aus Fleisch und Blut, ich habe Sie getroffen und bin von Ihnen verzaubert, das ist wohl nicht so befremdlich? Daß ich Ihnen das vielleicht nicht hätte gestehen sollen, ist eine andere Sache.

Nein, das hätten Sie nicht tun sollen.

Aber wozu wird man nicht getrieben? Ich habe sogar aus lauter Liebe zu Ihnen schlecht über Sie geredet, habe Sie eine Kokette genannt und versucht, Sie herabzusetzen, nur um mich zu trösten und mich schadlos zu halten, weil ich wußte, daß Sie für mich unerreichbar sind. Ich treffe Sie jetzt das fünfte Mal, doch ich habe mich nicht vor dem fünften Mal ausgeliefert, obwohl ich dies beim ersten Mal hätte tun können. Außerdem ist es heute auch mein Geburtstag, ich bin neunundzwanzig Jahre alt, und ich sang und war froh, schon seit ich heute morgen die Augen aufschlug. Ich dachte – ja natürlich ist es lächerlich, daß man auf so dumme Dinge verfallen kann, aber ich dachte mir: wenn du sie nun heute triffst, und du gestehst ihr alles, dann kann es vielleicht nicht schaden, daß es noch dazu dein Geburtstag ist. Du könntest ihr ja auch das erzählen, und Sie wird vielleicht an einem solchen Tag eher gewillt sein, dir zu vergeben. Sie lächeln? Ja, wie lächerlich das ist, ich weiß es; aber dem ist nun nicht mehr abzuhelfen. Ich zolle Ihnen ebenso wie alle anderen meinen Tribut.

Es ist wirklich traurig, daß Ihnen das heute passiert ist, sagte sie. Dieses Jahr haben Sie an Ihrem Geburtstag kein Glück. Mehr kann ich dazu nicht sagen.

Nein, selbstverständlich ... Mein Gott, was für eine Macht Sie haben! Ich kann verstehen, daß man wegen Ihnen zu allem möglichen getrieben werden kann. Selbst jetzt, als Sie diese letzten Worte sagten, die doch nicht so erfreulich waren, selbst jetzt war Ihre Stimme wie ein Gesang. Es war förmlich, als beginne es in mir zu blühen. Wie wundersam das ist! Wissen Sie, daß ich in den Nächten vor Ihrem Haus umhergewandert bin, um, wenn möglich, in einem Fenster einen Schimmer von Ihnen zu sehen, daß ich hier im Wald auf den Knien lag und für Sie zu Gott betete, ich, der ich nicht einmal besonders an Gott glaube. Sehen Sie diese Espe dort? Ich bin jetzt absichtlich gerade hier stehengeblieben, weil ich gerade bei dieser Espe mehrere Nächte auf den Knien gelegen habe, in Verzweiflung aufgelöst, dumm und verloren, nur weil Sie mir nicht mehr aus den Gedanken kommen wollten. Von hier aus habe ich Ihnen jeden Abend gute Nacht gesagt, ich bin dagelegen und habe die Winde und Sterne gebeten, Sie zu grüßen, und ich glaube, Sie müssen es im Schlaf gefühlt haben.

Warum nur haben Sie mir dies alles erzählt? Wissen Sie denn nicht, daß ich ...

Doch, doch! unterbrach er außerordentlich bewegt. Ich weiß auch, was Sie sagen wollen: daß Sie seit langem einem anderen gehören und daß ich also eine ehrlose Person bin, die sich jetzt hinterher hineindrängt, wo es zu spät ist – wieso sollte ich das nicht wissen? Ja, wieso habe ich Ihnen dies alles gesagt? Nun ja, um Sie zu beeinflussen, um Eindruck auf Sie zu machen und Sie dazu zu bringen, darüber nachzudenken. Weiß Gott, ich spreche jetzt die Wahrheit, ich kann nicht anders. Ich weiß, daß Sie verlobt sind, daß Sie einen Bräutigam haben, den Sie gern haben, und daß ich also gar nichts erreichen kann; ja, trotzdem aber wollte ich versuchen, Sie ein wenig zu beeinflussen, ich wollte nicht alle Hoffnung aufgeben. Stellen Sie sich doch einmal vor: alle Hoffnung aufzugeben, dann werden Sie mich vielleicht besser verstehen. Als ich vorhin sagte, daß ich nichts zu erreichen hoffe, da habe ich doch gelogen. Ich sagte dies auch nur, um Sie vorläufig zu beruhigen und um Zeit zu gewinnen, damit Sie nicht sofort wieder verschreckt würden. Meine Liebe, rede ich wirr? Ich will nicht sagen, Sie hätten mir jemals Hoffnung gemacht, und ich habe mir auch wirklich nicht eingebildet, daß ich jemand ausstechen könnte. Ach, das ist mir nicht eingefallen. Aber in trostlosen Stunden habe ich mir gedacht: ja, sie ist verlobt, und sie zieht bald weg, leb wohl; aber noch ist sie ja nicht ganz verloren, noch ist sie nicht abgereist, nicht verheiratet, nicht tot; wer weiß! Und wenn ich alles versuche, dann ist vielleicht noch Zeit! Sie sind zu meinem ständigen Gedanken geworden, zu meiner Zwangsvorstellung, in allen Dingen sehe ich immer nur Sie, und alle blauen Flüsse nenne ich Dagny. Ich glaube nicht, daß in diesen Wochen ein einziger Tag vergangen ist, ohne daß ich an Sie gedacht habe. Es ist völlig gleichgültig, zu welcher Tageszeit ich das Hotel verlasse, sowie ich die Tür öffne und auf die Treppe hinaus trete, zuckt Hoffnung durch mein Herz: vielleicht triffst du sie jetzt! und ich sehe mich überall nach Ihnen um. Nein, ich kann das nicht begreifen, ich weiß mir nicht mehr zu helfen. Glauben Sie mir, wenn ich mich jetzt auch ausgeliefert habe, so habe ich mich doch nicht ohne Widerstand ausgeliefert. Es ist ja nicht gerade ermunternd, wenn man eigentlich weiß, daß seine Anstrengungen kläglich vergeudet sind und man es trotzdem nicht sein lassen kann, sich anzustrengen; deshalb wehrt man sich auch bis zum letzten dagegen. Aber wenn es absolut nichts hilft! So viele, viele Dinge, die man sich eine Nacht über ausdenken kann, in der man keinen Schlaf findet und in seinem Zimmer am Fenster sitzt. Man hält ein Buch in der Hand, aber man liest nicht; man beißt wieder und wieder die Zähne zusammen und liest drei Zeilen, dann kann man nicht mehr, und man schließt das Buch mit einem Kopfschütteln. Das Herz schlägt wild, man flüstert stumm heimliche, süße Worte vor sich hin, erinnert sich eines Namens und küßt ihn in Gedanken. Und die Uhr wird zwei, vier, sechs; dann will man dem ein Ende machen und beschließt, nächstes Mal, wenn man eine Gelegenheit bekommt, wagt man den Sprung und gesteht das Ganze ein ... Wenn ich Sie jetzt um etwas bitten dürfte, dann würde ich Sie bitten zu schweigen. Ich liebe Sie, aber schweigen Sie, schweigen Sie. Warten Sie drei Minuten.

Sie hatte ihm vollkommen bestürzt zugehört und nicht ein einziges Wort zur Erwiderung hervorgebracht. Sie standen immer noch still.

Nein, Sie müssen verrückt sein! sagte sie und schüttelte den Kopf. Und betrübt und bleich, so daß sogar ihre Augen wie bläuliches Eis aussahen, fügte sie hinzu: Sie wissen, ich bin bereits verlobt, es ist Ihnen klar, und Sie gehen davon aus, und trotzdem ...

Jawohl, ich weiß es! Könnte ich sein Gesicht und seine Uniform vergessen? Er ist doch ein schöner Mann, und ich könnte auch keinen Fehler an ihm entdecken, aber ich könnte ihn gut tot und weg wünschen. Was nützt es, daß ich mir hundertmal gesagt habe: hier erreichst du nichts. Ich lasse es lieber sein, an diese Unmöglichkeit zu denken, und sage mir dann: ja doch, ich kann schon etwas erreichen, es kann noch viel passieren, noch ist Hoffnung ... Und, nicht wahr, es ist Hoffnung?

Nein, nein, bringen Sie mich nicht völlig zur Verzweiflung! rief sie. Was haben Sie mit mir vor? Wo denken Sie hin? Meinen Sie, ich soll ... Herrgott, lassen Sie uns jetzt nicht mehr davon sprechen, seien Sie so gut! Gehen Sie jetzt! Jetzt haben Sie alles kaputtgemacht, nur durch diese paar dummen Worte, sogar alle unsere Gespräche haben Sie zerstört, und jetzt können wir uns nicht mehr treffen. Warum haben Sie das getan? Nein, wenn ich das nur wüßte! Jaja, kommen Sie bloß nicht mehr darauf zurück, ich bitte Sie, Ihret- und meinetwillen. Sie wissen doch gut, daß ich Ihnen nichts sein kann; ich begreife nicht, wie Sie jemals so etwas haben denken können. Lassen Sie das jetzt nicht mehr so weitergehen. Sie müssen nach Hause und versuchen, es mit Fassung zu tragen. Herrgott, es tut mir auch für Sie aufrichtig leid; aber ich kann mich nicht anders verhalten.

Soll das denn heute der Abschied sein? Sehe ich Sie jetzt zum letzten Mal? Neinnein, hören Sie! Ich verspreche, ruhig zu sein, über alles mögliche andere zu reden, nur niemals mehr darüber, sehen wir uns also wieder? Wenn ich also ganz ruhig bin? Vielleicht einmal, wenn Sie alle anderen leid sind; nur daß es heute nicht das allerletzte Mal ist. Sie schütteln wieder den Kopf – Ihren herrlichen Kopf, aber Sie schütteln ihn. Wie ist doch alles, alles unmöglich ... Wenn Sie es mir schon nicht gestatten wollen, so antworten Sie doch mit Ja und lügen, um mir eine Freude zu machen. Denn das wird traurig heute, sehr traurig, obwohl ich heute morgen sang. Nur einmal noch!

Darum dürfen Sie mich nicht bitten. Wenn ich es doch nicht versprechen kann. Außerdem, wozu sollte das gut sein! Gehen Sie jetzt, machen Sie! Vielleicht treffen wir uns auch wieder, ich weiß es nicht, aber es könnte ja sein. Nein, gehen Sie jetzt, hören Sie, rief sie ungeduldig aus. Das wäre für mich die reinste Wohltat, fügte sie hinzu.

Pause. Er stand da und starrte sie an, seine Brust ging mächtig. Dann nahm er sich zusammen und grüßte; er ließ die Mütze zu Boden fallen, ergriff plötzlich ihre Hand, die sie ihm nicht gereicht hatte, und drückte sie hart zwischen seinen beiden. Sie stieß einen kleinen Schrei aus, und er ließ sie sofort los, unglücklich, völlig verzweifelt darüber, ihr Schmerz zugefügt zu haben. Und er sah ihr nach, als sie ging. Einige Schritte noch, dann würde sie verschwinden! Eine Röte steigt in sein Gesicht, er beißt sich gekränkt in die Lippe, und er will gehen, will ihr in erbitterter Inbrunst den Rücken kehren. Alles in allem war er doch ein Mann; es ist gut, alles ist gut, leb wohl ...

Plötzlich drehte sie sich um und sagte:

Und Sie dürfen sich nicht nächtens beim Pfarrhaus herumtreiben. Ich bitte Sie, das dürfen Sie wirklich nicht. Sie waren es also, der den Bello mehrere Nächte so wütend bellen ließ. In einer Nacht war Papa nahe daran, aufzustehen. Sie dürfen das nicht tun, hören Sie. Ich hoffe doch, daß Sie uns beide nicht unglücklich machen wollen.

Nur diese Worte; aber beim Klang ihrer Stimme war seine Erbitterung schon vorbei, er schüttelte den Kopf.

Und heute auch noch mein Geburtstag! sagte er. Damit legte er einen Arm über das Gesicht und ging.

Sie sah ihm hinterher, dachte einen Augenblick nach und lief dann zurück. Sie packte seinen Arm.

Ja, verzeihen Sie mir, aber daraus kann nichts werden, ich kann Ihnen nichts sein. Aber wir treffen uns vielleicht nochmals; glauben Sie nicht? Ja, jetzt muß ich gehen.

Sie wandte sich um und verließ ihn rasch.

XII

Eine verschleierte Dame kam vom Kai herauf, wo sie soeben mit dem Dampfschiff angekommen war. Sie hielt geradewegs auf das Hotel Central zu.

Nagel stand zufällig am Fenster seines Zimmers und sah hinaus, ansonsten war er den ganzen Nachmittag rastlos auf- und abgegangen und nur ein paarmal stehengeblieben, um ein Glas Wasser zu trinken. Seine Wangen waren ungewöhnlich rot, fieberrot, und seine Augen brannten. Jetzt hatte er Stunde um Stunde an immer das gleiche gedacht: seine letzte Begegnung mit Dagny Kielland.

Einen Augenblick hatte er sich einbilden wollen, daß er einfach abreisen und das Ganze vergessen könne. Er machte den Koffer auf und entnahm ihm Papiere, ein paar Instrumente aus Messing, eine Flöte, einige Notenblätter, Kleider, darunter einen neuen gelben Anzug, der jenem, den er anhatte, genau glich, und verschiedene andere Dinge, die er auf dem Boden verstreute. Doch, er wollte reisen, in der Stadt war es nicht mehr auszuhalten, sie flaggte nie mehr, und in ihren Straßen war es tot; warum sollte er nicht abreisen? Und außerdem, warum zum Teufel hatte er überhaupt seine Nase hier reinstecken müssen? Ein Krähwinkel war das, ein kleines Elsternnest von Stadt, mit kleinen, langohrigen Menschen.

Doch er wußte genau, daß er nicht abreisen würde, sondern daß er sich nur ermannen und sich damit in die Tasche lügen wollte. Mißmutig packte er alle seine Sachen wieder ein und stellte die Koffer zurück an ihren Platz. Dann ging er, im Kopf vollkommen verwirrt, wieder zwischen Tür und Fenster auf und ab, auf und ab mit hastigen Schritten, während die Uhr unten einen Schlag nach dem anderen schlug. Schließlich schlug sie sechs ...

Als er am Fenster stehenblieb und die verschleierte Dame erblickte, die gerade die Hoteltreppe heraufstieg, veränderte sich sein Gesichtsausdruck völlig, und er faßte sich ein paarmal an den Kopf. Na, warum nicht! Sie hatte genauso das Recht, diesen Ort zu besuchen, wie er. Aber das ging ihn nichts an; er hatte an anderes zu denken, und überdies waren sie und er quitt.

Sofort zwang er sich zur Ruhe, setzte sich auf einen Stuhl und nahm vom Boden eine Zeitung auf, in die er dann ab und zu einen Blick warf, als lese er. Es waren nicht mehr als ein oder zwei Minuten vergangen, bis Sara die Tür öffnete und ihm eine Karte übergab, auf der mit Bleistift geschrieben stand: Kamma. Nur Kamma. Er stand auf und ging hinunter.

Die Dame stand im Gang; sie hatte den Schleier vor. Nagel verbeugte sich stumm vor ihr.

Guten Tag, Simonsen! sagte sie mit lauter, bewegter Stimme. Simonsen, sagte sie.

Er stutzte, faßte sich aber sofort und rief Sara zu:

Wohin können wir uns einen Augenblick zurückziehen?

Sie wurden in ein Zimmer neben dem Speisesaal geführt, wo die Dame, sobald die Tür hinter ihnen geschlossen war, auf einen Stuhl sank. Sie war in großer Erregung.

Ihr Gespräch war abgehackt und dunkel, mit halben Worten, deren Sinn nur sie verstanden, und mit vielen

Anspielungen auf die Vergangenheit. Sie hatten sich schon früher getroffen und kannten einander. Die Zusammenkunft dauerte keine ganze Stunde. Die Dame sprach mehr dänisch als norwegisch.

Entschuldige, daß ich dich noch Simonsen nannte, sagte sie. Der alte, lustige Kosename! Wie ist er doch alt und lustig! Sooft ich ihn vor mich hinsage, sehe ich dich leibhaftig vor mir.

Wann sind Sie angekommen? fragte Nagel.

Jetzt, jetzt gerade, vor kurzem; ich kam mit dem Dampfschiff ... Ja, ich reise gleich wieder ab.

Jetzt gleich?

Hören Sie, sagt sie, Sie sind froh darüber, daß ich gleich wieder abreise; glauben Sie, ich sehe das nicht? ... Nein, was könnte ich doch nur für meine Brust tun, können Sie mir das sagen? Fühlen Sie hier, nein, höher! Ja, was meinen Sie? Ich glaube, es ist jetzt etwas schlimmer, daß es sich also seit letztem Mal etwas verschlimmert hat; nicht wahr? Na, das ist egal ... Sehe ich schludrig aus? Sagen Sie es mir. Wie sieht mein Haar aus? Vielleicht bin ich auch schmutzig, geradeheraus gesagt schmutzig, denn ich bin jetzt vierundzwanzig Stunden unterwegs ... Sie haben sich nicht verändert, Sie sind noch ebenso kalt, ebenso kalt ... Sie hätten nicht zufällig einen Kamm dabei?

Nein ... Wie kamen Sie gerade darauf, hierher zu kommen? Was ist es, das ...

Gleichfalls, gleichfalls, nämlich: wie kamen Sie darauf, sich an einem solchen Ort zu verstecken? Glaubten Sie etwa, daß ich Sie nicht finden würde? ... Hör zu, du bist hier doch Agronom, nicht? Hahaha, ich traf auf dem Kai einige Leute, die sagten, daß du Agronom seist und dich im Garten einer gewissen Frau Stenersen nützlich gemacht hättest. Du hättest dich einiger Johannisbeersträucher angenommen, du hättest dort zwei Tage lang ununterbrochen in Hemdsärmeln gearbeitet. Welch ein Einfall! ... Ich habe so eiskalte Hände; ja, das habe ich immer, wenn ich erregt bin, und jetzt bin ich erregt. Du hast nicht gerade viel Mitleid mit mir, obwohl ich dich wie in alten Tagen

Simonsen nenne und froh und munter bin. Noch während ich heute früh in der Kabine lag, dachte ich: wie er sich wohl mir gegenüber verhalten wird, wird er nicht jedenfalls du sagen und mir unters Kinn fassen? Und ich war fast sicher, daß Sie es tun würden, aber ich habe mich geirrt. Beachten Sie: ich bitte Sie nicht, es jetzt zu tun. Dies bitte ich Sie zu beachten. Es ist zu spät, ich will davon nichts wissen ... Sagen Sie, warum sitzen Sie da und blinzeln ununterbrochen mit den Augen? Weil Sie die ganze Zeit an etwas anderes denken, während ich spreche?

Er antwortete nur:

Ich fühle mich heute wirklich nicht ganz wohl, Kamma. Könnten Sie mir nicht gleich sagen, warum Sie mich aufgesucht haben? Damit würden Sie mir einen großen Gefallen tun.

Warum ich Sie aufgesucht habe? rief sie. Gott, wie fürchterlich verletzend Sie doch sein können! Haben Sie vielleicht Angst, daß ich Sie um Geld bitten werde, daß ich einzig und allein zu Ihnen gekommen sei, um Sie auszuplündern? Gestehen Sie nur, wenn Sie wirklich so etwas Schwarzes in Ihrem Herzen denken ... Ja, warum habe ich Sie wohl aufgesucht? Ja, raten Sie mal! Wissen Sie denn überhaupt nicht, welchen Tag und welches Datum wir heute haben? Haben Sie vielleicht Ihren eigenen Geburtstag vergessen?

Und schluchzend warf sie sich vor ihm auf die Knie und ergriff seine beiden Hände, die sie auf ihr Gesicht legte und an ihre Brust drückte.

Sofort wurde er von dieser heftigen Zärtlichkeit, die er sich jetzt nicht mehr erwartet hatte, seltsam gerührt; er zog sie zu sich hoch und setzte sie auf seine Knie.

Ich habe deinen Geburtstag nicht vergessen, sagte sie; ich denke immer daran. Du weißt nicht, wie sehr ich in vielen Nächten, in denen ich vor lauter Denken nicht schlafen kann, um dich weine ... Mein Kleiner, du hast immer noch den gleichen roten Mund! Auf dem Schiff dachte ich an so vieles, ich dachte: ob sein Mund noch immer so rot ist? ... Wie deine Augen umherirren! Du bist doch nicht ungeduldig, nicht wahr? Sonst bist du der gleiche, aber deine Augen irren wirklich umher, so als würdest du die ganze Zeit darüber grübeln, wie du mich so schnell wie möglich los wirst. Laß mich lieber auf dem Stuhl neben dir sitzen, das ist dir sicher auch lieber; nicht wahr? Ich habe so vieles, so vieles mit dir zu besprechen, und ich muß mich beeilen, denn das Dampfschiff geht bald, und du verwirrst mich jetzt nur dauernd mit deiner gleichgültigen Miene. Was soll ich sagen, damit du mir genau zuhörst? Im Grunde bist du mir keine Spur dankbar dafür, daß ich mich an diesen Tag erinnert habe und hier herauf gekommen bin ... Hast du viele Blumen bekommen? Ja, das hast du wohl. Frau Stenersen hat wohl auch an dich gedacht? Sag mir, wie sieht sie aus, diese Frau Stenersen, bei der du als Agronom giltst? Hahaha, nein, du bist mir einer! ... Ich hätte dir auch einige Blumen mitgebracht, wenn ich Geld dazu gehabt hätte; aber ich bin im Augenblick zu arm ... Herrgott, hör mir jetzt doch diese erbärmlichen paar Minuten zu, kannst du das nicht? Wie verändert jetzt doch alles ist! Kannst du dich erinnern, einmal – aber daran erinnerst du dich natürlich nicht, und es ist überflüssig, dich daran zu erinnern; aber einmal, da hast du mich schon von weitem nur an meiner Hutfeder erkannt und kamst gelaufen, sowie du sie nur sahst. Du weißt sehr gut, daß das stimmt, nicht wahr? das war einmal auf dem Festungswall. Aber jetzt weiß ich nicht mehr, warum ich von der Sache mit der Hutfeder spreche, Herrgott, ich habe vergessen, wozu ich es gegen dich verwenden wollte, obwohl es ein gutes Argument war ... Was ist? Warum springst du auf?

Er stand auf, ging auf Zehen durch den Raum und riß mit einem Ruck die Tür auf.

Im Speisesaal klingelt und klingelt man nach Ihnen, Sara! sagte er durch die Tür hinaus.

Und als er zurückkam und sich auf den Stuhl setzte, nickte er Kamma zu und flüsterte:

Ich wußte genau, daß sie die ganze Zeit durchs Schlüsselloch gucken würde.

Kamma wurde ungeduldig.

Und wenn sie guckt? sagte sie. Nein, warum in aller Welt beschäftigen Sie sich gerade jetzt mit tausend anderen Dingen? Jetzt sitze ich hier schon eine Viertelstunde, und Sie haben mich nicht einmal gebeten, den Schleier zu lüften. Ja, unterstehen Sie sich nur nicht, mich jetzt nachträglich darum zu bitten! Sie kümmern sich nicht darum, daß es doch fürchterlich ist, bei dieser Hitze einen Winterschleier vor dem Gesicht zu haben. Na, das ist der verdiente Lohn; was will ich auch hier? Ich hörte sehr wohl, daß Sie das Mädchen baten, einen Augenblick hier hereingehen zu dürfen. Nur einen Augenblick! sagten Sie. Das bedeutete wohl, daß Sie zusehen wollten, mit mir in ein bis zwei Minuten fertig zu werden. Ja, ja, ich mache Ihnen das nicht zum Vorwurf, ich bin nur so unsäglich betrübt darüber. Gott helfe mir! ... Und warum kann ich dich niemals aufgeben? Ich weiß, daß du irrsinnig bist, daß deine Augen völlig verrückt sind, ja, stell dir vor, das habe ich gehört, und ich glaube es gerne. Aber ich kann dich trotzdem nicht aufgeben. Doktor Nissen hat gesagt, daß du wahnsinnig seist, und weiß Gott, du mußt sehr verrückt sein, wenn du es fertigbringst, dich an einem Ort wie diesem hier niederzulassen und dich Agronom zu nennen. Hat man denn schon so was gehört! Und du hast immer noch den Eisenring am Finger und trägst unablässig diese schreiend gelbe Kluft, die kein anderer als du am Leib haben möchte ...

Hat Doktor Nissen gesagt, daß ich wahnsinnig bin? fragte er.

Doktor Nissen hat das freiheraus gesagt! Willst du wissen, zu wem er das gesagt hat?

Pause. Er verfiel einen Augenblick in Gedanken. Dann sah er wieder auf und fragte:

Sagen Sie mir aufrichtig, könnte ich Ihnen nicht mit ein bißchen Geld helfen, Kamma? Sie wissen, ich kann.

Niemals! rief sie, niemals, hören Sie! Doch um alles in der Welt, wie können Sie sich unterstehen, mir eine Beleidigung nach der anderen ins Gesicht zu schleudern?

Pause.

Ich weiß nicht, sagte er, warum wir hier sitzen und es uns gegenseitig sauer machen ...

Jetzt aber unterbrach sie ihn weinend und überlegte nicht mehr, was sie sagte:

Wer ist denn sauer? Ich etwa? Wie hast du dich doch in wenigen Monaten vom tiefsten Grund auf verändert! Ich komme hierher, um ... Ich erwarte nicht mehr, daß meine Gefühle erwidert werden, du weißt, ich bin nicht von der Sorte, die darum bettelt; aber ich hatte gehofft, du würdest mich ein wenig nachsichtig behandeln ... Mein Gott, wie tieftraurig ist mein Leben! Ich sollte dich aus meinem Herzen reißen und kann es nicht, ich laufe dir nach und werfe mich dir zu Füßen. Erinnerst du dich an damals, als du auf dem Drammensweg einem Hund auf die Schnauze schlugst, weil er an mir heraufsprang? Ja, das war meine Schuld, ich schrie, weil ich glaubte, er wolle mich beißen; nun, das wollte er gar nicht, er wollte nur spielen, und als du ihn geschlagen hattest, kroch er vor uns auf dem Bauch und legte sich hin, anstatt wegzulaufen. Damals hast du über den Hund geweint und ihn gestreichelt, du hast heimlich geweint, das ist mir nicht entgangen; jetzt aber weinst du nicht, obwohl ... Aber das soll durchaus kein Vergleich sein; du bildest dir wohl nicht ein, daß ich mich mit einem Hund vergleiche? Gottvater mag wissen, was dir in deiner Arroganz einfällt. Ich kenne dich, wenn du dieses Gesicht aufsetzt. Ich sehe, du lächelst, doch, das hast du getan, du hast gelächelt! Vor meinen offenen Augen verhöhnst du mich! Laß mich das freiheraus sagen ... Nein, nein, nein, vergib mir doch! Jetzt bin ich wieder so verzweifelt. Du siehst hier eine gebrochne Frau vor dir, ich bin völlig gebrochen, reich mir die Hand! Oh, daß du niemals den kleinen Fehltritt vergessen kannst. Es war doch nur ein kleiner Fehltritt von mir, wenn du etwas nachdenkst. Es war schlecht von mir, daß ich an dem Abend nicht zu dir hinunterging; du gabst mir Zeichen auf Zeichen, und ich ging nicht hinunter; bei Gott, ich bereue es so tief! Aber er war nicht bei mir, wie du glaubtest, er war dagewesen, aber dann war er nicht mehr da, er war gegangen. Ich gestehe es doch und bitte um Gnade. Aber ich hätte ihn wegjagen sollen, ja, ihn wegjagen, das gebe ich zu, ich gebe gerne alles zu, und ich hätte nicht ... Nein, ich verstehe nicht ... ich verstehe nichts mehr ...

Pause. In dieser Stille hörte man nur Kammas Schluchzen und das Klirren der Messer und Gabeln im Speisezimmer. Sie fuhr fort zu weinen und sich unter dem Schleier mit dem Taschentuch abzutrocknen.

Stell dir vor, er ist schrecklich hilflos, fuhr sie fort, er schafft es nicht, es hart auf hart ankommen zu lassen. Manchmal schlägt er auf den Tisch und wünscht mich zum Teufel, ja er schimpft mich aus, sagt, daß ich ihn zugrunde richte, und ist mehr als grob; aber sofort danach ist er wieder so unglücklich und kann sich nicht einmal entschließen, mich gehen zu lassen. Was soll ich denn machen, wenn ich sehe, wie schwach er ist? Ich verschiebe es von Tag zu Tag, ihn zu verlassen, obwohl ich es nicht allzu gut habe ... Aber bedauern Sie mich nicht; unterstehen Sie sich ja nicht, mir Ihr unverschämtes Mitleid zu zeigen! Er ist jedenfalls besser als die meisten anderen und hat mir mehr Freude gemacht als sonst einer, mehr als Sie. Ich liebe ihn noch immer, damit Sie es wissen. Ich bin nicht hierhergekommen, um ihn schlechtzumachen. Wenn ich nach Hause komme, werde ich ihn auf Knien um Verzeihung bitten für das, was ich hier schon über ihn gesagt habe. Ja, das werde ich!

Nagel sagte:

Liebe Kamma, seien Sie jetzt etwas vernünftig! Lassen Sie mich Ihnen helfen, hören Sie! Ich glaube, Sie haben es nötig. Wollen Sie sich bitte von mir helfen lassen? Es ist häßlich von Ihnen, es auszuschlagen, wenn ich es doch jetzt so gut kann und so gerne tun will.

Damit zog er seine Brieftasche heraus.

Wütend rief sie:

Habe ich nicht Nein gesagt! Können Sie nicht hören, Mensch!

Aber was wollen Sie denn sonst? fragte er bestürzt.

Jetzt setzte sie sich auf den Stuhl und hörte auf zu weinen. Es schien, als bereue sie ihre Heftigkeit.

Hören Sie, Simonsen ... erlauben Sie mir, Sie noch einmal Simonsen zu nennen, und wenn es Sie nicht erzürnt, dann würde ich gerne etwas sagen. Was soll das, daß Sie sich darauf versteifen, in einem Ort wie diesem hier zu wohnen, warum in aller Welt tun Sie das? Ist es da vielleicht verwunderlich, daß die Leute sagen, Sie seien wahnsinnig? Ich komme nicht einmal darauf, wie diese Stadt heißt, bevor ich darüber nachdenke, so klein ist sie, und hier spielen Sie die ganze Zeit Komödie und verblüffen die Einheimischen mit sonderbaren Einfällen! Sollte gerade Ihnen wirklich nichts Besseres einfallen? ... Nun, das geht mich ja nichts an, ich sage es auch nur aus alter ... Nein, was glauben Sie, was ich für meine Brust tun sollte? Sie ist jetzt kurz vorm Zerplatzen! Glauben Sie nicht, daß ich wieder einen Arzt aufsuchen muß? Aber wie in Gottes Namen soll ich einen Arzt aufsuchen, wenn ich keine Öre besitze?

Aber ich will Ihnen ja auch herzlich gerne etwas vorstrecken, hören Sie. Sie können es mir ja einmal zurückgeben.

Na, es kann ja auch egal sein, ob ich zum Arzt gehe oder nicht, fuhr sie wie ein eigensinniges Kind fort. Wer würde um mich trauern, wenn ich sterbe? ... Doch plötzlich schlug sie um, tat, als denke sie nach, und sagte: Wenn ich es mir überlege, warum sollte ich nicht Ihr Geld annehmen? warum nicht genausogut jetzt wie früher? Ich bin doch nicht so ungeheuer reich, daß ich aus diesem Grund ... Ja, aber da haben Sie immer wieder gerade solche Augenblicke abgepaßt, es mir anzubieten, in denen ich gereizt war, so daß Sie es sich im voraus ausrechnen konnten, daß ich es abschlagen würde. Ja, das haben Sie getan! Sie haben das genau berechnet, nur um Ihr Geld zu sparen, obwohl Sie jetzt soviel haben; glauben Sie, daß ich es nicht gemerkt hätte? Und selbst wenn Sie es mir jetzt wieder anbieten, noch einmal anbieten, dann tun Sie das nur, um mich zu demütigen und sich daran zu freuen, daß ich schließlich doch genötigt bin, es anzunehmen. Aber da hilft alles nichts, ich nehme es an und bin dir dankbar. Gäbe Gott, ich brauchte dich nicht! Aber damit Sie es wissen, ich bin heute nicht deshalb hierhergekommen, es war nicht des Geldes wegen, ob Sie mir nun glauben oder nicht. Ich kann mir nicht vorstellen, daß Sie so niederträchtig sind, das zu denken ... Aber wieviel kannst du denn erübrigen, Simonsen? Herrgott, du sollst nicht so gekränkt sein, ich bitte dich, und du darfst mir glauben, daß ich jetzt aufrichtig bin ...

Wieviel brauchen Sie?

Ja, was ich brauche! ... Gott, ich verpasse doch wohl nicht das Dampfschiff? ... Ich brauche vielleicht viel, aber ... vielleicht mehrere hundert Kronen, aber ...

Hören Sie, Sie sollen sich durchaus nicht gedemütigt fühlen, weil Sie dieses Geld annehmen; wenn Sie wollten, könnten Sie es sich bei mir verdienen. Sie könnten mir einen außerordentlich großen Dienst erweisen, wenn ich Sie bitten dürfte ...

Wenn du mich bitten dürftest! rief sie außer sich vor Freude über diesen Ausweg. Gott, was du so reden kannst! Welchen Dienst, welchen Dienst, Simonsen? Ich bin zu allem bereit! Oh, mein liebster Kleiner!

Sie haben noch eine dreiviertel Stunde Zeit, bis das Dampfschiff geht ...

Ja. Und was soll ich tun?

Sie sollen eine Frau aufsuchen und einen Auftrag erledigen.

Eine Frau?

Sie wohnt unten am Kai in einem kleinen eingeschossigen Haus. Dort sind keine Vorhänge vor, aber für gewöhnlich stehen ein paar weiße Blumen im Fenster. Die Frau heißt Martha Gude, Fräulein Gude.

Aber, ist es die ... ist es denn nicht diese Frau Stenersen ... ?

Hören Sie, Sie sind auf der falschen Fährte, Fräulein Gude ist bestimmt fast vierzig Jahre alt. Aber sie hat einen Stuhl, einen alten Lehnstuhl, den zu besitzen ich mir in den Kopf gesetzt habe, und dabei müssen Sie mir helfen ... Stecken Sie jetzt ruhig Ihr Geld ein, ich werde Ihnen dann inzwischen alles erklären.

Es begann ein wenig zu dämmern; die Gäste des Hotels

verließen den Speisesaal mit viel Lärm, und Nagel war noch immer dabei, alles, was den alten Stuhl betraf, genau zu erklären. Es müsse etwas vorsichtig vorgegangen werden, große Gesten nützten nichts. Kamma wurde auch immer eifriger, das voranzutreiben, diese verdächtige Mission versetzte sie in Entzücken, sie lachte laut und fragte andauernd, ob sie sich nicht ein wenig verkleiden solle, wengistens eine Brille aufsetzen? Hatte er nicht einmal einen roten Hut gehabt? Den könnte sie aufsetzen ...

Nein, nein, Sie sollen keine Finessen versuchen. Sie sollen ganz einfach auf den Stuhl bieten, den Preis hochtreiben, Sie sollen bis zu zweihundert Kronen gehen, ja bis zu zweihundertundzwanzig Kronen. Und Sie können sicher sein, daß er nicht an Ihnen hängenbleibt, Sie bekommen ihn nicht.

Gott, was für eine Menge Geld. Weshalb sollte ich ihn für zweihundertundzwanzig Kronen nicht bekommen?

Weil ich ihn mir bereits ausbedungen habe.

Aber angenommen, sie nähme mich beim Wort?

Sie nimmt Sie nicht beim Wort. Gehen Sie jetzt?

Sogar im letzten Augenblick bat sie noch einmal um einen Kamm und gab ihrer Besorgnis darüber Ausdruck, daß ihr Kleid zerknüllt sein könnte. Aber ich dulde nicht, daß du dich so viel bei dieser Frau Stenersen aufhältst, sagte sie und zierte sich. Ich dulde es nicht, ich bin sonst verzweifelt. – Und sie sah noch einmal nach, ob sie ihr Geld wirklich gut verwahrt habe. Wie süß du bist, mir all dies Geld zu geben! rief sie aus. Und mit einer raschen Bewegung schlug sie den Schleier hoch und küßte ihn auf den Mund, mitten auf den Mund. Aber sie war trotzdem ganz von ihrem sonderbaren Auftrag bei Martha Gude erfüllt und fragte:

Wie kann ich dich davon unterrichten, daß alles gutgegangen ist? Ich kann den Kapitän bitten zu pfeifen, wenn du meinst, vier- oder fünfmal zu pfeifen, ginge das nicht? Da kannst du sehen, ich bin nicht so dumm. Nein, verlaß dich auf mich. Sollte ich nicht einmal so viel für dich tun, wo du ... Hör zu, ich bin heute *nicht* wegen des Geldes gekommen, glaube mir! Ja, laß mich dir jetzt noch einmal danken! Auf Wiedersehen, auf Wiedersehen!

Noch einmal tastete sie nach dem Geld.

Eine halbe Stunde danach hörte Nagel auch tatsächlich eine Dampfpfeife, die fünfmal hintereinander kurz pfiff.

XIII

Ein paar Tage vergingen.

Nagel blieb zu Hause, lief mit finstrer Miene herum und sah gequält und leidend aus; seine Augen waren in diesen zwei Tagen ganz matt geworden. Er sprach auch mit niemand, nicht einmal mit den Leuten im Haus. Um die eine Hand hatte er einen Lappen gewickelt; eines Nachts, in der er wie üblich bis zur Morgenstunde draußen gewesen war, kam er mit der einen Hand im Taschentuch zurück. Die beiden Wunden, die er hatte, habe er sich zugezogen, sagte er, indem er über eine Egge gefallen sei, die auf dem Kai herumgelegen habe.

Am Donnerstag morgen regnete es, und das ungemütliche Wetter drückte noch mehr auf seine Gemütsverfassung. Als er jedoch im Bett die Zeitungen gelesen und sich über eine lebhafte Szene in der französischen Deputierenkammer belustigt hatte, schnippte er plötzlich mit den Fingern und sprang auf. Soll doch der Teufel jammern! Die Welt war weit, war reich, war lustig, die Welt war schön; soll mir doch keiner ankommen.

Er klingelte, noch ehe er vollständig angezogen war, und unterrichtete Sara davon, daß er beabsichtige, am Abend einige Leute bei sich zu sehen, etwa sechs, sieben Stück, die den Laden ein bißchen in Schwung brächten, lustige Kerle, den Doktor Stenersen, Rechtsanwalt Hansen, den Adjunkt und so weiter.

Er verschickte sofort die Einladungen. Minute antwortete, daß er käme; auch der Assessor Reinert wurde eingeladen, doch er blieb aus. Um fünf Uhr abends hatten sich alle in Nagels Zimmer versammelt. Da es immer noch regnete und der Himmel dunkel war, wurden die Vorhänge heruntergelassen und die Lampe angezündet.

Und dann begann das Bacchanal, ein Saufgelage und ein exquisites Höllenspektakel, von dem die kleine Stadt noch tagelang sprach ...

Sowie Minute zur Tür hereinkam, trat Nagel auf ihn zu und bat ihn um Entschuldigung, weil er so viel gefaselt habe, als sie letztes Mal zusammen waren. Er nahm Minutes Hand und drückte sie herzlich, er stellte ihn auch dem jungen Student Øien vor, der ihn als einziger nicht kannte. Minute dankte ihm flüsternd für die neue Hose; jetzt stehe er hier, neu von Kopf bis Fuß.

Sie haben noch keine Weste.

Nein, aber das ist auch nicht nötig. Ich bin kein Graf, ich versichre Ihnen, ich brauche keine Weste.

Doktor Stenersen hatte seine Brille zerbrochen und trug nun einen Zwicker ohne Schnur, der alle Augenblicke herunterfiel.

Nein, man kann sagen, was man will, sagte er, wir leben doch in einer Zeit der Befreiung. Sehen Sie sich doch bloß die Wahlen an. Und vergleichen Sie sie mit den letzten Wahlen.

Alle tranken kräftig, der Adjunkt begann bereits in einsilbigen Wörtern zu reden, und das war ein sicheres Anzeichen. Rechtsanwalt Hansen aber, der ganz bestimmt schon einige Gläser getrunken hatte, bevor er hergekommen war, begann wie üblich dem Doktor zu widersprechen und Unruhe zu stiften:

Hansen für sein Teil sei Sozialist, wenn er so sagen dürfe: er wolle etwas mehr erreichen. Er sei mit den Wahlen nicht sonderlich zufrieden; von welcher Befreiung zeugten sie denn eigentlich, könne ihm das jemand sagen? Fahrt doch zur Hölle! Doch, das sei eine herrliche Zeit von Befreiung! Bekriege nicht sogar ein Mann wie Gladstone in schäbiger Art Parnell, aus moralischen Gründen, aus lächerlichen beefsteakmoralischen Gründen? Fahrt doch zur Hölle!

Was für ein Gewäsch zum Teufel das sei? schrie der Doktor sofort. Soll etwa keine Moral mehr in den Dingen sein? Wenn die Leute hörten, daß in den Dingen keine Moral sei, wie viele würden dann noch anbeißen? Man müsse die Leute mit Tarnen und Täuschen in der Entwicklung vorantreiben, und man müsse die Moral ständig in Ehren halten. Der Doktor halte viel von Parnell; wenn aber Gladstone ihn unmöglich finde, dann müsse man wohl einräumen, daß dieser Mann sich so ziemlich darauf verstehe. Ja, er wolle natürlich Herrn Nagel ausnehmen, seinen verehrten Gastgeber, der nicht einmal verzeihen könne, daß Gladstone lauter sei. Hahaha, ach du liebe Güte! ... Apropos, Herr Nagel, Sie haben ja auch für Tolstoi nicht viel übrig? Ich hörte von Fräulein Kielland, daß Sie auch ihm gegenüber Ihre Zweifel hätten.

Nagel war im Gespräch mit dem Student Øien; er wandte sich hastig um und antwortete:

Ich erinnere mich nicht, mit Fräulein Kielland über Tolstoi gesprochen zu haben. Ich anerkenne ihn als einen großen Dichter und einen philosophischen Narren ... Aber kurz darauf fügte er hinzu: Nicht wahr, wir dürfen uns heute abend ein wenig deftig ausdrücken, wenn wir es für angebracht halten? Wir sind hier doch lauter Männer und befinden uns auf einer Junggesellenbude. Also abgemacht? Augenblicklich bin ich gerade in der Stimmung, daß ich irgendwo die Pfote drauflegen und knurren könnte.

Bitte schön! antwortete der Doktor gekränkt. Tolstoi ist ein Narr.

Doch doch, wir wollen unsere Meinung sagen, rief plötzlich auch der Adjunkt. Der Adjunkt war gerade in das rechte Stadium seines Rausches getreten und scheute von jetzt ab nichts mehr. Keine Beschränkung, Doktor, denn sonst werfen wir dich raus. Jeder hat seine Meinung: Stöcker zum Beispiel ist ein unverbesserlicher Schlingel. Ich werde das beweisen ... das beweisen!

Darüber lachten alle, und es dauerte eine Weile, ehe sie wieder über Tolstoi reden konnten. Er sei ein großer Dichter und ein großer Geist.

Nagels Gesicht rötete sich plötzlich:

Ein großer Geist ist er nicht. Sein Geist ist nach seiner

Art und Beschaffenheit so herzlich durchschnittlich wie nur möglich, und seine Lehren sind um keine Haaresbreite tiefer als das Hallelujageschrei der Heilsarmee. Ein Russe ohne Adel, ohne den alten, vornehmen Namen, ohne Tolstois blanke Rubel-Millionen würde wohl kaum so berühmt geworden sein, weil er einigen Bauern die Flickschusterei beigebracht hat ... Übrigens, laßt uns lieber ein bißchen jubeln. Prost, Herr Grøgaard!

In kleinen Zwischenräumen benutzte Nagel die Gelegenheit, mit Minute anzustoßen, und überhaupt erwies er ihm den ganzen Abend viel Aufmerksamkeit. Noch einmal kam er auf sein ganzes Gefasel bei ihrem letzten Zusammensein zurück und wollte, daß Minute es vergesse.

Ich für mein Teil erschrecke über nichts mehr bei Ihnen, sagte der Doktor. Damit raffte er sich wieder auf.

Ich bin manchmal ein schlimmer Querulant, fuhr Nagel fort, und heute abend bin ich besonders darauf aus. Das kommt teils von ein paar unangenehmen Erlebnissen, die mich vorgestern recht hart mitgenommen haben, teils von diesem betrüblichen Wetter, das ich nun gar nicht ausstehen kann. Herr Doktor, damit kennen Sie sich wohl aus und entschuldigen mich ... Um von Tolstoi zu sprechen: es ist mir nicht möglich, seinen Geist tiefer zu finden als zum Beispiel den des General Booth. Diese beiden sind Verkünder, nicht Denker, sondern Verkünder. Sie setzen Vorfabriziertes um, popularisieren einen Gedanken, den sie fertig vorfinden, volkspopularisieren ihn zum Ausverkauf und schlagen ihn der Welt um die Ohren. Doch wenn man umsetzen will, dann gilt es, mit Profit umzusetzen. Tolstoi setzt mit schwindelerregenden Verlusten um. Zwei Freunde schlossen einmal eine Wette ab: der eine wettete zwölf Schillinge, daß er auf zwanzig Schritt Abstand eine Nuß aus der Hand des anderen schießen würde, ohne die Hand zu beschädigen. Gut, er schoß, schoß stümperhaft, schoß die Hand in Fetzen, und das mit Glanz. Da stöhnte der andere und rief mit seiner letzten Kraft: Du hast die Wette verloren, her mit den zwölf Schillingen! Und dann bekam er die zwölf Schillinge. Hehe, her mit den zwölf

Schillingen, sagte er! ... Gott helfe mir, wie Tolstoi sich abmüht, die frohen Todesquellen der Menschheit auszutrocknen und auszutrocknen und die Welt ganz dick von lauter Liebe zu Gott und jedermann zu machen. Ich schäme mich im Innersten. Es klingt naseweis, zu sagen, ein Graf beschäme einen Agronomen tief; aber das tut er ... Ich würde niemals darüber reden, wenn Tolstoi ein Jüngling wäre, der Versuchungen zu überwinden, einen Kampf zu bestehen hätte, um Tugendhaftigkeit zu predigen und rein zu leben. Aber der Mann ist ja ein Greis, in seinen Quellen ausgetrocknet, von menschlichen Neigungen keine Spur mehr. Aber – könnte man sagen – das trifft ja nicht seine Lehre? Doch, das trifft auch seine Lehre! Erst wenn man von Alter zäh und wasserdicht und von Genuß satt und verhärtet ist, geht man zum jungen Menschen und spricht: Entsage! Und der junge Mensch nuckelt daran und denkt darüber nach und erkennt, daß es nach der Schrift richtig ist. Und der junge Mensch entsagt trotzdem nicht, sondern sündigt vierzig Jahre kaiserlich. Das ist der Lauf der Natur! Wenn aber vierzig Jahre um sind und der junge Mann selbst Greis geworden ist, da sattelt auch er seine weiße, weiße Mähre und reitet davon, die Kreuzesfahne hoch in seiner knöchernen Hand, und trompetet der Welt zur Andacht Entsagung des Jünglings und Entsagung des Jünglings. Hehehe, ja, das ist eine sich stets wiederholende Komödie! Tolstoi macht mir Spaß, ich bin entzückt, daß der alte Mann noch so viel Gutes tun kann; schließlich wird er eingehen zu seines Herrn Freude! Aber ansonsten wiederholt er einzig und allein, was so mancher Greis vor ihm getan hat und so mancher Greis nach ihm tun wird. Das ist alles.

Darf ich Sie nur – um mich darauf zu beschränken – daran erinnern, daß Tolstoi sich als wahrer Freund der Bedürftigen und Verlassenen erwiesen hat, sollte dies nicht das mindeste zu sagen haben? Zeigen Sie mir hier bei uns den hochgestellten Herrn, der sich so der Kleinen in der Gesellschaft angenommen hätte wie er. Dies ist wirklich eine recht geschwollne Betrachtungsweise, finde ich, daß

Tolstois Lehre in die Klasse der Torheiten falle, nur weil sie nicht befolgt wird.

Bravo, Doktor! brüllte der Adjunkt wieder mit feuerrotem Kopf. Bravo! Aber sagen Sie es schärfer, sagen Sie es grob. Jeder hat seine Meinung. Eine geschwollne Betrachtungsweise, eine wahrlich geschwollne Betrachtungsweise Ihrerseits! Ich werde es beweisen ...

Prost! sagte Nagel, vergessen wir nicht, wozu wir hier sind. Wollen Sie wirklich sagen, Doktor, daß zehn Rubel zu verschenken, wenn man eine blanke Million übrig behält, irgendeine Bewunderung verdiene? Ich verstehe Ihren und aller Leute Gedankengang nicht, ich muß anders geartet sein. Und wenn es mich das Leben kosten würde, ich kann nicht einsehen, daß jemand – am allerwenigsten ein Reicher – Bewunderung verdient, wenn er ein Almosen gibt.

Das ist gut! bemerkte der Rechtsanwalt aufstachelnd. Ich bin Sozialist, das ist mein Standpunkt.

Das irritierte den Doktor, er wandte sich zu Nagel und rief aus:

Darf ich fragen, ob Sie wirklich so gut darüber Bescheid wissen, wie viele und wie große Almosen Tolstoi über Jahr und Tag verteilt? Es sollte doch gewisse Grenzen dafür geben, was man sich zu sagen herausnimmt, selbst in einem Junggesellenkreis.

Und für Tolstoi, erwiderte Nagel, stelle es sich so dar: es muß gewisse Grenzen dafür geben, wieviel ich weggebe! Weshalb er seine Frau die Schuld dafür auf sich nehmen ließ, daß er nicht mehr weggibt! Hehehe, na, aber das überspringen wir ... Doch hören Sie: verschenkt man denn wirklich eine Krone, weil man gut ist oder weil man meint, damit eine gute und moralische Tat zu tun? Wie naiv diese Betrachtungsweise in meinen Augen doch ist! Es gibt Leute, die nicht anders können, als zu verschenken. Warum? Weil sie dabei einen wahrhaft psychischen Genuß verspüren. Sie tun das nicht aus logischer Berechnung, sie tun es versteckt, sie verabscheuen es, das öffentlich zu tun, weil ihnen dadurch ein Teil der Lust genommen würde. Sie tun es im verborgenen, mit bebenden und hastigen Händen, die Brust auf- und niedergehend von einem seelischen Wohlbefinden, das sie selbst nicht verstehen. Es überkommt sie plötzlich, daß sie etwas verschenken müssen, es tritt in Form eines Gefühls in der Brust auf, ein momentaner und sonderbarer Drang, der in ihnen hochschießt und ihnen die Augen unter Wasser setzt. Sie geben nicht aus Güte, sondern aus Trieb, wegen ihres persönlichen Wohlbefindens; manche Menschen sind so! Man spricht von den mildtätigen Menschen mit Bewunderung – wie gesagt: ich muß anders geartet sein als die anderen Leute, denn ich bewundre die mildtätigen Menschen nicht. Nein, das tue ich nicht. Wer zum Teufel würde nicht lieber geben als nehmen. Darf ich fragen, ob es auf der Erde ein Menschenkind gibt, das nicht lieber der Not abhelfen möchte, als selbst notleidend zu sein? Um Sie selbst, Herr Doktor, als Beispiel anzuführen: Sie gaben neulich einem Burschen, der Sie ruderte, fünf Kronen. Ich hörte es zufällig. Na, warum haben Sie denn diese fünf Kronen weggegeben? Bestimmt nicht, um Gott ein wohlgefälliges Werk zu erweisen, das fiel Ihnen dabei sicher nicht ein; vielleicht brauchte der Mann sie nicht einmal besonders nötig, aber Sie taten es trotzdem. Und Sie folgten in jenem Augenblick sicher nur einem bestimmten, hellen Impuls, etwas aus den Händen zu geben und andere zu erfreuen ... Ich finde es so unsagbar schäbig, Aufhebens von der menschlichen Mildtätigkeit zu machen. Man geht eines Tages die Straße entlang, es ist das und das Wetter, und man sieht die und die Menschen, das alles zusammen läßt in einem die und die Stimmung aufkommen. Plötzlich fällt der Blick auf ein Gesicht, ein Kindergesicht, ein Bettlergesicht – sagen wir ein Bettlergesicht –, das einen erzittern läßt. Ein seltsames Gefühl schaudert durch die Seele, und man stampft auf den Boden und bleibt stehen. Dieses Gesicht hat eine ungewöhnlich empfindsame Saite in einem angeschlagen, und man lockt den Bettler in eine Einfahrt und drückt ihm zehn Kronen in die Hand. Verrätst du es, sagst du ein Wort, dann bring ich dich um! flüstert man, und man knirscht fast mit den Zähnen und weint vor Wut, wenn man das sagt. So sehr ist einem daran gelegen, unentdeckt zu bleiben. Und das kann sich Tag für Tag wiederholen, so daß man dadurch selbst oftmals in die ärgste Klemme kommt und keine Öre mehr in der Tasche hat ... Das ist natürlich kein Zug von mir; aber ich kenne einen Mann, einen anderen Mann, ja ich kenne eigentlich zwei Männer, die so geartet sind. Nein, man gibt, weil man geben muß, und damit basta! Allerdings möchte ich eine Ausnahme machen, die Geizigen betreffend. Die Geizigen und die grob Knausrigen bringen wirklich Opfer, wenn sie etwas weggeben, darüber besteht kein Zweifel. Und deshalb möchte ich sagen, daß solche Leute wegen einer Öre, von der zu trennen sie sich überwinden, mehr zu achten sind als ein Mann wie Sie und er und ich, die aus Genuß eine Krone springen lassen. Grüßen Sie Tolstoi damit, daß ich für seine ganze widerliche Zurschaustellung von Güte keinen Deut gebe – nicht, ehe er alles verschenkt, was er besitzt, und nicht einmal dann ... Ich bitte übrigens um Entschuldigung, falls ich jemand gekränkt haben sollte. Noch eine Zigarre, Herr Grøgaard. Herr Doktor, Prost!

Pause.

Wie viele glauben Sie in Ihrem Leben bekehren zu können? fragte der Doktor.

Bravo! rief der Adjunkt, ein Bravo von Adjunkt Holtan!

Ich? fragte Nagel. Keinen, gar keinen. Müßte ich vom Leutebekehren leben, würde ich bald krepieren. Aber ich kann es nur nicht fassen, daß nicht auch alle anderen Menschen genauso über alles denken wie ich. Folglich habe ich wohl am ehesten unrecht. Aber nicht ganz unrecht, ich kann unmöglich ganz unrecht haben.

Bis jetzt habe ich Sie noch nichts und niemand anerkennen hören, sagte der Doktor. Es wäre amüsant zu erfahren, ob sich nicht doch jemand findet, mit dem auch Sie auskommen könnten.

Darf ich deutlicher werden, es wird mit ein paar Worten getan sein. Sie wollten wohl eigentlich sagen: paßt mal auf, er hat niemand, zu dem er aufsieht, er ist der personifizierte Hochmut, er kann es mit niemand! Dies ist ein Irrtum.

Mein Hirn umspannt nicht viel, es reicht nicht weit; aber ich könnte dennoch hundert und aberhundert von gewöhnlichen, anerkannt großen Männern aufzählen, die die Welt mit ihrer Bekanntheit füllen. Ich habe die Ohren voll von ihnen. Aber ich würde es vorziehen, die zwei, vier, sechs größten Geistesheroen zu nennen, halbe Götter, gigantische Schöpfer von Werten, und mich ansonsten am liebsten an einige reine Bedeutungslosigkeiten halten, eigenartige, zarte Genies, von denen niemals die Rede ist, die eine kurze Zeit leben und jung und unbekannt sterben. Es kann gut sein, daß ich von diesen relativ viele angeben würde. Ich bin jedoch sicher, Tolstoi würde ich auslassen.

Hören Sie, sagte der Doktor abwinkend und um dem ein Ende zu machen – er zog sogar stark die Schulter hoch –, glauben Sie wirklich, daß ein Mensch einen solchen Weltruhm wie Tolstoi erlangen könnte, ohne ein Geist hohen Ranges zu sein? Es ist ungemein unterhaltend, Ihnen zuzuhören, aber was Sie sagten, ist Unsinn. Sie faseln, hol mich der Teufel, daß einem übel werden könnte.

Adjunkt Holtan brüllte:

Bravo, Doktor! Lassen Sie nur nicht zu, daß uns unser Gastgeber den Atem verschlägt ... den Atem verschlägt ...

Der Adjunkt erinnert mich daran, daß ich tatsächlich kein angenehmer Gastgeber bin, sagte Nagel lachend. Aber jetzt werde ich mich bessern, Herr Øien, Sie haben ja nichts zu trinken? Warum in aller Welt trinken Sie nicht?

Tatsächlich hatte Student Øien die ganze Zeit wie ein Stein dagesessen und dem Gespräch zugehört, er hatte kaum ein Wort verloren. Seine Augen waren neugierig und klein, und er stellte förmlich die Ohren auf, wenn er lauschte. Der junge Mann war stark interessiert. Man erzählte sich, daß er – wie andere Studenten – in den Ferien an einem Roman schreibe.

Sara kam mit der Nachricht, daß das Abendessen fertig sei. Der Rechtsanwalt, der auf seinem Stuhl etwas zusammengefallen war, sperrte plötzlich die Augen auf und schaute sie an, und als sie wieder zur Tür hinaus war, sprang er auf, holte sie auf der Treppe ein und sagte voller Bewunderung:

Sara, du bist ein erquickender Anblick. Alle Achtung.

Damit kam er wieder herein und setzte sich ebenso ernst auf seinen Platz wie zuvor. Er war stark angeheitert. Als sich Doktor Stenersen schließlich auch noch wegen seines Sozialismus auf ihn warf, konnte er gar nicht mehr Rede und Antwort stehen. Doch, er sei ein herrlicher Sozialist! Ein Schinder sei er, ein jämmerlicher Schacherer zwischen Macht und Ohnmacht, ein Jurist, der vom Streit anderer lebe und sich dafür bezahlen ließe, daß er der Rechthaberei Recht, gesetzliches Recht verschaffe. Und so was wolle Sozialist sein!

Ja, aber im Prinzip, im Prinzip, wandte der Rechtsanwalt ein. Prinzip! Der Doktor sprach mit dem größten Hohn von Rechtsanwalt Hansens Prinzip. Während sich die Herren in den Speisesaal hinunter begaben, machte er einen Ausfall nach dem anderen, spottete über Hansen als Rechtsanwalt und griff das ganze sozialistische Wesen an. Der Doktor sei ein Mann der Liberalen mit Leib und Seele, er sei kein Sozialist mit dem Maul. Was war das sozialistische Prinzip? Zum Teufel damit! – Jetzt war der Doktor auf dem hohen Roß: Der Sozialismus war, kurz gesagt, die Racheidee der unteren Klasse. Sehen Sie sich den Sozialismus als Bewegung an! Ein Volk von blinden und tauben Bestien, das, die Zunge aus dem Halse hängend, hinter dem Führer herzottelt. Dachten sie über ihre Nasenspitze hinaus? Nein, das Volk dachte nicht. Wenn es dächte, dann würde es zu den Liberalen gehen und etwas Nützliches und Praktisches ausrichten, anstatt das ganze Leben lang träge an einem Traum zu nuckeln. Pfui. Nehmen Sie irgendeinen von den sozialistischen Führern, was waren das für Leute? Zerlumpte und magere Kerle, die in ihrer Dachkammer auf einem Holzstuhl sitzen und Abhandlungen zur Verbesserung der Welt schreiben! Das konnten natürlich ganz anständige Leute sein, wer wollte über Karl Marx etwas anderes sagen? Aber da saß nun dieser Marx und kritzelte die Armut aus der Welt – theoretisch. Sein

Kopf hat sich jede Art von Armut, jeden Grad des Elends ausgedacht, sein Gehirn umschließt alle Leiden der Menschheit. Dann taucht er die Feder ein und ist entflammten Geistes und schreibt eine Seite nach der anderen, füllt große Bogen mit Zahlen, nimmt dem Reichen und gibt dem Armen, verteilt Summen, pflügt die ganze Ökonomie der Erde um, verschleudert Milliarden über die erstaunten Armen – alles wissenschaftlich, alles theoretisch! Und zu guter Letzt zeigt es sich, daß man in aller Einfalt von einem grundfalschen Prinzip ausgegangen ist: Gleichheit der Menschen! Pfui! Ja richtig, ein grundfalsches Prinzip! Und das, anstatt sich etwas Nützliches vorzunehmen und die Liberalen in der Reformarbeit der Förderung wahrer Demokratie zu stützen ...

Auch der Doktor war nach und nach hitzköpfig geworden und wartete mit vielen Gemeinplätzen und Behauptungen auf. Bei Tisch wurde er sogar noch schlimmer, man trank eine Menge Champagner, und die Stimmung stieg unbändig: selbst Minute, der neben Nagel saß und bisher geschwiegen hatte, mischte sich mit einigen Bemerkungen ins Gespräch. Der Adjunkt saß erstarrt und schrie ein aufs andere Mal wegen eines Eies, das ihm über die Kleider gekleckert war und dessentwegen er sich nicht rühren konnte. Er war vollständig hilflos. Und als Sara kam und es abwischen wollte, ergriff der Rechtsanwalt die Gelegenheit, sie sich zu schnappen, er nahm sie in die Arme und stellte mit ihr die übelsten Faxen an. Der ganze Tisch war ein Wirrwarr.

Nagel verlangte mittendrin einen Korb Champagner auf sein Zimmer. Kurz darauf erhob man sich vom Tisch. Der Adjunkt und der Rechtsanwalt gingen Arm in Arm und sangen vor lauter Ausgelassenheit, und der Doktor fing in eifrigem Ton wieder an, sich über das Prinzip des Sozialismus zu verbreiten. Aber auf der Treppe hatte er das Pech, seinen Zwicker zu verlieren, er fiel herunter, sicher zum zehnten Mal, und ging endlich entzwei. Beide Gläser zerbrochen. Er steckte die Fassung in die Tasche und war damit für den ganzen Abend halb blind. Das ärgerte ihn und machte ihn noch hitziger; er setzte sich neben Nagel und sagte spöttisch:

Wenn ich Sie recht verstehe, sind Sie ein religiöser Mann?

Das sagte er in vollem Ernst und erwartete Antwort. Nach einer kleinen Pause sagte er weiter, daß er nach dem ersten Gespräch, das sie miteinander geführt hätten – genau am Tage von Karlsens Begräbnis sei es gewesen –, den Eindruck bekommen habe, daß er – Nagel – wirklich ein religiöser Mann sei.

Ich verteidige das religiöse *Leben* im Menschen, antwortete Nagel, nicht speziell das Christentum, durchaus nicht, sondern das religiöse Leben an sich. Sie meinten, alle Theologen sollten gehängt werden. Warum? fragte ich. Weil ihre Rolle ausgespielt ist, antworteten Sie. Und damit war ich nicht einverstanden. Das religiöse Leben ist ein Faktum. Der Türke ruft: Allah ist groß! und stirbt für diese Überzeugung; der Norweger kniet noch heute vor dem Altar und trinkt Christi Blut. Die eine oder andere Kuhglocke zum Dran-Glauben hat jedes Volk, und in diesem Glauben stirbt es selig. Das Entscheidende ist nämlich nicht, *woran* man glaubt, sondern *wie* man daran glaubt ...

Es erstaunt mich, solches Geschwätz von Ihnen zu hören, sagte der Doktor verärgert. Ich frage mich wirklich auch diesmal wieder, ob Sie im Grunde nicht doch nur ein verkappter Anhänger der Rechten sind. Hier kommt eine wissenschaftliche Kritik über Theologen und theologische Bücher nach der anderen heraus, ein Verfasser nach dem anderen tritt hervor und schreibt diese Predigtsammlung und jene theologische Abhandlung kurz und klein, und trotzdem gehen Sie nicht davon ab, daß zum Beispiel die Komödie mit Christi Blut noch in unseren Tagen Wert habe. Ich verstehe Ihren Gedankengang nicht.

Nagel dachte nach und sagte darauf:

Mein Gedankengang ist in Kürze folgender: Welchen Gewinn bringt es im Grunde – entschuldigen Sie übrigens, wenn ich vielleicht schon vorher einmal danach gefragt haben sollte –, welchen Gewinn bringt es im Grunde, allein rein praktisch gesprochen, daß man das Leben aller Poesie, aller Träume, aller schönen Mystik, aller Lügen beraubt? Was ist die Wahrheit, wissen Sie das? Wir bewegen uns doch nur durch Symbole vorwärts, und diese Symbole wechseln wir entsprechend unsrem Vorwärtsschreiten. Wir wollen übrigens unsere Gläser nicht vergessen.

Der Doktor erhob sich und machte eine Runde durchs Zimmer. Er ärgerte sich über ein kleines Stückchen Teppich, das sich an der Tür zusammengerollt hatte, und er ging sogar auf die Knie, um es glatt zu schlagen.

Du, Hansen, du könntest mir gut deine Brille leihen, wo du doch sowieso nur andauernd schläfst, sagte er richtig aufgebracht.

Aber Hansen wollte sich von seiner Brille nicht trennen, und der Doktor wandte sich voller Zorn von ihm ab. Er setzte sich wieder neben Nagel.

Ja, es ist Unsinn, das ist es, das Ganze ist im Grunde Schrott, sagte er, von Ihrem Standpunkt aus gesehen. Sie haben vielleicht einigermaßen recht. Sehen Sie nun Hansen dort, hahaha, ja, entschuldige, daß ich über dich lache, Hansen, Rechtsanwalt und Sozialist Hansen. Überkommt dich vielleicht nicht jedesmal eine gewisse innerliche Freude, wenn zwei gute Bürger in Streit geraten und einen Prozeß anstrengen? Nein, sieh einer an, du würdest sie lieber in aller Güte versöhnen und dafür keinen Schilling nehmen! Und am nächsten Sonntag würdest du wieder in den Arbeiterverein gehen und vor zwei Handwerkern und einem Metzgerburschen einen Vortrag über den sozialistischen Staat halten. Ja doch, jedem kommt der Ertrag gemäß seiner Produktionsfähigkeit zu, würdest du sagen, alles ist so ausgezeichnet geordnet, und keinem soll Unrecht geschehen. Doch da steht der Metzgerbursche auf, der Metzgerbursche, der, Gott behüte mich, ein Genie ist im Vergleich mit euch anderen allen, er steht auf und fragt: Ich habe zwar eine gewisse krösushafte Fähigkeit zu konsumieren, sagt er, aber ich bin nur ein armer Metzgerbursche im Produzieren, denn ich habe dazu keine beßre Begabung, sagt er. Du würdest dann nicht bleich und verbittert dastehen, du Einfaltspinsel? ... Ja, schnarch du, damit ist dir am besten gedient, schnarch weiter! – Der Doktor war derb berauscht, seine Zunge versagte kläglich, und er blickte aus schwimmenden Augen. Nach einer Unterbrechung wandte er sich wieder an Nagel und fuhr düster fort: Übrigens meinte ich nicht, daß sich nur die Theologen umbringen sollten. Nein, wir sollten das, Gott verdamm mich, alle tun, die Welt ausrotten und auf alles pfeifen.

Nagel stieß mit Minute an. Der Doktor bekam keine Antwort, er wurde wütend und rief laut:

Hören Sie nicht, was ich sage? Wir sollten uns alle miteinander umbringen, sage ich, Sie auch natürlich, Sie auch.

Und dabei sah der Doktor richtig gierig aus.

Ja, antwortete Nagel, daran habe ich auch schon gedacht. Aber was mich angeht, ich habe dazu nicht den Mut. – Pause. – Ich sage also durchaus nicht, daß ich den Mut dazu habe; aber *sollte* ich eines Tages Mut bekommen, dann halte ich die Pistole schon bereit. Und für alle Art Fälle trage ich sie immer bei mir.

Und er zog aus der Westentasche ein kleines Medizinfläschchen mit dem Zeichen für Gift drauf und hielt es hoch. Das Fläschchen war nur halb voll.

Echte Blausäure, reinstes Wasser! sagte er. Doch ich habe nie den Mut; es fällt mir allzu schwer ... Herr Doktor, Sie können mir sicher sagen, ob das genug ist. Ich habe bereits die Hälfte für ein Tier aufgebraucht, und es wirkte ausgezeichnet. Es gab ein bißchen Krampf, im Gesicht etwas bittre Komik, zwei, drei Japser nach Luft, das war alles; matt in drei Zügen.

Der Doktor nahm das Fläschchen, sah es an, schüttelte es einige Male und sagte:

Das ist genug, mehr als genug ... Ich müßte Ihnen jetzt eigentlich dieses Fläschchen wegnehmen; aber wenn Sie doch nicht den Mut dazu haben, dann ...

Nein, ich habe nicht den Mut.

Pause. Nagel steckte das Fläschchen wieder in die Westentasche. Der Doktor sank immer mehr zusammen, trank aus seinem Glas, sah sich mit toten Augen um und spuckte auf den Boden. Plötzlich rief er zum Adjunkt hinüber:

He, wie weit bist du gekommen, Holtan? Kriegst du noch »Ideenassoziationen« fertig? Ich schaff' es nicht mehr. Gute Nacht!

Der Adjunkt öffnete die Augen, reckte sich etwas, stand auf und ging zum Fenster, wo er stehenblieb und hinaussah. Als das Gespräch wieder anfing, benützte er die Gelegenheit, um sich davonzumachen; er schlich sich unbemerkt die Wand entlang, bekam die Tür auf und schlüpfte hinaus, bevor es jemand bemerkt hatte. Derart pflegte Adjunkt Holtan stets eine Gesellschaft zu verlassen.

Minute stand auch auf und wollte gehen; aber als er gebeten wurde, noch eine kleine Weile zu bleiben, setzte er sich wieder hin. Rechtsanwalt Hansen schlief. Die drei, die noch nüchtern waren, Student Øien, Minute und Nagel, begannen jetzt über Literatur zu sprechen. Der Doktor hörte mit nur halboffenen Augen und ohne ein Wort zu sagen zu. Bald darauf schlief auch er.

Der Student war sehr belesen und hielt viel von Maupassant: man müsse zugeben, daß Maupassant bis in die allerinnersten Geheimnisse der Frau eingedrungen sei und er als Dichter der Liebe unerreicht sei. Welche Kühnheit in der Schilderung, welch eine wunderbare Kenntnis des Menschenherzens! Doch Nagel antwortete lächerlich auffahrend, schlug auf den Tisch, spielte sich auf, griff die Schriftsteller insgesamt an, machte fast restlos reinen Tisch und verschonte nur einige wenige vom Tod. Seine Brust schien unter all dieser Heftigkeit ganz ehrlich zu wogen, und er hatte Schaum vorm Mund:

Dichter! Hehe, ja, man müsse zugeben, daß sie bis zutiefst ins Menschenherz eingedrungen seien! Was seien die Dichter, diese aufgeblasnen Wesen, die es verstanden hätten, solche Mehrheit im modernen Leben an sich zu reißen, was seien sie denn? Ausschlag doch, Krätze am Körper der Gesellschaft, geschwollne und reizbare Mitesser, die man zart behandeln, mit Vorsicht und Pietät anfassen müsse, sonst platzten sie, denn sie vertrügen keine harte Behandlung! Ja doch, von den Dichtern müsse man unbedingt

Aufhebens machen, besonders von den dümmsten, den menschlich am wenigsten entwickelten, den Gartenzwergen; denn sonst schmollten sie im Ausland! Hehe, im Ausland, ja! Ach du guter Gott, welch eine köstliche Komödie! Und gibt es einen Dichter, einen wirklich geistberauschten Sänger mit Tönen in der Brust, dann könne man den Teufel drauf schwören, daß er weit hinter den groben, bücherschreibenden Professionalisten wie Maupassant eingereiht würde! Einem Mann, der viel über die Liebe geschrieben hat und gezeigt habe, daß ihm die Bücher leicht von der Hand gingen; doch, was recht ist, müsse recht bleiben! Ach, ein kleiner, hell funkelnder Stern, in seinem Bereich ein wirklicher Dichter, Alfred de Musset, bei dem die Liebe nicht brünstige Routine sei, sondern ein feiner und feuriger Frühlingston in seinen Menschen, und bei dem die Worte förmlich in den Zeilen flammten, dieser Dichter habe vielleicht nicht halb soviel Getreue auf seiner Seite wie der kleine Maupassant mit seiner außerordentlich groben und seelenlosen Wadenpoesie ...

Nagel überschritt alle Grenzen. Er fand auch Gelegenheit, über Victor Hugo herzufallen, und schickte schließlich die größten Schriftsteller der Welt zu Hölle und Teufel. Man möge ihm gestatten, eine einzige kleine Probe von dem hohlen poetischen Gepolter eines solchen Weltdichters zu geben. Geben Sie acht: »Möge dein Stahl so scharf sein wie dein letztes Nein!« Wie fand man das, klang das nicht gut? Was meinte Herr Grøgaard?

Nagel sah Minute plötzlich mit einem durchbohrenden Blick an. Er hörte nicht auf, ihn anzustarren, und wiederholte noch einmal, die Augen unausgesetzt auf Minutes Gesicht geheftet, diese alberne Zeile. Minute antwortete nicht, seine blauen Augen weiteten sich ganz entsetzt, und er nahm in seiner Verwirrung einen großen Schluck aus dem Glas.

Sie erwähnten Ibsen, fuhr Nagel immer noch genauso erregt fort, und ohne daß Ibsens Name genannt worden war. Seiner Meinung nach gab es nur *einen* Dichter in Norwegen, und das war nicht Ibsen. Nein, beileibe nicht. Man sprach von Ibsen als Denker; sollte man nicht lieber etwas zwischen populärem Räsonnement und wirklichem Denken unterscheiden? Man sprach von Ibsens Berühmtheit, schlug uns ständig seinen Mut um die Ohren; sollte man nicht lieber etwas zwischen dem praktischen und dem theoretischen Mut unterscheiden, zwischen dem uneigennützigen, rücksichtslosen Revolutionsdrang und der Dreistigkeit häuslichen Aufruhrs? Das eine erstrahlte im Leben, das andere verblüffte im Theater. Der norwegische Schriftsteller, der sich nicht aufblies und nicht eine Stecknadel wie eine Lanze einlegte, sei doch gar kein norwegischer Schriftsteller; gegen irgendeinen Zaunpfahl mußte man anrennen, sonst galt man nicht als mutiges Würstchen. Ja, es war wirklich äußerst vergnüglich, so aus Abstand zuzusehen. Es gab Schlachtengetümmel und Mannesmut wie in einem napoleonischen Gefecht, doch Gefahr und Risiko wie bei einem französischen Duell. Hehehe ... Nein, ein Mann, der revolutionieren wollte, der durfte nicht ein kleines schreibendes Kuriosum sein, einzig und allein ein literarischer Begriff für die Deutschen, sondern ein zappelnder, agierender Mensch im Getümmel des Lebens. Ibsens Revolutionsmut führte einen Mann sicherlich niemals auf dünnes Eis; das mit dem Torpedo unter der Arche war eine armselige Beamtentheorie, verglichen mit der lebenden und flammenden Tat. Na, das eine war übrigens vielleicht ebenso gut wie das andere, solange wir uns mit Scheuklappen einer solchen Frauenzimmerarbeit unterwarfen, wie für die Leute Bücher zu schreiben. Wenn es auch noch so jämmerlich war, hatte es doch jedenfalls ebensolchen Wert wie Leo Tolstois unverschämtes philosophisches Gefasel. Zum Teufel mit allem.

Mit allem? Allem zusammen?

Ja, fast. Übrigens hätten wir wenigstens *einen* Dichter, das sei *Bjørnson* in seinen besten Momenten. Er sei doch unser einziger, trotz allem, trotz allem ...

Aber würden nicht die meisten Einwendungen gegen Tolstoi auch Bjørnson treffen? Ist nicht auch Bjørnson nur ein Verkünder, ein Sittlichkeitsprediger, ein ordinärer und langweiliger Greis, nur ein bücherschreibender Professionalist, und was Sie alles sonst noch sagten?

Nein! rief Nagel mit lauter Stimme. Er gestikulierte und verteidigte Bjørnson mit heftigen Worten: Man konnte Bjørnson und Tolstoi nicht miteinander vergleichen, teils, weil dies gegen jedermanns schlichte agronomische Vernunft verstieße, teils, weil sich dem der Mensch in einem widersetzen mußte. Erstens war Bjørnson genauso ein Genie wie Tolstoi. Nagel schätzte die ganz gewöhnlichen großen und ordinären Genies nicht sehr hoch ein – Gott mochte es wissen, das tat er nicht –, aber zu deren Höhe hatte Tolstoi sich aufgeschwungen, Bjørnson aber hatte diese noch weit überholt. Das verhinderte natürlich nicht, daß Tolstoi Bücher machen konnte, die besser waren als viele von Bjørnson; was aber beweist das? Gute Bücher konnten sogar dänische Kapitäne, norwegische Maler und englische Frauen machen. Zweitens aber war Bjørnson ein Mensch, eine überwältigende Persönlichkeit, kein Begriff. Er wütet als lebendiges Geschöpf auf unserem Erdball und braucht Ellbogenfreiheit für vierzig. Er stilisiert sich für die Leute nicht zur Sphinx und macht sich nicht groß und mystisch wie Tolstoi in seiner Steppe oder Ibsen in seinem Café. Bjørnsons Inneres ist wie ein Wald im Sturm, er streitet, ist überall unterwegs und vermasselt sich ganz großartig seine Anliegen beim Publikum im Café Grand. Er ist *en masse* angelegt, er ist ein gebietender Geist, einer der wenigen Befehlshaber. Er kann auf einer Tribüne stehen und ein beginnendes Gepfeife mit einer Handbewegung abwürgen. Er hat ein Gehirn, in dem es unaufhörlich keimt und wimmelt; er siegt kräftig und fehlt gröblich, aber beides macht er mit Persönlichkeit und Geist. Bjørnson ist unser einziger Dichter mit Inspiration, mit dem göttlichen Funken. Es beginnt in ihm wie ein sommertägliches Rauschen im Kornfeld, und es endet damit, daß man nichts, nichts mehr hört außer diesem; denn die Bewegungsart seiner Seele ist der Absprung – die Bewegungsart des Genies. Verglichen mit derjenigen Bjørnsons ist zum Beispiel Ibsens Dichtung eine rein mechanische Büroarbeit. Ibsens

Verse bestehen in hohem Maße darin, daß Reim auf Reim trifft, *daß es knallt*; die meisten seiner Schauspiele sind dramatisierter Holzschliff. Wohin zum Teufel solle das ... Na, lassen wir's jetzt gut sein; hoch die Tassen ...

Es war zwei Uhr. Minute gähnt. Schläfrig nach einem arbeitsreichen Tag, müde und gelangweilt von Nagels endlosem Geseire, steht er wieder auf und will gehen. Als er sich schon verabschiedet hatte und bis zur Tür gekommen war, ereignete sich jedoch etwas, das ihn zwang stehenzubleiben, ein kleines, tückisches Vorkommnis, das viel später die größte Bedeutung erhalten sollte: der Doktor wacht auf, schlägt heftig mit den Armen aus und schmeißt in seiner Kurzsichtigkeit mehrere Gläser um; Nagel, der dem Doktor am nächsten saß, wurde mit Champagner überschüttet. Er sprang auf, schüttelte lachend seine nasse Brust und rief lauthals hurra.

Minute war sofort der dienende Geist, er kam mit Taschentuch und Handtuch zu Nagel gelaufen und wollte ihn abtrocknen. Besonders die Weste habe viel abbekommen, wenn er sie nur einen Augenblick, für eine Minute ausziehen wolle, dann sei es sofort wieder in Ordnung gebracht. Aber Nagel wollte die Weste nicht ausziehen. Jetzt erwachte vom Lärm auch der Rechtsanwalt, und auch er begann hurra zu rufen, ohne zu wissen, was vorging. Noch einmal bat Minute, die Weste für einen Augenblick ausgehändigt zu bekommen; Nagel schüttelt nur den Kopf. Plötzlich sieht er Minute an; es fällt ihm etwas ein, er steht augenblicklich auf, zieht die Weste aus und überreicht sie ihm in großer Heftigkeit.

Hier bitte! sagte er. Trocknen Sie sie ab, behalten Sie sie; doch doch, Sie sollen sie behalten, Sie haben doch keine Weste. Pst, kein Getue! Sie sei Ihnen herzlich vergönnt, lieber Freund. – Und als Minute immer noch Einwände machte, klemmte Nagel ihm die Weste unter den Arm, öffnete die Tür und schubste ihn freundschaftlich hinaus.

Und Minute ging.

Das vollzog sich so schnell, daß nur Øien, der der Tür am nächsten saß, es bemerkte.

Jetzt schlug der Rechtsanwalt in seiner Leck-mich-Stimmung vor, auch noch den Rest der Gläser zu zerdeppern. Nagel hatte nichts dagegen, und so belustigten sich vier erwachsene Männer damit, ein Glas nach dem anderen an die Wand zu schmeißen. Danach tranken sie aus den Flaschen, grölten wie Matrosen und tanzten herum. Es wurde vier Uhr, bevor das Gelage endete. Der Doktor war maßlos betrunken. Noch in der Tür wandte sich der Student Øien zu Nagel um und sagte:

Aber was Sie von Tolstoi sagten, kann doch auch von Bjørnson gesagt werden. Sie sind in Ihren Ausführungen nicht konsequent ...

Hahaha! lachte der Doktor besessen. Er verlangt Konsequenz ... zu dieser Tageszeit! ... Können Sie »Enzyklopädisten« sagen, lieber Mann? »Ideenassoziationen«? Kommen Sie, ich will Sie nach Hause bringen ... Haha, zu dieser Tageszeit! ...

Es regnete nicht mehr. Doch schien auch keine Sonne; aber das Wetter war still, und es versprach ein milder Tag zu werden.

XIV

Früh am nächsten Morgen stellte sich Minute wieder im Hotel ein. Er ging still in Nagels Zimmer, legte dessen Uhr, einige Papiere, einen Bleistiftstummel und die kleine Giftflasche auf den Tisch und wollte sich wieder entfernen. Da Nagel jedoch in diesem Augenblick aufwachte, war er gezwungen zu erklären, warum er hereingekommen sei.

Das sind die Sachen, die ich in der Westentasche gefunden habe, sagte er.

In der Westentasche? Ja, Tod und Teufel, das ist ja wahr! Und wieviel Uhr ist es?

Acht. Aber Ihre Uhr steht, ich wollte sie nicht aufziehen. Sie haben doch wohl die Blausäure nicht ausgetrunken?

Minute lächelte und schüttelte den Kopf.

Nein, antwortete er.

Nicht einmal gekostet? Das Fläschchen müßte halb voll sein, lassen Sie mich sehen.

Und Minute ließ ihn sehen, daß das Fläschchen noch halb voll war.

Gut! Und es ist acht Uhr? Dann ist es Zeit, aufzustehen ... Während ich dran denke, Grøgaard, können Sie mir eine Geige besorgen, leihweise? Ich möchte versuchen, ob ich lernen könnte zu ... Na, Unsinn! In Wahrheit: ich will eine Geige *kaufen*, ich will sie einem Bekannten schenken; ich will sie nicht zu meinem eigenen Gebrauch. Sie müssen mir also wirklich eine Geige besorgen, wo Sie sie auch hernehmen.

Minute wollte alles Erdenkliche tun.

Vielen Dank. Sehen Sie doch wieder einmal zu mir herein, wenn Ihnen danach ist; Sie kennen den Weg. Guten Morgen!

Eine Stunde später war Nagel bereits im Wald beim Pfarrhof. Der Boden war noch vom Regen am Abend naß, und die Sonne wärmte nicht sehr. Er setzte sich auf einen Stein und hielt scharf Ausschau auf den Weg. Er hatte in dem weichen Gras ein paar bekannte Fußspuren gesehen und war fast überzeugt, daß es Dagnys Fußspuren waren und daß sie in die Stadt gegangen sei. Er wartete ziemlich lange vergebens, entschloß sich endlich, ihr entgegenzugehen, und stand vom Stein auf.

Und er hatte sich wirklich nicht getäuscht, schon am Waldrand begegnete er ihr. Sie trug ein Buch, es war Erik Skrams *Gertrude Colbjørnsen*.

Sie sprachen erst eine Weile über dieses Buch, dann sagte sie:

Können Sie begreifen ... unser Hund ist tot.

Ist er tot? antwortete er.

Seit einigen Tagen. Wir fanden ihn mausetot. Ich verstehe nicht, wie das passiert sein kann.

Stellen Sie sich doch vor, ich meinte immer, Sie hätten einen äußerst widerlichen Hund; ja, Entschuldigung, aber eine dieser Doggen, mit Stumpfnase und einem unverschämten Menschengesicht! Wenn er einen ansah, hingen seine Mundwinkel tief herunter, als trüge er den Gram der ganzen Welt. Ich bin direkt froh, daß er tot ist.

Pfui, schämen Sie sich ...

Aber er unterbrach sie nervös, wollte aus irgendeinem Grund sofort von diesem Gespräch über den Hund wegkommen und ließ das Ganze fallen. Er begann von einem Mann zu erzählen, den er einmal getroffen hatte und der wahrlich etwas vom Lächerlichsten gewesen sei, was man treffen könnte. Der Mann s-stotterte ein bißchen, und das verheimlichte er nicht; o nein, er machte sich noch etwas s-stotternder, als er in Wirklichkeit war, um seine Unvollkommenheit so recht an den Tag zu legen. Er hatte die sonderbarsten Ideen über die Frau. Übrigens pflegte er eine Geschichte aus Mexiko zu erzählen, die aus seinem Mund unsäglich lustig klang: Es war in einem Winter mit beißender Kälte, die Thermometer zersprangen wie nur was, und die Menschen blieben Tag und Nacht drin. Doch eines Tages mußte er in die Nachbarschaft, er ging durch eine nackte Landschaft, nur hier und da stand eine Hütte, und der kalte Wind brannte ihm unerträglich im Gesicht. Wie er so dahinging, kommt in dieser desperaten Kälte eine halbnackte Frau aus einer der Hütten gelaufen und setzt ihm nach; sie schreit die ganze Zeit: Sie haben eine Beule auf der Nase! Nehmen Sie sich in acht, Sie haben eine Beule auf der Nase! Die Frau hielt eine Schöpfkelle in der Hand und hatte die Ärmel aufgekrempelt. Sie hatte diesen fremden Mann mit einer Frostbeule auf der Nase vorbeigehen sehen und ihre Arbeit stehen- und liegenlassen, um ihn zu warnen. Hehe, hat man so was schon gehört! Und da steht sie selbst mit aufgekrempelten Ärmeln im Wind, während ihre ganze rechte Wange nach und nach weiß anläuft und zu einer einzigen ungeheuren Beule wird! Hehe, das ist doch ganz unglaublich! ... Aber trotz dieses und vieler anderer Beispiele von weiblicher Aufopferung, über die er verfügte, war dieser stotternde Mann in diesem Kapitel höchst unnachgiebig. Die Frau ist ein kurioses und unersättliches Geschöpf, sagte er zu mir, ohne zu erklären, warum genau sie kurios und unersättlich sei. Es ist ganz unglaublich, was sie sich einbilden kann, sagte er. Und er erzählte: Ich hatte einen Freund, der sich in eine junge Dame verliebte; sie hieß übrigens Klara. Er gab sich viel Mühe, diese Dame zu gewinnen, aber das half nichts, Klara wollte durchaus nichts von ihm wissen, obwohl er ein hübscher und wohlangesehener junger Mann war. Jene Klara hatte jedoch eine Schwester, ein außerordentlich schief gewachsenes und buckliges Geschöpf, das geradezu häßlich war; um sie freite dann mein Freund eines Tages; Gottvater mag wissen, warum, doch es war vielleicht aus Berechnung, vielleicht hatte er sich auch wirklich in sie verliebt, obwohl sie so häßlich war. Was aber macht jetzt Klara? Ja, hier fuhr das Weibliche auf einmal seine Kralle aus; Klara schreit, Klara macht höllischen Radau: mich wollte er haben! mich wollte er haben! sagte sie; aber mich bekommt er nicht, ich will nicht, nicht um alles in der Welt will ich, sagte sie. Na, aber glauben Sie etwa, er hätte die Schwester bekommen, in die er also so stark verliebt war? Nein, das ist ja gerade das Komische an der Sache, Klara wollte ihn auch der Schwester nicht überlassen. Hehehe. O nein, wenn er doch sie eigentlich hatte haben wollen, dann durfte er jetzt nicht einmal ihre bucklige Schwester bekommen, obwohl diese für rein niemand zu gut gewesen wäre. Und so bekam mein Freund keine der Damen ... Dies sei eine der vielen Geschichten des stotternden Mannes. Er erzählte so unterhaltsam, gerade weil er so stotterte. Er sei übrigens ein großes Rätsel von Mann ... Langweile ich Sie?

Nein, antwortete Dagny.

Ein großes Rätsel von Mann also. Er war so geizig und auch so diebisch, daß er sich gut der Lederriemen an den Eisenbahnfenstern bemächtigen konnte und sie mit nach Hause nahm, um sie zu irgendwas zu verwenden. Ja, da kannte er keine Hemmungen; er soll sogar tatsächlich einmal bei einem solchen Diebstahl erwischt worden sein. Aber auf der anderen Seite achtete er nicht die Spur auf Geld, wenn ihn diese Anwandlung überkam. Einmal hatte er sich in den Kopf gesetzt, einen ungeheuren Ausflug zu veranstalten. Er hatte keine Bekannten, er mietete deshalb für sich allein vierundzwanzig Wagen, die er einen nach dem andern abfahren ließ. Die dreiundzwanzig fahren vollkommen leer, und im vierundzwanzigsten – dem letzten –, da sitzt er dann selbst, auf die Spaziergänger herabschauend, stolz wie ein Gott auf den gigantischen Aufzug, den er da zustande gebracht hatte ...

Doch Nagel kam auf das eine nach dem anderen zu sprechen, ohne etwas damit zu erreichen; Dagny hörte kaum auf das, was er sagte. Er wurde stumm, er überlegte. War es denn nicht auch zu verteufelt, wie dumm er daherredete und sich immer zum Narren machte! Eine junge Dame, noch dazu die Dame seines Herzens, mit Geplapper von Frostbeulen und vierundzwanzig Wagen zu überfallen! Und er erinnerte sich plötzlich, daß er sich schon früher einmal mit einer Peinlichkeit über einen Eskimo und eine Briefmappe gründlich verrannt hatte. Bei dieser Erinnerung bekam er auf einmal heiße Wangen, er zuckte unwillkürlich und wäre fast stehengeblieben. Warum zum Teufel nahm er sich nicht in acht! Oh, wie mußte er sich schämen! Diese Augenblicke, in denen er so dumm schwafelte, machten ihn komisch, demütigten ihn und warfen ihn um Wochen und Monate zurück. Was mußte sie denn von ihm denken!

Er sagte:

Und wie lange dauert es noch bis zum Basar?

Sie antwortete lächelnd:

Warum geben Sie sich solche Mühe, unausgesetzt zu sprechen? Warum sind Sie nervös?

Diese Frage kam so unerwartet, daß er Dagny einen Augenblick verwirrt ansah. Er antwortete gedämpft und mit pochendem Herzen:

Fräulein Kielland, als ich das letzte Mal mit Ihnen zusammen war, versprach ich, wenn ich Sie noch einmal treffen dürfte, würde ich über alles andere sprechen, nicht aber über das, wovon zu sprechen mir verboten worden ist. Ich versuche, mein Versprechen zu halten. Ich habe es bis jetzt gehalten.

Ja, sagte sie, man soll seine Versprechen halten, man soll

seine Versprechen nicht brechen. Und das sagte sie gleichsam mehr zu sich selbst als zu ihm.

Ich war auch schon hier, bevor Sie kamen, und beschloß, es zu versuchen; ich wußte, daß ich Ihnen begegnen würde.

Wie konnten Sie das wissen?

Ich sah Ihre Spur hier auf dem Weg.

Sie warf einen Blick auf ihn und schwieg.

Kurz darauf sagte sie:

Sie haben einen Lappen um die Hand, sind Sie verletzt?

Ja, antwortete er, Ihr Hund hat mich gebissen.

Sie blieben beide stehen und sahen einander an. Er preßte die Hände zusammen und fuhr ganz gequält fort:

Ich bin jede einzige Nacht hier im Wald gewesen, ich habe jede Nacht Ihre Fenster gesehen, bevor ich ins Bett gegangen bin. Vergeben Sie mir, das ist doch keine Missetat! Sie haben mir verboten, es zu tun, aber ich tat es, daran ist nichts zu ändern. Der Hund hat mich sogar gebissen, er kämpfte da um sein Leben; ich tötete ihn, ich gab ihm Gift, weil er immer bellte, wenn ich kam und zu Ihren Fenstern gute Nacht sagen wollte.

Dann haben Sie also den Hund umgebracht! sagte sie.

Ja, antwortete er.

Pause. Sie standen immer noch still und sahen einander an; seine Brust ging heftig auf und nieder.

Und ich wäre imstande, viel schlimmere Dinge zu tun, um Sie sehen zu können, sagte er weiterhin. Sie haben keine Ahnung, wie ich leide und wie ich Tag und Nacht mit Ihnen beschäftigt bin, nein, davon haben Sie keine Ahnung. Ich spreche mit Leuten, ich lache, ich halte sogar lustige Saufgelage ab – heute nacht hatte ich zum Beispiel Gesellschaft bis vier Uhr; wir zerschmissen zum Schluß alle Gläser –, na, aber auch während ich trinke und singe, denke ich fortgesetzt an Sie und werde dadurch verwirrt. Ich achte auch auf gar nichts mehr und weiß nicht, wie es mir ergehen wird. Haben Sie doch noch zwei Minuten Mitleid mit mir, ich muß Ihnen etwas sagen. Aber haben Sie jetzt keine Angst davor, ich will Sie weder erschrecken noch locken, ich muß nur mit Ihnen sprechen, weil es mich qualvoll dazu drängt ...

Aber wollen Sie denn überhaupt keine Vernunft annehmen? sagte sie unvermittelt. Sie versprachen es.

Ja, ich habe es versprochen; ich weiß nicht, doch vielleicht versprach ich, vernünftig zu sein. Aber ich kann es so schlecht. Na, ich werde vernünftig sein, verlassen Sie sich darauf. Aber wie soll ich das machen, können Sie mir das sagen? Lehren Sie es mich. Wissen Sie, daß ich eines Tages kurz davor war, in den Pfarrhof einzudringen, die Türen zu öffnen und geradewegs zu Ihnen zu gehen, selbst in Anwesenheit anderer! Aber ich habe auch mit aller Gewalt zu widerstehen versucht, das dürfen Sie ruhig glauben, ja, ich bin sogar über Sie hergezogen und habe versucht, Ihre Macht über mich zunichte zu machen, indem ich Sie in den Augen anderer herabsetzte. Ich habe es nicht aus Rache getan, nein, Sie verstehen, daß ich wirklich nahe daran bin, bezwungen zu werden. Ich habe es getan, um mich selbst aufzurichten, mir beizubringen, die Zähne zusammenzubeißen, um nicht in meinem eigenen Bewußtsein den Rücken allzu krumm zu machen. Deshalb habe ich es getan. Aber ich weiß nicht recht, ob es mir nützt. Ich habe auch versucht, abzureisen, ich habe es versucht, ich fing an, alle meine Sachen zusammenzupacken; aber ich machte mich doch nicht ganz fertig und reiste auch nicht ab. Wie könnte ich abreisen! Ich würde statt dessen eher Ihnen nachreisen, wenn Sie nicht hier wären. Und wenn ich Sie auch niemals fände, ich würde Ihnen trotzdem nachreisen und Sie unaufhörlich suchen und hoffen, Sie schließlich doch zu finden. Wenn ich aber sähe, daß es trotz allem vergeblich wäre, würde ich meine Hoffnungen immer weiter drosseln und wäre zuletzt herzlich dankbar, wenn ich nach Möglichkeit auch nur einen Menschen sehen könnte, der Ihnen einmal nahegestanden hat, eine Freundin, die Ihre Hand gedrückt oder in guten Tagen ein Lächeln von Ihnen bekommen hat. So würde ich es machen. Kann ich also von hier abreisen? Jetzt ist außerdem Sommer, der ganze Wald hier ist meine Kirche, und die Vögel kennen mich, sie sehen mich jeden Morgen an, wenn ich komme, sie legen den Kopf schief und sehen mich an, und gleich darauf spielen sie auf. Ich vergesse auch nie, wie die Stadt an dem ersten Abend, als ich ankam, für Sie flaggte; das machte den stärksten Eindruck auf mich, ich wurde geradezu von einer seltsamen Sympathie hingerissen; und halb betäubt ging ich auf dem Schiff herum und sah auf die Fahnen, ehe ich an Land ging. Ja, das war jener Abend! ... Aber auch später ging es mir oftmals herrlich; ich gehe täglich die gleichen Wege wie Sie, und mitunter kann ich das Glück haben und Ihre Spur auf dem Weg sehen, wie etwa heute, und da warte ich auf Sie, bis Sie wieder vorbeikommen, ich verstecke mich im Wald, lege mich flach hinter einen Stein und warte auf Sie. Ich habe Sie zweimal gesehen, seit ich zuletzt mit Ihnen sprach, und einmal wartete ich sechs Stunden, bis Sie kamen. Ich lag diese ganzen sechs Stunden hinter dem Stein und stand nicht auf, nur aus Furcht, Sie könnten vielleicht kommen und mich erblicken. Gott weiß, wo Sie an diesem Tag so lange waren ...

Ich war bei Andresens, sagte sie unerwartet.

Ja, dort waren Sie vielleicht, ich sah Sie auch schließlich, als Sie kamen. Sie waren nicht alleine; aber ich sah Sie völlig deutlich und grüßte Sie leise hinter dem Stein. Gott mag auch wissen, was für ein Gedanke Sie da gerade durchfuhr, doch Sie wandten den Kopf und sahen einen Augenblick zu dem Stein ...

Ja, hören Sie jetzt ... Nein, Sie zucken zusammen, als wollte ich Ihr Todesurteil verlesen ...

Das ist es auch, ich verstehe schon, Ihre Augen wurden eiskalt.

Ja, aber das muß wirklich ein Ende nehmen, Herr Nagel! Wenn Sie das Ganze überdenken, dann müßten Sie doch selbst einsehen, daß Sie auch gegen den Abwesenden nicht sehr schön handeln. Nicht wahr, wenn Sie sich in seine Lage versetzen ... und außerdem, daß Sie es auch für mich so peinlich machen. Was eigentlich verlangen Sie von mir? Lassen Sie es mich ein für allemal sagen: ich breche mein Versprechen nicht, *ich liebe ihn*. So, das muß für Sie deutlich genug sein. Seien Sie nun etwas vorsichtig; ich werde hier wirklich nicht mit Ihnen gehen, wenn Sie nicht ein bißchen Rücksicht auf mich nehmen können. Ich sage Ihnen das freiheraus.

Sie war bewegt, ihr Mund zitterte, und sie strengte sich sehr an, nicht in Tränen auszubrechen. Da Nagel schwieg, fügte sie noch hinzu:

Sie dürfen mich gerne nach Hause begleiten, ganz nach Hause, wenn Sie es wünschen und Sie es nicht für uns beide unangenehm machen werden. Wenn Sie mir etwas erzählen wollen, bin ich dankbar; ich mag es, Sie reden zu hören.

Ja, sagte er auf einmal laut, mit ganz und gar jubelnder Stimme, wie irgendein Plapperer, der jetzt loslegen durfte, ja, darf ich einfach mitgehen! Ich werde schon ... Oh, was für eine Dusche Sie mir verpassen, wie Sie mich förmlich stärken, wenn Sie böse auf mich sind ...

Sie sprachen eine ganze Weile von völlig belanglosen Dingen. Sie gingen mit kleinen Schritten und so langsam, daß sie fast nicht von der Stelle kamen.

Wie es duftet, wie es duftet! sagte er. Nein, wie Gras und Blumen jetzt nach dem Regen wachsen! Ich weiß nicht, ob Sie sich für Bäume näher interessieren? Es ist eigenartig, aber ich fühle mich in geheimnisvoller Verwandtschaft mit jedem Baum im Wald. Es ist, als hätte ich einmal dem Walde angehört; wenn ich hier stehe und mich umsehe, fährt gleichsam eine Erinnerung durch meinen ganzen Menschen. Oh, halten Sie einen Augenblick an! Hören Sie! Hören Sie, wie jetzt die Vögel aus voller Kehle die Sonne ansingen. Sie sind vollkommen dumm und verrückt, sie fliegen uns fast bis ins Gesicht, ehe sie sich vorsehen.

Und sie gingen weiter.

Noch immer, sagte sie, trage ich die hübsche Vorstellung in mir, die Sie mir von dem Boot gaben und dem blauen Seidensegel, das wie ein Halbmond geschnitten ist. Das ist so schön. Wenn der Himmel richtig fern und hoch ist, meine ich, daß ich selbst dort oben umherwiege und mit einer Silberangel fische.

Es machte ihn glücklich, daß sie sich noch an diese

Stimmung von Sankthans erinnerte, seine Augen wurden feucht, und er antwortete warm:

Ja, das ist richtig, es würde sich auch am besten machen, wenn Sie in einem solchen Boot säßen.

Als sie ungefähr bis mitten in den Wald gekommen waren, war sie unvorsichtig genug zu fragen:

Wie lange bleiben Sie hier?

Sie bereute es sofort, sie hätte es gern zurückgenommen; sie wurde aber bald ganz beruhigt, da er lächelte und es vermied, direkt zu antworten. Sie war ihm für seinen Takt dankbar, er hatte sicher ihre Verlegenheit gesehen.

Ich bleibe ja hier, wo Sie sind, antwortete er ... Ich bleibe hier, solange ich Geld habe, sagte er dann. Und er fügte hinzu: Aber das wird nicht so schrecklich lange sein.

Sie sah ihn an, sie lächelte auch und fragte:

Wird das nicht so schrecklich lange sein? Sie sind doch reich, habe ich gehört?

Da legte sich der alte geheimnisvolle Ausdruck über sein Gesicht, und er antwortete:

Bin ich reich? Hören Sie, es soll hier in der Stadt die Fabel umgehen, daß ich ein Geldmensch sei, daß ich unter anderem einen Landbesitz von bedeutendem Wert habe – das ist nicht wahr, ich bitte Sie, glauben Sie es nicht, es ist Humbug. Ich habe keinen Landbesitz, er ist jedenfalls über alle Maßen klein, und ich besitze ihn nicht einmal allein, sondern zusammen mit meiner Schwester; außerdem ist er völlig und ganz von Schulden und aller Art Hypotheken aufgefressen. Das ist die Wahrheit.

Sie lachte ungläubig.

Ja, Sie pflegen doch stets die Wahrheit zu sagen, wenn Sie von sich selbst sprechen, sagte sie.

Sie glauben mir nicht? Sie zweifeln? Lassen Sie mich Ihnen trotzdem sagen, obwohl es für mich demütigend ist, aber lassen Sie mich trotzdem den Zusammenhang erklären: Sie müssen wissen, daß ich bereits am ersten Tag, an dem ich hier in der Stadt war, fünfzig Kilometer zu Fuß ging, ganz bis zur nächsten Stadt zu Fuß ging, und von dort an mich selbst drei Telegramme über eine große Summe

Geldes und einen Hof in Finnland schickte. Darauf ließ ich diese drei Telegramme mehrere Tage lang offen auf dem Tisch in meinem Zimmer liegen, damit auch jeder im Hotel sie lesen konnte. Glauben Sie mir jetzt? Ist es denn dann kein Humbug mit meinem Geld?

Vorausgesetzt, daß Sie nicht wieder über sich schwindeln.

Wieder? Sie irren sich, mein Fräulein. Bei Gott im höchsten Himmel, ich lüge nicht! Schluß!

Pause.

Aber warum taten Sie das, warum schickten Sie sich selbst Telegramme?

Ja, sehen Sie, das würde eine ziemlich lange Geschichte werden, wenn ich es im Zusammenhang darlegen sollte ... Na, im übrigen tat ich es, um zu prahlen, kurz und gut, um in der Stadt Aufsehen zu erregen. Hehehe, freiheraus gesagt.

Jetzt lügen Sie!

Hol mich der Teufel, wenn ich lüge!

Pause.

Sie sind ein sonderbarer Mensch. Was Sie zu erreichen gedenken, mag Gott wissen. In dem einen Augenblick gehen Sie hier und ... ja, Sie scheuen sich nicht einmal, mir die heißesten Geständnisse zu machen; wenn ich Sie dann aber mit einigen wenigen Worten zur Vernunft bringe, schlagen Sie sofort um und stellen sich selbst als den übelsten Scharlatan hin, als Lügner, als Betrüger. Sie könnten sich vielleicht die Mühe sparen; das eine macht sowenig Eindruck auf mich wie das andere. Ich bin ein zu schlichter Mensch; soviel Genialität übersteigt meinen Verstand.

Sie war auf einmal gekränkt.

Gerade jetzt wollte ich keine besondere Genialität zeigen. Es ist ja doch alles verloren, warum sollte ich mich da noch anstrengen.

Aber warum erzählen Sie mir dann all dies Dubiose von sich, sobald Sie auch nur Gelegenheit dazu haben? rief sie heftig.

Und langsam, vollkommen beherrscht antwortete er:

Um Sie zu beeinflussen, mein Fräulein.

Jetzt blieben die beiden wieder stehen und starrten sich an. Er fuhr fort:

Ich habe schon früher einmal das Vergnügen gehabt, Ihnen ein paar Worte über meine Methode zu sagen. Sie fragen, warum ich sogar jene meiner Geheimnisse ausplappre, die mir schaden und die ich verborgen halten könnte? Ich antworte: aus Politik, aus Berechnung. Ich stelle mir nämlich als Möglichkeit vor, daß meine Offenherzigkeit ein wenig Eindruck auf Sie macht, trotz Ihres Leugnens. Ich kann mir jedenfalls denken, daß Sie vor dieser rücksichtslosen Gleichgültigkeit, in der ich mich selbst ausliefere, einen gewissen Respekt bekommen. Vielleicht verrechne ich mich, das ist schon möglich, dann ist es eben nicht zu ändern. Aber selbst wenn ich mich verrechne, Sie sind ja trotz allem für mich verloren und ich setze nichts mehr aufs Spiel. Bis zu diesem Punkt kann man kommen, das ist Desperation, Hasard. Ich selbst helfe Ihnen, Anklagen gegen mich herbeizuschaffen, und stärke Sie dadurch nach geringen Kräften in Ihrem Vorsatz, mich wegzuschicken, einfach wegzuschicken. Warum tue ich das? Weil es meiner geringen Seele widerstrebt, zu meinem eigenen Vorteil zu sprechen und durch eine solche Erbärmlichkeit etwas zu gewinnen, ich könnte es nicht über meine Lippen bringen. Aber – werden Sie sagen – ich versuche durch Verschlagenheit und auf Umwegen das gleiche zu erreichen, was andere durch eine dürftige Offenheit erreichen wollen. Ach ... Nein, ich will mich übrigens nicht verteidigen. Nennen Sie es Humbug, warum nicht, das ist in Ordnung, das ist treffend; ich will selbst hinzufügen, daß es die schäbigste Fälschung ist. Gut, es ist also Humbug, und ich verteidige mich nicht, Sie haben recht, mein ganzes Wesen ist Humbug. Nun aber hält der Humbug alle Menschen mehr oder minder gefangen, kann da nicht die eine Sorte Humbug ebenso gut sein wie eine andere Sorte, wenn das Ganze seinem Innersten nach doch Humbug ist? ... Ich fühle, daß ich anfange in Gärung zu geraten, ich bin nicht abgeneigt, einen Augenblick eines meiner Steckenpferde zu reiten ... Nein, das will ich übrigens nicht; Herrgott im Himmel, wie bin ich all das doch leid! Ich sage: ach laß doch, laß es doch nur: Punktum ... Wer sollte etwa glauben, daß nicht alles ganz in Ordnung ist in zum Beispiel Doktor Stenersens Haus? Ich sage auch nicht, daß etwas nicht in Ordnung sei, deshalb frage ich auch nur, ob es einem Menschen einfallen könnte, von dieser ehrbaren Familie etwas Schlimmes zu vermuten. Es sind nur zwei Personen, Mann und Frau, keine Kinder, keine ernsthaften Sorgen, und trotzdem gibt es da vielleicht eine dritte Person, Gott alleine weiß es, aber vielleicht ist da, alles in allem gerechnet, noch eine Person, außer dem Mann und der Frau, ein junger Mensch, ein allzu hitziger Freund des Hauses, der Assessor Reinert. Was soll man sagen? Fehler gibt es sicher auf beiden Seiten. Der Doktor kann obendrein von dem Ganzen unterrichtet sein und trotzdem nichts dagegen tun, wenigstens trank er heute nacht gewaltig, und alles, die ganze Welt, war ihm so gleichgültig, daß er die vollständige Ausrottung der Menschheit durch Blausäure vorschlug, damit wir auf alles pfeifen könnten. Armer Mann! ... Aber er ist schwerlich der einzige, der bis zu den Knien im Humbug steht, selbst wenn ich von mir – Nagel – absehe, der bis an den Gürtel im Humbug steht. Wenn ich zum Beispiel Minute nennte? Eine liebe Seele, ein Gerechter, ein Märtyrer! Alles Gute ist auf seiner Seite; aber ich behalte ihn im Auge. Ich sage Ihnen, ich lasse ihn nicht aus den Augen! Das scheint Sie zu erstaunen? Habe ich Sie erschreckt? Das war keine Absicht. Ich will Sie auch gleich damit beruhigen, daß niemand Minute erschüttern kann, er ist wahrlich gerecht. Und warum lasse ich ihn dann nicht aus den Augen, warum beobachte ich ihn um zwei Uhr nachts von einer Straßenecke aus, wenn er von einem unschuldigen Spaziergang heimkommt – um zwei Uhr nachts? Warum spioniere ich ihn von hinten und vorne aus, wenn er seine Säcke austrägt und die Leute auf den Straßen grüßt? Wegen nichts, meine Liebe, wegen nichts! Er interessiert mich nur, ich mag ihn, und es freut mich in diesem Augenblick, ihn mitten in all dem übrigen Humbug als den reinen Menschen und den Gerechten hinstellen zu können. Deshalb erwähne ich ihn doch, und Sie verstehen mich ganz bestimmt. Hehehe ... Aber um auf mich zurückzukommen ... Ach nein, nein, ich will gar nicht auf mich zurückkommen, alles andere lieber als das!

Dieser letzte Ausruf war so echt, so wehmütig, daß er sie dazu brachte, Mitleid mit ihm zu empfinden. Sie wußte in diesem Augenblick, daß sie es mit einer sehr gequälten und zerrissenen Seele zu tun hatte. Da er allerdings sofort dafür sorgte, diesen Eindruck bei ihr auszulöschen, indem er plötzlich kalt geradewegs in die Luft lachte und noch einmal darauf schwor, daß alles nur der schiere Humbug sei, verließen sie ihre freundlichen Gefühle prompt. Sie sagte scharf:

Sie ließen einige Andeutungen über Frau Stenersen fallen, die nicht halb so dreist hätten zu sein brauchen, um niederträchtig zu sein. Auf Kosten von Minute, einem armen Krüppel, haben Sie sich auch zum Ritter geschlagen. Das sei wirklich so schlecht, so vulgär!

Sie begann wieder zu gehen, und er ging mit. Er antwortete nicht, er ging mit gesenktem Kopf. Es zuckte einige Male in seinen Schultern, und sie sah zu ihrer Überraschung, daß ein paar große Tränen sein Gesicht herunterrollten. Er wandte sich ab und pfiff einem kleinen Vogel zu, um es zu verbergen.

Sie gingen zwei Minuten, ohne etwas zu sagen. Sie war gerührt und bereute ihre harten Worte bitter. Vielleicht hatte er noch dazu recht mit dem, was er sagte; was wußte sie? Gott weiß, ob dieser Mensch in Wochen nicht mehr gesehen hatte als sie in Jahren.

Sie gingen immer noch schweigend. Er war wieder vollkommen ruhig und spielte gleichgültig mit seinem Taschentuch. In einigen Minuten würden sie den Pfarrhof sehen.

Da sagte sie:

Ist Ihre Hand sehr verletzt? Darf ich sehen!

Ob es nun war, um ihm damit eine Freude zu machen, oder ob sie ihm für den Augenblick wirklich nachgab – sie sagte das mit einer innigen, fast bewegten Stimme; sie blieb auch stehen.

Jetzt lief all seine Leidenschaft über. In diesem Moment, da sie ihm so nahe stand, den Kopf über seine Hand gebeugt, so daß er den Duft ihres Haares und Halses wahrnahm, und in dem kein Wort gesprochen wurde, steigerte sich seine Liebe zur Verrücktheit, zum Wahnsinn. Er drückte sie an sich, zuerst mit einem Arm, und dann, als sie sich dagegen wehrte, auch mit dem anderen Arm, drückte sie warm und lange an seine Brust und hob sie fast von der Erde. Er fühlte, daß sich ihr Rücken bog und daß sie aufgab. Schwer und köstlich ruhte sie in seiner Umarmung, und ihre Augen sahen halb verschleiert in seine hinauf. Er sprach zu ihr, sagte, daß sie herrlich, herrlich sei und daß sie bis ans Ende seiner Tage die Liebe seines Lebens sein würde. Ein Mann sei bereits für sie in den Tod gegangen, ja, das würde auch er tun, auf den leisesten Wink hin, auf ein Wort. Oh, wie er sie liebe! Und er sagte wieder und wieder, während er sie zärtlicher und zärtlicher an sich drückte: Ich liebe dich, ich liebe dich!

Sie leistete keinen Widerstand mehr, ihr Kopf legte sich ein wenig auf seinen linken Arm, und er küßte sie brennend, in kurzen Abständen, nur von den zärtlichsten Worten unterbrochen. Er merkte deutlich, daß sie selbst sich an ihn klammerte, und wenn er sie küßte, schloß sie die Augen noch fester.

Triff mich morgen am Baum, du erinnerst dich an den Baum, die Espe. Triff mich, ich liebe dich, Dagny! Wirst du mich treffen? Komm, wann du willst, komm um sieben Uhr.

Sie antwortete nicht drauf, sondern sagte nur:

Lassen Sie mich jetzt los!

Und langsam wickelte sie sich aus seinen Armen.

Einen Augenblick lang blieb sie stehen und sah sich um, ihr Gesicht bekam einen immer verwirrteren Ausdruck, schließlich zitterte ein hilfloses Zucken um ihren Mund, und sie ging zu einem Stein am Wegrand, wo sie sich hinsetzte. Sie weinte.

Er beugte sich über sie und sprach leise. Das dauerte ein paar Minuten. Plötzlich springt sie auf, mit geballten Händen und weiß vor Zorn im Gesicht, sie preßt die Hände an die Brust und sagt rasend:

Sie sind ein abscheulicher Mensch, o Gott, wie sind Sie abscheulich! Aber das finden Sie selbst vielleicht nicht. Nein, wie konnten Sie, wie konnten Sie das tun?

Dann begann sie wieder zu weinen.

Er versuchte nochmals sie zu beruhigen, doch ohne Erfolg; eine halbe Stunde lang standen sie neben dem Stein am Wegrand und kamen nicht weg.

Sie wollen sogar, daß ich Sie wieder treffe, sagte sie, aber ich treffe Sie nicht, ich will Sie nicht mehr vor meinen Augen haben, Sie sind ein Schurke!

Er bat, warf sich vor ihr nieder und küßte ihr Kleid; aber sie wiederholte immerfort, daß er ein Schurke sei und daß er sich abscheulich betragen habe. Was hatte er in ihr ausgelöst? Gehen Sie, gehen Sie! Er dürfe sie nicht weiter begleiten, keinen Schritt!

Und sie begann heimwärts zu gehen.

Er wollte ihr trotzdem folgen; aber sie wehrte ihn mit der Hand fuchtelnd ab und sagte:

Kommen Sie nicht!

Er blieb stehen und sah ihr nach, bis sie sich zehn, zwanzig Schritte entfernt hatte, da ballt auch er die Hände, läuft ihr nach, trotzt ihrem Verbot und läuft ihr nach und zwingt sie, wieder stehenzubleiben.

Ich will Ihnen nichts Böses, sagte er, und haben Sie doch ein wenig Mitleid mit mir! So wie ich hier vor Ihnen stehe, bin ich bereit, mich zu töten, nur um Sie von mir zu befreien; es kostet Sie nur ein Wort. Und das würde ich Ihnen auch morgen wiederholen, wenn ich Sie träfe. Aber Sie können mir die Barmherzigkeit erweisen, mir Recht widerfahren zu lassen. Sie begreifen, ich unterliege einer von Ihnen ausgehenden Macht, über die ich nicht Herr bin. Und es ist doch nicht nur meine Schuld, daß ich Sie auf meinem Wege getroffen habe. Gott gebe, daß Sie niemals erleben, was ich jetzt erleide!

Dann wandte er sich um und ging.

Die schweren Schultern auf dem kurzen Körper zuckten wieder die ganze Zeit, als er den Weg hinunterging. Er sah niemand von denen, die ihm begegneten, kannte kein Gesicht, und er nahm erst wieder etwas wahr, nachdem er die ganze Stadt durchquert hatte und sich vor der Treppe des Hotels stehend fand.

XV

In den folgenden zwei, drei Tagen war Nagel nicht in der Stadt. Er war mit dem Dampfschiff verreist, und sein Zimmer im Hotel blieb verschlossen. Niemand wußte, wo er sich aufhielt; aber er hatte ein nordwärts fahrendes Schiff genommen und war vielleicht nur zu seiner Zerstreuung verreist.

Als er eines Morgens früh, noch ehe die Stadt auf den Beinen war, zurückkam, sah er bleich und übernächtigt aus. Er ging trotzdem nicht hinauf ins Hotel, sondern spazierte erst noch eine ganze Weile auf dem Kai auf und ab, darauf schlug er den ganz neuen Weg nach Indviken ein, wo es gerade aus dem Schornstein der Dampfmühle zu rauchen begann.

Er war nicht lange fort und trieb sich offenbar nur herum, um ein paar Stunden totzuschlagen. Als der Betrieb auf dem Markt anfing, war er da; er stand an der Ecke des Posthauses und beobachtete aufmerksam alle Kommenden und Gehenden, und als er Martha Gudes grünen Rock sah, trat er vor und grüßte.

Entschuldigung, sie habe vielleicht vergessen, wer er sei? Sein Name war Nagel, er hatte auf den Stuhl geboten, den alten Stuhl. Vielleicht hatte sie ihn schon verkauft?

Nein, sie hatte ihn nicht verkauft.

Gut. Und es sei wohl auch kein anderer bei ihr gewesen und habe den Preis hochgeschraubt? Kein Liebhaber?

Doch. Aber ...

Was? Wirklich? Es seien andere dagewesen? Was sagen

Sie, eine Dame? Ja, diese fürchterlichen Frauensleute, die würden jetzt überall ihren Schnabel reinstecken! Sie hatte also von dieser Rarität eines Stuhles Wind bekommen und mußte sie sofort an sich reißen. Doch, das sei die übliche Verfahrensweise der Frauenzimmer. Aber was hat sie denn geboten, wie hoch ist sie gegangen? Ich sagte Ihnen, ich lasse mir den Stuhl um keinen Preis entgehen, der Teufel hole mich, wenn ich das tue!

Martha wurde durch seine Heftigkeit konfus und beeilte sich zu antworten:

Nein, nein, Sie sollen ihn ja auch bekommen, mit Vergnügen.

Darf ich dann also heute abend gegen acht zu Ihnen kommen und die Sache abschließen?

Ja, das könne er vielleicht. Aber solle sie ihm nicht lieber den Stuhl ins Hotel schicken? Dann sei es abgemacht ...

Überhaupt nicht, ganz und gar nicht, das ließ er auf keinen Fall zu. Ein solches Ding müsse man behutsam und mit fachkundigen Händen handhaben; er vertrüge nicht einmal, daß ein Fremder ihn ansehe. Um acht Uhr würde er da sein. Hören Sie, ihm falle ein: kein Staubtuch, nichts abwaschen, um Gottes willen! Keinen Tropfen Wasser! ...

Nagel ging sofort ins Hotel, wo er sich, noch ganz angezogen, auf sein Bett legte und schwer und ruhig bis gegen Abend durchschlief.

Sowie er zu Abend gegessen hatte, begab er sich zum Kai hinunter, zu Martha Gudes kleinem Haus. Die Uhr war acht; er klopfte an und ging hinein.

Die Stube war frisch gewischt, der Boden war sauber und die Fenster geputzt; Martha selbst hatte sogar eine Perlenschnur um den Hals gelegt. Es war eindeutig, daß man ihn erwartete.

Er grüßte, setzte sich und begann sofort mit den Verhandlungen. Sie gab auch jetzt in keiner Weise nach, im Gegenteil, sie war eigensinniger denn je und wollte ihm dauernd den Stuhl umsonst geben. Schließlich benahm er sich wütend, drohte, ihr *fünf*hundert Kronen ins Gesicht zu schleudern und sich mit dem Stuhl davonzumachen. Ja, das hatte sie verdient! Auf eine solche Unvernunft war er in seinem ganzen Leben noch nicht gestoßen, und er fragte unter Schlägen auf den Tisch, ob sie denn vollkommen verrückt wäre.

Wissen Sie was, sagte er und sah sie scharf an, Ihr Widerstand fängt wirklich an, mich mißtrauisch zu machen. Sagen Sie mir aufrichtig: Der Stuhl ist doch wohl ehrlich erworben? Ja, denn ich will Ihnen sagen, ich habe es mit allen möglichen Leuten zu tun, und man kann niemals vorsichtig genug sein. Wenn der Stuhl durch Betrügerei oder Zweideutigkeit in Ihren Besitz gekommen ist, dann wage ich nicht, mich mit ihm abzugeben. Ich bitte Sie übrigens, mir zu verzeihen, wenn ich Ihre Weigerung mißdeute.

Und er beschwor sie kräftig, ihm die Wahrheit zu sagen.

Durch dieses Mißtrauen verwirrt, halb erschreckt und halb verletzt, rechtfertigte sie sich sofort: Der Stuhl war von ihrem Großvater hierher mitgebracht worden und war seit einhundert Jahren in Familienbesitz; er dürfe nicht glauben, daß sie diesbezüglich etwas verheimliche. Allmählich stiegen ihr Tränen in die Augen.

Gut, dann wolle er diesem Hickhack wirklich ein Ende bereiten, und damit Punktum! Er griff nach der Brieftasche.

Sie machte einen Schritt nach vorn, wie um ihn nochmals zu hindern; aber er legte, ohne sich stören zu lassen, die zwei roten Scheine auf den Tisch und klappte die Brieftasche wieder zu.

Bitte! sagte er.

Geben Sie mir wenigstens nur fünfzig Kronen! bat sie. Und sie war in diesem Moment so ratlos, daß sie ihm zweimal über das Haar strich, als sie ihn darum bat, nur um ihn dazu zu bringen nachzugeben. Sie selbst wußte nicht, was sie tat; aber sie strich ihm übers Haar und bat ihn wiederum, mit nur fünfzig Kronen davonkommen zu dürfen. Diese blöde Person hatte noch immer nasse Augen.

Er hob den Kopf und sah sie an. Dieser weißhaarige Habenichts, dieses Mädchen von vierzig Jahren, mit einem noch schwarzen, glühenden Blick und doch mit einem Wesen, das an eine Nonne gemahnte, diese eigentümliche und fremdartige Schönheit übte ihre Wirkung auf ihn aus und brachte ihn einen Augenblick ins Schwanken. Er nahm ihre Hand, tätschelte sie und sagte: Gott, wie sind Sie sonderbar, meine Liebe! Doch gleichzeitig stand er schnell auf und ließ ihre Hand los.

Dann hoffe ich also, daß Sie nichts dagegen haben, wenn ich den Stuhl jetzt sofort mitnehme, sagte er.

Und er nahm den Stuhl an sich.

Sie hatte offenbar keine Angst mehr vor ihm. Als sie sah, daß seine Hände bei der Berührung des alten Möbels schmutzig wurden, griff sie sofort in die Tasche und reichte ihm ihr Taschentuch zum Abwischen.

Das Geld lag noch auf dem Tisch.

Apropos, sagte er, erlauben Sie mir zu fragen, ob es nicht das beste wäre, daß Sie die Geschichte von diesem Geschäft möglichst ganz für sich behielten? Es ist doch besser, wenn nicht die ganze Stadt darüber Bescheid weiß; oder?

Ja, sagte sie nachdenklich.

An Ihrer Stelle würde ich das Geld sofort verstecken. Oder ich würde eigentlich erst etwas vors Fenster hängen. Nehmen Sie die Schürze da!

Wird es dann nicht zu dunkel? fragte sie. Aber sie nahm trotzdem die Schürze und hängte sie auf, und er half ihr dabei.

Übrigens hätten wir das besser gleich tun sollen, sagte er dann; es könnte mißverstanden werden, wenn mich hier Leute sähen.

Darauf antwortete sie nichts. Sie nahm das Geld vom Tisch, reichte ihm ihre Hand und bewegte die Lippen, aber brachte kein Wort heraus.

Während er noch dasteht und ihre Hand hält, sagt er plötzlich:

Hören Sie, darf ich Sie fragen: es ist vielleicht ziemlich hart für Sie, sich durchzuschlagen, ich meine, ohne Hilfe, ohne Unterstützung ... Ja, Sie bekommen vielleicht eine kleine Unterstützung?

Ja.

Ja, meine Liebe, verzeihen Sie mir, daß ich frage! Es fiel mir ein, wenn bekannt wird, daß Sie etwas Geld haben, dann bekommen Sie nicht nur keine Unterstützung mehr, sondern Ihr Geld wird sogar beschlagnahmt, einfach beschlagnahmt. Deshalb gilt es, unseren Handel vor jedermann geheimzuhalten; verstehen Sie? Ich will Ihnen nur als praktisch veranlagter Mann einen Rat geben. Sie sagen zu keiner lebenden Seele, daß wir diese Transaktion gemacht haben ... Da fällt mir übrigens noch ein, daß ich Ihnen kleinere Scheine geben sollte, damit Sie nicht zu wechseln brauchen.

An alles denkt er, an jede Zufälligkeit. Er setzt sich wieder und zählt die kleinen Scheine auf. Er zählt nicht genau, er gibt ihr alle kleinen Scheine, die er hat, nimmt sie auf gut Glück heraus und rollt das Bündel zusammen.

So, verstecken Sie das jetzt! sagt er.

Und sie wendet sich ab, hakt das Leibchen auf und verbirgt das Geld an ihrer Brust.

Doch als sie damit fertig ist, erhebt er sich noch immer nicht, er bleibt sitzen und sagt gleichsam zufällig:

Was ich noch sagen wollte – Sie kennen vielleicht Minute?

Und es fiel ihm auf, daß ihr Gesicht aufflammte.

Ich habe ihn einige Male getroffen, fährt Nagel fort, ich halte viel von ihm, er ist sicher treu wie Gold. Augenblicklich hat er von mir den Auftrag, mir eine Geige zu besorgen, und das macht er bestimmt, glauben Sie nicht? Na, Sie kennen ihn vielleicht nicht?

Doch.

Ach doch, stimmt ja, er erzählte mir, daß er bei Ihnen einige Blumen zu einem Begräbnis gekauft habe, zu Karlsens Begräbnis. Sagen Sie mir, Sie kennen ihn vielleicht ziemlich gut? Was für eine Meinung haben Sie von ihm? Sie glauben doch sicher auch, daß er den Auftrag zufriedenstellend ausführen kann? Wenn man mit so vielen Menschen zu tun hat, muß man sich bisweilen erkundigen. Ich habe einmal einen Batzen Geld verloren, gerade weil ich blind auf einen Mann vertraute, ohne mich über ihn zu erkundigen; das war in Hamburg.

Und aus irgendeinem Grund erzählt Nagel die Geschichte von dem Mann, durch den er Geld verloren hatte. Martha steht immer noch vor ihm und stützt sich auf den Tisch; sie ist unruhig, sie sagt schließlich ziemlich heftig:

Nein, nein, sprechen Sie nicht von ihm!

Von wem soll ich nicht sprechen?

Von Johannes, von Minute.

Heißt Minute Johannes?

Ja, Johannes.

Heißt er wirklich Johannes?

Ja.

Nagel schweigt. Diese einfache Auskunft, daß Minute Johannes heißt, gibt seinem Gedanken förmlich einen Stoß, verändert sogar für einen Augenblick den Ausdruck in seinem Gesicht. Eine Weile sitzt er völlig sprachlos da, dann fragt er:

Und warum nennen *Sie* ihn Johannes? Nicht Grøgaard, nicht Minute?

Sie antwortet verlegen und schlägt die Augen nieder:

Wir kennen uns, seit wir Kinder waren ...

Pause.

Jetzt sagt Nagel halb scherzend und im höchsten Grad gleichgültig:

Wissen Sie, welchen Eindruck ich bekommen habe? Daß Minute eigentlich stark in Sie verliebt sein muß. Doch, das ist mir wirklich aufgefallen, das ist wahr. Und das überrascht mich nicht sehr, obwohl ich zugeben muß, daß Minute da doch etwas dreist ist. Nicht wahr, er ist doch erstens kein Jüngling mehr, und dann ist er doch auch etwas verkrüppelt. Aber Herrgott noch mal, Frauen sind oft so sonderbar; wenn sie der Hafer sticht, gehen sie hin und werfen sich vollauf weg, aus freiem Willen, ja, mit Freuden, mit Begeisterung. Hehehe, so sind die Frauen. Im Jahre 1886 sah ich etwas von Seltenheitswert, daß eine junge Dame aus meiner Bekanntschaft sich glattweg mit dem Laufburschen ihres Vaters verheiratete. Ich werde das nie vergessen. Er war Volontär im Geschäft, ein Kind, sechzehn, siebzehn Jahre, ohne Spur von Bart; doch schön war er, ja, ganz ansehnlich, das muß ich zugeben. Und über dieses unerfahrene Kind warf sie sich mit einer rasenden Liebe und machte sich mit ihm ins Ausland davon. Ein halbes Jahr später kam sie zurück, und jetzt war die Liebe weg. Ja, ist das nicht betrüblich; doch die Liebe war weg! Na, dann langweilte sie sich ein paar Monate zu Tode, verheiratet war sie, und insofern war sie aus dem Rennen; was sollte sie tun? Da schlägt sie auf den Tisch und pfeift auf alles, sie wird richtig flatterhaft, treibt sich sozusagen unter Studenten und Handlungsgehilfen herum und endet unter dem Namen »La Glu«. Es ist jammerschade! Aber noch einmal verblüfft sie die Menschen: nachdem sie sich ein paar Jahre auf diese vortreffliche Art vergnügt hat, fängt sie eines Tages plötzlich an, Novellen zu schreiben, sie wird Schriftstellerin, und man sagt, sie habe großes Talent. Sie war unglaublich gelehrig, in diesen zwei Jahren unter Studenten und Handlungsgehilfen war sie außerordentlich gereift und hatte den Dreh herausbekommen, wie man schreibt. Von diesem Tag an schrieb sie die vorzüglichsten Sachen. Hehehe. Ja, das war ein verteufeltes Frauenzimmer! ... Na, aber so seid ihr Frauen. Ja, Sie lachen, aber Sie wagen nicht, es abzustreiten, nicht geradeheraus. Ein siebzehnjähriger Laufbursche kann sie fürwahr närrisch machen. Ich bin sicher, daß auch Minute nicht allein durch die Welt zu gehen braucht, wenn er sich ein bißchen anstrengt, sich ein wenig ins Zeug legt. Er hat nämlich etwas an sich, was sogar einem Mann auffallen kann, ja, mir auffällt: sein Herz ist so herausfordernd rein, und in seinem Mund ist kein Falsch. Nicht wahr, Sie kennen ihn in- und auswendig und wissen, daß es so ist? Was aber soll man dagegen von seinem Onkel sagen, dem Kohlenhändler? Ein alter Faulpelz, habe ich mir gedacht, eine unsympathische Person. Ich habe den Eindruck, daß eigentlich Minute diesen ganzen Laden schmeißt. Nun aber frage ich: warum sollte er nicht auch einen eigenen Laden schmeißen können? Kurz gesagt: Minute bringt es jederzeit fertig, eine Familie zu versorgen ... Sie schütteln den Kopf?

Nein, ich schüttle nicht den Kopf.

Also nicht, Sie werden ungeduldig und langweilen sich bei diesem Gerede über einen belanglosen Mann, und dazu haben Sie auch guten Grund ... Hören Sie, wo ich gerade daran denke – ja, Sie dürfen deswegen nicht aufgebracht werden, ich möchte Ihnen wirklich nur auf beste Art helfen –: Sie sollten Ihre Tür nachts wirklich gut verriegeln. Sie sehen mich so ängstlich an? Meine Liebe, haben Sie keine Angst und fassen Sie auch kein Mißtrauen gegen mich. Ich will Ihnen ja auch nur sagen, daß Sie, besonders jetzt, wo Sie Geld haben, auf das Sie aufpassen müssen, niemand zu sehr vertrauen dürfen. Ich habe nicht gerade gehört, daß es in der Stadt unsicher sei; aber man kann nicht vorsichtig genug sein. Gegen zwei Uhr ist es hier in der Gegend, wie Sie wissen, ziemlich dunkel, und gerade gegen zwei Uhr habe ich sogar vor meinen eigenen Fenstern einen verdächtigen Lärm gehört. Jaja, Sie werden doch nicht böse, weil ich Ihnen diesen Rat gegeben habe? ... Dann auf Wiedersehen! Ich freue mich, daß ich Ihnen schließlich doch noch den Stuhl abgetrotzt habe. Auf Wiedersehen, meine Liebe!

Damit drückte er ihre Hand. In der Tür drehte er sich noch einmal um und sagte:

Hören Sie, Sie sollten vielleicht lieber sagen, daß ich Ihnen für den Stuhl ein paar Kronen gegeben habe. Aber nicht mehr, keinen Schilling mehr, denn sonst wird das Geld beschlagnahmt, denken Sie daran. Nicht wahr, darauf kann ich mich verlassen?

Ja, antwortete sie.

Er ging und nahm den Stuhl mit. Er strahlte übers ganze Gesicht, gluckste und lachte laut, als sei ihm ein pfiffiger Schelmenstreich gelungen. Gott bewahre mich, wie sie sich jetzt freuen wird! sagte er sich frohgestimmt. Hehe, sie wird heut nacht kaum schlafen können vor lauter Reichtum! ...

Als er nach Hause kam, saß Minute da und wartete auf ihn.

Minute kam von der Probe und hatte einen Stoß Plakate unter dem Arm. Ja, die Lebenden Bilder versprachen höchst erfolgreich zu werden; sie sollten Szenen aus der Geschichte vorstellen und würden in buntem Licht vorgeführt; er selbst hatte eine Statistenrolle.

Und wann solle der Basar beginnen?

Der werde am Donnerstag eröffnet, am 9. Juli, dem Geburtstag der Königin. Aber schon heute abend solle Minute an allen möglichen Stellen die Plakate anbringen; man habe sogar die Erlaubnis bekommen, eins auf das Friedhofstor zu kleben ... Er sei übrigens gekommen, um wegen der Geige Bescheid zu sagen. Es sei ihm nicht möglich gewesen, eine aufzutreiben; die einzige brauchbare Geige in der Stadt stünde nicht zum Verkauf, sie gehöre dem Organisten, der sie auf dem Basar einsetzen würde; er hätte einige Nummern zu spielen.

Na, dann sei da eben nichts zu machen.

Minute machte sich zum Gehen fertig. Während er schon mit der Mütze in der Hand dasteht, sagt Nagel:

Aber sollten wir uns nicht einen stillen Becher genehmigen? Ich muß Ihnen sagen, ich bin heute abend gut gelaunt, es ist mir etwas Freudiges passiert. Wissen Sie, ich bin unter großen Anstrengungen endlich in den Besitz eines Möbels gelangt, zu dem kein Sammler hier im Land ein Gegenstück hat, da bin ich sicher; es ist dieser Stuhl hier! Sehen Sie ihn sich an! Verstehen Sie sich auf eine Perle, einen ganz einmaligen Holländer? Ich verkaufe ihn nicht für ein Vermögen, da sei Gott vor! Und aus diesem Anlaß möchte ich so gerne ein Glas mit Ihnen trinken, wenn Sie nichts dagegen haben. Darf ich klingeln? Nicht? Aber die Plakate können Sie doch morgen anschlagen ... Nein, ich kann mein großes Glück heute gar nicht vergessen! Sie wissen vielleicht nicht, daß ich gelegentlich auch Sammler bin und daß ich mich hier auch aufhalte, um Seltenheiten aufzuspüren! Ich habe Ihnen wohl auch noch nicht von meinen Kuhglocken erzählt? Nein, aber lieber Gott, dann haben Sie ja keinen Begriff davon, was für ein Mann ich bin. Natürlich bin ich Agronom, aber ich habe doch auch noch darüber hinaus gehende Interessen. Ja, bis dato habe ich zweihundertundsiebenundsechzig Kuhglocken. Vor zehn Jahren fing ich an, sie zusammenzutragen, und jetzt habe ich Gott sei Dank eine Sammlung von hohem Rang. Und dieser Stuhl hier, wissen Sie, wie ich den in die Pfoten bekam? Zufall, Schweineglück! Ich gehe eines Tages auf der Straße, komme an einem kleinen Haus unten am Kai vorbei, und aus alter Gewohnheit lugte ich im Vorbeigehen schräg durchs Fenster. Da halte ich plötzlich inne, mein Blick fällt auf den Stuhl, und ich sehe sofort, was er wert ist. Ich klopfe an und gehe in das Haus, eine ältliche, weißhaarige Dame empfängt mich ... ja, wie hieß sie doch gleich? Na, das kann ja auch egal sein, Sie kennen sie ja doch nicht; ein Fräulein Gude, glaube ich. Martha Gude oder so ähnlich ... Schön, sie weigerte sich, von dem Stuhl zu lassen, aber ich scharwenzle dann so lange, bis ich ihn fest versprochen bekomme, und heute habe ich ihn mir dann geholt. Aber das beste von allem ist, daß ich ihn umsonst bekommen habe, sie gab ihn mir gratis. Ja, ich warf ihr ein paar Kronen auf den Tisch, damit sie nichts zu bereuen hätte; aber der Stuhl ist Hunderte wert. Das bitte ich Sie, für sich zu behalten; man möchte doch nicht in schlechten Ruf geraten. Ich habe mir ja auch nichts vorzuwerfen. Dieses Fräulein verstand sich nicht auf den Handel, und ich, als Fachmann und Käufer, hatte keinerlei Verpflichtung, auf ihren Vorteil zu sehen. Nicht wahr, man darf doch nicht dumm sein, man muß eine günstige Gelegenheit ausnützen, das ist der Kampf ums Dasein ... Können Sie es nun ausschlagen, ein Glas Wein zu trinken, wenn Sie hören, aus welchem Grund?

Minute blieb dabei, daß er fort müsse.

Das ist bedauerlich, fährt Nagel fort. Ich hatte mich auf ein Gespräch mit Ihnen gefreut. Sie sind der einzige Mann am Ort, der mein Interesse weckt, von Anfang an, der einzige, den etwas im Auge zu behalten sich sozusagen lohnt. Hehe, im Auge zu behalten, also. Sie heißen ja überdies Johannes? Mein lieber Freund, das habe ich schon lange gewußt, ohne daß es mir jemand vor heute abend erzählt hätte ... Ja, lassen Sie sich jetzt nur nicht wieder erschrecken. Es ist doch ein scheußliches Unglück, daß ich die Leute immer in Angst versetze. Doch, streiten Sie es nicht ab, Sie starrten mich einen Augenblick wirklich etwas entsetzt an, ohne daß ich gerade behaupten will, es sei auch ein Ruck durch Sie gegangen ...

Jetzt war Minute bis zur Tür gekommen. Es schien, als wolle er kurzen Prozeß machen und das Haus umgehend verlassen. Das Gespräch wurde auch immer unerfreulicher.

Ist heute der 6. Juli? fragt Nagel plötzlich.

Ja, antwortet Minute, heute ist der 6. Juli. Damit legt er die Hand auf die Türklinke.

Nagel geht langsam auf ihn zu, rückt ihm dicht auf den Leib, starrt ihm ins Gesicht und legt gleichzeitig seine Hände auf den Rücken. Während er in dieser Stellung verharrt, sagt er mit flüsternder Stimme:

Und wo waren Sie am 6. Juni?

Minute antwortete nicht, kein Wort. Entsetzt von diesen starrenden Augen und entgeistert von dem geheimnisvollen Flüstern, außerstande, diese kleine desperate Frage nach einem Tag, einem Datum des vorigen Monats zu verstehen, reißt er hastig die Tür auf und taumelt hinaus auf den Gang. Hier flattert er einen Augenblick umher und findet die Treppe nicht, unterdessen steht Nagel in der Tür und ruft ihm zu:

Nein, nein, das ist verrückt; ich bitte Sie, es zu vergessen! Ich werde es Ihnen ein andermal erklären, ein andermal ...

Aber Minute hörte nichts. Er war schon unten im Flur, bevor Nagel fertiggesprochen hatte, und von dort stürzte er – ohne nach rechts oder links zu sehen – auf die Straße, den Markt hinunter bis zu dem großen Pumpbrunnen, wo er in die erste Seitenstraße bog und verschwand.

Eine Stunde später – die Uhr war zehn – steckte sich Nagel eine Zigarre an und ging aus. Die Stadt war noch nicht zur Ruhe gekommen; auf dem Weg Richtung Pfarrhof sah man eine Menge Spaziergänger, die sich in langsamem Gang vor und zurück bewegte, und in den Straßen ringsumher hallte noch das Gelächter und der Lärm spielender Kinder. Frauen und Männer saßen an dem milden Abend draußen und auf den Treppen und sprachen leise miteinander; hie und da riefen sie über die Straße zu den Nachbarn und bekamen eine freundliche Antwort.

Nagel ging hinunter zum Hafen. Er sah, wie Minute an der Post, an der Bank, an der Schule und am Gefängnis Plakate anklebte. Wie genau und gewissenhaft er das machte! Wieviel guten Willen er aufwandte und nicht auf die Zeit achtete, obwohl er es nötig hätte, sich auszuruhen. Nagel ging dicht an ihm vorbei und grüßte, blieb aber nicht stehen.

Als er fast bis zum Hafen gekommen war, wurde er von einer Stimme hinter ihm angesprochen; Martha Gude hält ihn an und sagt völlig außer Atem:

Entschuldigung! Sie haben mir zuviel Geld gegeben.

Guten Abend! antwortete er. Machen Sie auch einen Spaziergang?

Nein, ich bin oben in der Stadt gewesen, vor dem Hotel, ich habe auf Sie gewartet. Ja, Sie haben mir zuviel Geld gegeben.

Sollen wir nun wieder mit dieser Komödie anfangen?

Aber Sie haben sich vertan! ruft sie bestürzt. Es waren mehr als zweihundert in kleinen Scheinen.

Na, so was auch! Ja so, waren es wirklich ein paar Kronen zuviel, ein paar Kronen mehr als zweihundert? Gut, die können Sie mir dann ja zurückgeben.

Sie beginnt ihr Leibchen aufzuknöpfen, hält jedoch plötzlich inne, sieht sich um und weiß nicht, was sie tun soll. Dann bat sie wieder um Entschuldigung; hier seien so viele Leute, sie könne das Geld hier auf der Straße vielleicht nicht herausnehmen, sie hatte es so gut verwahrt ...

Nein, beeilte er sich zu antworten, ich kann es ja holen, lassen Sie es mich nur holen.

Und sie gingen zusammen zu ihr. Sie begegneten vielen Menschen, die sie mit neugierigen Augen ansahen.

Als sie in ihre Stube gekommen waren, setzte sich Nagel ans Fenster, wo er schon früher gesessen hatte und wo als

Vorhang noch immer die Schürze hing. Während Martha damit beschäftigt war, das Geld hervorzusuchen, sagte er nichts; erst als sie fertig war und ihm diese Handvoll kleiner Scheine reichte, einige abgenützte und ausgeblichne Zehnkronenscheine, die noch warm waren von ihrer Brust und die auch nur noch eine Nacht bei sich zu behalten ihre Ehrlichkeit verbot, sprach er zu ihr und bat sie, das Geld zu behalten.

Doch jetzt schien sie wieder, wie schon früher einmal, bezüglich seiner Absicht Verdacht zu schöpfen; sie sah ihn unsicher an und sagte:

Nein ... ich verstehe Sie nicht ...

Er erhob sich brüsk.

Aber ich verstehe Sie außerordentlich gut, antwortete er, deshalb stehe ich auf und gehe zur Tür. Sind Sie dann beruhigt?

Ja ... Nein, Sie brauchen nicht an der Tür zu stehen. Und sie streckte andeutungsweise wirklich beide Arme aus, wie um ihn zurückzuholen. Das sonderbare Mädchen war allzu ängstlich, um jemand zuwiderzuhandeln.

Ich habe eine Bitte, sagte Nagel dann, aber er setzte sich noch immer nicht; Sie könnten mir eine große Freude machen, wenn Sie wollten ... ja, und ich würde es Ihnen auch auf die eine oder andere Weise vergelten: ich wollte Sie bitten, am Donnerstag abend zum Basar zu kommen. Wollen Sie mir das Vergnügen machen? Das wird Sie zerstreuen, da gibt es Menschen, viel Licht, Musik, Lebende Bilder. Ach, tun Sie es, Sie werden es nicht bereuen! Sie lachen; warum lachen Sie? Gott, was für weiße Zähne Sie haben, Menschenskind!

Ich kann doch nirgends hingehen, antwortete sie. Wie können Sie glauben, daß ich da hingehen kann? Und warum sollte ich das tun, warum wollen Sie mich dazu bringen?

Er erklärte ihr das Ganze offen und ehrlich: es sei ein Einfall von ihm, er hätte schon lange daran gedacht, schon vor ein paar Wochen sei ihm der Gedanke gekommen, aber er hätte es bis jetzt gerade wieder vergessen gehabt. Sie solle nur hinkommen, sie solle mit dabei sein, er möchte sie dort sehen. Wenn sie es wünschte, dann würde er überhaupt nicht einmal mit ihr reden, er würde sie also in keiner Weise belästigen, das sei nicht seine Absicht. Es würde ihn nur freuen, sie einmal zwischen den anderen zu sehen, sie lachen zu hören, sie richtig jung zu sehen. Meine Liebe, Sie müsse es wirklich tun!

Er sah sie an. Wie abstechend weiß ihr Haar ist, und wie dunkel ihre Augen! Sie fingerte mit der einen Hand an den Knöpfen ihres Leibchens, und diese Hand, eine schwache, langfingrige Hand, war von grauer Farbe, sie war vielleicht auch nicht ganz sauber, aber sie machte einen merkwürdig keuschen Eindruck. Über die Handgelenke liefen zwei blaue Adern.

Ja, sagte sie, es könne vielleicht nett werden. Aber sie hatte nicht einmal Kleider, nicht einmal ein passendes Kleid für so einen Abend ...

Er unterbrach sie: es seien noch drei weitere Arbeitstage bis dahin; man könne sich bis Donnerstag noch besorgen, was fehle. Doch, Zeit sei genug! Dann sei es also abgemacht?

Und zögernd gab sie schließlich nach.

Ja, denn man dürfe sich nicht ganz vergraben, sagte er; davon hatte man nichts. Und außerdem, mit ihren Augen, ihren Zähnen, nein, es sei eine Schande! Und das Kleingeld dort auf dem Tisch sollte für das Kleid sein, doch doch, keine Einwände! Um so mehr, als es sein Einfall sei und es sie Überwindung gekostet hatte, sich ihm zu fügen.

Er sagte gute Nacht wie gewöhnlich, kurz und bündig, ohne ihr auch nur den leisesten Grund zur Beunruhigung zu geben. Als sie ihn dann in den Flur hinausbegleitete, war sie es, die ihm nochmals die Hand reichte und dankte, weil er sie zu diesem Basar eingeladen hatte. Das war ihr seit vielen, vielen Jahren nicht mehr passiert, das war für sie so ungewohnt geworden. Ja, sie würde sich schon gut aufführen ...

Das große Kind, sie versprach sogar, sich gut aufzuführen, obwohl er sie nicht darum gebeten hatte.

XVI

Der Donnerstag kam, es regnete ein bißchen, aber am Abend wurde der Basar trotzdem mit Pauken und Trompeten und größtem Publikumsandrang eröffnet. Die ganze Stadt war gekommen, sogar vom Land kamen die Leute angereist, um an dieser seltenen Vergnügung teilzunehmen.

Als Johan Nagel gegen neun Uhr in den Festsaal trat, war das Haus voll. Er fand einen Platz nahe der Tür, wo er einige Minuten stehenblieb und einer Rede zuhörte. Er war bleich und hatte wie immer seine gelbe Kluft an; aber die Binde an der Hand hatte er abgenommen, die beiden Wunden waren fast verheilt.

Er sah Doktor Stenersen und Frau oben bei der Tribüne; ein wenig rechts von ihnen stand auch Minute, zusammen mit den übrigen Akteuren der Lebenden Bilder, aber Dagny war nicht dort.

Die Hitze der Lampen und alle diese zusammengepferchten Menschen trieben ihn bald aus dem Saal; in der Tür traf er den Assessor Reinert, den er grüßte, von dem er aber kaum ein kleines Nicken zur Antwort erhielt. Er blieb draußen auf dem Flur stehen.

Da entdeckte er etwas, das noch lange Zeit danach seine Gedanken beschäftigte und seine Neugier weckte: links von ihm steht die Tür zu einem Nebenzimmer offen, in dem das Publikum die Garderobe aufgehängt hat, und im Lampenlicht erkennt er deutlich Dagny Kielland, die dort steht und an seinem Mantel, den er an einen Haken gehängt hatte, herumfingert. Er irrte sich nicht, es gab sonst keinen in der Stadt, der einen solchen gelben Frühjahrsmantel hatte; es war wirklich seiner, er erinnerte sich außerdem genau, wo er ihn hingehängt hatte. Sie machte sonst nichts, sie schien nach etwas zu suchen und benutzte gleichzeitig die Gelegenheit, mit der Hand immer wieder über seinen Mantel zu streichen. Er wandte sich stracks ab, um sie nicht zu überraschen.

Dieses kleine Ereignis versetzte ihn sofort in Unruhe.

Wonach suchte sie, und was hatte sie mit seinem Mantel zu schaffen? Er dachte die ganze Zeit darüber nach und konnte es nicht vergessen. Gott weiß, vielleicht hatte sie kontrollieren wollen, ob er Schußwaffen in den Taschen hätte; sie hielt ihn wohl für so verrückt, daß ihm was auch immer zuzutrauen wäre. Doch angenommen, daß sie ihm einen Brief zugesteckt hätte?

Er brachte es wirklich fertig, sich auch diese freudige Unmöglichkeit vorzustellen. Nein, nein, sie hatte sicher nur nach ihrem Umhang gesucht, das Ganze war ein Zufall; wie konnte er so hoffnungslose Einbildungen hegen! ... Kurz danach, als er sah, wie sich Dagny den Weg in den Saal hinein bahnte, ging er jedoch sofort hinaus und durchsuchte klopfenden Herzens seine Manteltaschen. Da war kein Brief, nichts, nur seine eigenen Handschuhe und ein Taschentuch.

Im Saal toste ein Klatschen, die Eröffnungsrede des Stadtkämmerers war zu Ende. Und jetzt strömte das Publikum hinaus in die Gänge, in die Seitenzimmer, an alle möglichen kühlen Orte, wo man sich allseitig niederließ und Erfrischungen genoß. Als Servierfräuleins gekleidet, mit weißer Schürze und Serviette über dem Arm, huschten mehrere junge Damen der Stadt mit Tabletts und Gläsern in beiden Händen umher.

Nagel suchte nach Dagny; sie war nirgendwo zu sehen. Er grüßte Fräulein Andresen, die auch eine weiße Schürze trug; er bat um Wein, und sie brachte ihm Champagner.

Er sah sie verdutzt an.

Sie trinken doch nichts anderes, sagte sie lächelnd.

Diese etwas boshafte Aufmerksamkeit ließ ihn aber doch lebhafter als vorher werden. Er bat sie, ein Glas mitzutrinken, und sie setzte sich wirklich sofort hin, obwohl sie ordentlich beschäftigt war. Er dankte ihr für ihre Liebenswürdigkeit, machte ihr Komplimente wegen ihres Kleides, war entzückt über eine alte Silberbrosche, die sie an ihrem Halsband trug. Sie machte sich gut; das lange, aristokratische Gesicht mit der großen Nase war außerordentlich fein, fast krankhaft fein, und es veränderte sich nicht, machte keine nervösen Bewegungen. Sie sprach mit beherrschter Ruhe, man hatte in ihrer Gesellschaft ein Gefühl von Sicherheit, sie war die Dame, die Frau.

Als sie sich erhob, sagte er:

Es soll heute abend jemand hier sein, dem ich so gerne eine kleine Aufmerksamkeit erweisen möchte, es ist Fräulein Gude, Martha Gude, ich weiß nicht, ob Sie sie kennen? Ich hörte, sie sei hier. Ich kann nicht sagen, wie gerne ich sie auf die eine oder andere Weise etwas erfreuen möchte; sie ist so einsam, Minute hat mir einiges über sie erzählt. Glauben Sie nicht, mein Fräulein, daß ich sie bitten kann, hierher zu uns zu kommen? Natürlich vorausgesetzt, daß Sie nichts dagegen haben?

Nein, im Gegenteil, ganz im Gegenteil! antwortet Fräulein Andresen; und ich werde sie mit Vergnügen jetzt sofort herschaffen. Ich weiß, wo sie sitzt.

Aber kommen auch Sie zurück?

Ja, gerne!

Während Nagel nun dasitzt und wartet, kommen der Assessor Reinert, der Adjunkt und Dagny herein. Nagel steht auf und grüßt. Dagny war bleich, trotz der Hitze; sie hatte ein gelbliches Kleid mit kurzen Ärmeln an und um den Hals eine allzu dicke Goldkette. Diese Goldkette war äußerst unkleidsam. Dagny blieb einen Augenblick an der Tür stehen; sie hielt die eine Hand auf dem Rücken und fingerte an ihrem Zopf herum.

Nagel ging zu ihr. Er bat sie mit wenigen, leidenschaftlichen Worten, ihm doch seine großen freitäglichen Vergehen zu verzeihen; es sollten die letzten, die allerletzten gewesen sein; sie sollte nie wieder Grund haben, ihm noch etwas zu verzeihen. Er sprach leise, sagte die Worte, die gesagt werden mußten, und hörte auf.

Sie hörte ihm zu, sah ihn sogar an, und als er fertig war, sagte sie:

Ich weiß kaum noch, wovon Sie sprechen, ich habe es vergessen, ich *will* es vergessen.

Damit ging sie. Sie hatte ihn sehr gleichgültig angesehen.

Überall summten die Leute, man hörte das Klirren von

Tassen und Gläsern, das Knallen von Korken, Gelächter, Rufe und aus dem Saal die städtischen Blechbläser, die so außerordentlich schlecht bliesen ...

Als Fräulein Andresen und Martha hereinkamen, war auch Minute dabei; sie setzten sich alle an Nagels Tisch, wo sie eine Viertelstunde sitzen blieben. Fräulein Andresen brachte ab und zu ein Tablett zu den Leuten, die nach Kaffee riefen; schließlich blieb sie ganz weg, sie bekam zuviel zu tun.

Jetzt folgten die verschiedenen Nummern des Programms: ein Quartett sang; der Student Øien deklamierte mit starker Stimme ein Gedicht aus eigener Feder, zwei Damen spielten Klavier, und der Organist gab sein erstes Violinsolo. Noch immer saß Dagny bei den beiden Herren. Schließlich kam eine Nachricht für Minute: es mußte verschiedenerlei besorgt werden, es mußten mehr Gläser besorgt werden, mehr Tassen, mehr belegte Brote, alles war zu knapp bemessen gewesen für diese Menschenmasse, diese kleinstädtische Menschenmasse.

Als Nagel mit Martha allein blieb, erhob auch sie sich und wollte gehen. Sie könne nicht allein hier sitzen bleiben, sie hätte bereits den Assessor seine Bemerkung machen sehen, und daß Fräulein Kielland darüber gelacht hätte. Nein, es wäre am besten, sie ginge.

Aber Nagel überredete sie, jedenfalls noch ein kleines Glas zu trinken. Martha war in Schwarz; das neue Kleid saß gut, aber es stand ihr nicht, es machte das eigenartig aussehende Mädchen älter und stach gegen ihr weißes Haar zu sehr ab. Nur die Augen glühten stark, und wenn sie lachte, wurde dieses feurige Gesicht quicklebendig.

Er sagte:

Unterhalten Sie sich denn? Fühlen Sie sich heute abend wohl?

Ja, danke! antwortete sie, mir geht es gut.

Er unterhielt sich unaufhörlich mit ihr, paßte sich ihr an, kam darauf, ihr einen Schwank zu erzählen, über den sie sehr lachte, es war die Geschichte, wie er in den Besitz einer seiner teuersten Kuhglocken gekommen war. Ein

Schatz, eine unschätzbare Antiquität! Es war der Name einer Kuh eingraviert, die Kuh hieß übrigens Øystein, da hatte es sich wohl sicher um einen Stier gehandelt ...

Hier fing sie auf einmal an zu lachen. Sie vergaß sich, vergaß, wo sie war, schüttelte den Kopf und lachte wie ein Kind über diesen armseligen Klamauk. Sie strahlte geradezu.

Stellen Sie sich vor, sagte er, ich glaube, Minute war eifersüchtig.

Nein, antwortete sie zögernd.

Ich hatte den Eindruck. Übrigens will ich auch am liebsten allein mit Ihnen hier sitzen. Es ist so schön, Sie lachen zu hören.

Sie antwortete nicht, sie sah zu Boden.

Und sie sprachen weiter. Er saß die ganze Zeit so, daß er zu Dagnys Tisch hinübersehen konnte.

Einige Minuten vergingen. Fräulein Andresen kam für einen Augenblick zurück, sprach ein paar Worte, trank aus ihrem Glas und ging wieder.

Jetzt verließ Dagny plötzlich ihren Platz und kam zu Nagels Tisch.

Wie lustig es bei Ihnen zugeht! sagte sie, und ihre Stimme bebte etwas. Guten Abend, Martha! Worüber lacht ihr denn so?

Wir unterhalten uns in vorzüglicher Weise, antwortete Nagel. Ich schwadroniere, und Fräulein Gude ist allzu nachsichtig mit mir, sie hat immer wieder gelacht ... Wir dürften Ihnen wohl kein Glas anbieten?

Dagny setzte sich.

Ein außerordentlich starker Beifallssturm aus dem Saal gab Martha den Vorwand, aufzustehen und zu sehen, was da vorging. Sie zog sich immer weiter zurück; schließlich rief sie über die Schulter: Es ist ein Zauberkünstler, das muß ich sehen! Dann ging sie.

Pause.

Sie haben Ihre Gesellschaft verlassen, sagte Nagel, und er wollte mehr sagen, doch Dagny unterbrach ihn sofort:

Und Ihre Sie.

Ach, sie kommt sicher zurück. Sieht Fräulein Gude nicht eigenartig aus? Heute abend ist sie froh wie ein Kind.

Dagny antwortete nicht darauf, sie fragte:

Sie waren verreist?

Ja.

Pause.

Finden Sie es heute abend hier wirklich so unterhaltsam?

Ich? Ich weiß nicht einmal, was hier überhaupt vor sich geht, antwortete er. Ich bin nicht gerade hergekommen, um mich zu vergnügen.

Und wozu sind Sie dann hergekommen?

Um Sie wiederzusehen, natürlich. Ja, natürlich nur aus Abstand, stumm ...

Ach so. Und zu diesem Zweck nehmen Sie eine Dame mit?

Das verstand er nicht. Er sah sie an und dachte nach.

Meinen Sie etwa Fräulein Gude? Ich weiß nicht, was ich antworten soll. Man hat mir von ihr so viel erzählt, sie sitzt Jahr um Jahr allein zu Hause, ihr Leben ist ganz und gar freudlos. Ich habe sie nicht mit hergebracht, ich wollte sie hier nur ein bißchen unterhalten, damit sie sich nicht langweilt, das ist alles. Fräulein Andresen holte sie an diesen Tisch. Gott, wie schlecht es dieser Frau ergangen ist! Ihr Haar ist schon ganz weiß ...

Ja, Sie glauben doch wohl nicht ... aber Sie bilden sich doch wohl nicht ein, daß ich eifersüchtig bin; oder? Sie irren sich! Ja, ich erinnere mich, was Sie von einem verrückten Mann erzählten, der in vierundzwanzig Wagen fuhr; der Mann war ein S-Stotterer, wie Sie sagten, und er verliebte sich in ein Mädchen, das Klara hieß. O ja, ich erinnere mich ganz deutlich. Und obwohl Klara nichts mit ihm zu schaffen haben wollte, ertrug sie nicht, daß ihre bucklige Schwester ihn kriegte. Ich weiß nicht, warum Sie mir das erzählten, das werden Sie selbst am besten wissen, es ist mir egal. Aber eifersüchtig werden Sie mich nicht machen, falls es das ist, was Sie heute abend erreichen wollten. Nein, weder Sie noch Ihr s-stotternder Mann!

Aber guter Gott! sagte er, das können Sie doch nicht ernst meinen.

Pause.

Doch, antwortete sie.

Sie meinen, ich würde mich so benehmen, wenn ich Sie eifersüchtig machen wollte? Mit einer Dame von vierzig aufkreuzen, sie weggehen lassen, sobald Sie erscheinen – Sie müssen mich ja für beschränkt halten.

Ich weiß durchaus nicht, was Sie sind, ich weiß nur, daß Sie sich an mich herangemacht und mir die peinlichsten Stunden meines Lebens bereitet haben und daß ich mich jetzt selbst nicht mehr verstehe. Ich weiß nicht, ob Sie beschränkt sind, ich weiß auch nicht, ob Sie verrückt sind; ich werde mich auch nicht damit aufhalten, das herauszufinden, mir ist ganz egal, was Sie sind.

Ja, das stimmt wohl, sagte er.

Ja, warum sollte es mir auch nicht egal sein? fuhr sie, durch seine Nachgiebigkeit gereizt, fort. Was in aller Welt habe ich mit Ihnen zu schaffen? Sie haben sich mir gegenüber schlecht aufgeführt, und deshalb sollte ich mich jetzt noch zusätzlich mit Ihnen beschäftigen? Sie erzählen mir noch dazu eine Geschichte voller Andeutungen, ich bin sicher, daß Sie mir das von Klara und ihrer Schwester nicht grundlos erzählten, nein, ganz bestimmt nicht. Aber warum verfolgen Sie mich? Ich meine nicht in diesem Augenblick, jetzt habe ich Sie ja aufgesucht; aber sonst, warum lassen Sie mich sonst nicht in Frieden? Und daß ich mich jetzt eine Minute hier aufgehalten habe und ein paar Worte mit Ihnen wechselte, das deuten Sie wahrscheinlich so, daß es mir sehr darum zu tun ist, mir sehr viel daran gelegen ist ...

Mein Fräulein, nein, ich bilde mir nichts ein.

Nicht? Aber ich weiß ganz und gar nicht, ob Sie die Wahrheit sagen, nein, das weiß ich nicht. Ich zweifle an Ihnen, ich mißtraue Ihnen und traue Ihnen so ziemlich alles zu. Es ist gut möglich, daß ich jetzt ungerecht bin, doch ich habe wohl auch einmal das Recht, Ihnen weh zu tun. Ich habe all Ihre Andeutungen und Pläne so satt ...

Er sagte nichts, er drehte langsam sein Glas auf dem Tisch. Und als sie wiederholte, daß sie ihm nicht glaube, antwortete er lediglich:

Nein, das geschieht mir recht.

Ja, fuhr sie fort, und ich glaube Ihnen auch so gut wie gar nichts mehr. Mir waren sogar Ihre Schultern verdächtig, daß Ihre breiten Schultern aus Watte sein könnten. Ich gestehe offen, daß ich vorhin in dem Zimmer dort war und Ihren Mantel untersuchte, ob Sie nicht Schulterpolster haben. Und obwohl ich unrecht hatte und mit den Schultern alles in Ordnung ist, bin ich doch mißtrauisch, dagegen kann ich nicht an. Sie würden zum Beispiel, da Sie nun einmal nicht besonders groß sind, ohne weiteres zu jedwedem Mittel greifen, um sich ein paar Zoll größer zu machen. Ich bin sicher, Sie würden das tun, wenn es ein solches Mittel gäbe. Du guter Gott, muß man denn nicht Mißtrauen gegen Sie fassen? Wer sind Sie eigentlich? Und warum sind Sie hier in die Stadt gekommen? Sie firmieren ja nicht einmal unter Ihrem eigenen Namen, Sie heißen ja eigentlich Simonsen, ganz einfach Simonsen! Das habe ich aus dem Hotel gehört. Sie sollen Besuch von einer Dame gehabt haben, die Sie kannte und die Sie mit Simonsen anredete, ehe Sie es verhindern konnten. Gott, wie lächerlich und schlecht auch das ist! In der Stadt erzählt man, daß Sie sich einen Spaß daraus machen, kleinen Jungens Zigarren zu schenken, und daß Sie auf der Straße einen Skandal nach dem anderen auslösen. So sollen Sie ein Dienstmädchen, das Sie eines Tages auf dem Marktplatz trafen, gefragt haben, ja in Gegenwart mehrerer Leute nach etwas gefragt haben. Aber trotz alledem finden Sie, es sei ganz in Ordnung, sich mir zu erklären und sich immer wieder vor mir zu exponieren und ... Das eben bringt mich so unsäglich auf, daß Sie sich erdreisten ...

Sie hielt inne. Mehrere Zuckungen des Mundes verrieten ihre Erregung, jedes Wort, das sie sprach, war heftig und bewegt, es war ihr ernst, und sie nahm kein Blatt vor den Mund. Es entstand eine kleine Pause, dann antwortete er:

Ja, Sie haben recht, ich habe Ihnen viele Unannehmlichkeiten bereitet ... Es ist klar, wenn man einen Monat lang Tag für Tag jemand belauert, sich all seine Worte und alles, was er tut, merkt, dann findet man etwas Fehlerhaftes, bei dem man nachhaken kann. Ein bißchen Unrecht kann man einem ja antun, doch das macht nicht viel, das gebe ich zu. Die Stadt hier ist nicht groß, ich falle etwas auf, man stolpert über mich, wenn ich in Sicht komme, haben alle ihre Augen überall; das ist nicht zu vermeiden. Und ich bin nun einmal nicht so, wie ich sein sollte.

Ja, Herrgott noch mal! sagte sie kurz und scharf, natürlich finden Sie diese Beachtung nur, weil die Stadt so klein ist, das versteht sich von selbst. In einer größeren Stadt würden Sie kaum der einzige sein, der die Aufmerksamkeit der Leute auf sich zöge.

Diese kalte und äußerst treffende Antwort weckte zunächst seine unverhohlne Bewunderung. Er war schon im Begriff, dies mit irgendeinem Kompliment anzuerkennen, besann sich aber. Sie war allzu erregt, zu sehr gegen ihn eingenommen, und außerdem unterschätzte sie seine Bedeutung etwas zu sehr. Das verletzte ihn ein bißchen. Was also stellte er in ihren Augen dar? Einen ganz gewöhnlichen, fremden Mann in einer kleinen Stadt, einen Mann, der nur deswegen beachtet wurde, weil er ein Fremder in dieser Stadt war und eine gelbe Kluft anhatte. Er sagte etwas bitter:

Aber erzählt man denn nicht auch, daß ich einmal einen unzüchtigen Vers auf einen Grabstein geschrieben habe, auf Mina Meeks Grabstein? Hat das keiner gesagt? Es ist wahr, ja, es ist wahr. Es ist auch wahr, daß ich in der Apotheke dieser Stadt, in ebendieser Stadt hier, gewesen bin und Medikamente gegen eine ekelerregende Krankheit, deren Namen ich auf Papier geschrieben hatte, verlangt habe, daß ich aber diese Medikamente nicht bekommen konnte, weil ich kein Rezept hatte. Und, wo es mir gerade einfällt: hat Minute Ihnen nicht erzählt, daß ich ihn einmal mit zweihundert Kronen bestechen wollte, an meiner Statt eine Vaterschaft zu übernehmen? Auch das ist die reine

Wahrheit, Minute kann es selbst bezeugen. Ach, ich könnte sicher noch viele Einzelheiten hinzufügen ...

Nein, das ist nicht nötig, es reicht schon, antwortete sie trotzig. Und während ihre Augen kalt und hart wurden, erinnerte sie ihn an die falschen Telegramme, den Reichtum, den er sich zutelegraphiert hatte, an den Geigenkasten, mit dem er herumzog, obwohl er keine Geige hatte und sie auch nicht spielen konnte, an das eine nach dem anderen, an alle seine Betrügereien, sogar an die Rettungsmedaille, die er gemäß seines eigenen Geständnisses auch nicht auf die ehrlichste Weise erworben hatte. Sie erinnerte sich an alles und schonte ihn nicht; jede Kleinigkeit erhielt in diesem Augenblick Bedeutung für sie, und sie ließ ihn wissen, daß sie nunmehr glaube, er habe all diese schlimmen Streiche, von denen sie früher angenommen habe, sie seien nur erlogen, wirklich begangen. Doch, er sei ganz sicher von frecher und zweideutiger Natur! Und obwohl Sie so sind, sagte sie, versuchen Sie noch, mich zu überrumpeln und mich zu beunruhigen und mich zu verleiten, mit Ihnen gemeinsam Verrücktheiten zu machen. Sie schämen sich nicht, Sie haben kein Herz für andere als sich selbst, Sie tun sich nur hervor und tun sich hervor ...

In diesem Augenblick wurde sie von Doktor Stenersen unterbrochen, der gestikulierend aus dem Saal kam und sehr beschäftigt war. Er hatte mit dem Basar zu tun und legte sich gehörig ins Zeug.

Guten Abend, Herr Nagel! rief er. Schönen Dank für neulich! Das war ein wilder Abend, den wir da hatten ... Ach, hören Sie, Fräulein Kielland, Sie müssen sich bereithalten, wir werden gleich die Lebenden Bilder arrangieren.

Damit verschwand der Doktor wieder.

Abermals wurde ein Musikstück gespielt, und es entstand Unruhe im Saal. Dagny beugte sich vor und sah durch die Tür, dann wandte sie sich wieder zu Nagel und sagte:

Jetzt kommt Martha zurück.

Pause.

Können Sie nicht hören, was ich sage?

Doch, antwortete er geistesabwesend. Er sah nicht auf, fuhr fort, das volle Glas zu drehen und zu drehen, ohne daraus zu trinken, und beugte den Kopf bis fast auf den Tisch hinunter.

Tss! sagte sie spottend, jetzt wird wieder gespielt. Nicht wahr: wenn man diese Art Musik hört, dann möchte man am liebsten in einem kleinen Abstand davon sitzen, in einem Nebenzimmer, die Hand der geliebten Person in der seinen – war es nicht das, was Sie einmal sagten? Ich glaube, es ist genau der gleiche Walzer von Lanner, und wo jetzt Martha kommt ...

Doch nun schien sie auf einmal ihre Bosheit zu bereuen, sie schwieg plötzlich, ein Funken schoß durch ihre Augen, und nervös rückte sie tiefer in ihren Stuhl. Er saß noch immer mit gebeugtem Kopf da, sie sah nur, wie seine Brust kurz und unregelmäßig atmete. Sie stand auf, sie nahm schon ihr Glas und wollte etwas sagen, ein paar freundliche Worte zum Abschluß, die ihm nicht weh tun sollten, sie begann auch:

Ja, jetzt muß ich gehen, sagte sie.

Er sah schnell zu ihr auf, erhob sich ebenfalls und nahm sein Glas. Beide tranken schweigend. Er zwang sich, nicht mit der Hand zu zittern, sie konnte sehen, daß er damit rang, eine ruhige Miene aufzusetzen. Und dieser Mann, den sie eben vernichtet zu haben glaubte, durch ihren Spott zerschmettert, sagte plötzlich ganz höflich und gleichgültig:

Ehe ich es vergesse, mein Fräulein: würden Sie so freundlich sein ... ich sehe Sie ja wohl nicht mehr ... würden Sie so freundlich sein und einmal bei Gelegenheit, wenn Sie Ihrem Verlobten schreiben, ihn an zwei Hemden erinnern, die er Minute seinerzeit versprochen hatte, vor zwei Jahren. Ich bitte Sie zu verzeihen, daß ich mich da einmische, wo es mich ja nichts angeht, ich tue es auch nur Minute zuliebe. Ich hoffe, Sie entschuldigen meine Kühnheit. Sagen Sie, es seien zwei Wollhemden, dann erinnert er sich sicher.

Einen Augenblick lang war sie völlig perplex, sie behielt

den Mund offen und sah ihn an, fand keine Worte und vergaß sogar, das Glas auf den Tisch zu stellen. Das dauerte eine ganze Minute. Aber sie faßte sich wieder, warf ihm einen wütenden Blick zu, voll der ganzen Empörung, die sie in sich fühlte, ein Augenpaar, das ihm eine vernichtende Antwort gab, und abrupt kehrte sie ihm den Rücken zu. Als sie ging, setzte sie das Glas hart auf einen Tisch neben der Tür. Sie verschwand im Saal.

Sie schien gar nicht daran zu denken, daß der Assessor und der Adjunkt noch an der gleichen Stelle saßen und auf sie warteten.

Nagel setzte sich wieder. Von neuem begann es in seinen Schultern zu zucken, und er griff sich mehrmals heftig an den Kopf. Er saß ganz zusammengesunken. Als Martha kam, sprang er auf, ein dankbarer Blick leuchtete in seinem Gesicht auf, und er rückte einen Stuhl zurecht.

Wie gut Sie sind, wie gut Sie sind! sagte er. Setzen Sie sich hierher, ich werde sehr aufmerksam sein, ich werde Ihnen eine ganze Welt voller Geschichten erzählen, wenn Sie wollen. Sie sollen nur sehen, wie gut ich Sie unterhalten werde, falls Sie sich hersetzen. Meine Liebe, kommen Sie doch! Ja, Sie dürfen natürlich gehen, wann Sie wollen, und ich darf Sie begleiten; nicht wahr? Ich will Ihnen niemals Verdruß bereiten, niemals! Hören Sie, wollen Sie jetzt nicht ein klitzekleines Glas trinken? Denn ich werde Ihnen etwas Lustiges erzählen, damit Sie wieder lachen müssen. Ich bin so froh, weil Sie zurückgekommen sind; Gott, wie wunderbar es ist, Sie lachen zu hören, die Sie sonst immer so ernst sind! Es war wohl nicht sehr unterhaltsam im Saal, oder? Wir bleiben lieber eine Weile hier sitzen, es ist auch so warm da drin; setzen Sie sich doch!

Und Martha zögerte, setzte sich aber.

Nun spricht Nagel unaufhörlich, erzählt in einem fort lustige Anekdoten und Geschichten, schwafelt ihr die Hucke voll, fieberhaft, zwanghaft, voller Angst, sie könnte gehen, wenn er schwiege. Vor Anstrengung wechselt er die Farbe, wirft Dinge durcheinander und greift sich hilflos an den Kopf, um den Faden wiederzufinden, und

Martha findet, auch dabei sei er lustig, und sie lacht treuherzig. Sie langweilt sich nicht, ihr altes Herz geht auf, und sie bringt es sogar fertig mitzureden. Wie merkwürdig warm und naiv sie war! Als er sagte, das Leben sei ganz unbegreiflich miserabel, nicht wahr? antwortete sie mit: Darauf trinken wir – diese Frau, die Jahr um Jahr so ärmlich davon lebte, Eier auf dem Markt zu verkaufen –, daß das Leben ... nein, es sei nicht sehr schlimm, oftmals sei es schön!

Oftmals sei das Leben schön, sagte sie!

Ja, da haben Sie auch wieder recht! antwortete er da ... Nein, jetzt müssen wir die Lebenden Bilder ansehen! Lassen Sie uns hier in der Tür stehen, dann können wir uns wieder setzen, wann Sie wollen. Können Sie von Ihrem Platz aus sehen? Ja, denn sonst nehme ich Sie auf den Arm.

Sie lachte und schüttelte ermahnend den Kopf.

Sowie er Dagny auf der Bühne oben erblickte, bekam seine Ausgelassenheit einen Dämpfer, sein Blick wurde starr, und er sah niemand außer ihr. Er folgte der Richtung ihrer Augen, maß sie vom Scheitel bis zur Sohle, beobachtete ihre Miene, entdeckte, daß eine Rose auf ihrer Brust auf und nieder ging, auf und nieder. Sie stand zuhinterst in der dichten Menschengruppe und war trotz der sorgfältigen Verkleidung leicht zu erkennen. Fräulein Andresen saß in der Mitte und war Königin. Das Ganze war eine Szene in roter Beleuchtung, eine rebusartige Zusammenstellung von Menschen und Rüstungen, die Doktor Stenersen mit viel Mühe und Aufopferung zustande gebracht hatte.

Das ist schön! flüsterte Martha.

Ja ... Was ist schön? sagte er.

Da oben; können Sie nicht sehen? Wohin sehen Sie denn?

Ja, das ist schön.

Und um bei ihr nicht den Verdacht zu erregen, daß er nur auf einen Fleck sah, einen einzelnen Punkt des Ganzen, fing er an, sie zu fragen, wer die verschiedenen Darsteller seien, und trotzdem hörte er kaum auf das, was sie sagte.

Sie standen dort, bis das rote Licht kurz vor dem Verlöschen war und der Vorhang herunterrollte.

Im Abstand einiger Minuten folgten jetzt die fünf Bilder aufeinander; die Uhr wurde zwölf, Martha und Nagel standen noch immer in der Tür und sahen das letzte Bild an. Als es endlich vorbei war und die Musik wieder anfing, setzten sie sich wiederum an den Tisch und unterhielten sich. Sie gab in ihrer Gutmütigkeit immer weiter nach und sprach nicht mehr davon, gehen zu wollen.

Ein paar junge Damen mit Notizblöcken in den Händen gingen herum und verkauften Nummern für die Lotterie, für Puppen, für Schaukelstühle, Stickereien, ein Teeservice, eine Tischuhr. Überall lärmten die Menschen, alle waren beschwingt und sprachen laut, im Saal und in den Nebenzimmern sirrte es von dieser Menge Stimmen wie in einer Börse. Erst um zwei Uhr sollte geschlossen werden.

Fräulein Andresen ließ sich wieder an Nagels Tisch nieder. Oh, sie sei so müde, so müde! Ja, vielen Dank, sie nähme gern ein Glas, ein halbes Glas! Und sollte sie nicht auch Dagny holen?

Und sie holte Dagny. Mit ihr kam auch Minute.

Jetzt passiert folgendes:

Ein Tisch in der Nähe fällt um, einige Tassen und Gläser fallen zu Boden, und Dagny stößt einen kleinen Schrei aus, und sie packt Martha nervös am Arm. Hinterher lachte sie dann selbst darüber und bat um Entschuldigung, während ihr Gesicht vor Aufgeregtheit rot wurde. Sie war in höchstem Maße erregt und gab ein kurzes Lachen von sich; ihre Augen glänzten sehr. Sie hatte bereits ihren Mantel an und war fertig zum Heimgehen, sie wartete nur auf den Adjunkt, der sie wie üblich nach Hause begleiten sollte.

Aber der Adjunkt, der noch mit dem Assessor zusammensaß und seit über einer Stunde nicht mehr aufgestanden war, wurde allmählich ziemlich betrunken.

Herr Nagel wird dich sicher begleiten, Dagny, sagte Fräulein Andresen.

Dagny brach in Gelächter aus. Fräulein Andresen sah sie erstaunt an.

Nein, antwortete Dagny, mit Herrn Nagel wage ich nicht mehr zu gehen! Er ist so voller Einfälle. Er hat – unter uns gesagt – mich sogar einmal um ein Rendezvous gebeten. Wirklich wahr! Unter einem Baum, sagte er, einer großen Espe, sie stehe da und da! Nein, Herr Nagel ist mir zu unberechenbar! Vorhin verlangte er von mir recht feierlich ein paar Hemden, die mein Verlobter einmal Grøgaard versprochen haben soll. Und Grøgaard selbst weiß davon überhaupt nichts! Nicht wahr, Grøgaard? Hahaha, das ist höchst absonderlich!

Damit erhob sie sich schnell, immer noch lachend, und ging zum Adjunkt, mit dem sie ein paar Worte wechselte. Sie drängte ihn offenbar zum Mitgehen.

Minute war sehr unruhig geworden. Er versuchte, etwas zu sagen, zu erklären, verhedderte sich aber und gab es auf. Mit ängstlichen Blicken sah er von einem zum anderen. Selbst Martha war erstaunt und verängstigt, Nagel sprach mit ihr, flüsterte ihr einige beruhigende Worte zu und begann dann die Gläser zu füllen. Fräulein Andresen fing sofort an, über den Basar zu sprechen; welch eine Menge Menschen, trotz des Regenwetters! Oh, sie würden sicher viel Geld verdienen, die Ausgaben seien nicht so besonders hoch ...

Was ist das für eine schöne Dame, die Harfe spielte, fragte Nagel; die mit dem Byronmund und dem Silberpfeil im Haar?

Das sei eine fremde Dame, sie sei nur zu Besuch in der Stadt. Sei sie so schön?

Ja, er fand sie schön. Und er stellte mehrere Fragen über diese Dame, obwohl alle sehen konnten, daß seine Gedanken woanders waren. Worüber sann er nach? Weshalb hatte er plötzlich diese strenge Falte auf der Stirn? Er drehte langsam sein Glas.

Jetzt kam Dagny nochmals zurück. Während sie so hinter Fräulein Andresens Stuhl steht und ihre Handschuhe zuknöpft, spricht sie wieder, sie sagt mit ihrer klaren, herrlichen Stimme:

Aber was beabsichtigen Sie eigentlich damit, mich zu

einem Rendezvous zu bitten, Herr Nagel? Was war Ihre Absicht? Sagen Sie mir das jetzt.

Nein, aber Dagny! flüstert Fräulein Andresen und steht auf. Minute steht auch auf. Alle sind sehr peinlich berührt. Nagel sah auf, sein Gesicht verriet nicht viel Erregung, aber alle bemerkten, daß er sein Glas losließ und ein paarmal die Hände rang und daß er schnell atmete. Was würde er tun? Was bedeutete es, daß er lächelte und sofort wieder ernst wurde? Zu aller Verwunderung antwortete er mit ruhiger Stimme:

Warum ich Sie um dieses Rendezvous bat? Fräulein Kielland, ist es Ihnen nicht lieber, wenn ich es Ihnen erspare, das zu erklären? Ich habe Ihnen schon früher so viele Unannehmlichkeiten bereitet. Ich bereue es, und bei Gott, ich würde alles tun, um es ungeschehen zu machen. Aber warum ich Sie damals um ein Treffen bat, das wissen Sie sicher, ich habe das nicht verheimlicht, obwohl ich es hätte tun sollen. Seien Sie mir gnädig. Mehr kann ich nicht sagen ...

Er hielt inne. Sie sagte auch nichts mehr, sie hatte sicher eine andere Antwort erwartet. Der Adjunkt kam endlich, zur rechten Zeit, um diesem peinlichen Auftritt ein Ende zu machen; er war sehr erhitzt und stand nicht einmal ganz sicher auf den Beinen.

Dagny nahm seinen Arm und ging zur Tür hinaus.

Von jetzt ab wurden die Zurückbleibenden der kleinen Gesellschaft sehr viel lebhafter, alle atmeten leichter, Martha lachte vor Freude über jede Kleinigkeit und klatschte in die Hände. Manchmal, wenn sie sich dabei ertappte, allzuoft zu lachen, wurde sie rot und hörte auf, indem sie sich zu den anderen umblickte, ob sie es bemerkt hätten. Diese reizende Verwirrung, die sich ständig wiederholte, versetzte Nagel in Entzücken und veranlaßte ihn zu allerlei Dollerei, nur um sie in Atem zu halten. So verfiel er darauf, auf einem Korken, den er zwischen die Zähne steckte, den »Alten Noah« zu spielen.

Frau Stenersen hatte sich ihnen angeschlossen. Sie behauptete, sie wolle sich nicht von der Stelle rühren, ehe nicht alles vorbei sei; es stehe noch eine Nummer aus, der Auftritt von zwei Turnern, den sie absolut noch sehen wolle. Nein, sie pflege immer bis zuallerletzt auszuhalten, die Nacht sei so lang, sie würde immer traurig, wenn sie nach Hause käme und dann wieder mit sich allein sei. Sollten sie nicht alle zusammen hineingehen und sich die beiden Turner ansehen?

Und sie gingen alle in den Saal.

Während sie dort sitzen, kommt ein großer, bärtiger Mann den Mittelgang herunter. Er trägt einen Geigenkasten in der Hand. Es ist der Organist, er hatte seine Nummern gebracht und war fertig zum Heimgehen. Er bleibt stehen, grüßt und beginnt sofort mit Nagel über die Geige zu sprechen. Minute war ganz richtig bei ihm gewesen und hatte sie kaufen wollen; aber sehen Sie, das sei ein Ding der Unmöglichkeit, es sei ein Erbstück, er betrachte sie ganz wie einen kleinen Menschen, so lieb sei sie ihm. Ja, es stünde auch sein Name drauf, man könne selbst sehen, daß es keine gewöhnliche Geige sei ... Und er öffnet vorsichtig den Kasten.

Da liegt das erlesene, dunkelbraune Instrument, sorgfältig verstaut in hellroter Seide, mit Watte über den Saiten.

Nicht wahr, sie sieht gut aus? Und die drei Buchstaben in winzig kleinen Kaprubinen, hier ganz oben am Griffbrett, die bedeuteten Gustav Adolf Christensen. Nein, so etwas zu verkaufen wäre Sünde; was sonst hätte man denn, um sich zu erfreuen, wenn die Tage einem lang würden? Eine andere Sache wäre es, wenn es nur darum ginge, sie einen Augenblick auszuprobieren, einen oder zwei Striche zu tun ...

Nein, Nagel wollte sie nicht ausprobieren.

Aber der Organist hatte das Instrument jetzt trotzdem aus dem Kasten genommen, und während die beiden Turner ihre letzten Sprünge machten und das Publikum rundum im Saal klatschte, sprach er andauernd über diese bemerkenswerte Geige, die sich seit drei Generationen in seiner Familie vererbt hatte. Sie sei leicht wie eine Feder, versuchen Sie selbst, Sie dürfen sie gerne in die Hand nehmen ...

Und Nagel fand auch, daß sie leicht sei wie eine Feder. Aber wo er nun einmal die Geige in die Hände bekommen hat, fängt er an, sie hin und her zu drehen und an den Saiten zu zupfen. Er setzte eine halbe Kennermiene auf und sagte: eine Mittenwalder, wie ich sehe. Aber daß es sich um eine Mittenwalder handelte, war nicht schwer zu erkennen, da es auf einem Etikett am Geigenboden stand; wozu da diese Kennermiene? Als die Turner weg waren und niemand mehr klatschte, steht auch er auf; er sagt nichts, kein Wort, sondern streckt jetzt die Hand nach dem Bogen aus. Im nächsten Augenblick, während alle dabei sind, sich von ihren Plätzen zu erheben und den Saal zu verlassen, während alles Lärm und laute Unterhaltung ist, beginnt er plötzlich zu spielen, und nach und nach wird es überall still. Dieser kleine, breitschultrige Mann, der in einem schreiend gelben Anzug mitten im Saal auftauchte, schlug alle in Bann. Und was spielte er? Eine Weise, eine Barkarole, einen Tanz, einen ungarischen Tanz von Brahms, ein leidenschaftliches Potpourri, ein Spiel mit rohem, schwellendem Ton, der überallhin drang. Er legte den Kopf auf die Seite, alles sah fast mystisch aus, sein plötzliches Auftreten außerhalb des Programms und mitten im Saal, wo es ziemlich dunkel war, sein abstechendes Äußeres, diese wilde Fingerfertigkeit, die alle Menschen verwirrte und in ihnen die Vorstellung von einem Hexenmeister hervorrief. Er machte mehrere Minuten weiter, und die Leute saßen immer noch unbeweglich auf ihren Plätzen; er schlug um in ein schweres, ungeheures Pathos, ein Fortespiel von fanfarenartiger Kraft, er stand völlig still, nur sein Arm bewegte sich, und er hielt den Kopf ununterbrochen geneigt. Da er so unvermutet aufgetaucht war und sogar die Veranstalter des Basars überrumpelt hatte, nahm er auch die schlichten Stadtkinder und Bauern im Sturm; sie konnten es nicht fassen, in ihren Augen nahm sich das Spiel viel besser aus, als es war, besser als alles, so bestechend nahm es sich aus, obwohl er mit rücksichtsloser Heftigkeit spielte. Doch nachdem vier, fünf Minuten vergangen waren, machte er plötzlich ein paar scheußliche Bogenstriche, ein desperates Heulen, einen Jammerlaut, so unmöglich, so anstößig, daß niemand mehr wußte, wie das enden sollte; drei, vier Striche machte er von dieser Art und hörte dann abrupt auf. Er nahm die Geige vom Kinn und stand still.

Es verging eine ganze Minute, ehe sich die Leute besannen; endlich begannen sie wild und anhaltend zu klatschen, man rief auch bravo, stieg auf die Stühle und rief bravo. Der Organist nahm seine Geige mit einer tiefen Verbeugung in Empfang, befühlte sie und legte sie behutsam nieder; dann ergriff er Nagels Hand und dankte ihm mehrmals. Alles war Lärm und Brausen, Doktor Stenersen kam atemlos angehetzt, packte Nagel am Arm und rief aus:

Aber, verdammt noch mal, Mann, Sie spielen ja doch ... doch!

Fräulein Andresen, die am nächsten saß, sah ihn immer noch mit der größten Verwunderung an und sagte:

Sie sagten doch, daß Sie nicht spielen können?

Ich kann auch nicht spielen, antwortete er, nicht viel, nicht der Rede wert, und das gestehe ich offen. Wenn Sie wüßten, wie verfälscht das war, wie wenig echt! Aber, nicht wahr, es sah ungeheuer echt aus? Hehehe, ja, man muß die Welt verblüffen, man darf sich nicht scheuen! ... Sollen wir nicht wieder zu unseren Gläsern gehen? Würden Sie Fräulein Gude bitten mitzukommen!

Und sie gingen wieder ins Nebenzimmer. Alle Leute waren noch immer von diesem geheimnisvollen Menschen, der sie so verblüfft hatte, in Anspruch genommen; selbst der Assessor Reinert blieb tatsächlich kurz stehen und sagte ganz beiläufig zu ihm:

Ich danke Ihnen, Sie waren so freundlich, mich zu einer Junggesellenfeier bei Ihnen einzuladen. Ich konnte nicht kommen, ich war beschäftigt; aber ich danke Ihnen vielmals, es war sehr liebenswürdig.

Aber warum machten Sie denn diese grausamen Striche am Schluß? sagte Fräulein Andresen.

Tja, das weiß ich nicht, antwortete Nagel; es ergab sich halt so. Ich wollte einem Teufel auf den Schwanz treten.

Doktor Stenersen kam wieder auf ihn zu und machte ihm abermals ein Kompliment, und abermals antwortete Nagel, daß sein Spiel Komödie und Humbug sei, voller simpler Effekte; man sollte nur wissen, wie wenig gut es sei! Die Doppelgriffe wären falsch, doch, die allermeisten wären ein wenig falsch, er hörte es selbst, konnte es aber nicht besser machen, er sei so lang aus der Übung gewesen.

Sie wurden immer mehr am Tisch, sie blieben sitzen bis zur letzten Minute, die anderen Leute strömten hinaus, man fing schon an, die Lichter im Saal zu löschen, bis sie sich endlich erhoben. Die Uhr war halb drei.

Nagel lehnte sich zu Martha hinüber und flüsterte:

Nicht wahr, ich darf Sie doch nach Hause begleiten? Ich möchte Ihnen etwas sagen.

Er bezahlte rasch seine Rechnung, sagte gute Nacht zu Fräulein Andresen und brachte Martha hinaus. Sie hatte keinen Umhang, nur einen Regenschirm, den sie zu verstecken versuchte, weil er so durchlöchert war. Als sie durch die Tür gingen, bemerkte Nagel, daß Minute ihnen mit einem langen, schmerzlichen Blick nachsah. Sein Gesicht war ungewöhnlich schief.

Sie gingen geradewegs zu Marthas Haus. Nagel äugte um sich, er konnte keinen Menschen entdecken. Er sagte:

Wenn Sie es wagten, mich für eine kleine Weile einzulassen, wäre ich sehr dankbar.

Sie zögerte.

Es ist so spät, antwortete sie.

Sie wissen, daß ich Ihnen versprochen habe, Ihnen niemals in irgendeiner Weise Verdruß zu bereiten. Ich *muß* mit Ihnen reden.

Sie schloß auf.

Als sie eintraten, zündete sie Licht an, während er wieder das Fenster verhängte. Er schwieg, bis sie fertig war, dann sagte er:

Haben Sie sich denn heute abend ein bißchen amüsiert?

Ja, danke! antwortete sie.

Na, eigentlich war es auch nicht das, worüber ich mit Ihnen sprechen wollte. Kommen Sie und setzen Sie sich etwas näher. Sie dürfen wirklich keine Angst vor mir haben, wollen Sie mir das versprechen? Gut, geben Sie mir die Hand darauf?

Sie reichte ihm ihre Hand, und er behielt sie.

Und Sie glauben auch nicht, daß ich lüge, daß ich Sie belügen will, oder? Ich beabsichtige, Ihnen etwas zu sagen; Sie glauben also nicht, daß ich Sie belügen werde?

Nein.

Nein, denn ich werde Ihnen nach und nach schon noch alles erklären ... Aber wieviel glauben Sie mir? ich meine: wie weit können Sie dabei gehen, mir zu glauben? Blödsinn! Was ich da fasle! Aber es ist halt so, es ist etwas schwierig. Sie glauben mir, wenn ich jetzt zum Beispiel sage, daß ich Sie ... Sie wirklich so lieb habe? Ja, denn das müssen Sie selbst gemerkt haben. Aber wenn ich jetzt weiter ginge, ich meine ... Verstehen Sie, ich möchte Sie ganz einfach bitten, meine Frau zu werden. Ja, meine Frau, jetzt habe ich es gesagt. Nicht nur meine Liebste, sondern meine Frau ... Gott bewahre mich, wie Sie sich aufregen! Nein, nein, lassen Sie mir Ihre Hand; ich will mich doch noch weit besser erklären, Sie sollen es ganz deutlich verstehen. Gehen Sie jetzt erst mal davon aus, daß Sie richtig hören: daß ich geradewegs und ohne Umschweife um Sie anhalte und daß ich auch wirklich jedes Wort meine, gehen Sie jetzt zuerst davon aus, und erlauben Sie mir dann fortzufahren. Gut! Wie alt sind Sie? Na, das wollte ich gar nicht fragen; aber ich selbst bin neunundzwanzig Jahre alt, ich bin über den flatterhaften Leichtsinn hinaus, Sie sind vielleicht vier, fünf, sechs Jahre älter, das hat nichts zu ...

Ich bin zwölf Jahre älter, sagt sie.

Zwölf Jahre älter! ruft er aus, entzückt darüber, daß sie bei der Sache ist, daß sie doch nicht ganz den Kopf verliert. Also zwölf Jahre älter, das sei ausgezeichnet, das sei einfach herrlich! Ja, und meinen Sie, zwölf Jahre seien irgendein Hindernis? Ich glaube, Sie sind nicht recht gescheit, Menschenskind! Aber wie dem auch sei: wenn Sie auch dreimal zwölf Jahre älter wären, wo ich Sie jetzt doch liebhabe und jedes Wort, das ich bei dieser Gelegenheit sage, aufrichtig meine, was wäre dann? Ich habe lange darüber nachgedacht, ja eigentlich nicht lange, aber doch einige Tage lang, ich lüge durchaus nicht, glauben Sie mir jetzt doch um Himmels willen, wo ich Sie so inständig bitte. Ich habe ziemlich viele Tage daran gedacht und nachts deshalb nicht schlafen können. Sie haben so wunderbare Augen, die haben mich angezogen, seit ich Sie zum ersten Mal sah. Denn ich kann von einem Augenpaar bis ans Ende der Welt gezogen werden; ach, einmal hat mich ein alter Mann nur mit seinen Augen eine halbe Nacht hindurch in einem Wald herumgeführt. Der Mann war besessen ... Na, das ist eine andere Geschichte! Aber Ihre Augen haben bei mir ihre Wirkung getan. Erinnern Sie sich noch, wie Sie einmal mitten hier im Zimmer standen und mich ansahen, als ich draußen vorbeiging? Sie wandten den Kopf nicht nach mir, Sie folgten mir nur mit den Augen, ich werde das niemals vergessen. Aber auch als ich Sie einmal traf und mit Ihnen sprach, wurde ich von Ihrem Lächeln gerührt. Ich wüßte nicht, daß ich schon einmal jemand so herzlich warm lachen gehört hätte wie Sie; aber das wissen Sie selbst nicht, und das ist ja eben so unbeschreiblich schön, daß Sie selbst es nicht wissen ... Jetzt fasle ich wieder ganz schrecklich. Ich höre es selbst; aber ich habe das Gefühl, daß ich unaufhörlich sprechen muß, sonst glauben Sie mir nicht, und das macht mich so verwirrt. Doch wenn Sie nur nicht so auf dem Sprung säßen, ich meine: nicht so parat zum Aufstehen und Weggehen, dann würde ich es gleich besser hinkriegen. Ich bitte Sie, lassen Sie mich wieder Ihre Hand halten, dann werde ich sicherlich klarer sprechen. So, danke! ... Sie verstehen, ich will bei Ihnen wirklich nichts anderes erreichen, als was ich gesagt habe; ich habe keine Hintergedanken dabei. Und was an meinen Worten verblüfft Sie denn so? Sie können es nicht fassen, daß mir dieser verrückte Gedanke gekommen ist, Sie können es nicht begreifen, daß ich – daß ich – will, nein, und Sie glauben nicht, daß es möglich ist; nicht wahr, darüber denken Sie jetzt nach?

Ja ... Nein, mein Gott, hören Sie jetzt auf!

Aber hören Sie doch: Ich verdiene es nicht, daß Sie mich immer noch verdächtigen, Betrügereien vorzuhaben ...

Nein, sagte Martha plötzlich, voller Reue, ich verdächtige Sie nicht; aber es ist trotzdem unmöglich.

Warum ist es so unmöglich? Sind Sie an einen anderen gebunden?

Nein, nein.

Rein gar nicht? Ja, denn wenn Sie an einen anderen gebunden wären – sagen wir, nur um einen Namen zu nennen, zum Beispiel an Minute ...

Nein! ruft sie laut. Sie gab ihm förmlich einen Händedruck.

Nicht? So so, dann ist doch soweit nichts im Wege. Lassen Sie mich also weitersprechen: Sie dürfen nicht glauben, daß ich so hoch über Ihnen stehe, daß es aus diesem Grund unmöglich sein sollte. Ich will vor Ihnen nicht verbergen, ich bin in vielerlei Hinsicht nicht so, wie ich sein müßte; ja, Sie hörten heute abend doch selbst, was Fräulein Kielland sagte. Sie haben vielleicht auch von anderen Leuten in der Stadt gehört, wie schlecht ich in mancher Beziehung bin. Ein bißchen Unrecht mir gegenüber wird schon dabeisein, aber in der Hauptsache hat man recht, ich bin ein Mann mit großen Fehlern. Also stehen Sie mit Ihrer reinen Gesinnung und Ihren feinen, kindlichen Gedanken unendlich hoch über mir, anstatt umgekehrt. Und ich würde Ihnen versprechen, immer gut zu Ihnen zu sein, Sie dürfen mir glauben, das würde mir nicht schwerfallen, ich würde meine größte Freude darin finden, Sie froh zu machen ... Es gibt außerdem noch etwas: Sie haben vielleicht ein bißchen Angst davor, was die Stadt dazu sagen würde? Nun, erstens müßte sich die Stadt wohl damit abfinden, daß Sie meine Frau würden, meinetwegen in der Kirche ebendieser Stadt, wenn Sie es wollten. Und zweitens hat ja die Stadt doch schon genug zu reden bekommen; es ist kaum völlig unbemerkt geblieben, daß ich Sie schon früher ein paarmal getroffen habe und daß ich heute abend auf dem Basar mit Ihnen zusammensein durfte. Insofern wird es also nicht viel schlimmer, als es bereits ist. Und Herrgott noch mal, was hätte das denn zu besagen? Es kann Ihnen doch herzlich gleichgültig sein, was die Welt denkt ... Sie weinen? Liebe, tut es Ihnen weh, daß ich Sie heute abend dem Gerede der Leute ausgesetzt habe?

Nein, das ist es nicht.

Was ist es denn?

Sie antwortet nicht.

Da fällt ihm etwas ein, er fragt:

Finden Sie, daß ich schlimm zu Ihnen bin? Sagen Sie mir: Sie tranken doch nicht zuviel von dem Champagner? Sie tranken doch bestimmt nicht einmal zwei Gläser? Vielleicht haben Sie den Eindruck bekommen, daß ich jetzt die Gelegenheit abpassen will und mir den Umstand zunutze mache, daß Sie einen Schluck Wein getrunken haben, um Sie schneller dazu zu kriegen nachzugeben. Weinen Sie deshalb?

Nein, nein, wirklich nicht.

Aber warum weinen Sie dann?

Ich weiß nicht.

Sie nehmen doch keinesfalls an, daß ich hier mit irgendwelchen Hintergedanken sitze. Bei Gott im Himmel, ich bin ganz und gar ehrlich, glauben Sie mir endlich!

Ja, ich glaube Ihnen doch; aber ich verstehe es nicht, ich bin so verändert. Sie können es nicht wollen ... es wollen.

Doch, er wollte es! Und er spann es weiter aus, während er ihre kleine, schwache Hand in der seinen hält und der Regen gegen die Scheiben schlägt. Er spricht sehr leise, paßt sich ihrem Begriffsvermögen an und plapperte zwischendurch in simpelster Kindersprache. Oh, sie würden es schon richtig hinkriegen! Sie würden wegreisen, weit fort, Gott weiß wohin; aber sie würden sich fortstehlen, damit niemand wisse, wo sie geblieben seien. Nicht wahr, das wollten sie? Dann würden sie eine kleine Hütte kaufen und einen Fleck Erde mitten in einem Wald, einem herrlichen Wald irgendwo; das sollte dann ihr eigener Besitz sein, und sie würden ihn Eden nennen, und er wollte ihn beackern, oh, wie er ihn beackern wollte! Aber manchmal könnte es sein, daß er ein wenig traurig würde; Liebe, das könnte vorkommen; es könnte ihm etwas einfallen, eine Erinnerung, irgendein bitteres Erlebnis, an das er sich vielleicht erinnern würde, wie leicht könnte das geschehen! Aber dann würde sie wohl ein wenig geduldig mit ihm sein; oder nicht? Ja, denn er würde es sie nicht sonderlich merken lassen, niemals, das wolle er versprechen. Er möchte dann nur in Frieden gelassen werden und allein seinen Gedanken nachhängen dürfen, oder er werde fortgehen, tiefer in den Wald, und nach einer Weile wieder zurückkommen. Oh, aber in ihrer Hütte sollte niemals ein hartes Wort fallen! Und sie würden sie mit den schönsten wilden Gewächsen und mit Moos und Steinen, die sie fänden, schmücken; den Boden wollten sie mit Wacholder bestreuen, den würde er schon heimbringen. Und an Weihnachten würden sie nie vergessen, den kleinen Vögeln draußen ein Büschel Ähren hinzustellen. Und sich vorzustellen, wie ihnen die Zeit vergehen würde und wie glücklich sie doch sein würden! Sie müßten immer beisammen sein, sie würden ein und aus gehen und nicht getrennt werden; im Sommer würden sie lange Spaziergänge machen und Obacht haben, wie Bäume und Gräser bebten und von Jahr zu Jahr wuchsen. Herrgott, wie gut sie auch Fremde und Durchreisende aufnehmen wollten, die vielleicht vorbeikämen. Sie müßten auch einige Tiere haben, ein paar große, blanke Kühe, die sie lehren würden, ihnen aus den Händen zu fressen, und während er grub und hackte und die Erde beackerte, würde sie die Tiere versorgen ...

Ja, antwortete Martha. Sie sagte unwillkürlich ja, und er hörte es. Er fuhrt fort:

Außerdem wollten sie sich einen oder zwei Tage in der Woche frei nehmen, dann könnten sie beide auf die Jagd oder zum Fischen gehen, alle beide, Hand in Hand, sie im kurzen Kleid und mit einem Gürtel um den Leib, er in Bluse und Spangenschuhen. Wie wollten sie nicht singen und laut sprechen und rufen, so daß es durch den ganzen Wald schallen würde! Aber, nicht wahr: Hand in Hand?

Ja, sagte sie wieder.

Nach und nach wurde sie mitgerissen; er stellte ihr das Ganze so klar dar, an alles dachte er und hatte jede Kleinigkeit im Kopf. Er erwähnte sogar, daß es einen Ort zu finden gelte, wo man reichlich Wasser hätte. Ja, aber dafür wollte er schon sorgen, für alles wollte er sorgen; sie sollte nur Vertrauen zu ihm haben. Oh, er habe Kräfte, den Platz zu roden für dieses Heim mitten im dichten Wald, er habe ein Paar Fäuste, sie sehe ja selbst! ... Und lächelnd maß er ihre zarte Kinderhand an seiner eigenen.

Sie fügte sich darein, daß er mit ihr machte, was er wollte; sogar als er ihr die Wange tätschelte, hielt sie still und sah ihn an. Dann fragte er sie offen, mit seinem Mund nahe an ihrem Ohr, ob sie es nun wage und ob sie wolle. Und sie antwortete dann ja; eine versonnene, verträumte Antwort, die sie nur flüsterte. Aber kurz darauf begann sie zu schwanken: Nein, wenn sie darüber nachdächte, dann sei es wohl doch nicht möglich. Wie könnte er das wollen! Was sei sie denn!

Und wiederum überzeugte er sie, daß er es wolle, ja mit dem ganzen Willen, den er besitze, wolle. Sie werde nicht Not leiden müssen, selbst wenn es ihnen eine Zeitlang schlechtgehen würde; er wollte sich für sie beide abmühen, sie dürfe keine Angst haben. Er sprach eine ganze Stunde hindurch und brachte den Widerstand Stück für Stück ins Wanken. Zweimal in dieser Stunde wiederholte sich, daß sie sich weigerte, die Hände vors Gesicht hielt und anfing Nein, nein zu rufen, und trotzdem gab sie ihm nach, studierte sein Gesicht und verstand, daß es nicht einzig und allein ein Sieg des Augenblicks war, den er erringen wollte. In Gottes Namen denn, wenn er es so wollte! Sie war bezwungen, es nützte ihr nichts, länger dagegen anzukämpfen. Schließlich gab sie ihm ein klares Ja.

Die Kerze auf der leeren Flasche näherte sich ihrem Ende; sie saßen noch immer jeder auf seinem Stuhl und hielten sich gegenseitig die Hände und sprachen miteinander. Sie war ganz aufgelöst vor Ergriffenheit, sie bekam oftmals Tränen in die Augen, lächelte aber trotzdem.

Er sagte:

Um auf Minute zurückzukommen, ich bin sicher, er war auf dem Basar eifersüchtig.

Ja, antwortete sie, vielleicht war er das. Aber daran ist nichts mehr zu ändern.

Nein, nicht wahr, daran ist nichts zu ändern! ... Hör zu, ich möchte dir heute abend so gerne mit etwas eine Freude machen, was könnte das sein? Ach, ich möchte dich dazu bringen, daß du dir vor Entzücken über irgend etwas die Hände an die Brust drückst! Sag mir etwas, verlange irgendwas! Ach, du bist zu gut, du kleine Freundin, du bittest niemals um irgend etwas! Jaja, Martha, merke dir, was ich jetzt sage: ich werde dich beschützen, ich werde versuchen, deine Wünsche zu erraten und dich bis zu meiner letzten Stunde zu umsorgen. Liebe, denke daran, willst du? Du sollst nie sagen können, ich hätte mein Versprechen vergessen.

Die Uhr war vier.

Sie standen auf; sie trat einen Schritt auf ihn zu, und er nahm sie an seine Brust. Sie legte die Arme um seinen Hals, und sie blieben eine Weile so stehen; ihr angstvolles, reines Nonnenherz klopfte gewaltsam gegen seine Hand, er fühlte es und strich ihr beruhigend über das Haar. Sie waren sich einig.

Sie begann von selbst zu sprechen:

Ich werde die ganze Nacht wachliegen und denken. Vielleicht treffe ich dich morgen? Wenn du magst?

Ja, morgen. Doch, ich will! Wann morgen? Kann ich um acht Uhr kommen?

Ja ... Möchtest du, daß ich das gleiche Kleid anhabe?

Diese rührende Frage, ihr bebender Mund, die zwei offenen Augen, die zu ihm aufblickten, ergriffen ihn, gingen ihm direkt zu Herzen. Er antwortete:

Liebes, süßes Kind, wie du willst! Wie gut du bist! ... Nein, du darfst heute nacht nicht wach liegen, das darfst du nicht! Denke an mich und sage gute Nacht und schlafe. Du fürchtest dich hier doch nicht allein?

Nein ... Jetzt wirst du naß, wenn du nach Hause gehst.

Auch daran dachte sie, daß er naß werden würde!

Sei frohgemut und schlafe gut! sagte er.

Aber als er bereits draußen im Flur war, fiel ihm noch etwas ein, er wandte sich zu ihr um und sagte:

Noch etwas, das habe ich vergessen; ich bin kein reicher Mann. Hast du vielleicht geglaubt, ich sei reich?

Das weiß ich nicht, antwortete sie und schüttelte den Kopf.

Nein, ich bin nicht reich. Aber wir werden uns ein Haus kaufen und was wir sonst noch brauchen, so reich bin ich schon. Und dann, wenn es an der Zeit ist, werde ich für alles sorgen, ich werde jede Bürde tragen, dazu sind mir meine Hände gegeben ... Du bist nicht enttäuscht, weil ich nicht reich bin, oder?

Sie sagte Nein und bekam seine Hände zu fassen, die sie noch einmal drückte. Zum Schluß bat er sie, die Tür hinter ihm gut zu verschließen, und trat hinaus auf die Straße.

Es goß in Strömen und war sehr dunkel.

Er ging nicht heim ins Hotel, sondern nahm den Weg zum Wald des Pfarrhofs. Er ging eine Viertelstunde lang; da die Dunkelheit so dicht war, konnte er kaum etwas unterscheiden. Endlich verlangsamte er seine Schritte, wich vom Weg ab und tastete sich zu einem großen Baum vor. Es war eine Espe. Hier blieb er stehen.

Der Wind rauscht über den Wald, der Regen strömt weiter, sonst ist alles um ihn tot und still. Er flüstert ein paar Worte vor sich hin, einen Namen, Dagny, Dagny, schweigt und sagt es wieder. Er steht aufrecht am Baum und sagt es. Nach einer Weile spricht er lauter, er spricht mit hörbarer Stimme und sagt Dagny. Sie hatte ihn heute abend beleidigt, all ihre Verachtung über sein Haupt ausgegossen, er fühlt in seiner Brust noch jedes Wort, das sie herausgeschleudert hatte, und trotzdem steht er hier und spricht von ihr. Er kniet nieder neben dem Baum, er nimmt sein Taschenmesser heraus und schneidet im Dunkeln ihren Namen in den Stamm. Daran arbeitet er mehrere Minuten, er tastet sich vor, schneidet und tastet wieder, bis er fertig ist ...

Er hatte während der ganzen Zeit, in der er das tat, seine Mütze abgenommen.

Als er wieder auf den Weg hinaus kam, blieb er stehen, dachte einen Augenblick nach und kehrte wieder um. Er tastet sich erneut zum Baum vor, fühlt mit den Fingern über den Stamm und findet die Buchstaben wieder. Er kniet zum zweitenmal nieder, beugt sich vor und küßt diesen Namen, diese Buchstaben, so als würde er sie nie mehr sehen, steht endlich auf und geht rasch fort.

Die Uhr war fünf, als er zum Hotel kam.

XVII

Der gleiche Regen, das gleiche dunkle, schwere Wetter am nächsten Tag. Es schien, als wolle all das Wasser, das unaufhörlich durch die Regenrinnen herunter spülte und gegen die Scheiben schlug, niemals ein Ende nehmen. Stunde auf Stunde verging, der ganze Vormittag verging, und der Himmel wurde nicht klarer. In dem kleinen Garten des Hotels, der hinter dem Haus lag, war alles gebogen und zerknickt, alle Blätter waren zu Boden gedrückt, mit Schlamm und Nässe bespritzt.

Nagel blieb den ganzen Tag im Zimmer, er las, hin und her gehend, wie gewöhnlich, und sah andauernd auf die Uhr. Es war ein endloser Tag! Mit der größten Ungeduld erwartete er den Abend.

Als es acht Uhr war, begab er sich sofort zu Martha. Er selbst ahnte nichts Böses; sie empfing ihn jedoch mit einem leidenden und sehr verweinten Gesicht. Er sprach zu ihr, und sie antwortete kurz und ausweichend, und sie sah ihn auch nicht an. Sie bat ihn mehrere Male, ihr zu verzeihen und nicht ungehalten zu sein.

Als er ihre Hand nahm, begann sie zu zittern und wollte sich zurückziehen; aber schließlich ließ sie sich doch auf einem Stuhl neben ihm nieder. Dort blieb sie sitzen, bis er nach einer Stunde wieder ging. Was war geschehen? Er drang mit Fragen in sie, bat um Erklärung, und sie konnte kaum Rede und Antwort stehen.

Nein, sie sei nicht krank. Sie habe nur über alles nachgedacht ...

Ja, war, was sie meinte, daß sie ihr Versprechen bereue, könne sie ihn vielleicht nicht liebhaben?

Ja, das sei es ... Aber verzeihen Sie, und seien Sie nicht verstimmt! Sie hätte heute nacht darüber nachgedacht, die ganze, ganze Nacht, und hätte es immer unmöglicher gefunden. Ja, sie hätte auch ihr Herz zu Rate gezogen und fürchtete, daß sie ihn nicht so gern haben könnte, wie sie sollte.

Na, so was! ... Pause ... Aber glaubte sie nicht, daß sie ihn später doch noch liebhaben könnte? Er habe sich gefreut, ein neues Leben in dieser Welt beginnen zu dürfen. Oh, er wollte so gut zu ihr sein!

Das rührte sie, sie preßte die Hand auf die Brust, sah aber die ganze Zeit nieder und sagte nichts.

Ja, glaube sie also nicht, daß er sie dazu bringen könnte, ihn zu lieben, später, wenn sie immer zusammen lebten.

Sie flüsterte Nein. Ein paar Tränen tropften von ihren langen Wimpern.

Pause. Sein Körper zitterte, die blauen Adern an seinen Schläfen schwollen stark an.

Ja, ja, Liebste, da ist dann also nichts zu machen! Dann solle sie nicht mehr weinen. Das würde an dem Ganzen auch nichts ändern. Sie möge ihm verzeihen, daß er sie mit seinen Bitten bedrängt hätte. Er hätte es doch nur gut gemeint ...

Sie ergriff schnell seine Hand und hielt sie fest. Er wunderte sich etwas über diese plötzliche Heftigkeit und fragte:

Gäbe es etwas Besonderes an ihm, das sie abstieße? Er würde das korrigieren, es wiedergutmachen, wenn es in seiner Macht stünde. Mochte sie vielleicht nicht, daß er ...

Sie unterbrach ihn sofort:

Nein, nichts, nichts! Aber das alles ist so unvorstellbar, und ich weiß nicht einmal, wer Sie sind, zum Beispiel. Ja, ich weiß schon, daß Sie mein Bestes wollen; verstehen Sie mich nicht falsch ...

Wer ich bin, zum Beispiel, sagte er und sah sie an. Plötzlich schießt ihm ein Verdacht durch den Kopf, ihm geht auf, daß etwas ihr Vertrauen zu ihm untergraben hat, etwas Feindliches, das sich zwischen sie und ihn gedrängt hat; er fragt:

Ist heute jemand bei Ihnen gewesen?

Sie antwortet nicht.

Ja, Entschuldigung, es ist ja auch egal, ich habe kein Recht, Sie noch zu fragen.

Oh, ich war heute nacht so glücklich! sagte sie. Mein Gott, wie ich darauf wartete, daß es Morgen werden sollte, und wie habe ich auf Sie gewartet! Aber heute bin ich nur in Zweifel geraten.

Wollen Sie mir wenigstens eines sagen: Sie glauben also nicht, daß ich ehrlich zu Ihnen gewesen bin, Sie mißtrauen mir also trotz allem, trotz allem?

Nein, nicht immer. Lieber, seien Sie nicht böse auf mich! Sie sind so fremd hier, ich weiß nichts, bevor Sie es mir nicht sagen; vielleicht meinen Sie es jetzt ehrlich, bereuen aber später alles. Ich weiß nicht, was Sie denken werden?

Pause.

Da faßt er sie unters Kinn, hebt ihren Kopf ein wenig und sagt:

Und was sagte Fräulein Kielland noch?

Sie wurde konfus, warf ihm einen scheuen Blick zu, der ihre Bestürzung verriet, und rief aus:

Das habe ich nicht gesagt, nein, habe ich das denn getan? Das habe ich nicht gesagt!

Nein, nein, Sie haben es nicht gesagt. Er wurde abwesend; seine Augen starrten auf einen Fleck, ohne etwas zu sehen. Nein, Sie sagten nicht, daß sie es war, Sie erwähnten ihren Namen nicht, seien Sie ganz beruhigt ... Und Fräulein Kielland ist also tatsächlich hier gewesen, sie ist durch jene Tür da hereingekommen und ebendort wieder hinausgegangen, nachdem sie ihre Aufgabe erledigt hatte. Es war ihr so wichtig, daß sie heute hinaus mußte, bei diesem Wetter. Wie merkwürdig das ist! ... Liebe, gute Martha, gute Seele, ich knie vor Ihnen, weil Sie gut sind!

Glauben Sie mir trotzdem, glauben Sie mir nur heute abend, dann werde ich Ihnen später zeigen, wie wenig ich beabsichtige, Sie zu betrügen. Nehmen Sie Ihr Versprechen jetzt nicht zurück. Denken Sie noch einmal darüber nach, wollen Sie das tun? Denken Sie bis morgen darüber nach und lassen Sie mich dann wieder kommen ...

Nein, ich weiß nicht, unterbrach sie.

Sie wissen nicht? Sie möchten mich also am liebsten gleich heute abend ein für allemal loswerden? Jaja.

Ich möchte lieber einmal zu Ihnen kommen, wenn Sie ... ja, wenn Sie verheiratet sind und alles fertig haben ... das Haus ... ich meine, wenn ... ich möchte lieber Dienstmädchen bei Ihnen sein. Ja, das möchte ich lieber.

Pause. Ja, ihr Mißtrauen zu ihm hatte bereits tiefe Wurzeln geschlagen, er konnte es nicht mehr überwinden, vermochte nicht mehr, ihr Vertrauen zurückzugewinnen. Und er fühlte mit Betrübnis, wie sie ihm immer weiter und weiter entglitt, je mehr er sprach. Aber warum weinte sie denn? Was quälte sie? Und warum ließ sie denn seine Hand nicht los? Er kam noch einmal auf Minute zurück; es war ein Versuch; er wollte sie dazu bringen, ihm für morgen ein Treffen zuzugestehen, wenn sie das Ganze noch einmal überdacht hatte. Er sagte:

Verzeihung, wenn ich ein letztes Mal Minute vor Ihnen erwähne. Ja, regen Sie sich nicht auf, ich habe meine Gründe, so zu sprechen. Ich will nichts Schlechtes über diesen Menschen sagen, im Gegenteil, Sie werden sich erinnern, daß ich vor Ihren eigenen Ohren von ihm sogar nur das Beste sagte, was ich über ihn wußte. Ich hatte die Möglichkeit erwogen, daß er mir bei Ihnen im Wege stehen könnte, deshalb hatte ich ihn Ihnen gegenüber erwähnt, ich behauptete unter anderem, daß er ebenso gut wie jeder andere eine Familie versorgen könne, und ich glaube heute noch, daß er das kann, wenn man ihn anfangs etwas unterstützt. Aber Sie wollten überhaupt nicht darauf hören, Sie hätten nichts mit Minute zu tun, Sie baten mich sogar, nicht mehr von ihm zu sprechen. Gut! Aber ich bin meinen Verdacht noch nicht ganz losgeworden, Sie haben mich nicht überzeugt, und ich frage Sie wieder, ob zwischen Ihnen und Minute etwas ist? In diesem Fall ziehe ich mich sofort zurück. Ja, Sie schütteln den Kopf; aber dann verstehe ich nicht, daß Sie sich weigern können, die Sache bis morgen zu überlegen und mir dann Bescheid zu geben. Das wäre einfach nur gerecht. Und Sie, die Sie so gut sind!

Da gab sie nach, ja sie stand sogar auf, ihre Rührung ging mit ihr durch, und sie strich ihm lächelnd und weinend über das Haar, wie schon vorher einmal. Sie wolle ihn auch morgen treffen, ja, das wolle sie gerne; er solle nur etwas früher kommen, um vier Uhr, fünf Uhr, solange es hell sei, dann könne niemand etwas sagen. Aber jetzt müsse er gehen, es sei am besten, daß er sofort gehe. Ach ja, dann käme er morgen wieder, sie werde bestimmt da sein und darauf achten ...

Dieses seltsame Kind von einem alten Mädchen! Wegen eines Wortes, einer halben Bemerkung flammte ihr Herz auf und riß sie zu Zärtlichkeit, zu Lächeln hin. Sie hielt ihn an der Hand, bis er ging, begleitete ihn bis zur Tür und hielt ihn immer noch an der Hand. An der Treppe sagte sie zu ihm sehr laut gute Nacht, als könne jemand in der Nähe sein, dem sie trotzen wollte.

Der Regen hatte aufgehört, endlich hatte er fast aufgehört; hie und da war schon ein Stückchen blauer Himmel zwischen den trüben Wolken zu sehen, und nur ab und zu fiel noch ein Regentropfen auf die nasse Erde.

Nagel atmete wieder freier. Doch, er würde ihr Vertrauen wiedergewinnen; weshalb sollte es ihm nicht gelingen? Er ging nicht nach Hause, er schlenderte am Anleger vorbei, am Meer entlang, passierte die letzten Häuser der Stadt und kam auf den Weg zum Pfarrhof. Es war kein Mensch zu sehen.

Als er noch einige Schritte weiter gegangen war, erhebt sich plötzlich jemand vom Wegrand und geht vor ihm her. Es war Dagny; der helle Zopf hing ihr über dem Regenmantel den Rücken herunter.

Es durchbebte ihn von Kopf bis Fuß, und er stand einen Augenblick fast still; er war auch höchst erstaunt. War sie denn nicht auch heute auf dem Basar? Oder machte sie nur einen kleinen Spaziergang, bevor die Lebenden Bilder begannen? Sie bewegte sich unendlich langsam vorwärts und blieb sogar ein paarmal stehen und sah auf zu den Vögeln in der Luft, die wieder begannen, zwischen den Bäumen zu fliegen. Hatte sie ihn gesehen? Wollte sie ihn auf die Probe stellen? War sie bei seinem Kommen aufgestanden, um noch einmal herauszufinden, ob er es wagte, sie anzusprechen?

Sie konnte sich beruhigen, er würde sie jetzt nie mehr belästigen! Und plötzlich erwacht seine Wut, eine blinde und dumpfe Wut auf diesen Menschen, der ihn vielleicht noch einmal dazu verführen wollte, sich zu vergessen, nur um die Befriedigung zu haben, ihn hinterher demütigen zu können. Sie war imstande, den Leuten oben auf dem Basar noch einmal zu erzählen, daß er mit ihr zusammengetroffen sei. War sie nicht eben bei Martha gewesen und hatte auch dort sein Glück vereitelt? Konnte sie jetzt nicht innehalten und aufhören, ihm weitere Boshaftigkeiten in den Weg zu legen? Sie hatte ihm heimzahlen wollen, was er verdiente, gut, aber sie zahlte reichlicher als nötig.

Sie gehen beide gleich langsam, der eine hinter dem anderen, es war stets ein Abstand von fünfzig Schritten zwischen ihnen. Dies hält mehrere Minuten an. Plötzlich fällt ihr Taschentuch zu Boden. Er sieht, wie es ihr an der Seite herunterfällt, wie es an ihrem Regenmantel herunterflattert und auf dem Weg liegenbleibt. Wußte sie, daß sie es verloren hatte?

Und er sagt sich, daß sie ihn auf die Probe stellen wollte, ihre Wut auf ihn hatte sich noch nicht gelegt, sie wollte ihn veranlassen, dieses Taschentuch aufzuheben und ihr zu bringen, damit sie ihm ins Gesicht sehen und ihre Häme über seine Niederlage bei Martha richtig zeigen konnte. Sein Zorn steigt, er preßt die Lippen zusammen und zieht seine Stirn in leidenschaftliche Falten. Hehe, ja, nicht wahr, er hätte sich ihr darbieten sollen, ihr sein ganzes Gesicht zukehren und sich von ihr auslachen lassen sollen! Sieh an, sieh an, dort ließ sie ihr Taschentuch fallen; es liegt dort auf dem Weg, mitten auf dem Weg; es ist weiß und außerordentlich fein, ein Spitzentaschentuch sogar, man könnte sich bücken und es aufheben ...

Er ging unverändert langsam, und als er zu dem Taschentuch kam, trat er drauf und ging weiter.

Noch mehrere Minuten gingen sie in dieser Weise; er beobachtete, daß sie plötzlich auf die Uhr sah und auf einmal umdrehte. Sie kam direkt auf ihn zu. Hatte sie ihr Taschentuch vermißt? Da drehte auch er um und ging langsam vor ihr her. Als er wieder zu dem Taschentuch kam, trat er abermals drauf, zum zweiten Mal, und direkt vor ihren Augen. Und er ging weiter. Er fühlte, daß sie dicht hinter ihm war, und er ging doch nicht schneller. Damit machten sie weiter, bis sie in die Stadt kamen.

Sie nahm ganz richtig den Weg zum Basar; er ging auf sein Zimmer hinauf.

Er öffnete ein Fenster und lehnte sich auf den Ellbogen hinaus, gebrochen, vernichtet vor Erregtheit. Jetzt war sein Zorn verflogen, er krümmte sich zusammen und begann, den Kopf auf seinen Armen, zu schluchzen, schluchzen, stumm, mit trocknen Augen und bebendem Körper. So war das also abgelaufen! Oh, wie er das bereute, wie er das ungeschehen wünschte! Sie hatte ihr Taschentuch fallen lassen, vielleicht absichtlich, vielleicht, um ihn zu demütigen; na und? Er hätte es vielleicht aufheben können, es stehlen und sein Leben lang an der Brust tragen können. Es war ganz schneeweiß, und er hatte es in den aufgeweichten Weg getreten. Sie hätte es vielleicht gar nicht mehr von ihm entgegengenommen, wo er es erst in den Händen gehabt hatte; vielleicht hätte sie es ihn behalten lassen; weiß Gott! Aber hätte sie trotzdem die Hand danach ausgestreckt, dann hätte er sich niedergeworfen und sie beschworen, mit erhobenen Händen beschworen, es behalten zu dürfen, als ein Andenken, eine Gunst. Und was hätte es ausgemacht, wenn sie ihn wieder verhöhnt hätte?

Plötzlich fährt er auf, nimmt die Treppe in zwei Sätzen, stürmt raus auf die Straße, bringt die ganze Stadt innerhalb von ein paar Minuten hinter sich und ist wieder auf dem

Weg zum Pfarrhof. Vielleicht konnte er das Taschentuch noch finden! Und ganz richtig, sie hatte es liegen gelassen, obwohl er sicher war, daß sie ihn beim zweiten Mal hatte drauftreten sehen. Welches Glück hatte er trotz allem, trotz allem! Gott sei dafür gedankt! Er steckt es klopfenden Herzens ein, eilt nach Hause und wäscht es in Wasser, wäscht es endlos in Wasser und breitet es behutsam aus. Es war ziemlich übel zugerichtet, in der einen Ecke sogar von seinem Absatz zerrissen; aber was machte das! Oh, wie war er glücklich, weil er es gefunden hatte!

Erst als er sich wieder ans Fenster setzte, merkte er, daß er diese letzte Tour durch die Stadt ohne Mütze auf dem Kopf gemacht hatte. Ja, er war verrückt, er war verrückt! Angenommen, sie hätte es gesehen! Sie hatte ihn auf die Probe stellen wollen, und tatsächlich war er dabei auch alles in allem kläglich durchgefallen. Nein, damit mußte es jetzt sofort ein Ende haben! Er mußte ihr ruhigen Herzens, erhobenen Hauptes und mit kaltem Blick, ohne sich zu verraten, begegnen können. Ja, wie sehr er das versuchen wollte! Er wollte einfach abreisen und Martha mitnehmen. Sie war zu gut für ihn; ach, aber er wollte sie sich verdienen; niemals rasten, sich niemals eine Stunde Ruhe gönnen, bevor er sie sich verdient hatte.

Das Wetter wurde milder und milder, leiser Windhauch wehte den Duft von feuchtem Gras und feuchter Erde durch das Fenster und belebte ihn immer mehr. Ja, morgen wollte er wieder zu Martha gehen und sie so demütig bitten nachzugeben ...

Aber am nächsten Tag wurde seine Hoffnung schon vormittags vollständig zerschlagen.

XVIII

Zuerst kam Doktor Stenersen; Nagel war noch nicht aufgestanden. Der Doktor bat zu entschuldigen, aber dieser verflixte Basar nehme ihn Tag und Nacht in Anspruch.

Doch er hätte einen Auftrag, eine Mission: es gehe darum, ihn – Nagel – zu überreden, heute abend wieder auf dem Basar aufzutreten. Es seien die unglaublichsten Gerüchte über sein Spiel im Umlauf, die Stadt schlafe nicht mehr vor lauter Neugier; Tatsache! Ich sehe, Sie lesen die Zeitungen? Ja, diese Politik! Haben Sie die letzten Bestallungen registriert! Insgesamt seien die Wahlen nicht so zufriedenstellend verlaufen, zu einer Ohrfeige für die Schwedischen sei es nicht gekommen ... Sie bleiben ziemlich lang liegen, finde ich; es ist zehn Uhr. Und draußen ist ein Wetterchen, es zittert vor Hitze! Sie sollten einen Morgenspaziergang machen.

Ja, Nagel wollte jetzt auch aufstehen.

Ja, was durfte nun dem Führungsstab des Basars geantwortet werden?

Nein, Nagel wollte nicht spielen.

Nicht? Aber es sei doch eine Sache von nationaler Bedeutung; hatte er das Recht, sich diesem kleinen Dienst zu verweigern?

Nun, er könne nicht.

Herrgott, nun seien gerade alle in solcher Stimmung dazu, besonders die Damen hätten den Doktor gestern abend förmlich bestürmt, es unter Dach und Fach zu bringen. Fräulein Andresen hatte ihm weder Ruhe noch Rast gegönnt, und Fräulein Kielland hatte ihn sogar auf die Seite gezogen und ihn gebeten, ja nicht zuzulassen, daß Nagel sich um das Versprechen drücke zu kommen.

Ja, aber Fräulein Kielland habe doch keinen Schimmer, wie er spiele? Sie habe ihn nie gehört.

Nein, aber sie sei trotzdem die eifrigste; sie hatte sogar angeboten, ihn begleiten zu wollen ... Zum Schluß sagte sie: Sagen Sie, daß wir alle ihn bitten ... Sie könnten doch zehn-, zwölfmal die Fiedel streichen und uns allen damit eine Freude machen?

Er könne nicht, er könne nicht!

Ja, sieh an, das seien nun lediglich Ausflüchte; er habe doch Donnerstag abend gekonnt?

Nagel wand sich etwas: Nun einmal angenommen, daß

er nur diesen armseligen Brocken könnte, dieses eine unzusammenhängende Potpourri, daß er gerade diese paar Tänze zur Vollkommenheit eingeübt hätte, um eines Abends die Leute in Erstaunen zu versetzen! Und außerdem spiele er falsch wie die Sünde; er selbst hielte es nicht aus, sich das anzuhören, nein, bei Gott nicht!

Ja, aber...

Doktor, ich tue es nicht!

Aber wenn nicht heute abend, dann morgen abend? Morgen ist Sonntag, da hört der Basar auf, und wir hoffen auf viele Besucher.

Nein, Sie müssen mich entschuldigen, ich spiele auch morgen abend nicht. Es ist töricht, eine Geige überhaupt anzurühren, wenn man sie nicht besser handhabt als ich. Es ist doch sonderbar, daß *Sie* das nicht heraushörten!

Das verfing beim Doktor.

Doch, sagte er, ich fand schon, daß Sie hier und da ein bißchen daneben lagen; aber, zum Teufel, nicht alle im Publikum verstehen etwas von Musik.

Es nützte nichts, der Doktor erhielt ein beharrliches Nein und mußte gehen.

Nagel begann sich anzuziehen. Schau an, sogar Dagny war eifrig gewesen, ihn dazu zu bewegen, sie hätte ihn sogar begleitet! Eine neue Falle, was? Gestern abend hatte es nicht geklappt, und jetzt wollte sie auf diese Weise auf ihre Kosten kommen?... Herrgott, vielleicht tat er ihr unrecht, vielleicht wollte sie ihn jetzt nicht mehr hassen, wollte ihn in Ruhe lassen! Und er bat sie in seinem Herzen für sein Mißtrauen um Verzeihung. Er sah hinaus auf den Marktplatz; es war der herrlichste Sonnenschein und der höchste Himmel. Er fing an zu summen.

Als er fast fertig war, um hinunterzugehen, schob ihm Sara einen Brief durch die Tür; er war nicht mit der Post gekommen, sondern per Boten. Der Brief war von Martha und enthielt nur einige wenige Zeilen: er solle heute abend doch nicht kommen, sie sei abgereist. Er möge ihr um Gottes willen alles vergeben und sie nicht mehr aufsuchen; sie würde unter einem Wiedersehen leiden. Lebwohl. Zuunterst im Brief, unter ihrem Namen, hatte sie hinzugefügt, daß sie ihn niemals vergessen könne. Ich werde Sie niemals vergessen, schrieb sie. Durch diese drei, vier Zeilen von einem Brief zog sich überhaupt ein Ton von Wehmut, sogar die Buchstaben hatten ein trauriges, armseliges Aussehen.

Er sackte auf einen Stuhl. Alles war verloren, verloren! Sogar da hatte man ihn abgewiesen! Wie merkwürdig es doch war, wie sich alles gegen ihn verschwor! Hatte er es wohl jemals ehrlicher und besser gemeint als hier? Und trotzdem, trotzdem half es nichts! Er sitzt mehrere Minuten lang unbeweglich.

Plötzlich springt er vom Stuhl auf; er sieht auf die Uhr, es ist elf; wenn er sich sofort auf den Weg machte, konnte er Martha vielleicht noch antreffen, ehe sie abreiste! Er begibt sich augenblicklich hinunter zu ihrem Haus; es ist verschlossen und leer. Er schaut durch die Fenster beider Zimmer, und es ist kein Mensch da.

Er ist vernichtet und sprachlos, er kehrt zurück ins Hotel, ohne zu wissen, wo er geht, ohne von der Straße aufzublicken. Wie konnte sie das nur tun! wie konnte sie das nur tun! Er hätte ihr doch zum Abschied alles, alles Gute gewünscht, wohin sie auch immer gewollt hätte. Er wäre sogar vor ihr niedergekniet, ihrer Güte wegen, weil sie so ein reines Herz hatte, und sie hätte es nicht ertragen können, daß er das tut. Ja ja, da war nichts mehr zu machen!

Als er Sara im Gang traf, erfuhr er, daß der Brief durch einen Boten vom Pfarrhof gebracht worden war. Dann war also auch das Dagnys Werk, sie hatte das Ganze eingefädelt, hatte es genau berechnet und blitzschnell gehandelt. Nein, sie würde ihm nie verzeihen!

Den ganzen Tag lang streunte er herum, durch die Straßen, auf seinem Zimmer, draußen im Wald, überall; er kam keinen Augenblick zur Ruhe. Und er ging die ganze Zeit mit gesenktem Kopf und mit aufgerißnen Augen, die nichts sahen.

Der nächste Tag verlief genauso. Es war Sonntag, eine

Menge Menschen vom Land waren herbeigeströmt, um am letzten Tag den Basar zu besuchen und die Lebenden Bilder zu sehen; Nagel wurde wieder ersucht, wenigstens eine Nummer zu spielen, diesmal durch ein anderes Mitglied des Komitees, Konsul Andresen, Fredrikkes Vater; aber er lehnte erneut ab. Vier ganze Tage lang lief er wie ein Verrückter herum, in einer merkwürdig abwesenden Stimmung, als erfülle ihn nur ein Gedanke, ein Gefühl. Er war jeden Tag, und jeden Tag mehrmals, unten an Marthas Haus und sah nach, ob sie nicht zurückgekommen sei. Wohin war sie gefahren? Doch selbst wenn er sie finden sollte, es würde ihm doch nichts nützen; nichts mehr nützte!

Eines Abends wäre er beinahe mit Dagny zusammengestoßen. Sie kam aus einem Laden und streifte fast seinen Ellbogen. Sie machte mit den Lippen eine Bewegung, wie um ihn anzusprechen, wurde aber plötzlich rot und schwieg. Er erkannte sie nicht sofort, und vor Verwirrung blieb er einen Augenblick stehen und sah sie an, bevor er sich jäh umwandte und sich entfernte. Sie kam nach, er hörte an ihren Schritten, daß sie schneller und schneller ging; er hatte das Gefühl, daß sie ihn einholen wollte, und er beschleunigte seinen Gang, um zu entkommen, um sich vor ihr zu verstecken; er hatte Angst vor ihr, sie würde ihn immer wieder in irgendein Unglück stürzen! Er entkam schließlich direkt ins Hotel, er stürzte hinein und eilte in höchster Unruhe auf sein Zimmer hoch. Gott sei Dank, er war gerettet!

Dies war der 14. Juli, ein Dienstag ...

Am Morgen schien er den Entschluß gefaßt zu haben, irgend etwas zu tun. Sein Gesicht hatte sich in diesen paar Tagen ganz verändert, es war grau und steif, und seine Augen waren ohne Leben. Er ging auch immer öfter ein gutes Stück die Straße hinunter, bis er entdeckte, daß seine Mütze noch im Hotel lag. Bei solchen Gelegenheiten sagte er sich immer, daß dies ein Ende haben müsse, Schluß wolle er machen; und wenn er das sagte, ballte er die Hände hart zusammen.

Als er sich am Mittwoch morgen vom Bett erhob, untersuchte er zuerst die kleine Giftflasche in seiner Westentasche, schüttelte sie, roch daran und steckte sie wieder weg. Während er sich danach anzog, begann er aus alter Gewohnheit mit einer dieser langen und unordentlichen Gedankenreihen zu spielen, die ihn andauernd beschäftigten und seinen müden Kopf niemals ausruhen ließen. Sein Hirn tat seine Arbeit mit einer verrückten, ungeheuren Hast; er war erregt und so verzweifelt, daß er oft Mühe damit hatte, die Tränen zurückzuhalten, und gleichzeitig drangen tausend Dinge auf ihn ein:

Ja, Gott sei Dank, er hatte immer noch seine kleine Flasche! Der Saft war klar wie Wasser und roch nach Mandeln. Ach ja, er würde wohl sehr bald, sehr bald Verwendung dafür haben, wenn sich kein anderer Ausweg fand. Es war eben doch das Ende. Warum auch nicht? Er hatte so lächerlich schön geträumt von einem Werk auf Erden, etwas, das »zählen« würde, Taten, vor denen sich die Fleischfresser bekreuzigen würden – und es war schlecht ausgegangen; er hatte die Aufgabe nicht gemeistert. Warum sollte er keine Verwendung für den Saft haben! Es kam nur noch darauf an, ihn ohne allzu viele Grimassen runterzuschlucken. Ja, ja, das würde er tun, wenn die Zeit reif war, wenn die Stunde schlug.

Und Dagny würde gewinnen ...

Wie mächtig war doch dieses Geschöpf, obwohl sie so ganz gewöhnlich war, mit einem langen Zopf und einem klugen Herz! Er verstand den armen Mann, der nicht ohne sie leben wollte, den mit dem Stahl und dem letzten Nein. Er wunderte sich nicht mehr über ihn, der Arme hatte Schluß gemacht, und was sonst hätte er tun können? ... Wie werden ihre blauen Samtaugen funkeln, wenn jetzt auch ich den gleichen Weg gehe! Aber ich liebe dich, liebe dich auch dafür, nicht nur wegen deiner Tugenden, sondern auch wegen deiner Bosheit. Du quälst mich mit deiner Nachsicht nur zu sehr; warum duldest du, daß ich mehr als ein Auge habe? Du solltest das zweite nehmen, ja alle beide; du solltest nicht gestatten, daß ich friedlich auf der Straße gehen darf und ein Dach über dem Kopf habe. Du hast mir

Martha entrissen, ich liebe dich trotzdem, und du weißt, daß ich dich trotzdem liebe, und du kicherst deswegen, und ich liebe dich auch dafür, daß du deswegen kicherst. Kannst du mehr verlangen? Ist das nicht genug? Deine langen, weißen Hände, deine Stimme, dein helles Haar, deinen Atem und deine Seele liebe ich mehr als alles andere, und ich kann mich davor nicht retten, und ich kann mich nicht mehr zügeln, Gott helfe mir! Ja, du darfst mich gern noch mehr verhöhnen und über mich lachen, was macht das aus, Dagny, wenn ich dich liebe? Ich finde nicht, daß sich dadurch irgendwas ändert; meinetwegen kannst du machen, was immer dir einfällt, du bleibst in meinen Augen unverändert schön und liebenswert, ich gebe das ohne weiteres zu. Ich habe dich irgendwie enttäuscht, du findest mich schlimm und bösartig, du traust mir jede Schlechtigkeit zu. Wenn ich meiner geringen Statur durch irgendeinen Betrug aufhelfen könnte, dann würde ich es auch tun. Ja, na und? Wenn du das so sagst, dann ist es für mich auch so, das ist mir dann auch recht, und ich versichre dir, daß meine Liebe in mir auch dann zu singen beginnt, auch wenn du das sagst. Selbst wenn du mich abschätzig ansiehst oder mir den Rücken zudrehst, ohne auf meine Frage zu antworten, oder wenn du mich auf der Straße einzuholen versuchst, um mich zu demütigen, auch dann bebt mein Herz dir in Liebe entgegen. Du mußt mich verstehen, ich betrüge jetzt keinen von uns; aber es ist mir auch egal, ob du abermals lachst, das ändert mein Gefühl nicht; so ist das. Und wenn ich einmal einen Diamanten fände, dann würde ich ihn Dagny taufen, weil nur dein Name mich heiß vor Freude macht. Und ich könnte sogar so weit gehen, daß ich deinen Namen unablässig hören wollte, ihn von allen Menschen und Tieren und allen Bergen und Sternen ausgesprochen hören möchte, daß ich für alles andere taub wäre und in meinem Ohr nur deinen Namen als einen unendlichen Ton hörte, Tag und Nacht, mein ganzes Leben lang. Ich hätte Lust, dir zu Ehren einen neuen Eid einzuführen, einen Eid für alle Völker der Erde, nur dir zu Ehren. Und wenn ich mich dadurch versündigte und Gott mich deswegen verwarnte, dann würde ich ihm antworten: schreib es auf mein Konto, kreide es an, ich bezahle es mit meiner Seele, wenn die Zeit reif ist, wenn die Stunde schlägt ...

Wie seltsam alles ist! Überall bin ich steckengeblieben, und ich bin doch derselbe an Stärke, an Leben. Mir stehen die gleichen Möglichkeiten wie früher offen, ich könnte die gleichen Taten vollbringen; warum bin ich denn steckengeblieben, und warum sind mir auf einmal alle Möglichkeiten unmöglich geworden? Bin ich selbst daran schuld? Ich wüßte nicht, wodurch. Ich habe alle Sinne beisammen, ich habe keine schlechten Angewohnheiten, ich bin keinem einzigen Laster verfallen, ich stürze mich auch nicht blind in Gefahr. Ich denke wie früher, fühle wie früher, bin Herr über meine Bewegungen wie früher, ja, und ich schätze die Menschen ein wie früher. Ich gehe zu Martha, ich weiß, daß sie die Rettung ist, sie ist die gute Seele, mein guter Engel. Sie hat Angst, sie fürchtet sich sehr; aber sie will dann doch, wie ich will, und wir sind uns einig. Gut! Ich träume von einem Leben in glücklichem Frieden; wir ziehen uns in die Einsamkeit zurück, wir wohnen in einer Hütte am Rand einer Quelle, wir streifen durch Wälder, in kurzen Kleidern und Spangenschuhen – genau so wie ihr sentimentales und gütiges Herz es verlangt. Warum nicht? Mohammed geht zum Berg! Und Martha ist dabei, Martha erfüllt meinen Tag mit Reinheit und die Nacht mit Ruhe, und der Herr in der Höhe ist über uns. Doch jetzt mischt sich die Welt ein, die Welt stemmt sich dagegen, die Welt findet, das sei Wahnsinn. Die Welt sagt, daß dieser vernünftige Mann und jene vernünftige Frau nicht das gleiche getan hätten, folglich ist es wahnsinnig, so etwas zu tun. Und einzig und alleine ich trete vor, stampfe auf den Boden und sage, es *ist* vernünftig! Was weiß die Welt? Nichts! Man gewöhnt sich nur an eine Sache, man nimmt sie an, man anerkennt sie, denn unsere Lehrer haben sie vor uns anerkannt, alles ist ganz und gar Mutmaßung, ja sogar Zeit, Raum, Bewegung, Materie sind Mutmaßungen. Die Welt weiß nichts, sie nimmt nur an ...

Nagel hielt einen Augenblick die Hand vor die Augen

und wiegte den Kopf hin und her, als schwirre es vor ihm. Er stand mitten im Zimmer.

Woran habe ich jetzt eben gedacht? ... Gut, sie fürchtet sich vor mir; aber wir werden uns einig. Und ich fühle in meinem Herzen, daß ich ihr die ganze Zeit nur Gutes tun werde. Ich will mit der Welt brechen, ich schicke den Ring zurück; ich habe mich wie ein Narr unter anderen Narren getummelt, ich habe verrückte Streiche verübt, ich habe auch Geige gespielt, und die Leute haben gerufen: gut gebrüllt, Löwe! Ich bin angeekelt von dem unsäglich rohen Triumph, die Fleischfresser klatschen zu hören, ich konkurriere nicht länger mit einem Telegraphisten aus Kabelvåg; ich gehe in das Tal des Friedens und werde das friedlichste Wesen des Waldes, ich verehre meinen Gott, summe zufriedne Lieder, werde abergläubisch, rasiere mich nur während der Flut und gebe auf den Schrei gewisser Vögel acht, wenn ich mein Korn säe. Und wenn ich von der Arbeit müde bin, steht meine Frau in der Tür und winkt mir zu, und ich segne sie und danke ihr für all ihr freundliches Lächeln ... Martha, wir waren uns doch einig, war es nicht so? Und du hast es so fest versprochen, du wolltest es zum Schluß doch selbst, als ich dir alles auseinandergesetzt hatte? Dann wurde doch nichts daraus. Du wurdest entführt, überrumpelt und entführt, nicht zu deinem, sondern zu meinem Unglück ...

Dagny, ich liebe dich nicht, du hast mir überall im Weg gestanden, ich liebe deinen Namen nicht, er verbittert mich, bereitet mir Übelkeit, ich nenne dich Dangnü und strecke die Zunge raus; höre mich um Christi willen! Ich werde zu dir kommen, wenn die Stunde geschlagen hat und ich tot bin, ich werde mich dir auf der Brandmauer zeigen, mit einem Gesicht wie der Kreuzbube, und ich werde dich als Totengerippe verfolgen, dich auf einem Bein umtanzen und deine Arme mit meinen Klauen lähmen. Das werde ich tun, das werde ich tun! Gott bewahre mich ab jetzt und für alle Zeit vor dir, das heißt, der Teufel soll dich holen, so inständig, wie ich darum bitte ...

Na und! zum x-ten Mal na und? Ich liebe dich trotzdem,

und du, Dagny, weißt gut, daß ich dich trotzdem liebe und daß ich alle meine bittren Worte bereue. Na und? Was nützt es mir? Und außerdem, wer weiß denn, ob es so nicht am besten ist? Wenn du sagst, daß es so am besten sei, dann ist es auch so, ich fühle das gleiche wie du, ich bin ein aufgehaltener Wanderer. Aber auch wenn du gewollt hättest und du mit allen anderen gebrochen und dich an mich gebunden hättest – was ich nicht verdient hätte, aber trotzdem, nehmen wir es an –, wozu hätte es geführt? Du hättest mir höchstens helfen wollen, meine Werke auszuführen, meine Tat in der Welt zu vollbringen – ich sage dir, das beschämt mich, mein Herz steht still vor Scham, wenn ich daran denke. Ich würde tun, was du willst, weil, ich liebe dich, aber ich würde dabei an meiner Seele Schaden nehmen ... Na, wozu in aller Welt soll es gut sein, ein Ding nach dem anderen *anzunehmen*, unmögliche Ausgangspunkte zu konstruieren? Du würdest nicht mit allen anderen brechen und dich nicht an mich binden, du weist mich ab, lachst mich aus, verhöhnst mich; was also habe ich mit dir zu schaffen? Punktum.

Pause. Mit Heftigkeit:

Übrigens will ich dir sagen, daß ich mir dieses gute Glas Wasser genehmige und du dich zum Teufel scheren kannst. Es ist unsäglich dumm von dir, zu glauben, daß ich dich liebe, daß ich mir wirklich diese Mühe mache, jetzt, wo so bald die Zeit reif ist. Ich verabscheue dein ganzes Steuerzahler-Dasein, so geordnet, gekämmt und nichtssagend, wie es ist. Ich verabscheue es, und Gott weiß wie, und ich fühle in mir eine Verbitterung wie ein geheiligtes Donnerwetter, wenn ich an dich denke. Was hättest du aus mir gemacht? Hehe, ich könnte Gift drauf nehmen, daß du aus mir einen großen Mann gemacht hättest. Hehe, gehe hin und schmeichle den Pfaffen! Ich bin über deine großen Männer zutiefst beschämt ...

Ein großer Mann! Wie viele große Männer gibt es auf der Welt? Zuerst die großen Männer in Norwegen, die sind am größten. Dann die großen Männer in Frankreich, im Lande Hugos und der Dichter. Dann kommen die großen Männer drüben in Barnums Reich. Und alle diese großen Männer balancieren auf einem Globus herum, der im Verhältnis zum Sirius nicht größer ist als der Rücken einer Laus. Aber ein großer Mann ist kein kleiner Mann, ein großer Mann wohnt nicht in Paris, er bewohnt Paris. Ein großer Mann steht so hoch, daß er sich selbst auf den Kopf gucken kann. Lavoisier bat darum, so lange zu warten, bis er eine chemische Untersuchung vollendet hätte, bevor man ihn köpfte, das soll heißen: stört meine Kreise nicht! Hehe, welch eine Komödie! Wenn nun nicht einmal, nein, nicht einmal Euklid mit den Axiomen mehr als eine Öre zum Grundwert beigesteuert hat! Ach wie ärmlich und anspruchslos und wenig stolz hat man es auf der Erde des Herrn eingerichtet!

Da geht man hin und macht große Männer aus den zufälligsten Professionalisten, die zufälligerweise den elektrischen Spannungswandler verbessert haben oder die zufälligerweise genügend Muskelkraft gehabt haben, um über ein Veloziped gegrätscht durch Schweden zu strampeln. Ja, und man läßt große Männer Bücher schreiben zur Beförderung der Anbetung großer Männer! Hehe, das ist wirklich köstlich, das ist sein Geld wert! Schließlich will jede Gemeinde ihren großen Mann haben, einen Kandidaten des Rechts, einen Romanschriftsteller, einen Polarschiffer von unermeßlicher Größe. Und die Erde wird so großartig flach sein und einfach und eben zu überblicken ...

Dagny, jetzt bin ich an der Reihe: ich winke ab, ich lache dich aus, ich verhöhne dich; was hast du denn mit mir zu schaffen? Ich werde niemals ein großer Mann ...

Aber nehmen wir einfach mal an, es gäbe eine ungeheure Menge großer Männer, eine Legion Genies von der und der Größe; warum nicht einfach annehmen! Na und? Sollte die Anzahl mir vielleicht imponieren? Ganz im Gegenteil, je mehr von einer Sorte, desto gewöhnlicher! Oder sollte ich so tun wie alle Welt? Die Welt ist sich immer gleich, sie anerkennt auch hier, was die Welt zuvor anerkannt hat, sie bewundert, fällt auf die Knie, hängt den großen Männern mit Hurrarufen an den Fersen. Und das sollte auch ich tun?

Komödie, Komödie! Der große Mann geht auf der Straße, ein Menschenkind stupst das andere Menschenkind in die Seite und sagt: da geht der und der große Mann! Der große Mann sitzt im Theater, die eine Lehrerin kneift die andere Lehrerin in den reizlosen Schenkel und flüstert: dort, in der Proszeniumsloge, sitzt der und der große Mann! Hehe. Und er selbst, der große Mann? Er streicht ein! Ja, das tut er. Die Menschenkinder haben recht, findet er, er nimmt ihre Aufmerksamkeiten wie etwas ihm Gebührendes entgegen, er verschmäht sie nicht, er errötet nicht. Und warum sollte er auch erröten? Ist er nicht ein großer Mann?

Aber der junge Student Øien würde hier protestieren. Er will selbst ein großer Mann werden, er schreibt in den Ferien an einem Roman. Er würde wieder auf meine Inkonsequenz hinweisen: Herr Nagel, Sie sind nicht konsequent, verdeutlichen Sie, was Sie meinen!

Und ich würde meine Meinung verdeutlichen.

Aber Jung-Øien wäre dadurch nicht zufriedengestellt, er würde fragen: Dann gibt es also eigentlich keine großen Männer?

Ja, das würde er fragen, sogar nachdem ich ihm meine Meinung verdeutlicht hätte! Hehe, so würde es sich für ihn darstellen. Na, aber ich würde ihm trotzdem wieder antworten, nach bestem Vermögen, ich würde in Eifer geraten und antworten: Es gibt eben ganz einfach eine Legion großer Männer; bekommen Sie jetzt mit, was ich sage? Sie sind Legion! Aber von den *größten* Männern gibt es sehr, sehr wenige. Sehen Sie, das ist der Unterschied. Es wird bald in jeder Gemeinde einen großen Mann geben; aber von den größten Männern wird es vielleicht nicht einmal einen pro Jahrtausend geben. Unter einem großen Mann versteht die Welt ganz einfach ein Talent, ein Genie, und, Herrgott noch mal, Genie ist ein sehr demokratischer Begriff: soundso viele Pfund Beef am Tag zu verzehren, gibt Genie bis ins dritte, vierte, fünfte, zehnte Glied. Das Genie in populärer Bedeutung ist nicht das Unerhörte, ein Genie ist nur ein menschliches Apropos; man hält davor inne, aber man prallt nicht vor ihm zurück. Stellen Sie sich vor:

Sie sind an einem sternklaren Abend in einem Observatorium und sehen durch das Fernglas zum Orionnebel. Da hören Sie, wie Fearnley sagt: Guten Abend, guten Abend! Sie sehen sich um, Fearnley verbeugt sich tief, ein großer Mann ist zur Tür hereingekommen, ein Genie, der Herr aus der Proszeniumsloge. Und nicht wahr, da lächeln Sie ein bißchen vor sich hin und wenden sich wieder dem Orionnebel zu? Das ist mir passiert ... Haben Sie meine Meinung verstanden? Ich will sagen: lieber, als die gewöhnlichen großen Männer zu bewundern, derentwillen sich die Menschenkinder vor Ehrfurcht in die Seite stupsen, achte ich die kleinen unbekannten Genies, Jünglinge, die sterben, wenn sie noch zur Schule gehen, weil ihre Seele sie zersprengt, feine, blendende Glühwürmchen, denen man begegnet sein muß, solange sie noch am Leben waren, um zu wissen, daß es sie gegeben hat. Das ist mein Geschmack. Doch vor allem sage ich: es gilt das höchste von dem hohen Genie zu unterscheiden, das höchste hoch zu halten, damit es nicht im Proletariat der Genies ertrinkt. Ich will den unerhörten Erzgeist auf seinem Platz sehen; treffen Sie doch eine Auswahl, lassen Sie mich zurückschrecken, schaffen Sie mir die kommunalen Genies vom Hals, es gilt die Spitze zu finden, Ihre Eminenz den Gipfelpunkt ...

Worauf Jung-Øien sagen wird – ja, ja, ich kenne ihn, er wird sagen: Aber das sind doch nur Theorien, Paradoxe.

Und ich bin außerstande einzusehen, daß es nur Theorien sind, ich bin dazu außerstande, der Herr stehe mir bei, so unselig anders ist meine Anschauung der Dinge. Ist das mein Fehler, ich meine: bin ich persönlich daran schuld? Ich bin ein Fremdling, ein Ausländer des Daseins, Gottes fixe Idee, nennt mich, wie Ihr wollt ...

Mit steigender Heftigkeit:

Ich aber sage euch: es kümmert mich nicht, wie ihr mich nennt; ich ergebe mich nicht, niemals in alle Ewigkeit. Ich beiße die Zähne zusammen und verhärte mein Herz, denn ich habe recht; ich will allein und einzig vor der Welt stehen und nicht nachgeben! Ich weiß, was ich weiß, in meinem

Herzen habe ich recht; manchmal, in gewissen Stunden, ahne ich den unendlichen Zusammenhang in allem. Noch etwas habe ich hinzuzufügen vergessen, ich weiche nicht: ich will alle eure dummen Mutmaßungen bezüglich der großen Männer zu Boden schlagen. Jung-Øien behauptet, meine Meinung sei nur eine Theorie. Gut, wenn meine Meinung eine Theorie ist, dann lasse ich sie fallen und warte mit einer anderen auf, die noch besser ist; denn ich scheue vor nichts zurück. Und ich sage ... warte mal, ich bin überzeugt, daß ich noch etwas Beßres sagen kann, denn mein Herz ist voll von Recht; ich sage: ich verachte und verhöhne den großen Mann in der Proszeniumsloge, vor meinem Herzen ist er ein Bajazzo und ein Narr, mein Mund zieht sich vor Verachtung zusammen, wenn ich seine aufgeblähte Brust und seine siegessichre Miene sehe. Hat sich der große Mann sein Genie selbst erkämpft? Ist er nicht damit geboren? Warum ihm dann ein Hurra zurufen?

Und Jung-Øien fragt: Aber Sie selbst wollen doch Ihre Eminenz den Gipfelpunkt auf seinen Platz stellen, Sie bewundern doch den Erzgeist, der sich sein Genie ja auch nicht selbst erkämpft hat?

Und wieder meint Jung-Øien, er habe mich bei einer Inkonsequenz erwischt, so stellt es sich für ihn dar! Aber ich antworte ihm abermals, denn das heilige Recht hat sich meiner bemächtigt: Ich bewundre auch den Erzgeist nicht, ich zertrümmre sogar, wenn es notwendig ist, Ihre Eminenz den Gipfelpunkt und fege die Erde rein. Man bewundert den Erzgeist wegen seiner Größe, wegen seines Höchstmaßes an Genie – als sei das Genie das eigene Verdienst des Erzgeistes, als gehöre das Genie nicht der ganzen Menschheit und sei nicht buchstäblich das Eigentum der Materie! Daß der Erzgeist zufälligerweise seines Urgroßvaters, seines Großvaters und seines Vaters, seines Sohnes, seines Enkels und seines Urenkels Anteil an Genie aufgesogen und sein Geschlecht für Jahrhunderte verwüstet hat, nein, das liegt, nicht in der Verantwortung des Erzgeistes, nein. Er hat das Genie in sich vorgefunden, hat dessen Bestimmung verstanden und es genutzt ... Theorie? Nein, das ist *nicht* Theorie; wohlgemerkt, das ist die Meinung meines Herzens! Aber wenn auch das Theorie ist, dann krame ich in meinem Hirn, und ich finde noch einen weiteren Ausweg, und ich präsentiere noch eine dritte und vierte und fünfte zerschmetternde Gegenbehauptung, so gut ich es fertigbringe, und gebe mich nicht verloren.

Doch auch Jung-Øien gibt sich nicht verloren, denn er hat die ganze Welt im Rücken, und er sagt: Dann haben Sie also nichts zu bewundern, keinen großen Mann, kein Genie!

Und ich antworte und lasse zu, daß ihm allmählich immer unwohler zumute wird, denn er will selbst ein großer Mann werden. Ich kippe ihm abermals Wasser in den Wein und antworte: Nein, ich bewundre das Genie nicht. Aber ich bewundre und liebe das Resultat der Tätigkeit des Genies in der Welt, wofür der große Mann nur das dürftige, notwendige Werkzeug ist, sozusagen nur die jämmerliche Ahle zum Löcherbohren ... Ist es jetzt gut? Haben Sie mich jetzt verstanden?

Mit plötzlich ausgestreckten Händen:

Ah, jetzt sah ich wieder den unendlichen Zusammenhang der Dinge! Wie es leuchtete, wie es leuchtete! Die große Erklärung hat mich jetzt heimgesucht, jetzt, in diesem Augenblick, mitten im Zimmer! Es gab keine Rätsel für mich, ich sah allem auf den Grund. Wie es leuchtete, wie es leuchtete!

Pause.

Jajajajajaja! Ich bin ein Fremdling unter den Mitmenschen, und bald schlägt die Stunde. Jaja ... Und übrigens, was habe ich mit den großen Männern zu schaffen! Nichts! Außer daß all das mit den großen Männern Komödie und Humbug und Betrug ist. Gut! Aber ist nicht das Ganze Komödie und Humbug und Betrug! Gewiß, gewiß, alles ist Betrug. Kamma und Minute und alle Menschen und die Liebe und das Leben sind Betrug; alles, was ich sehe und höre und wahrnehme, ist Betrug, ja selbst das Blau des Himmels ist Ozon, Gift, schleichendes Gift ... Und wenn der Himmel so richtig klar und blau ist, dann segle ich dort oben langsam herum, lasse mein Boot durch den blauen, trügerischen Ozon gleiten. Und das Boot ist aus duftendem Holz, und das Segel ...

Dagny sagte selbst, daß das so schön sei. Dagny, du hast das gesagt, und jedenfalls Dank, weil du das gesagt hast und mich damals so glücklich gemacht hast, daß ich vor Freude bebte. Ich erinnere mich an jedes Wort und trage es mit mir, wenn ich die Wege abschreite und an alles denke, ich werde es niemals vergessen ... Und jetzt wirst du siegen, wenn die Stunde schlägt. Ich will dich nicht länger verfolgen. Und ich will mich dir auch nicht auf der Brandmauer zeigen; das mußt du mir verzeihen, daß ich das aus Rache sagte. Nein, ich will zu dir kommen und dich mit weißen Fittichen umfächeln, wenn du schläfst, und dir folgen, wenn du wachst, und dir manch gutes Wort einflüstern. Vielleicht wirst du mir auch zulächeln, wenn du es hörst, ja, vielleicht tust du das, wenn du willst. Aber wenn ich selbst keine weißen Flügel bekomme, wenn meine Flügel vielleicht nicht so weiß werden sollten, dann will ich einen Engel Gottes bitten, es an meiner Statt zu tun, und ich selbst will nicht vor dich hintreten, sondern mich in einer Ecke verstecken und beobachten, wie du ihm vielleicht zulächelst. Das will ich tun, wenn ich kann, und etwas von dem Schlimmsten, das ich dir angetan habe, wiedergutmachen. Oh, ich bin froh, wenn ich daran denke, und sehne mich danach, es jetzt sofort tun zu können. Vielleicht kann ich dich auf andere wunderbare Weise erfreuen. Ich will gerne jeden Sonntagmorgen, wenn du zur Kirche gehst, über deinem Haupte singen, und darum will ich auch den Engel bitten. Aber wenn er das nicht für mich tun will und ich ihn nicht dazu überreden kann, dann will ich mich vor ihm niederwerfen und ihn demütiger und demütiger bitten, bis er mich erhört. Ich will ihm etwas Gutes dafür versprechen, und ich werde ihm wohl auch etwas geben und ihm sehr viele Dienste erweisen, wenn er so freundlich sein will ... Ja, ja, ich werde es hinkriegen, und ich sehne mich danach, anfangen zu können, ich bin entzückt, wenn ich daran denke. Und jetzt dauert es auch nicht mehr lange, bis die Zeit da ist, ich selbst werde sie beschleunigen, und ich freue mich sogar ... Stell dir vor, wenn einmal jeder Nebel verschwunden sein wird, la la la la ...

Er eilte glücklich und exaltiert die Treppe hinunter und ging in den Speisesaal. Er sang noch immer. Da machte ein kleiner Zufall seiner heiteren Aufgeräumtheit ein sofortiges Ende und verbitterte ihn für mehrere Stunden. Er sang und er frühstückte in aller Hast, am Tisch stehend, ohne sich zu setzen, obwohl er nicht allein war. Als er bemerkte, daß die beiden anderen Gäste ihn verärgert ansahen, bat er sie sofort um Entschuldigung: wenn er sie früher bemerkt hätte, würde er sich ruhiger benommen haben. Er sehe und höre nichts an solchen Tagen; sei das nicht ein herrlicher Morgen! Nein, wie die Fliegen schon summten!

Aber er bekam keine Antwort, die beiden Fremden sahen unverändert mürrisch drein und sprachen miteinander würdevoll über Politik. Nagels Stimmung sank sofort. Er schwieg und verließ schweigend den Speisesaal. Er betrat unten in der Straße einen Laden und versah sich mit Zigarren und machte sich dann wie gewöhnlich in den Wald auf. Es war halb zwölf.

Ja, war es nicht immer dasselbe mit den Menschen! Da saßen nun diese beiden Rechtsanwälte oder Handelsagenten oder Großgrundbesitzer, was immer sie sein mochten, sie saßen da oben im Speisesaal, sprachen über Politik und sahen böse und argwöhnisch drein, nur weil er in ihrer Gegenwart ein wenig vor Freude summte. Und sie kauten ihr Frühstück mit ungeheuer sachkundigen Mienen und duldeten keine Störung. Hehe, sie hatten beide Hängebäuche und aufgedunsne, fette Finger; die Serviette hatten sie sich dicht unters Kinn geklemmt. Richtig wäre es, er kehrte um und verhöhnte sie ein bißchen. Was waren das für hochwohlgeborne Herren! Reisende in Grütze, amerikanischen Häuten, Gott weiß, ob nicht in ordinärem Steingut. Ja, das war wirklich etwas, was Eindruck schindete! Und dennoch hatten sie seine frohen Gedanken auf einen Schlag vertrieben. Sie sahen nicht einmal besonders gut aus! Doch, der eine sah halbwegs gut aus, aber der andere – der mit den

Häuten – hatte einen schiefen Mund, der nur nach einer Seite offen war, so daß er an ein Knopfloch erinnerte. Er hatte auch reichlich grauen Bart in den Ohren. Pfui, er war abstoßend wie die Sünde! Allerdings, man durfte kein bißchen vor Freude singen, wenn dieser Mensch vorm Futtertrog hockte!

Ja, ja, es war immer dasselbe mit den Menschen, immer dasselbe. Die Herren sprechen über Politik, die Herren haben die letzten Bestallungen verfolgt; Gott sei gedankt, noch konnte Buskerud wohl für die Rechte gerettet werden! Hehe, wie köstlich es war, ihre Grubenbesitzermienen zu beobachten, als sie das sagten. Als wenn die norwegische Politik etwas anderes wäre als Fuselweisheit und Bauerngummi! Ich, Ola Olsen aus Lista, bin einverstanden, einer Witwe im Nordland einhundertfünfundsiebzig Kronen an Schadenersatz auszubezahlen, wenn ich dafür für dreihundert Kronen eine Chaussee im Sprengel Fjærde in Ryfylke kriege. Hehe, Gummi!

Aber verdammt noch mal, stimm nur kein lustiges Lied an und stör den Ola, unseren Parlamentsfritzen, in seiner Arbeit! Sonst passiert ein Unglück. Denn gib acht, Ola denkt, Ola studiert. Was brütet er aus? Wozu will er gleich morgen einen politischen Antrag stellen? Hehehe, ein Interessenvertreter für Norwegens kleine Allerwelt, vom Volk gewählt, um in der Komödie des Königreichs seine Repliken aufzusagen, angetan mit dem geheiligten nationalen Ziegenfell, den Knasterkocher unter Volldampf, den Papierkragen von treuem und ehrlichem Schweiß durchweicht! Macht Platz, wenn dieser Auserkorne kommt, zur Seite, Teufel noch mal, damit er Ellbogenfreiheit kriegt!

O du gütiger Gott, wie sind es doch die runden, fetten Nullen, die die Zahlen groß machen! ...

Übrigens, Punktum. Fahrt zur Hölle mit den Nullen! Man wird auch einmal des Humbugs müde und mag nicht mehr daran rühren. Man geht in den Wald und legt sich unter den freien Himmel, dort ist mehr Raum, mehr Platz für den Fremdling und die fliegenden Vögel ... Und man sucht sich ein Lager an einer nassen Stelle, legt sich bäuchlings auf den feuchten Moorboden und erfreut sich förmlich daran, so bemitleidenswert von Nässe durchweicht zu werden. Und man wühlt den Kopf ins Schilf und in schwammige Blätter, und Ungeziefer und Würmer und kleine weiche Molche kriechen einem über die Kleider und ins Gesicht und sehen einen mit grünen Seidenaugen an, während man von allen Seiten von der ruhigen Stummheit des Waldes und der Luft umrauscht ist und während Gott der Herr in der Höhe sitzt und auf einen herabstarrt wie auf seine allerfixeste Idee. Hoho, man kommt in Stimmung, in eine seltne und fremde, teuflische Verzückung, wie man sie noch nicht gekannt hat; man stellt alle Verrücktheiten an, die man sich vorstellen kann, vermengt richtig und falsch, stellt die Welt auf den Kopf und freut sich darüber, als sei dies eine verdienstvolle Tat. Warum nicht? Man steht unter absonderlichen Einflüssen und gibt ihnen nach, läßt sich von Lust und störrischer Freude mitreißen. Man verspürt den unwiderstehlichen Drang, alles, worüber man früher hohngelächelt hat, hoch in die Wolken zu heben; man ergötzt sich daran, sich imstande zu sehen, eine kleine Kaiserschlacht für den ewigen Frieden zu schlagen, man könnte sich denken, eine Kommission zur Verbesserung des Schuhwerks der Postboten einzusetzen, man legt ein gutes Wort für Pontus Wikner ein und verteidigt das Universum und Gott im allgemeinen. Hol doch der Teufel den wahren Zusammenhang der Dinge, der geht einen nichts mehr an, man brüllt ihn an und läßt fünf gerade sein. Hihi und larum leide, die Sonne scheint auf der Heide! Nicht wahr, man läßt sich ein bißchen gehen, stimmt seine Harfe und singt Psalter und Tsalme, daß es jeder Beschreibung spottet!

Andererseits läßt man sein Inneres mit Wind und Wogen treiben, gibt es dem ärgsten Galimathias anheim. Laß es treiben, laß es treiben, es ist angenehm nachzugeben, ohne Widerstand. Und warum sollte man Widerstand leisten? Hehe, ist es einem aufgehaltenen Wanderer gestattet, sich seine letzten Augenblicke so einzurichten, wie es ihn gelüstet? Ja oder nein? Punktum. Und man richtet sich so ein, wie einen gelüstet.

Nun gibt es einiges, was man tun könnte, man könnte seinen Einfluß für die Innere Mission geltend machen, für die Kunst Japans, für die Hallingdalbahn, für irgend etwas, nur daß man für etwas seinen Einfluß geltend macht und etwas Beliebigem auf die Beine hilft. Es wird einem klar, daß ein solcher Mann wie J. Hansen, wohlgeachteter Schneidermeister, von dem man einmal einen Mantel für Minute gekauft haben mag, daß dieser Mann als Bürger und Mensch enorme Verdienste hat; man fängt damit an, ihn wertzuschätzen, und endet damit, ihn zu lieben. Warum liebt man ihn? Aus Lust, aus Trotz, aus störrischer Freude, weil man ergriffen wird und gewissen absonderlichen Einflüssen nachgibt. Man flüstert ihm seine Bewunderung ins Ohr, wünscht ihm aufrichtig massenhaft großes und kleines Vieh, und indem man ihn verläßt, drückt man ihm in Gottes Namen die eigene Rettungsmedaille in die Hand. Warum sollte man das nicht tun, wo man nun schon einmal den sonderbaren Einfällen nachgibt? Aber das ist nicht genug. Man bereut auch, daß man seinerzeit unehrerbietig von Parlaments-Ola gesprochen haben könnte. Und jetzt gibt man sich erst richtig der süßesten Verrücktheit hin, hoho, und wie man nachgibt:

Was hat nicht Parlaments-Ola für Ryfylke und für das Reich getan! Man bekommt nach und nach einen Blick für seine treue und ehrliche Arbeit, und es wird einem weich ums Herz. Die Gutherzigkeit geht mit einem durch, man schluchzt und weint vor Mitleid mit ihm und gelobt bei seiner Seele, alles doppelt und dreifach wiedergutzumachen. Der Gedanke an diesen markigen Greis aus dem kämpfenden und leidenden Volk, den Mann im härenen Gewand, zwingt einen in einen seligen und wilden Barmherzigkeitsdrang, der einen zum Heulen bringt. Um Ola zu erhöhen, schwärzt man alle anderen und die ganze Welt an, nimmt genüßlich zu seinen Gunsten allen anderen alles weg, sucht die prächtigsten und gesegnetsten Worte, um ihn zu verherrlichen. Man sagt geradezu, daß von dem, was in der Welt geleistet worden ist, Ola das meiste vollbracht hat, daß er die einzige Abhandlung über die Spektralanalyse geschrieben hat, die lesenswert ist, daß er eigentlich der einzige war, der im Jahre 1719 alle Prärien Amerikas umgepflügt hat, daß er den Telegraphen erfunden hat und daß er obendrein auf dem Saturn gewesen ist und fünfmal mit Gott gesprochen hat. Man weiß genau, daß Ola *dies* alles nicht getan hat, aber aus desperater Gutherzigkeit sagt man trotzdem, daß er das getan *hat*, er *hat* das getan, und man weint heftig und verflucht und verdammt sich ruchlos zu den grausamsten Qualen der Hölle, damit nur Ola und kein anderer das getan hat. Warum macht man das? Aus Gutherzigkeit, um es an Ola in vielfacher Weise wiedergutzumachen! Und man stimmt schmetternden Gesang an, um ihm eine gewaltige Wiedergutmachung zu verschaffen, ja man singt liederlich und gotteslästerlich, daß es übrigens Ola war, der die Welt erschaffen und die Sonne und die Sterne an ihren Platz gesetzt habe und das Ganze seither in Gang halte, und hierzu fügt man eine lange Reihe barbarischer Flüche, daß das so sei. Kurz gesagt, man erlaubt seinen Gedanken, sich den ausgesuchtesten, hinreißendsten Ausschweifungen in Sachen Herzensgüte, der delikatesten Buhlschaft mit Flüchen und Schändlichkeiten hinzugeben. Und jedesmal, wenn man etwas ganz Unerhörtes ausgesprochen hat, zieht man die Knie an die Brust und kichert ein bißchen, aus lauter Freude über die gut gelungne Genugtuung, die Ola schließlich bekommt. Ja, das alles ist für Ola, Ola verdient es, weil man einmal unehrerbietig über ihn gesprochen hat und es jetzt bereut.

Pause.

Wie war es noch, sagte ich nicht auch einmal die ärgste Abgeschmacktheit über einen Körper, der... ja, der starb? ... Moment mal, es war ein junges Mädchen, sie starb und dankte Gott für das Ausleihen eines Körpers, den sie nie gebraucht hatte. Halt, das war Mina Meek, ich erinnre mich jetzt, und ich schäme mich vom Scheitel bis zur Sohle. Was man doch alles so vor sich hinredet, das man später bereut und worüber man vor Scham stöhnt, oh, wie oft man davor vor Scham erstarrt und es geradewegs rausschreit! Genaugenommen hat es nur Minute gehört, aber ich schäme mich um meinetwillen darüber. Um nicht davon zu reden, daß ich mir einmal einen noch schmählicheren Schnitzer geleistet habe, den ich nie vergessen werde, den mit dem Eskimo und einer Briefmappe. Pff, weg, Herrgott, wie das zum In-die-Erde-Sinken ist! ... Still, die Ohren aufgestellt, zum Teufel mit den Skrupeln! Stell dir vor, wenn dereinst die heil'ge Schar Erkorner aller Völker vereinet bleibt in des Himmels Herrlichkeit, in des Himmels Herrlichkeit; reicht dir das! Pff, Gott, wie ist das alles langweilig, Gohhtt, wie ist das alles langweilig ...

Als Nagel in den Wald gekommen war, warf er sich auf den ersten besten Heidekrautbüschel und schlug die Hände über den Kopf. Welch eine Verwirrtheit in seinem Hirn, welch ein Gewimmel unmöglicher Gedanken! Eine Weile später fiel er in Schlaf. Es waren nicht mehr als vier Stunden vergangen, seitdem er aufgestanden war, und trotzdem fiel er in Schlaf, todmüde und erschöpft.

Es war Abend, als er erwachte. Er sah sich um, die Sonne war dabei, hinter der Dampfmühle in Indviken unterzugehen, und die Vögel flogen von Baum zu Baum und sangen. Sein Kopf war in bester Ordnung, keine verwirrten Gedanken mehr, keine Bitterkeit, er war vollkommen ruhig. Er lehnte sich an einen Baumstamm und dachte nach. Sollte er es jetzt tun? warum nicht ebensogut jetzt wie später? Nein, er mußte vorher noch verschiedne Dinge erledigen, einen Brief an seine Schwester schreiben, Martha mit einer kleinen Erinnerung in einem Briefumschlag bedenken; er konnte heute abend nicht sterben. Er hatte auch seine Rechnung im Hotel noch nicht beglichen; auch Minute wollte er gerne bedenken ...

Und mit bedächtigen Schritten ging er zu sich ins Hotel. Aber morgen abend sollte es passieren, gegen Mitternacht, ohne irgendwelche Anstalten, kurz und gut, kurz und gut!

Noch um drei Uhr morgens stand er am Fenster seines Zimmers und sah hinaus auf den Marktplatz.

XIX

Und in der nächsten Nacht gegen zwölf verließ Nagel endlich das Hotel. Er hatte keine Vorbereitungen getroffen, aber er hatte an seine Schwester geschrieben und für Martha Geld in einen Briefumschlag gelegt; ansonsten standen seine Koffer, sein Geigenkasten und der alte Stuhl, den er gekauft hatte, an ihrem Platz, einige Bücher lagen auf dem Tisch verstreut. Und seine Rechnung hatte er auch noch nicht bezahlt; das hatte er vollständig vergessen. Kurz bevor er von zu Hause fortging, bat er Sara, während er weg sei, die Fenster abzustauben, und Sara hatte es auch versprochen, obwohl es mitten in der Nacht war; er selbst wusch sich sorgfältig Gesicht und Hände und verließ dann das Zimmer.

Er war die ganze Zeit ruhig, fast abgestumpft. Herrgott, es lohnte sich doch nicht, viel Aufhebens davon zu machen und Krach zu schlagen! Ein Jahr früher oder später spielte keine Rolle, außerdem war dies doch ein Gedanke, mit dem er sich schon seit geraumer Zeit trug. Er war jetzt auch seiner Enttäuschungen, seiner vielen fehlgeschlagenen Hoffnungen, des Humbugs überall, dieses feinen, täglichen Betrugs seitens aller Menschen total überdrüssig. Ihm fiel noch einmal Minute ein, den er ebenfalls mit einem Briefumschlag mit etwas drin bedacht hatte, obwohl ihn sein Argwohn gegen diesen armen, gichtbrüchigen Zwerg niemals verließ. Er dachte an Frau Stenersen, die, krank und asthmatisch, ihren Mann vor dessen Augen betrog und sich mit keiner Miene verriet; an Kamma, diese kleine, geldgierige Dirne, die, wohin er auch reiste, ihre falschen Arme nach ihm ausstreckte und ständig in seinen Taschen nach mehr, nach immer mehr wühlte. Im Osten und im Westen, im Inland und im Ausland hatte er immer dieselben Menschen getroffen; alles war vulgär und unecht und jämmerlich treulos, vom Bettler, der eine gesunde Hand bandagiert trug, bis zum blauen Himmel, der von Ozon überquoll. Und er selbst, war er selbst besser? Nein, nein, er war nicht besser! Aber jetzt war er auch am Ende.

Er nahm den Weg am Anleger vorbei, um die Schiffe noch einmal zu sehen, und als er den letzten Kai passierte, zog er plötzlich seinen Eisenring vom Finger und warf ihn ins Meer. Er sah, wie er weit draußen niederfiel. Sieh an, im letzten Augenblick machte man noch einen kleinen Versuch, sich vom Humbug zu befreien!

An Martha Gudes kleinem Haus hielt er an und sah zum letzten Mal durch die Fenster. Da drin war alles wie gewöhnlich, ruhig und still, und niemand war zu sehen.

Lebwohl! sagte er.

Und er ging weiter.

Ohne es selbst zu wissen, steuerte er seine Schritte auf den Pfarrhof zu. Wie weit er gekommen war, merkte er erst, als er den Hofplatz bereits wie eine Lichtung durch den Wald schimmern sah. Er hielt an. Wo wollte er hin? Was wollte er auf diesen Wegen? Ein letzter Blick auf die beiden Fenster im ersten Stock, die eitle Hoffnung, ein Gesicht zu sehen, das sich niemals zeigte, niemals – nein, man ging nicht dorthin! Na sicher, man war die ganze Zeit entschlossen, es zu tun, aber man tat es nicht! Er blieb noch eine Weile stehen und sah mit langen Augen auf den Hofplatz des Pfarrhofs, er schwankte, etwas in ihm flehte ...

Lebwohl! sagte er nochmals.

Dann drehte er sich jäh um und schlug einen Seitenweg ein, der tiefer in den Wald führte.

Jetzt galt es, der Nase nach zu gehen und sich an der ersten besten, zufälligen Stelle niederzulassen. Vor allem keine Berechnung und keine Sentimentalität; worauf war doch Karlsen nicht in seiner lächerlichen Verzweiflung verfallen! Und als sei diese belanglose Affäre so vieler Anstalten wert! ... Er bemerkt, daß eines seiner Schuhbänder aufgegangen ist, und er bleibt stehen, stellt den Fuß auf einen Mooshügel und knüpft es zu. Kurz darauf setzt er sich hin.

Er hatte sich gesetzt, ohne darüber nachzudenken, ohne es zu wissen. Er sah sich um: große Kiefern, überall große Kiefern, hie und da ein Wacholderbusch, am Boden Heidekraut. Gut, gut!

Dann zieht er seine Brieftasche heraus. Da hinein legt er die Briefe an Martha und Minute. In einem besonderen Fach liegt Dagnys Taschentuch, in Papier, und er nimmt es heraus, küßt es mehrere Male, kniet nieder und küßt es mehrere Male und reißt es dann langsam in kleine Fetzen. Das beschäftigt ihn lange Zeit, es wird ein Uhr, wird halb zwei, und immer noch reißt und reißt er an diesen winzig kleinen Fetzen. Endlich hat er das Taschentuch vollkommen unkenntlich gemacht, es sind fast nur noch Fäden übrig, er steht auf und legt alles unter einen Stein, versteckt es ordentlich, damit niemand es finden kann, und setzt sich wieder. Ja, damit war wohl alles erledigt? Und er denkt nach, aber da ist nichts mehr. Dann zieht er seine Uhr auf, wie er es jeden Abend zu tun pflegt, wenn er zu Bett geht.

Er späht umher; es ist etwas dunkel im Wald, er kann nichts Verdächtiges sehen. Er horcht, hält den Atem an und horcht, kein Ton ist zu hören, die Vögel sind stumm, die Nacht mild und tot. Und er steckt seine Finger in die Westentasche und holt die kleine Flasche heraus.

Die Flasche hat einen Glaspfropfen, über den Glaspfropfen ist mit einer blauen Apothekerschnur eine dreifache Papierhülle gebunden. Er löst die Schnur und nimmt den Pfropfen ab. Klar wie Wasser, mit einem schwachen Mandelgeruch! Er hält das Glas vor die Augen, es ist halbvoll. Im gleichen Moment hört er weit entfernt einen Laut, ein paar dumpfe Schläge; es war die Kirchturmuhr, die in der Stadt zwei schlug. Er flüstert: die Stunde hat geschlagen! Und kurz entschlossen hebt er das Glas zum Mund und leert es.

Im ersten Augenblick saß er noch aufrecht, mit geschloßnen Augen, mit dem leeren Glas in der einen Hand und mit dem Pfropfen in der anderen. Das Ganze war so unversehens gegangen, daß er es nicht richtig mitgekriegt hatte. Jetzt, hinterher, begannen die Gedanken ihm nach und nach in den Kopf zu strömen, er öffnete die Augen und sah sich verwirrt um. All das, diese Bäume, diesen Himmel, diese Erde sollte er jetzt nie mehr sehen. Wie seltsam das war! Schon schlich das Gift in ihm um, zog sich durch feines Gewebe, brach sich einen blauen Weg in seine Adern; über kurz bekam er Krämpfe, kurz danach lag er steif da.

Er fühlt deutlich einen bittren Geschmack im Mund, und daß seine Zunge sich mehr und mehr zusammenkräuselt. Dann fuchtelt er ziellos mit den Armen, um zu sehen, wie weit er schon tot ist, fängt an, die umstehenden Bäume zu zählen, kommt bis zehn und gibt es auf. Nein, sollte er sterben, wirklich jetzt heut nacht sterben? Nein, ach nein, oder? Nein, nicht heut nacht; was? Wie seltsam war das!

Doch, er sollte sterben, er merkte ganz deutlich, wie die Säure in seinen Eingeweiden ihre Wirkung tat. Nein, warum jetzt, warum sofort? Herrgott, es durfte nicht gerade jetzt geschehen! Oder doch? Wie es schon anfing, ihm schwarz vor Augen zu werden! Wie es über dem Wald rauschte, obwohl kein Wind ging! Warum mußten jetzt auch noch rote Wolken über die Baumwipfel zu treiben anfangen? ... Ach, nicht sofort, nicht sofort! Nein, hörst du, nein! Was soll ich tun? Ich will nicht? Himmlischer Vater, was soll ich tun?

Und plötzlich stürzen mit übermächtiger Stärke alle möglichen Gedanken auf ihn ein. Er war noch nicht bereit, es gab tausend Dinge, die er vorher noch tun mußte, und sein Hirn leuchtet und flammt von all dem, was er hätte tun sollen. Er hatte noch nicht seine Rechnung im Hotel beglichen, er hatte es vergessen, ja, bei Gott, es war ein Versehen, und er wollte es wiedergutmachen! Nein, diese Nacht über mußte er verschont bleiben, Gnade, Gnade für eine Stunde, etwas über eine Stunde! Großer Gott, er hatte auch noch einen Brief zu schreiben vergessen, noch ein, zwei Zeilen an einen Mann in Finnland, es ging um die Schwester, ihr ganzes Eigentum! ... So bewußt war er mitten in dieser Verzweiflung, und sein Gehirn arbeitete so unglaublich angespannt, daß er sich sogar mit den verschiedenen Abonnements der Zeitungen beschäftigte, die er hielt. Nein, er hatte auch die Zeitungen nicht gekündigt, die würden unablässig kommen, die würden niemals aufhören, würden sein Zimmer vom Boden bis zur Decke füllen. Was sollte er unternehmen? Und jetzt war er schon fast halbtot!

Er reißt mit beiden Händen Heidekraut aus, wirft sich herum auf den Bauch und versucht, das Gift wieder herauszubekommen, steckt den Finger in den Hals, aber vergebens. Nein, er wollte nicht sterben, nicht heut nacht, auch nicht morgen, er wollte niemals sterben, er wollte leben, ja, die Sonne noch eine Ewigkeit sehen. Und dieses bißchen Gift wollte er nicht bei sich behalten, raus mußte es, bevor es ihn umbrachte, raus, raus, verdammte Scheiße, es mußte raus!

Rasend vor Schrecken springt er auf und fängt an, im Wald herumzutaumeln und nach Wasser zu suchen. Und er ruft: Wasser! Wasser! so daß weit weg ein Echo erklingt. So tobt er mehrere Minuten, er läuft in alle Richtungen, prallt gegen Baumstämme, macht hohe Sätze über Wacholderbüsche und stöhnt laut. Und er findet kein Wasser. Schließlich stolpert er und fällt auf die Nase, seine Hände wühlen beim Sturz die Heideerde auf, und an der einen Backe fühlt er einen schwachen Schmerz. Er versucht, sich zu rühren, hochzukommen, der Sturz hatte ihn verwirrt, er sinkt wieder zurück, wird immer matter, und er steht nicht mehr auf.

Ja, ja, in Gottes Namen, dann war nichts mehr zu machen! Und Herr, mein Gott, dann sollte er jetzt also doch sterben! Vielleicht, wenn er noch genug Kräfte gehabt hätte, irgendwo Wasser zu finden, wäre er gerettet! Ach, wie schlecht es doch mit ihm geendet ist, und so gut hatte er es sich einmal vorgestellt. Jetzt sollte er unter freiem Himmel an Gift sterben! Aber warum war er noch nicht steif? Er konnte noch die Finger bewegen, die Augenlider heben; wie lange das dauerte, wie lange das doch dauerte!

Er streicht sich übers Gesicht, es ist kalt und ganz naß von Schweiß. Er war nach vorn gefallen, den Kopf bergab, er bleibt liegen und macht keine weiteren Anstalten mehr. Jedes seiner Glieder zittert noch; er hat an der einen Backe eine Wunde, und er läßt sie ruhig bluten. Wie lange das dauerte, wie lange das dauerte! Und er liegt geduldig und wartet. Wieder hört er, daß die Kirchturmuhr schlägt, sie schlägt drei. Er stutzt; konnte er das Gift schon eine ganze Stunde in sich haben, ohne tot zu sein? Er stemmt sich auf den Ellbogen und sieht auf die Uhr; doch, es war drei Uhr. Wie lange das doch dauerte!

Ja, in Gottes Namen, es war trotzdem am besten, daß er jetzt starb! Und indem er plötzlich an Dagny denken mußte, der er jeden Sonntagmorgen vorsingen wollte und der er soviel Gutes erweisen wollte, versöhnte er sich mit seinem Schicksal und bekam Tränen in die Augen. Sentimental, unter Gebeten und stillem Weinen, fing er an, in seinem Kopf alles zu sammeln, was er für Dagny tun wollte. Oh, wie würde er sie vor allem Bösen beschützen! Vielleicht konnte er schon morgen zu ihr fliegen und ihr nahe sein, gütiger Gott, wenn er das schon morgen tun könnte und sie dazu brachte, richtig strahlend zu erwachen! Es war häßlich von ihm, daß er noch vor einem Augenblick nicht hatte sterben wollen, wenn er ihr doch Freude bereiten konnte; ja, er bereute es und bat sie um Verzeihung; er wußte nicht, wo er seine Gedanken gehabt hatte. Aber jetzt konnte sie sich auf ihn verlassen, er sehnte sich danach, in ihr Zimmer zu schweben und vor ihrem Bett zu stehen. In einigen Stunden, vielleicht in einer Stunde, war er dort, ja, dann war er dort. Und er würde ganz bestimmt einen Engel Gottes dazu kriegen, es an seiner Statt zu tun, wenn er selbst nicht könnte; er würde ihm viel Gutes dafür versprechen. Und er würde sagen: Ich bin nicht weiß, du kannst es tun, du bist weiß, und dafür kannst du mit mir machen, was du willst. Du siehst mich an, weil ich schwarz bin? Klar bin ich schwarz, was gibt es da zu glotzen? Aber ich will gerne versprechen, noch lange, lange Zeit schwarz zu bleiben, wenn du mir dafür die Gnade erweisen willst, um die ich dich bitte. Ich kann auch eine Million Jahre extra schwarz bleiben und viel schwärzer als jetzt, wenn du das verlangst, und für jeden Sonntag, an dem du ihr vorsingst, können wir noch eine weitere Million Jahre drauflegen, wenn du das so willst. Ich lüge nicht, ich will mir alles mögliche einfallen lassen, was ich dir dafür bieten kann, und mir nichts ersparen, höre mich nur an! Du sollst nicht allein fliegen, ich werde mit dir kommen, ich will dich tragen und für uns beide fliegen, das werde ich mit Freuden tun und dich auch nicht schmutzig machen, auch wenn ich schwarz bin. Ich werde schon alles übernehmen, und du sollst die ganze Zeit ausruhen. Gott weiß, ob ich dir nicht etwas schenken kann, wenn ich dann noch etwas habe. Du könntest es vielleicht brauchen; ich will immer dran denken, falls mir vielleicht jemand etwas gibt; vielleicht habe ich Glück und kann vieles für dich verdienen, es könnte ja sein ...

Doch, er würde schließlich ganz bestimmt einen Engel Gottes dazu bringen können, dies für ihn zu tun, dessen war er sicher ...

Und abermals schlägt die Kirchturmuhr. Er zählt die vier Schläge halb abwesend und denkt nicht weiter darüber nach. Es galt, geduldig zu sein. Dann faltete er die Hände und bat, schnell sterben zu dürfen, innerhalb einiger Minuten; dann konnte er vielleicht noch zu Dagny kommen, bevor sie aufwachte. Er wollte dankbar alles und alle dafür preisen; es war eine große Gnade, und jetzt hatte er nur noch diesen innigen Wunsch ...

Er machte die Augen zu und schlief ein.

Er schlief drei Stunden. Als er erwachte, schien die Sonne auf ihn nieder, und durch den ganzen Wald ging ein lautes, brodelndes Vogelgezwitscher. Er stand hastig auf und sah um sich; er erinnerte sich sofort an alles, was er in der Nacht getan hatte; die Flasche lag noch neben ihm, und er erinnerte sich auch noch, wie innig er zum Schluß Gott gebeten hatte, recht bald sterben zu dürfen. Und er lebte immer noch! Abermals hatte irgendein unerwarteter und übler Umstand seinen Weg gekreuzt! Er begriff nichts, er dachte vergebens über alles nach und fühlte nur, daß er immer noch nicht tot war!

Er stand auf, nahm die Flasche mit und machte ein paar Schritte. Nein, wie ihm doch immer Hindernisse entgegenstanden, worin er sich auch ehrlich versuchen mochte! Was stimmte mit dem Gift nicht? Es war echte Blausäure, ein Arzt hatte erklärt, es sei genug, ja, mehr als genug; er hatte auch den Hund des Pfarrers mit nur einer ganz kleinen Kostprobe davon kaltgemacht. Und es war genau dieses Fläschchen, es war halbvoll, er erinnerte sich, wie er das mit seinen eigenen Augen gesehen hatte, bevor er es leerte. Das Fläschchen war auch niemals in anderen Händen gewesen, er trug es immer in der Westentasche. O was waren das doch für heimtückische Mächte, die ihm überall heimlich folgten?

Wie ein Blitz durchfährt es ihn, daß das Fläschchen doch schon in fremden Händen gewesen war. Er bleibt stehen und schnippt unwillkürlich mit den Fingern. Ja, ein Irrtum war ausgeschlossen, Minute hatte es eine ganze Nacht bei sich gehabt. Es war an seinem Junggesellenabend im Hotel, als er Minute seine Weste gegeben hatte; das Fläschchen, die Uhr und einige Papiere waren in den Taschen geblieben. Minute hatte die Sachen früh am nächsten Morgen zurückgebracht. Oh, dieser alte, übergeschnappte Krüppel, da war er wieder mit seiner durchtriebenen Gutherzigkeit am Werk gewesen! Welch eine Pfiffigkeit, welch ein ausgeklügelter Streich.

Nagel biß verbittert die Zähne zusammen. Was hatte er in jener Nacht auf seinem Zimmer gesagt? Hatte er nicht ausdrücklich erklärt, daß er nicht den Mut habe, selbst das Gift zu nehmen? Und da hatte doch eine heuchlerische und grundverdorbne Mißgeburt von einem Wicht neben ihm auf einem Stuhl gesessen und insgeheim nicht an seine Worte geglaubt! Dieser Lumpenhund, dieser Maulwurf! Er war sofort nach Hause gegangen, hatte das Fläschchen ausgeleert, hatte es vielleicht sogar noch gut gespült und dann halb mit Wasser gefüllt. Und nach dieser schönen Tat war er zu Bett gegangen und hatte ruhig geschlafen!

Nagel machte sich auf den Weg zur Stadt. Er war einigermaßen ausgeruht und dachte bitter und klar über die Dinge nach. Das Ereignis der Nacht hatte ihn gedemütigt und in seinen eigenen Augen lächerlich gemacht. Man stelle sich vor, für ihn hatte dieses Wasser sogar nach Mandeln gerochen, er hatte gespürt, wie sich seine Zunge von diesem Wasser zusammenschnürte, hatte das Gefühl des Todes in sich gespürt, durch dieses Wasser! Und er war herumgerast und hatte Riesensprünge über Stock und Stein gemacht, wegen dieses Schlückchens ganz gewöhnlichen Tauf- und Brunnenwassers! Wütend und schamrot blieb er stehen und schrie geradewegs in die Luft; doch gleich darauf sah er sich um, besorgt, daß es jemand gehört haben könnte, und fing plötzlich zu singen an, um es zu verbergen.

Und allmählich, im Weitergehen, wurde er auch milder gestimmt durch diesen warmen, strahlenden Morgen und den unentwegten Vogelgesang in der Luft. Ein Karren kommt ihm entgegen, der Fuhrmann grüßt, und Nagel grüßt; ein Hund, der mit dabei ist, wedelt vor ihm und sieht zu seinem Gesicht auf ... Aber warum war es ihm nicht geglückt, heute nacht ehrlich und redlich zu sterben? Er war darüber immer noch betrübt; er hatte sich zur Ruhe gelegt, voller Behagen, ans Ende gelangt zu sein, eine milde Freude hatte ihn durchdrungen, bis er die Augen geschlossen hatte und eingeschlafen war. Jetzt war Dagny aufgestanden, vielleicht war sie schon ausgegangen, und er hatte sie auf gar keine Weise erfreuen können. Wie schmählich fühlte er sich betrogen! Minute hatte eine neue gute Tat zu den vielen anderen gefügt, von denen sein Herz voll war, er hatte ihm einen Dienst erwiesen, hatte sein Leben gerettet – genau der gleiche Dienst, den er selbst einmal einem Fremden erwiesen hatte, einem unglücklichen Mann, der in Hamburg nicht mehr an Land gehen wollte. Bei dieser Gelegenheit hatte er sich seine Rettungsmedaille verdient, hehe, seine Rettungsmedaille *verdient*! Ja, man rettet Menschen, man zögert mitunter nicht, gute Werke zu tun, man geht resolut hin und rettet Leute vor dem Tod!

Von sich selbst geradezu peinlich berührt, schlich er sich im Hotel in sein Zimmer hinauf und setzte sich hin. Da drin war es sauber und gemütlich, die Fenster waren geputzt, und es waren auch frischgebügelte Vorhänge aufgehängt worden. Auf dem Tisch stand ein Strauß Feldblumen im Wasser. Noch nie zuvor hatte er dort drin Blumen gehabt, diese Überraschung versetzte ihn in eine verwunderte Freude und brachte ihn dazu, sich die Hände zu reiben. Welch ein glücklicher Zufall, gerade an einem solchen Tag! Welch liebenswürdiger Einfall von diesem armseligen Zimmermädchen! Ein guter Mensch, diese Sara! Doch, es war wirklich ein entzückender Morgen. Sogar alle diese Gesichter unten auf dem Marktplatz sahen froh aus; der Gipsfigurenhändler saß an seinem Tisch und rauchte behaglich seine Tonpfeife, obwohl er nicht für eine Öre verkaufte. Vielleicht war es doch nicht so schlimm, daß die wilden Pläne von heute nacht gescheitert waren! Er dachte mit Grauen an die Angst, die er durchlebt hatte, als er auf Wassersuche herumgeirrt war, es schüttelte ihn immer noch, wenn er daran dachte, und auf seinem sicheren Stuhl sitzend, in diesem freundlichen, hellen, Zimmer, in das die Sonne schien, hatte er in diesem Moment das herrliche Gefühl, von allem Bösen erlöst zu sein. Aber schließlich gab es doch noch ein gutes und unfehlbares Mittel, das er nicht versucht hatte! Das erste Mal konnte es ein bißchen mißglücken, man starb nicht, man erhob sich wieder; aber da gab es nun zum Beispiel einen kleinen sicheren, sechsschüssigen Revolver, den man bei Bedarf jederzeit in der ersten besten Waffenhandlung bekommen konnte. Aufgeschoben war nicht aufgehoben ...

Sara klopfte an. Sie hatte gehört, daß er gekommen sei, und wollte Bescheid geben, daß das Frühstück fertig sei. Er rief sie zurück, als sie wieder gehen wollte, und fragte, ob die Blumen von ihr seien.

Ja, die seien von ihr, gern geschehen.

Er nahm trotzdem ihre Hand.

Sie fragte lächelnd:

Wo sind Sie heute die ganze Nacht gewesen? Sie sind ja überhaupt nicht zu Hause gewesen!

Hören Sie, antwortete er, das mit den Blumen ist geradezu ein hübscher Zug von Ihnen; Sie haben heute nacht auch die Fenster geputzt und mir saubere Vorhänge gebracht. Ich kann nicht sagen, wie Sie mich damit erfreut haben, ich wünsche Ihnen dafür alles Gute. – Und plötzlich bekommt er einen dieser total verrückten Augenblicke, in denen er schiere Stimmung ist, nur unberechenbarer Einfall, und er sagt: Hören Sie, ich hatte einen Pelz dabei, als ich hier ins Hotel kam. Gott weiß, wohin der verschwunden ist, aber ich hatte eindeutig einen Pelz dabei, und den will ich Ihnen verehren. Doch, doch, ich tue das aus Dankbarkeit, das ist bereits fest beschlossen, der Pelz gehört Ihnen.

Sara stimmte ein helles, herzhaftes Lachen an. Was sollte sie mit einem Pelz anfangen?

Nein, da hatte sie allerdings recht; aber das war ihre Sache; sie sollte ihn nur annehmen, ihm die Freude machen, ihn anzunehmen ... Und ihr frisches Lachen ließ ihn dann mitlachen; er fing an, mit ihr zu scherzen: Gott, was für schöne Schultern sie hatte! Aber, ob sie glaubte oder nicht, er hatte einmal etwas mehr von ihr gesehen, als sie selbst wisse. Doch, das war im Speisesaal, sie stand auf einem Tisch und wusch die Zimmerdecke über sich, er sah sie durch den Türspalt, ihr Kleid war hoch aufgeschürzt, er sah einen Fuß, ein Stück Bein, doch, er hatte wirklich eine halbe Elle herrliches Bein gesehen. Hehehe. Aber wie dem auch sei, er wollte ihr bis heute abend, innerhalb der nächsten paar Stunden, ein Armband schenken; sie durfte ihm glauben. Und außerdem sollte sie nicht vergessen, daß der Pelz ihr gehörte ...

Der verrückte Mensch, hatte er denn vollständig den Verstand verloren? Sara lachte, aber sie fing an, vor seinen vielen sonderbaren Einfällen so halbwegs Angst zu bekommen. Vorgestern hatte er einer Frau, als sie ihm seine Wäsche brachte, viel mehr Geld gegeben, als sie haben sollte; heute wollte er seinen Pelz verschenken. Man sprach auch in der Stadt allerhand über ihn.

XX

Ja, er war wahnsinnig, er war wahnsinnig. Das mußte er sein; denn Sara bot ihm Kaffee, Milch, Tee an, bot ihm Bier an, bot ihm alles an, was ihr einfiel, aber trotzdem stand er, nachdem er sich gesetzt hatte, sofort wieder vom Frühstückstisch auf und ließ das Essen stehen. Ihm war plötzlich eingefallen, daß es genau die Zeit war, zu der Martha mit ihren Eiern auf dem Markt zu sein pflegte; vielleicht war sie jetzt zurückgekommen; das wäre ein gesegneter Zufall, wenn er auch sie heute wiedersehen sollte, gerade heute. Er geht wieder in sein Zimmer hinauf und nimmt am Fenster Platz.

Der ganze Markt liegt vor ihm; doch Martha kann er nicht sehen. Er wartet eine halbe Stunde, eine ganze Stunde, behält alle Ecken scharf im Auge, aber vergebens. Schließlich konzentriert sich sein ganzes Interesse auf eine Szene, die sich unten an der Treppe des Posthauses abspielt und die viele Neugierige anzieht: in einem Ring von Menschen, mitten auf der sandigen Straße, sieht er Minute tanzend auf- und niederhopsen. Er hat keinen Mantel an, und er hat auch seine Schuhe ausgezogen; er tanzt und wischt sich unaufhörlich den Schweiß ab, und als er fertig ist, erhält er von den Zuschauern seine Öre. Doch, Minute hatte seine alte Tätigkeit wieder aufgenommen, er hatte wieder angefangen zu tanzen.

Nagel wartet, bis er fertig ist und die Leute sich zerstreut haben, dann schickt er einen Boten nach ihm. Und Minute erscheint, ehrerbietig wie immer, mit gesenktem Kopf und niedergeschlagnen Augen.

Ich habe einen Brief für Sie, sagt Nagel. Und er reicht ihm den Brief, steckt ihn tief in seine Manteltasche und beginnt mit ihm zu sprechen: Sie haben mich in eine große Verlegenheit gebracht, mein Freund, Sie haben mich reingelegt, mich mit einer Hinterlist, die ich bewundern muß, obwohl sie mich auch erbittert hat, zum besten gehalten. Haben Sie Zeit übrig? Sie erinnern sich, daß ich Ihnen einmal versprach, eine Erklärung für etwas zu geben? Nun gut, ich will Ihnen jetzt diese Erklärung geben, ich finde, der Augenblick ist gekommen. Darf ich Sie übrigens zuerst fragen: haben Sie gehört, daß man in der Stadt über mich spricht und sagt, ich sei wahnsinnig? Ich will Sie beruhigen, ich bin nicht wahnsinnig, das können Sie auch selbst hören, nicht wahr? Ich gebe zu, daß ich in der letzten Zeit etwas verwirrt gewesen bin, es sind mir vielerlei Dinge zugestoßen, die nicht alle von der besten Art waren, das Schicksal hat es so gewollt. Aber jetzt bin ich wieder ganz gesund, mir fehlt nichts. Ich bitte Sie, sich das zu merken ... Es hat wohl keinen Sinn, Ihnen etwas anzubieten?

Nein, Minute wollte nichts zu sich nehmen.

Das war mir klar ... Kurz und gut: ich bin Ihnen gegenüber voller Mißtrauen, Grøgaard. Sie werden vielleicht verstehen, worauf ich abziele. Sie haben mich so enorm betrogen, daß ich nicht mehr versuche, gute Miene zum bösen Spiel zu machen. Sie haben mich in einer sehr ernsten Angelegenheit einfach hinters Licht geführt, alles aus Uneigennützigkeit Ihrerseits, aus Herzensgüte, wenn Sie so wollen, aber Sie haben es doch getan. Sie haben diese kleine Flasche hier in Ihren Händen gehabt?

Minute schielt zur Flasche hoch und antwortet nicht.

Es war Gift drin, sie ist ausgeleert und wieder halb mit Wasser gefüllt worden; heute nacht war nur Wasser drin.

Minute sagt noch immer nichts.

Sehen Sie, es ist eigentlich kein böses Werk verübt worden. Der das getan hat, hat es aus reinem Herzen getan, gerade um dem Bösen vorzubeugen. Und Sie sind es, der das getan hat.

Pause.

Nicht wahr?

Ja, antwortet Minute endlich.

Ja. Und in Ihren Augen war das recht getan, aber in meinen nimmt sich das anders aus. Warum taten Sie das?

Ich dachte, Sie könnten vielleicht ...

Pause.

Ja, da haben wir's! Aber da haben Sie sich geirrt, Grøgaard, Ihr gutes Herz hat Sie irregeführt. Sagte ich nicht in jener Nacht, als Sie das Gift mitnahmen, ausdrücklich, daß ich nicht den Mut finden würde, es selbst zu trinken?

Aber ich befürchtete trotzdem, daß Sie es vielleicht tun könnten. Und jetzt haben Sie es also getan.

Habe ich es getan? Was sagen Sie da? Hehe, Sie haben sich selbst hereingelegt, guter Mann. Ich habe die Flasche ganz richtig heute nacht geleert; aber merken Sie sich: ich habe nicht selbst vom Inhalt gekostet.

Minute sieht ihn verwundert an.

Da können Sie sehen, jetzt haben Sie eine lange Nase bekommen! Man macht im Lauf der Nacht einen Spaziergang, man kommt zum Anleger hinunter, man stößt auf eine Katze, die sich in den fürchterlichsten Qualen über den ganzen Kai hinweg krümmt und streckt. Man bleibt stehen und nimmt die Katze in Augenschein, sie hat etwas in den Hals bekommen, einen Angelhaken, und sie hustet und windet sich und bekommt ihn weder rauf noch runter; aber aus ihrem Maul fließt Blut. Gut, man kriegt die Katze zu fassen und versucht, mit dem Angelhaken etwas anzustellen; doch die Katze kann sich vor Schmerz nicht still halten, sie wälzt sich auf dem Rücken und schlägt in ihrer Raserei mit den Krallen durch die Luft und reißt einem eins, zwei, drei die Backe auf, zum Beispiel so, wie Sie es an meiner Backe sehen. Aber jetzt ist die Katze nahe am Ersticken, und aus dem Hals blutet sie unaufhörlich. Was soll man da machen? Während man angestrengt überlegt, schlägt die Kirchturmuhr zwei; es ist also zu spät, um bei jemand anders Hilfe zu holen; denn es ist zwei Uhr nachts. Da erinnert man sich plötzlich, daß man eine kleine vortreffliche Giftflasche in der Westentasche trägt; man möchte den Qualen des Tieres ein Ende machen, und man schüttet ihm den Inhalt des Fläschchens in den Schlund. Das Tier glaubt, etwas furchtbar Gefährliches eingeflößt bekommen zu haben, es krümmt sich zusammen und starrt mit verzweifelten Augen um sich und macht auf einmal einen himmelhohen Satz, schlängelt sich los und macht einen himmelhohen Satz und fängt wieder an, sich den Kai entlangzuwinden. Was nun? Tja, im Fläschchen war nur

Wasser, das konnte nicht töten, das konnte nur noch ein bißchen stärker quälen, und die Katze hat immer noch den Angelhaken im Hals und blutet und röchelt nach Luft. Früher oder später verblutet sie, oder sie erstickt stumm und entsetzlich, allein in einem Winkel.

Ich habe es nur gut gemeint, sagt Minute.

Natürlich! Sie machen immer nur, was gut und ehrlich gemeint ist. Man kann Sie einfach nicht dabei ertappen, es zu lassen, insofern ist dieser hübsche und redliche Schwindel mit meinem Gift nichts Neues für Sie. Zum Beispiel jetzt, als Sie unten auf dem Marktplatz tanzten. Ich stand hier am Fenster und sah zu, ich will Ihnen nicht vorwerfen, daß Sie es taten, ich will nur fragen: warum hatten Sie Ihre Schuhe ausgezogen? Sie haben doch jetzt Schuhe an, warum hatten Sie sie also ausgezogen, als Sie tanzten?

Um sie nicht abzunutzen.

Genau was ich erwartete! Ich wußte, daß Sie das antworten würden, deshalb fragte ich. Sie sind die tadelloseste Reinheit in zwei Schuhen, die unangreifbarste Seele der Stadt. Alles an Ihnen ist gut und uneigennützig, Sie sind ohne Fleck und Falte. Ich wollte Sie einmal auf die Probe stellen und Sie überreden, gegen Bezahlung die Vaterschaft für ein fremdes Kind zu übernehmen. Obwohl Sie arm sind und dieses Geld fürwahr gut brauchen konnten, schlugen Sie dieses Angebot doch sofort aus. Ihre Seele geriet schon beim bloßen Gedanken an ein schmutziges Geschäft in Aufruhr, und ich kam bei Ihnen nicht damit durch, obwohl ich Ihnen sogar zweihundert Kronen bot. Hätte ich gewußt, was ich jetzt weiß, hätte ich Sie nicht so grob beleidigt. Ich hatte noch keinen klaren Eindruck von Ihnen, jetzt dagegen weiß ich, daß man Ihnen gegenüber gleichzeitig hü und hott sagen muß. Na, lassen wir das! Bleiben wir lieber bei dem, wovon wir sprachen ... Davon, daß Sie die Schuhe ausziehen und barfuß tanzen, ohne die Leute darauf aufmerksam zu machen, ohne dabei auf die Schmerzen zu achten und ohne zu klagen, das eben ist einer Ihrer Charakterzüge. Sie jammern nicht, Sie würden nicht etwa sagen: Seht, ich ziehe die Schuhe aus, um sie nicht abzunutzen, dazu bin ich gezwungen, ich bin so arm! Nein, Sie wirken, wenn ich so sagen darf, im stillen. Sie haben das eiserne Prinzip, daß Sie niemals bei jemand an etwas appellieren, Sie erreichen trotzdem alles, was Sie erreichen wollen, aber Sie selbst haben den Mund nicht geöffnet. Sie sind absolut unangreifbar, sowohl den anderen wie sich selbst, ihrem eigenen Bewußtsein, gegenüber. Ich stelle diesen Charakterzug bei Ihnen fest und fahre fort; Sie sollen nicht ungeduldig werden, ich komme am Schluß schon noch zu meiner Erklärung ... Sie sagten einmal etwas über Fräulein Gude, worüber ich oft nachgedacht habe, Sie sagten, daß sie vielleicht doch nicht so völlig unzugänglich sei, wenn man sich nur ein wenig geschickt anstelle, zum mindesten hätten Sie allerlei bei ihr erreicht ...

Nein, aber ...

Sie sehen, ich hab' mir das gemerkt. Es war an dem Abend, an dem wir beide hier saßen und tranken, das heißt: ich trank, und Sie sahen zu. Sie sagten, daß Martha – ja, Sie nannten sie einfach Martha, und Sie erzählten auch, sie nenne Sie immer Johannes; nicht wahr, ich lüge nicht, sie nennt Sie doch Johannes? Sehen Sie, ich erinnere mich auch, daß Sie mir das erzählten. Na, Sie sagten noch, daß Martha sogar so weit gegangen sei, Ihnen alles mögliche zu gewähren, und Sie machten sogar eine wirklich ekelhafte Bewegung mit dem Zeigefinger, als Sie das sagten ...

Minute fährt auf, er ist rot im Gesicht und unterbricht laut:

Das habe ich nie gesagt! Nie habe ich das gesagt!

Sie haben das nicht gesagt? Was? Das wollen Sie wirklich nicht gesagt haben? Was, wenn ich nun Sara riefe und sie bäte zu bezeugen, daß sie sich während unseres Gesprächs hier im Zimmer nebenan befunden habe und daß sie durch diese dünnen Wände jedes Wort gehört habe? So etwas habe ich doch noch nie erlebt! Na, jetzt wird also das Ganze durch Ihr Leugnen über den Haufen geworfen. Ich hätte Sie gerne ein bißchen darüber ausgehorcht, es interessiert mich, und ich habe oft daran gedacht; doch wenn Sie jetzt abstreiten, das so gesagt zu haben! Ich bitte Sie übrigens, setzen Sie sich wieder, laufen Sie nicht wie letztes Mal Hals über Kopf weg. Die Tür ist auch abgeschlossen, ich habe sie abgeschlossen.

Nagel steckte sich eine Zigarre an, und während er das tut, hält er plötzlich inne.

Nein, aber du großer Gott! sagt er. Gott bewahre, wie furchtbar ich mich geirrt habe! Herr Grøgaard, ich bitte Sie wirklich um Verzeihung; Sie haben ja recht, Sie haben es nicht gesagt! Vergessen Sie es, lieber Freund, es war jemand anderer und nicht Sie, der das gesagt hat, ich entsinne mich jetzt, ich habe es vor ein paar Wochen gehört. Wie konnte ich einen einzigen Augenblick glauben, daß Sie eine Dame bloßstellen könnten – und vor allen Dingen sich selbst – auf eine solche Weise! Ich verstehe nicht, wie mir das einfallen konnte, ich muß wohl doch ziemlich verrückt sein ... Hören Sie übrigens: ich gebe zu, wenn ich mich geirrt habe, und bitte sofort um Entschuldigung, dann bin ich also doch nicht verrückt; oder? Wenn ich trotzdem etwas ungeordnet rede, etwas wirr, dann dürfen Sie nicht glauben, daß ich das mit Absicht mache, ich will nicht versuchen, Sie zu beschwatzen, das dürfen Sie nicht glauben. Das wäre ja um so unmöglicher, als Sie selbst fast kein Wort sagen. Nein, ich rede also in dieser seltsamen, unüberlegten Art, weil meine Stimmung im Augenblick danach ist, das ist der ganze Grund. Entschuldigen Sie diese Abschweifung. Sie werden vielleicht ungeduldig und sehnen sich nach der Erklärung?

Minute schweigt. Nagel steht auf und fängt an, erregt zwischen Tür und Fenster hin und her zu gehen. Plötzlich bleibt er stehen und sagt, des Ganzen gründlich überdrüssig:

Ich bin es wirklich leid, noch länger mit Ihnen zu spielen, ich will Ihnen meine aufrichtige Meinung sagen! Doch, ich *habe* verwirrend mit Ihnen gesprochen, und ich habe es bis zu ebendiesem Augenblick mit Absicht getan, um etwas aus Ihnen herauszubekommen. Ich habe es auf alle möglichen Arten probiert, nichts hat geholfen, und ich habe es satt. Nun gut, ich will Ihnen die Erklärung geben, Grøgaard! Ich bin im Innersten davon überzeugt, daß Sie ein heimlicher Schurke sind. Ein heimlicher Schurke.

Da Minute wieder zu zittern anfing und seine Augen angstvoll und ratlos nach allen Seiten blickten, fährt Nagel fort:

Sie sagen kein Wort, Sie fallen nicht aus der Rolle. Ich kann Sie auch nicht ein Quentchen erschüttern, Sie sind eine stumme Kraft von ganz seltener Art; ich bewundre Sie und interessiere mich ungeheuer für Sie. Erinnern Sie sich noch daran, wie ich einen ganzen Abend mit Ihnen sprach und Sie unter anderem scharf anblickte und behauptete, daß Sie zusammenzuckten? Das tat ich, um mich vorzutasten. Ich habe Sie im Auge behalten und mich auf verschiedenen Wegen vorgetastet, fast immer ohne Glück, das gebe ich zu, denn Sie sind ein unangreifbarer Mann. Aber ich habe keinen Augenblick daran gezweifelt, daß Sie insgeheim ein stiller und heiliger Sünder irgendeiner Art sind. Ich habe keine Beweise gegen Sie, die fehlen mir leider, Sie können also ganz beruhigt sein, das bleibt alles unter uns. Aber können Sie denn verstehen, daß ich meiner Sache so sicher bin, obwohl ich keine Beweise habe? Sehen Sie, das begreifen Sie nicht. Und doch haben Sie, wenn wir über etwas sprechen, so eine Art, den Kopf einzuziehen; Sie haben ein paar Augen, mit dem und dem Ausdruck, Augen, die stets blinzeln, wenn Sie die und die Worte sagen oder wenn wir uns den und den Fragen nähern; Sie haben außerdem eine Stimme mit dieser Art von Summton – oh, diese Stimme! Und überhaupt wirkt Ihre Person antipathisch auf mich, ich spüre es in der Luft, wenn Sie sich nähern, meine Seele beginnt sofort, vor Mißbehagen in mir zu zucken. Das verstehen Sie nicht? Ich auch nicht; aber so ist es. Weiß Gott, ich bin auch in diesem Moment davon überzeugt, daß ich auf der richtigen Spur bin; doch ich kann Sie nicht behelligen, denn ich habe keine Beweise. Als Sie letztes Mal hier oben waren, fragte ich Sie, wo Sie sich am 6. Juni aufgehalten hätten – wollen Sie wissen, warum ich Sie danach fragte? Nun gut, der 6. Juni war Karlsens

Todestag, und ich glaubte bis dahin, daß Sie Karlsen ermordet hätten.

Minute wiederholt wie aus allen Wolken gefallen: Daß ich Karlsen ermordet hätte! und schweigt.

Ja, das hatte ich die ganze Zeit geglaubt. Ich hatte Sie deswegen in Verdacht, sogar so weit hatte mich mein Gefühl getrieben, daß Sie irgendeine Art von Schlingel seien. Jetzt glaube ich das nicht mehr, ich gebe zu, daß ich mich darin geirrt habe, ich bin zu weit gegangen, und ich bitte um Verzeihung. Ob Sie es mir nun glauben oder nicht, es hat mich tief betrübt, daß ich Ihnen dieses große Unrecht zugefügt habe, ich habe Sie an manchem Abend, wenn ich allein war, flehentlich um Verzeihung dafür gebeten. Doch obwohl ich mich in diesem Punkt so geirrt habe, bin ich trotzdem ganz sicher, daß Sie eine unreine und scheinheilige Seele sind, Gott strafe mich, das sind Sie! Ich spüre es im Innersten meines Herzens, während ich Sie hier so ansehe, und beim Allerheiligsten, das sind Sie! Warum ich dessen so sicher bin? Passen Sie auf: ich hatte von Anfang an keinen Grund, etwas anderes als nur das Beste von Ihnen zu glauben, und alles, was Sie später gesagt und getan haben, war gut und recht, ja edel. Ich habe sogar noch etwas ganz besonders Apartes von Ihnen geträumt: daß Sie in einem offenen Moor waren und grauenhaft unter meinen Quälereien litten, doch daß Sie mir trotzdem dankten, sich auf die Erde warfen und mir dankten, weil ich Sie nicht noch mehr gequält und Ihnen nicht noch weher getan hatte. Das habe ich von Ihnen geträumt, und das ist sehr schön. Es gibt auch in der ganzen Stadt keinen Menschen, der Ihnen irgend etwas Schlechtes zutraut, Sie haben den allerbesten Leumund, Sie haben die Sympathie aller, so heimlich sind Sie die ganze Zeit vorgegangen. Und doch stehen Sie vor dem Auge meiner Seele als ein feiger und kriechender Engel Gottes da, über alle nur gute Worte verlierend und mit einer guten Tat pro Tag. Und haben Sie etwa schlecht über mich gesprochen, Böses an mir begangen, mich betreffende Geheimnisse verraten? Nein, nein, das haben Sie nicht, und das eben gehört zu Ihrer Art, sich durchzuschlängeln, Sie lassen allen Recht widerfahren, Sie verüben niemals etwas Böses, Sie sind heilig und unangreifbar und vor den Menschen stets ohne Fehl. Und das reicht für die Welt, aber für mich reicht das nicht, mein Mißtrauen hört nicht auf. Das erste Mal, als ich Sie sah, passierte mir etwas Merkwürdiges. Das war ein paar Tage, nachdem ich hier in die Stadt gekommen war, eines Nachts um zwei Uhr. Ich sah Sie vor Martha Gudes Haus unten am Kai. Sie standen plötzlich mitten auf der Staße, ohne daß ich gesehen hatte, woher Sie kamen; Sie warteten, ließen mich vorbeigehen, und als ich vorüberging, schielten Sie zu mir hin. Ich hatte damals noch nicht mit Ihnen gesprochen, aber in mir war eine Stimme, die mich auf Sie aufmerksam machte, und die Stimme sagte, daß Sie Johannes heißen. Und wäre es mein letztes Wort hier auf Erden, es sang durch mein Herz, daß Sie Johannes heißen und daß ich mir Sie merken solle. Erst viel später hörte ich, daß das mit Ihrem Namen auch stimmte. Und seit dieser Nacht hatte ich meine Aufmerksamkeit auf Sie gerichtet, doch Sie sind mir ständig ausgewichen, ich habe Sie nicht in die Ecke treiben können. Zu guter Letzt sind Sie sogar noch hingegangen und haben mir ein Schlückchen Gift verfälscht, nur aus der guten und edlen Befürchtung, ich könnte es möglicherweise trinken wollen. Wie soll ich Ihnen erklären, was ich bei all dem empfinde? Ihre Reinheit brutalisiert mich, all Ihre schönen Worte und Handlungen führen mich nur weiter weg vom Ziel: Sie zu Fall zu bringen. Ich will Ihnen die Maske abreißen und Sie dazu bringen, Ihr wahres Wesen zu verraten; mir stockt das Blut vor Abneigung, jedesmal wenn ich Ihre blauen, verlognen Augen sehe, und ich schrumpfe vor Ihnen zusammen und fühle nur, daß Sie im Inneren Ihrer Seele ein Heuchler sind. Sogar in diesem Augenblick glaube ich zu sehen, daß Sie hier vor mir sitzen und innerlich lachen, daß Sie trotz Ihrer verzweifelten und zerknirschten Miene heimlich und schweinisch darüber lachen, daß ich Ihnen nichts anhaben kann, weil ich keine Beweise habe.

Und Minute sagt auch jetzt kein Wort. Nagel fährt fort:

Sie finden natürlich, daß ich ein grober Bandit und Tölpel bin, der Sie so unvermittelt mit diesen Beschuldigungen überfällt? Schon gut, darauf nehme ich keinerlei Rücksicht, glauben Sie doch von mir, was Sie wollen. In Ihrem Innersten wissen Sie in diesem Augenblick genau, daß ich Sie aufs Korn genommen habe, das reicht mir. Aber warum finden Sie sich damit ab, daß ich mich Ihnen gegenüber so aufführe? Warum stehen Sie nicht auf, spucken mir ins Gesicht und gehen einfach?

Minute schien sich zu berappeln, er sah auf und sagte: Sie haben ja die Tür abgeschlossen.

Sieh an, sieh an, antwortete Nagel, Sie wachen auf! Und Sie wollen mir weismachen, daß Sie glauben, die Tür sei verschlossen? Die Tür ist offen, sehen Sie her, jetzt ist sie sperrangelweit offen! Ich sagte, sie sei abgeschlossen, um Sie auf die Probe zu stellen, das war eine Falle von mir. Tatsache ist: Sie haben die ganze Zeit gewußt, daß die Tür offen war, aber Sie taten so, als wüßten Sie es nicht, nur um hier wie immer rein und unschuldig dasitzen zu können und sich von mir kränken zu lassen. Sie gingen nicht aus dem Zimmer, nein, Sie rührten sich nicht. Sowie ich Ihnen zu verstehen gab, daß ich Sie irgendwie verdächtige, spitzten Sie die Ohren, Sie wollten hören, wieviel ich wüßte, wie gefährlich ich Ihnen werden könnte. Bei Gott, ich weiß, daß es sich so verhält, und meinetwegen können Sie es leugnen, wenn Sie wollen, das ist mir egal ... Und warum veranstalte ich eigentlich diese Abrechnung mit Ihnen? Sie haben allen Grund, mir diese Frage zu stellen, das Ganze bräuchte mich doch nichts anzugehen. Mein Freundchen, es geht mich doch etwas an, ich will Ihnen erstens eine Warnung erteilen. Glauben Sie mir, in diesem Augenblick meine ich ehrlich, was ich sage. Sie führen irgendein verborgenes Gaunerleben, und das geht nur eine gewisse Zeit lang. Eines schönen Tages fliegen Sie auf, und jedermann kann auf Ihnen herumtrampeln. Das war nun das eine. Zweitens habe ich den Verdacht, daß Sie, trotz all Ihrem Leugnen, Fräulein Gude näherstehen, als Sie es zugeben wollen. Nun, was geht mich Fräulein Gude an?

Wieder haben Sie recht. Angesichts einer Frage wie dieser muß ich verstummen, Fräulein Gude geht mich weniger als jeden anderen an. Aber ganz allgemein habe ich das Recht, betrübt zu sein, wenn Sie mit ihr verkehren und sie möglicherweise mit Ihrer heiligen Lasterhaftigkeit anstecken. Deshalb habe ich diese Abrechnung mit Ihnen veranstaltet.

Nagel steckte seine Zigarre wieder an und sagt:

Und jetzt bin ich fertig, und die Tür ist nicht abgeschlossen. Haben Sie jetzt Schaden genommen? Schweigen Sie oder antworten Sie, machen Sie, was Sie wollen; lassen Sie aber Ihre innere Stimme für Sie antworten, wenn Sie antworten. Lieber Freund, bevor Sie gehen, lassen Sie mich Ihnen noch sagen: ich will Ihnen nichts Böses.

Pause.

Minute steht auf, steckt die Hand in die Manteltasche und zieht den Brief wieder heraus. Er sagt:

Ich kann das jetzt nicht mehr annehmen.

Das kam für Nagel unerwartet, er hatte nicht mehr an den Brief gedacht, und er sagte:

Sie wollen das wirklich nicht annehmen? Warum nicht?

Ich kann es nicht annehmen.

Minute legt den Brief auf den Tisch und geht zur Tür. Nagel geht ihm nach, mit dem Brief in der Hand, in seinen Augen sammelt sich Wasser, und er hat plötzlich ein Beben in der Stimme.

Nehmen Sie es, Grøgaard, trotzdem! sagte er.

Nein! antwortet Minute. Und er macht die Tür auf.

Nagel drückt die Tür wieder zu und sagt noch einmal:

Nehmen Sie es, nehmen Sie es! Wir wollen lieber sagen, daß ich wahnsinnig bin, daß Sie nicht mehr an das denken dürfen, was ich heute geredet habe. Ich bin sehr verrückt, wir wollen uns nicht darum kümmern, daß ich eine ganze Stunde lang vor mich hin gebrabbelt und gefaselt habe. Nicht wahr, Sie verstehen schon, daß man mir nicht glauben darf, wenn ich doch nicht bei Vernunft bin? Nehmen Sie doch den Brief, ich will Ihnen nichts Böses, obwohl ich so außer mich geraten bin. Nehmen Sie es in Gottes Namen, es ist nicht viel drin, glauben Sie mir, es ist fast gar nichts drin, und ich wollte Ihnen so gerne zum Schluß einen Brief geben, das habe ich mir die ganze Zeit ausgemalt, daß ich Ihnen einen Brief geben möchte, der fast nichts enthält, nur einen Brief eben. Es ist nur ein Gruß. Sehen Sie doch, ich bin Ihnen so aufrichtig dankbar.

Damit steckte er den Brief in Minutes Hand und lief zum Fenster, um ihn nicht zurücknehmen zu müssen. Minute gab nicht nach, er legte den Brief auf den Tisch und schüttelte den Kopf.

Er ging.

XXI

Nein, alles lief unglücklich ab. Ob er sich nun drinnen aufhielt oder sich auf den Straßen umhertrieb, er fand keine Ruhe; er hatte tausend Dinge im Kopf, und jedes Ding brachte sein besonderes Quentchen Qual mit sich. Warum war denn alles gegen ihn? Er konnte es nicht begreifen; aber die Fäden zogen sich immer mehr um ihn zusammen. Es war sogar schon so weit gekommen, daß er Minute schlechterdings nicht dazu hatte überreden können, einen kleinen Brief anzunehmen, den er ihm hatte geben wollen.

Alles war trist und unmöglich. Hinzu kam, daß er zunehmend von einer nervösen Angst vor etwas gequält wurde, als ob in irgendeinem Hinterhalt eine heimliche Gefahr auf ihn lauerte. Er fuhr oft in dumpfem Schrecken zusammen, nur weil sich die Vorhänge vor den Fenstern blähten. Welche neuen Plagen tauchten jetzt auf? Seine etwas harten Gesichtszüge, die nie schön gewesen waren, wirkten durch den dunklen Stoppelbart, der ihm auf Kinn und Wangen sproß, noch weniger ansprechend. Es kam ihm auch vor, als sei sein Haar an den Schläfen noch etwas grauer geworden.

Ja, na und? Schien nicht die Sonne, und war er nicht glücklich darüber, daß er noch lebte und gehen konnte, wohin er wollte? War ihm irgendeine Herrlichkeit verwehrt? Die Sonne lag über dem Marktplatz und über dem Meer, die Vögel sangen in den kleinen hübschen Gärten vor jedem Haus und hüpften unverdrossen von Ast zu Ast; überall fließendes Gold, der Straßenschotter badete sich darin, und oben auf der Kirchturmspitze stand die versilberte Kugel und zitterte dem Himmel zu wie ein ungeheurer Diamant.

Er gerät in eine exaltierte Freude, in eine Verzückung, so stark und unbändig, daß er sich schnurstracks aus dem Fenster beugt und einigen Kindern, die vor der Treppe des Hotels spielen, etwas Silbergeld hinunterwirft.

Seid nun artige Kinder! sagt er und kann die Worte kaum hervorbringen, in solcher Bewegung ist er. Wovor sollte er sich schon fürchten? Er sah jetzt auch nicht schlechter aus als früher; außerdem, wer konnte ihn daran hindern, sich zu rasieren und sich aufzumöbeln? Das hatte er selbst zu bestimmen. Und er ging zum Barbier.

Es fielen ihm auch einige Einkäufe ein, die er hatte machen wollen; er durfte das Armband nicht vergessen, das er Sara versprochen hatte. Und summend und jubelnd erledigt er seine Besorgungen, zufrieden mit der Welt und mit kindlicher Unbekümmertheit. Es war nur Einbildung, daß er sich vor etwas zu fürchten hätte.

Seine gute Stimmung hält an, und er verliert sich in lichten Gedanken. Vor kurzem hatte er eine scharfe Abrechnung mit Minute gehabt, und das war schon halb aus seinem Gedächtnis gelöscht, er erinnerte sich daran nur noch wie an einen Traum. Minute hatte seinen Brief nicht annehmen wollen; aber hatte er nicht auch einen Brief für Martha? In seinem Drang, anderen von seiner überströmenden Freude Mitteilung zu machen, wollte er jetzt eine Möglichkeit finden, um den Brief zu expedieren. Wie sollte er verfahren? Er durchsuchte seine Brieftasche und fand den Brief. Er wagte wohl nicht, ihn in aller Heimlichkeit an Dagny zu schicken? Nein, er wagte nicht, ihn an Dagny zu schicken. Er dachte nach und wollte den Umschlag unbedingt sofort abschicken; er enthielt nur ein paar Scheine, keinen Brief, kein Wort; er konnte vielleicht Doktor Stenersen bitten, ihn zu besorgen? Und zufrieden mit diesem Gedanken geht er zu Doktor Stenersen.

Es war sechs Uhr.

Er klopft an die Sprechzimmertür des Doktors; sie war verschlossen. Er nimmt den Weg zum Hof und will sich in der Küche erkundigen, da ruft ihm Frau Stenersen aus dem Garten zu.

Dort sitzt die Familie an einem großen Steintisch und trinkt Kaffee. Es waren noch weitere Leute da, ein paar Damen, ein paar Herren; Dagny Kielland war auch da; sie hatte einen grellweißen Hut auf, der Hut war ringsum mit kleinen hellen Blumen geschmückt.

Nagel wollte sich zurückziehen, und er stammelt:

Der Doktor, ich wollte den Doktor ...

Mein Gott, ob er krank sei?

Nein, nein, er sei nicht krank.

Na, dann dürfe er nicht wieder gehen.

Und die Frau des Hauses zog ihn am Arm. Dagny stand sogar auf und wollte ihm ihren Stuhl überlassen. Er sah sie an, beide sahen sich an. Sie war sogar für ihn aufgestanden, sie hatte mit leiser Stimme gesagt: Bitte, nehmen Sie diesen!

Doch er suchte sich einen Platz neben dem Doktor und setzte sich.

Dieser Empfang brachte ihn etwas durcheinander. Dagny sah ihn sanft an, und sie hatte ihm nachgerade ihren Stuhl überlassen wollen. Sein Herz klopfte heftig; vielleicht konnte er ihr doch den Brief für Martha geben?

Nach einer kleinen Weile kehrte auch seine Ruhe zurück. Man sprach so wunderbar lebhaft über eins nach dem anderen; die lichte Freude bemächtigte sich seiner wieder und ließ seine Stimme beben. Er lebte doch, er war nicht tot und würde auch nicht sterben. Rings um einen Tisch mit weißer Decke und blankem Silberzeug saß in diesem grünen, dicht belaubten Garten eine Gesellschaft froher Menschen, die lachten und die Augen spielen ließen; gab es denn einen Grund, daß einem unbehaglich zumute war?

Wenn Sie jetzt wirklich liebenswürdig sein wollten, dann

würden Sie Ihre Geige nehmen und uns etwas vorspielen, sagt die Frau des Hauses.

Nein, wie könne sie auf so etwas kommen!

Als auch die anderen ihn baten, lachte er laut und sagte: Aber ich habe ja nicht mal eine Geige!

Doch sie wollten nach der Geige des Organisten schikken, die würde in einem Augenblick da sein.

Ja, das half nichts, er rührte sie nicht an. Und außerdem war die Geige des Organisten ruiniert, durch die kleinen Rubine, die ins Griffbrett eingelegt waren, der Ton bekam dadurch etwas Gläsernes; sie hätten keinesfalls an dieser Stelle angebracht werden dürfen, das war nicht auszuhalten. Übrigens konnte er den Bogen nicht mehr führen, ja genaugenommen hatte er das auch niemals gekonnt; nicht wahr, er selbst mußte das doch wissen? ... Und jetzt erzählte er, wie es ihm ergangen war, beim ersten und einzigen Mal, daß sein Spiel öffentlich besprochen wurde; darin hatte fast etwas Symbolisches gelegen. Er hatte die Zeitung am Abend bekommen und sie im Bett verschlungen; er war damals sehr jung, er wohnte in seinem Herkunftsort, und es war eine Lokalzeitung, die ihn besprochen hatte. Oh, wie glücklich war er über diese Zeitung gewesen! Er las sie viele Male und schlief ein, ohne das Licht zu löschen. In der Nacht wachte er auf und war noch immer todmüde, die Kerzen waren abgebrannt, es war dunkel in seinem Zimmer; aber auf dem Boden erkannte er etwas Weißes, und da er wußte, daß in seinem Zimmer ein weißer Spucknapf war, dachte er: das ist doch bestimmt dieser Spucknapf! Es ist beschämend, das zu erzählen, aber er hatte gespuckt und gehört, daß er getroffen hatte. Und da er beim ersten Mal so ausgezeichnet getroffen hatte, spuckte er noch einmal und traf. Dann legte er sich wieder zum Schlafen hin. Doch am Morgen mußte er feststellen, daß es die kostbare Zeitung war, auf die er gespuckt hatte, die sehr wohlwollende öffentliche Meinung, auf die er gespuckt hatte. Hehe, das war sehr traurig!

Darüber lachten alle, und die Laune stieg weiter. Die Frau des Hauses sagte jedoch:

Aber Sie sehen wirklich ein wenig bleicher aus als früher?

Ach, antwortete Nagel, das hat nichts zu sagen, mir fehlt nichts. – Und er lachte laut darüber, daß mit ihm etwas nicht stimmen sollte.

Auf einmal steigt ihm eine Röte in die Wangen, er steht auf und sagt, daß ihm doch etwas fehle. Er verstand es nicht, aber es war, als sollte ihm etwas Unerwartetes begegnen, er hatte etwas Angst. Hehe, hatte man so etwas schon gehört! Es war lächerlich und hatte nichts zu bedeuten; oder? Es war ihm auch schon früher passiert.

Nun wurde er gebeten, zu erzählen.

Nein, warum denn? Es war ohne Bedeutung, es war dumm, warum sollte er damit die Zeit vergeuden? Es würde die Gesellschaft auch langweilen.

Aber das würde durchaus nicht langweilen!

Ja, aber es würde so lange dauern. Es beginne gar in San Francisco, es sei damals gewesen, als er einmal Opium geraucht hatte ...

Opium? Gott, wie spannend!

Nein, gnädige Frau, es ist fast etwas peinlich, nachdem ich jetzt hier am hellichten Tag herumgehe und Angst vor etwas habe. Sie dürfen jetzt nicht glauben, daß ich täglich Opium rauche; ich habe es nur zweimal geraucht, wovon das zweite Mal nicht von Interesse ist. Doch das erste Mal erlebte ich wirklich etwas Besonderes, das ist richtig. Ich war in ein sogenanntes *den* geraten. Wie ich dort hingeraten war? Ohne Vorsatz! Ich treibe mich ab und zu auf den Straßen herum, ich sehe mir die Menschen an, suche mir eine Person aus, der ich in einigem Abstand folge, um zu sehen, wo sie zum Schluß verschwindet. Ich scheue mich nicht, in Häuser und die Treppen hinauf zu gehen, um zu sehen, wo sie schließlich landet. In großen Städten ist das in den Nächten außerordentlich interessant und kann einem die merkwürdigsten Bekanntschaften einbringen. Na, davon soll nicht die Rede sein! Tja, ich bin also in San Francisco und schlendre durch die Straßen. Es ist Nacht, ich habe vor mir eine hohe, magere Frau, die ich im Auge behalte; im Licht der Gaslaternen, unter denen wir vorbeikommen, kann ich sehen, daß sie ein dünnes Kleid anhat, um den Hals aber trägt sie ein Kreuz aus grünen Steinen. Wo wollte sie hin? Sie passiert mehrere Häuserblöcke, biegt um Straßenecken und geht und geht, und ich bin ihr dauernd auf den Fersen. Schließlich befinden wir uns im Chinesenviertel, die Frau steigt hinab in eine Kelleröffnung, und ich folge ihr; sie geht durch einen langen Gang, und ich gehe auch durch diesen langen Gang. Rechts von uns ist die Mauer, und links sind Cafés, Barbierstuben und Wäschereien. Dann bleibt die Frau an einer Tür stehen, sie klopft an, durch die Scheibe in der Tür schaut ein Gesicht mit schiefen Augen, und die Frau wird eingelassen. Ich warte etwas und stehe ganz still, dann klopfe ich auch an, die Tür öffnet sich wieder, und ich werde eingelassen.

Es war viel Rauch und lautes Stimmengewirr im Zimmer. Drüben am Schanktisch steht die magere Frau und zankt sich mit einem Chinesen, der ein blaues Hemd trägt, das ihm aus der Hose hängt. Ich gehe etwas näher heran und höre, daß sie ihr Kreuz gegen etwas verpfänden will, daß sie aber das Kreuz nicht ausliefern will, sie will es selbst verwahren. Es ging um zwei Dollar, und sie hatte auch noch alte Schulden, so daß es alles in allem um drei Dollar ging. Gut, sie spielt sich ein bißchen auf, dazwischen weint sie und ringt die Hände, und ich fand, sie sei sehr interessant. Der Chinese im Hemd war auch interessant, er wollte kein Geschäft machen, wenn er das Kreuz nicht ausgeliefert bekäme; Geld oder Pfand!

Ich setze mich hier hin und warte etwas ab, sagt die Frau, und ich weiß, daß ich es schließlich doch tue, daß ich schließlich darauf eingehe. Aber ich sollte es nicht tun! – Und dann schluchzt sie dem Chinesen direkt ins Gesicht und ringt die Hände.

Was sollten Sie nicht tun? frage ich.

Aber sie hört, daß ich Ausländer bin, und antwortet mir nicht.

Sie war über alle Maßen interessant, und ich beschließe, etwas zu unternehmen. Ich konnte ihr das Geld leihen, um zu sehen, wie es ablaufen würde. Ich tat es nur aus Neugier, und ich steckte ihr nachträglich noch einen Dollar zu, um zu sehen, wozu sie auch diesen verwenden würde. Das mußte besonders amüsant anzusehen sein.

Sie glotzt mich an und dankt mir, sie sagt nichts, doch sie nickt viele Male und sieht mich mit tränenvollen Augen an, und ich hatte es doch nur aus Neugier getan. Gut, sie bezahlt am Schanktisch und verlangt sofort ein Zimmer. Sie hatte all ihr Geld hergegeben.

Sie geht, und ich folge ihr. Wir kommen wieder durch einen langen Gang, auf beiden Seiten sind numerierte Zimmer, und in eines dieser Zimmer gleitet die Frau und schlägt die Tür zu. Ich warte eine Weile, sie kommt nicht zurück; ich rüttle etwas an der Tür, sie ist verschlossen.

Dann gehe ich in das Nebenzimmer und will abwarten. Dort ist ein roter Diwan und eine Klingel, das Zimmer wird von einer Lampe, die aus der Wand ragt, erleuchtet. Ich lege mich auf den Diwan, die Zeit wird mir lang, und ich langweile mich. Um etwas zu tun, drücke ich auf den Knopf und läute. Ich will nichts, aber ich läute.

Ein Chinesenjunge kommt, sieht mich an und verschwindet wieder. Einige Minuten vergehen. Komm, laß dich noch einmal sehen! sage ich, um mir die Zeit zu vertreiben; warum kommst du nicht wieder! Und ich läute nochmals.

Da kommt der junge Bursche zurück, lautlos, wie ein Geist, in Filzschuhen schlurfend. Er sagt nichts, ich sage auch nichts; aber er reicht mir eine winzig kleine Porzellanpfeife mit langem, dünnem Rohr, und ich nehme die Pfeife entgegen. Dann hält er Glut drauf, und ich rauche. Ich hatte nicht um die Pfeife gebeten, aber ich rauche. Kurz danach fängt es an, vor meinen Ohren zu sausen ...

Ab da erinnere ich mich an nichts, bis ich fühle, daß ich irgendwo in der Höhe bin, daß ich beginne, in die Luft zu steigen, ich schwebe. Um mich herum war es unsagbar hell, und die Wolken, an denen ich vorbeikam, waren weiß. Wer war ich, und wohin flog ich? Ich denke nach und kann mich an nichts erinnern, aber ich glitt wunderbar hoch hinauf. In der Ferne sah ich grüne Wiesen, blaue Seen, Täler und Berge in goldenem Glanz; ich hörte Musik von den Sternen, und der Raum um mich schaukelte von Melodien auf und nieder. Und die weißen Wolken taten mir über alle Maßen gut, sie flossen durch mich durch, und ich hatte ein Gefühl, als sollte ich dadurch vor Herrlichkeit sterben. Dies hielt an und hielt an, ich wußte von keiner Zeit, und ich hatte vergessen, wer ich war. Dann flimmert eine irdische Erinnerung durch mein Herz, und mit eins beginne ich zu sinken.

Ich sinke, sinke, das Licht nimmt ab, um mich herum wird es dunkler und dunkler, ich sehe die Erde unter meinen Augen, und ich finde mich wieder zurecht, das sind Städte, Wind und Rauch. Dann halte ich an. Ich sehe mich um, rings um mich ist Meer. Ich fühle mich nicht mehr glücklich, ich stoße gegen Steine, und ich friere. Unter meinen Füßen ist weißer Sandboden, und über mir sehe ich nichts als Wasser. Ich schwimme einige Züge, ich komme an vielen seltsamen Gewächsen vorbei, dicke, grüne Blattpflanzen, Meeresblumen, die auf ihren Stengeln hin und her schwanken – eine stumme Welt, in der kein Laut zu hören ist, in der aber alles lebt und sich bewegt. Ich schwimme wieder einige Züge und komme an ein Korallenriff. Es waren keine Korallen mehr da, das Riff war ausgeplündert, doch ich sagte: hier ist schon einmal jemand gewesen! Und ich fühlte mich nicht mehr so einsam, da früher schon jemand hier gewesen war. Ich schwimme wieder, ich will an Land kommen, aber diesmal mache ich nur ein paar Züge, bis ich anhalte. Ich halte an, weil auf dem Grund vor mir ein Mensch liegt; es ist eine Frau, sie ist groß und mager, und sie liegt arg aufgerissen über einem Stein. Ich berühre sie und sehe, daß ich sie kenne; doch sie ist tot, und ich verstehe nicht, daß sie tot ist, da ich sie doch an dem Kreuz mit den grünen Steinen erkenne. Es ist dieselbe Frau, der ich vor kurzem durch die langen Gänge gefolgt bin, bis zu den numerierten Zimmern. Ich will weiterschwimmen, aber ich halte an und lege sie zurecht; sie liegt über einen großen Stein gebreitet, und das machte einen grausigen Eindruck auf mich. Sie hat die Augen weit offen, doch ich ziehe sie zu einem weißen Fleck hinüber, und ich sehe das Kreuz an ihrem Hals, und ich schiebe es ihr unter das Kleid, damit die Fische es ihr nicht wegnehmen. Dann schwimme ich fort ...

Und am Morgen erzählte man mir, daß die Frau in der Nacht gestorben war. Sie war ins Meer vor dem Chinesenviertel gesprungen; man hatte sie gegen Morgen gefunden. Das ist sehr sonderbar, aber sie war tot. Vielleicht konnte ich sie noch einmal treffen, wenn ich etwas dafür tat! dachte ich. Und ich rauchte nochmals Opium, um sie zu treffen, aber ich traf sie nicht.

Wie merkwürdig war das! Doch später einmal passierte noch etwas. Ich war nach Europa zurückgekommen, ich war daheim. Ich lief in einer warmen Nacht herum, kam an den Hafen, zu den Pumpwerken, wo ich mich eine Zeitlang aufhielt und zuhörte, was man auf den Schiffen erzählte. Alles war so ruhig, die Pumpen standen still. Schließlich wurde ich müde, aber ich wollte nicht nach Hause, weil es so warm war. Ich stieg am Gerüst einer der Pumpen hoch und setzte mich dort hin. Aber die Nacht war so still und warm, ich konnte mich nicht wach halten, ich schlief fest ein.

Da erwache ich, indem eine Stimme nach mir ruft, ich sehe hinunter: unten auf den Steinen steht eine Frau. Sie ist groß und mager; als das Gaslicht aufflackert, kann ich sehen, daß ihr Kleid sehr dünn ist.

Ich grüße.

Es regnet, sagt sie.

Gut, ich weiß nichts davon, daß es regnet, aber es ist wohl am besten, unter ein Dach zu kommen. Und ich krieche vom Gerüst herunter. Gleichzeitig beginnen die Pumpen zu stampfen, eine Schaufel schwingt durch die Luft und verschwindet, eine neue Schaufel schwingt durch die Luft und verschwindet, die Pumpen gehen. Wäre ich aber nicht zur rechten Zeit weggekommen, hätten sie mich zerrissen, vollkommen zerquetscht. Das begriff ich sofort.

Ich sehe mich um, es beginnt tatsächlich etwas zu regnen; die Frau hat schon angefangen zu gehen, ich sehe sie vor mir, und ich erkenne sie zweifelsfrei, auch heute hatte sie das Kreuz um. Ich hatte sie gleich zu Anfang erkannt, aber ich tat, als würde ich sie nicht kennen. Jetzt wollte ich sie einholen, und ich gehe nach Kräften drauflos; doch ich erreichte sie nicht. Sie tritt nicht mit den Füßen auf, sie gleitet, ohne sich zu bewegen, biegt um eine Straßenecke und verschwindet vor mir.

Das ist vier Jahre her.

Nagel hört auf. Der Doktor scheint am liebsten lachen zu wollen, aber er sagt dann, so ernst er kann:

Und seitdem sind Sie ihr nicht mehr begegnet?

Doch, ich sah sie heute wieder. Deswegen habe ich jetzt ab und zu ein Gefühl von Angst. Ich stand in meinem Zimmer am Fenster und sah hinaus auf die Straße, da kam sie geradewegs auf mich zu, quer über den Marktplatz, als käme sie vom Anleger und vom Meer her, blieb unter meinen Fenstern stehen und sah herauf. Ich war nicht sicher, ob sie mich ansah, und ich ging hinüber an ein anderes Fenster; aber da folgte sie mir mit den Augen und sah mich auch dort an. Dann grüßte ich hinunter zu ihr; aber als sie das sah, drehte sie sich rasch um und schwebte über den Marktplatz wieder zum Anleger zurück. Dem Hündchen Jakobsen sträubten sich die Haare, und er sprang in weiten Sätzen aus dem Hotel und bellte. Das machte doch Eindruck auf mich. Ich hatte sie in dieser langen Zeit fast vergessen, und da kommt sie heute wieder. Vielleicht wollte sie mich vor etwas warnen.

Jetzt brach der Doktor in Lachen aus.

Ja, sagte er, sie wollte Sie davor warnen, zu uns zu gehen.

Nein, natürlich, diesmal hat sie sich geirrt, es ist nichts zu befürchten. Aber das letzte Mal waren da ein paar Schaufeln, die mich zerrissen hätten. Und ich bekam etwas Angst. Na, es bedeutet also nichts; oder? Hehe, es würde sich auch gut ausnehmen, wenn einem so plötzlich irgendwas zustoßen würde. Ich muß über das Ganze lachen.

Nervosität und Aberglaube! sagte der Doktor kurz.

Und jetzt fingen auch die anderen der Reihe nach an, Geschichten zu erzählen, und die Uhr schlug ein aufs andere Mal, es ging auf den Abend zu. Nagel saß die ganze Zeit schweigend da; er begann zu frieren. Schließlich stand er auf, um zu gehen. Er konnte Dagny wohl doch nicht mit dem Brief belästigen, das sollte er lieber bleibenlassen; vielleicht konnte er den Doktor morgen treffen und ihm den Brief dann übergeben. Seine glückliche Stimmung war vollkommen verflogen.

Als er gerade im Aufbruch war, stand zu seiner großen Verwunderung auch Dagny auf. Sie sagte:

Nein, Ihr erzählt hier soviel Unheimliches, daß auch ich ganz und gar bange werde. Ich will jetzt sehen, daß ich nach Hause komme, bevor es dunkler wird.

Und sie verließen zusammen den Garten. Nagel wurde heiß vor Freude; doch, jetzt konnte er ihr den Brief geben! Er würde niemals eine beßre Gelegenheit bekommen.

Wollten Sie nicht mit mir sprechen? rief ihm der Doktor nach.

Nein, eigentlich nicht, antwortete er etwas verwirrt. Ich wollte nur guten Tag sagen und ... Wir hatten uns so lange nicht gesehen. Auf Wiedersehen.

Während sie die Straße hinuntergingen, waren sie beide unruhig, auch Dagny war unruhig. Sie kam auf das Wetter zu sprechen; wie lau es heute abend ist!

Ja, still und lau!

Auch er konnte nichts sagen, er sah sie nur an. Sie hatte noch dieselben Samtaugen und denselben hellen Zopf über den Rücken hinab; alle Gefühle seines Herzens erwachten von neuem, ihre Nähe berauschte ihn, und er fuhr sich mit der Hand über die Augen. Jedesmal, wenn er sie wiedersah, wurde sie schöner und schöner, jedesmal! Er vergaß alles, vergaß ihren Hohn, vergaß, daß sie Martha vor ihm versteckt hatte und daß sie ihn in unbarmherziger Weise mit einem Taschentuch in Versuchung geführt hatte. Er mußte sich abwenden, um nicht erneut einem brennenden Ausbruch nachzugeben. Nein, jetzt mußte er sich aufrecht halten, er hatte sie vorher zweimal bis zum Äußersten gebracht; er war doch ein Mann! Und er hielt den Atem fast an und machte sich hart.

Sie waren bis zur Hauptstraße gekommen; das Hotel lag zur Rechten. Sie sah aus, als wolle sie sprechen. Er ging stillschweigend an ihrer Seite. Konnte er vielleicht mit ihr durch den Wald gehen? Plötzlich sah sie ihn an und sagte:

Ich danke Ihnen für Ihre Erzählung! Haben Sie jetzt Angst? Das dürfen Sie nicht!

Doch, sie war heute sanft und gut; er wollte sofort den Brief zur Sprache bringen.

Ich würde Sie gerne bitten, mir einen Gefallen zu tun, sagte er. Aber ich sollte es vielleicht nicht wagen, Sie wollen mir jetzt wohl keinen Gefallen tun?

Doch, gerne sogar, antwortete sie.

Sie wollte es gerne, sagte sie! Er griff in die Tasche, um den Brief herauszuholen.

Ich wollte Sie bitten, diesen Brief zu besorgen. Es ist nur eine Mitteilung, etwas ... Nichts von Wichtigkeit, aber ... Er ist an Fräulein Gude. Sie wissen vielleicht, wo Fräulein Gude ist? Sie ist verreist.

Dagny blieb stehen. Ein wundersam verschleierter Blick drängte sich aus diesen blauen Augen, sie blieb eine Zeitlang vollkommen unbeweglich stehen.

An Fräulein Gude? sagte sie.

Ja. Wenn Sie so freundlich sein wollen? Vielleicht sollte man das auch lassen, es eilt nicht ...

Doch, doch! sagte sie auf einmal, geben Sie ihn nur her, ich werde doch wohl einen Brief von Ihnen an Fräulein Gude besorgen können. – Und als sie den Brief in die Tasche gesteckt hatte, nickte sie plötzlich und sagte: Ja, ja, danke für die Abendunterhaltung. Jetzt muß ich gehen.

Dabei sah sie ihn wieder an und ging.

Er blieb zurück. Warum hatte sie so schnell abgebrochen? Und doch hatte sie ihn nicht böse angesehen, als sie ging; im Gegenteil. Und trotzdem war sie so plötzlich gegangen! Jetzt bog sie in den Weg zum Pfarrhof ein ... jetzt war sie weg ...

Als er sie nicht mehr sehen konnte, ging er zum Hotel. Sie hatte einen schneeweißen Hut aufgehabt. Und sie hatte ihn so merkwürdig angesehen ...

XXII

Was für einen verschleierten Blick sie ihm zugeworfen hatte! Er verstand das nicht. Doch beim nächsten Zusammentreffen mit ihr wollte er es wiedergutmachen, wenn er sie abermals gekränkt haben sollte. Wie schwer sein Kopf wurde! Aber es gab wirklich nichts, wovor er sich fürchten mußte, soviel war Gott sei Dank sicher.

Er setzte sich aufs Sofa und blätterte in einem Buch: doch er las nicht. Er stand auf und ging unruhig ans Fenster. Ohne es sich selbst einzugestehen, wagte er kaum, auf die Straße zu sehen, aus Furcht, er könnte möglicherweise wieder auf einen ungewöhnlichen Anblick stoßen. Seine Knie begannen zu zittern; was war nur los mit ihm? Er zog sich wieder aufs Sofa zurück und ließ das Buch zu Boden fallen. Sein Kopf hämmerte, er fühlte sich richtig krank. Es bestand kein Zweifel, er hatte Fieber, die beiden Nächte, die er hintereinander draußen im Wald gelegen hatte, hatten zu guter Letzt ihre Wirkung getan und ihn vom Scheitel bis zur Sohle ausgekühlt. Schon als er im Garten des Doktors saß, hatte er zu frieren angefangen.

Nun, das ging wohl vorbei! Es war nicht seine Gewohnheit, wegen einer kleinen Erkältung zu resignieren; morgen würde er wieder ganz gesund sein! Er klingelte und bekam Cognac gebracht, aber der Cognac zeigte keine Wirkung, berauschte ihn nicht einmal, und er trank vergebens mehrere große Gläser. Das schlimmste war, daß nun auch sein Kopf streikte, er konnte nicht klar denken.

Wie angegriffen war er doch im Laufe einer Stunde geworden! Was jetzt, warum flatterten die Vorhänge so unruhig, wo doch kein Wind ging? Hatte das etwas zu bedeuten? Er stand auf und sah sich im Spiegel, er sah verstört und schlecht aus. Doch, sein Haar war stärker ergraut, und seine Augen hatten rote Ränder ... Sind Sie noch bange? Das dürfen Sie nicht. Herrliche Dagny! Denk mal an, ein vollkommen weißer Hut ...

Es klopft an die Tür, und der Wirt tritt ein. Der Wirt bringt ihm endlich die Rechnung, eine lange Rechnung auf zwei Blättern. Im übrigen lächelt der Wirt und ist äußerst höflich.

Nagel greift sofort zur Brieftasche und beginnt darin zu suchen, währenddessen aber fragt er, vor bangen Ahnungen bebend, wieviel es sei, und der Wirt antwortet. Es habe übrigens gerne bis morgen Zeit oder bis zu einem anderen Tag, es eilt nicht.

Ja, Gott weiß, ob er bezahlen könne, vielleicht könne er es nicht. Und Nagel findet kein Geld. Was, hatte er kein Geld? Er wirft die Brieftasche auf den Tisch und fängt an, seine Taschen zu durchwühlen, er ist völlig ratlos und sucht kläglich überall, schließlich durchsucht er sogar seine Hosentaschen, holt etwas Kleingeld heraus und sagt:

Hier habe ich etwas Geld, aber das reicht wohl nicht, nein, das reicht bestimmt nicht, zählen Sie selbst.

Nein, sagt auch der Wirt, das reicht nicht.

Auf Nagels Stirn bricht der Schweiß aus, er will dem Wirt fürs erste diese paar Kronen geben, und er sucht sogar in seinen Westentaschen, ob er nicht auch da noch etwas Kleingeld finden könnte. Und da war keins. Aber er könnte ja etwas leihen, vielleicht würde ihm jemand den Gefallen tun, ihm etwas zu leihen! Gott weiß, ob ihm nicht geholfen würde, wenn er jemand bat!

Der Wirt sieht nicht mehr zufrieden aus, sogar seine Höflichkeit verläßt ihn, und er nimmt Nagels Brieftasche, die noch auf dem Tisch liegt, und fängt an, sie selbst zu untersuchen.

Ja, bitte schön! sagt Nagel, da können Sie selbst sehen, da sind nur Papiere. Ich verstehe das nicht.

Aber der Wirt öffnet das mittlere Fach und läßt die Brieftasche eilends fallen; sein Gesicht wird ein einziges, großes verwundertes Lächeln.

Da liegen sie! sagt er. Da sind Tausender! Sie scherzten also, Sie wollten nur sehen, ob ich Spaß verstehe?

Nagel wurde froh wie ein Kind und ging auf diese Erklärung ein. Er atmete wunderbar erleichtert und sagt:

Ja, nicht wahr, ich scherzte nur, mir war danach, ein

wenig Unsinn zu machen. Doch, ich habe Gott sei Dank noch viel Geld; sehen Sie, sehen Sie nur!

Es waren tatsächlich viele große Scheine, eine Menge Geld in Tausendern; der Wirt mußte gehen und wechseln, um seinen Teil zu kriegen. Aber noch lange, nachdem er gegangen war, standen die Schweißperlen auf Nagels Stirn, und er zitterte vor Aufregung. Wie verstört er geworden war, und wie leer es in seinem Kopf sauste!

Eine Weile später fiel er auf dem Sofa in einen unruhigen Schlummer, lag da und wand sich im Traum, sprach laut, sang, rief nach Cognac und trank im Halbschlaf und voller Fieber. Sara war häufig bei ihm, und obwohl er beinahe die ganze Zeit mit ihr sprach, verstand sie nur wenig von dem, was er sagte. Er lag mit geschlossenen Augen da.

Nein, er wolle sich nicht ausziehen; was dächte sie denn? War es denn nicht mitten am Tag? Er hörte deutlich noch Vogelgezwitscher. Sie solle auch den Doktor nicht holen. Nein, der Doktor würde ihm nur eine gelbe Salbe und eine weiße Salbe geben, und diese beiden Salben würde man dann natürlich verwechseln und verkehrt anwenden und ihn auf der Stelle töten. Karlsen sei daran gestorben; sie erinnre sich doch an Karlsen? ja, der sei daran gestorben. Wie dem nun auch sein oder nicht sein möge, Karlsen war jedenfalls ein Angelhaken in die Kehle geraten, und als der Doktor mit seinen Arzneien kam, zeigte es sich, daß es nur ein Glas mit ganz gewöhnlichem Tauf- oder Brunnenwasser war, an dem er erstickt war. Hehehe, obwohl man nicht darüber lachen sollte ... Sara, Sie glauben doch nicht, daß ich betrunken bin; oder? Ideenassoziationen, hören Sie? Enzyklopädisten und so weiter. Zählen Sie es sich an den Knöpfen ab, Sara, und schauen Sie, ob ich betrunken bin ... Horchen Sie, jetzt gehen die Mühlen, die Mühlen der Stadt! Gott, in was für einem Krähenwinkel leben Sie, Sara; ich möchte Sie aus der Gewalt Ihrer Feinde befreien wollen, wie es geschrieben steht. Fahren Sie zur Hölle, fahren Sie zur Hölle! Wer sind Sie übrigens? Ihr seid alle miteinander falsch, und ich werde einen jeden von euch in die Enge treiben. Sie glauben das nicht? Oh, wie ich euch im

Auge hatte! Ich bin davon überzeugt, daß Leutnant Hansen Minute zwei Wollhemden versprochen hat, doch glauben Sie, er hat sie bekommen? Und meinen Sie, daß Minute gewagt hätte, das zu gestehen? Lassen Sie mich Sie aus diesem Irrtum befreien, Minute wagte *nicht*, das zu gestehen, er wand sich heraus; begreifen Sie! Irre ich nicht, Herr Grøgaard, dann sitzen Sie jetzt wieder hinter Ihrer Zeitung und lachen dreckig. Nicht? Na, das ist mir auch völlig egal ... Sind Sie noch da, Sara? Gut! Wenn Sie hier noch fünf Minuten sitzen bleiben, will ich Ihnen etwas erzählen; ist das ein Angebot? Aber stellen Sie sich zuerst einen Mann vor, dem die Augenbrauen nach und nach ausfallen. Können Sie sich das vor Augen halten? Dem die Augenbrauen ausfallen. Danach muß es mir gestattet sein, Sie zu fragen, ob Sie jemals in einem Bett geschlafen haben, das knarrte? Zählen Sie sich an den Knöpfen ab, ob Sie das getan haben. Ich habe Sie stark in Verdacht. Übrigens habe ich alle Leute der Stadt als Verdächtige im Auge. Übrigens. Und ich habe meine Aufgabe gut gemacht, ich habe euch eine Menge außerordentlich reichhaltigen Gesprächsstoff gegeben und euer Leben in Unordnung gebracht, ich habe eine bewegte Szene nach der anderen in euer ehrsames Blinddarmdasein gepflanzt. Hoho, wie die Mühlen klapperten, wie die Mühlen klapperten! Woraufhin ich Ihnen rate, hochgeschätztes Zimmermädchen Sara Caféknecht Josefstochter, klare Fleischsuppe zu essen, solange sie warm ist, denn wenn sie stehenbleibt, bis sie kalt ist, dann bleibt, Gott verdamm mich, nichts als Wasser übrig ... Mehr Cognac, Sara, mir tut der Kopf weh, zu beiden Seiten und oben in der Mitte. Es tut ganz seltsam weh ...

Wollen Sie nicht etwas Warmes haben? fragt Sara.

Etwas Warmes? Was dachte sie sich nur immer und immer wieder aus? Es würde sich in Windeseile in der Stadt verbreiten, daß er etwas Warmes getrunken hätte. Wohlgemerkt: er habe nicht vor, Ärgernis zu erregen, er wolle als guter Steuerzahler der Stadt auftreten, auf dem Weg zum Pfarrhof vorschriftsmäßig spazieren und niemals die Dinge unselig anders als andere Leute betrachten; drei Finger in die Luft gestreckt darauf ... Sie solle keine Angst haben. Er habe wirklich da und dort Schmerzen; aber auch deshalb ziehe er sich nicht aus, denn dann ginge es schneller vorbei. Man solle es auf hart und hart ankommen lassen ...

Es wurde mit ihm immer schlimmer, und Sara saß wie auf Nadeln. Sie hätte sich am liebsten davongemacht, aber er merkte sofort, wenn sie aufstand, und fragte dann, ob sie ihn verlassen wolle. Sie wartete darauf, daß er in festen Schlaf fallen würde, wenn er sich müde gefaselt hätte. Ja, wie er faselte, mit ständig geschlossenen Augen, und das Gesicht rot von Hitze und Fieber. Er hätte eine neue Art ausgetüftelt, Frau Stenersens Johannisbeerbüsche von Läusen zu befreien. Diese bestand darin, daß er eines schönen Tages in einen Laden gehen und einen Blechkanister Petroleum kaufen wolle, danach begäbe er sich auf den Marktplatz, zöge seine Schuhe aus und schüttete sie mit Petroleum voll. Dann stecke er alle beide an, einen Schuh nach dem andern, und endlich umtanze er sie auf bloßen Strümpfen und singe dazu. Das müsse an einem Vormittag geschehen, wenn er wieder gesund sei. Er wolle daraus einen regelrechten Zirkus machen, eine ganze Pferdeoper, und er würde mit einer Peitsche dazu knallen.

Er beeilte sich auch, seinen Bekannten sonderbare und lächerliche Namen und Titel zu geben. So nannte er den Assessor Reinert Bilge und sagte, Bilge sei ein Titel. Herr Reinert, hochverehrter Bilge der Stadt, sagte er. Schließlich aber begann er davon zu fabeln, wie hoch es in Konsul Andresens Wohnung wohl bis zur Decke sein könne. Dreieinhalb Ellen, dreieinhalb Ellen! rief er immer wieder. Dreieinhalb Ellen, so ungefähr; hab' ich nicht recht? Aber im Ernst, er läge wirklich da und habe einen Angelhaken in der Kehle, es sei keine Einbildung, und er blute, es täte ihm ziemlich weh ...

Endlich, gegen Abend, schlief er richtig ein.

Gegen zehn wachte er wieder auf. Er war allein und lag noch auf dem Sofa. Die Decke, die Sara über ihn gebreitet hatte, war auf den Boden gefallen, aber er fror trotzdem nicht. Sara hatte auch die Fenster geschlossen, und er öffnete sie wieder. Es kam ihm vor, als sei er klar im Kopf; aber er war matt, und er zitterte. Der dumpfe Schrecken meldete sich wieder, er spürte es in Mark und Bein, wenn es in den Wänden knackte oder wenn unten auf der Straße ein Ruf ertönte. Vielleicht würde es vorbeigehen, wenn er sich ins Bett legte und bis morgen schliefe. Und er zog sich aus.

Doch er konnte nicht einschlafen. Er dachte die ganze Zeit an alle seine Erlebnisse in den letzten vierundzwanzig Stunden, seit gestern abend, als er sich in den Wald hinaus begeben hatte und das kleine Wasserfläschchen geleert hatte, bis jetzt, wo er ziemlich verwahrlost auf seinem Zimmer lag und vom Fieber geplagt wurde. Wie lang hatten diese Stunden gedauert! Und die Angst wollte ihn nicht verlassen, diese dumpfe und rätselhafte Empfindung, daß er sich nahe einer Gefahr, einem Unglück befände, ließ ihn nicht los. Was hatte er denn getan? Wie es rings um sein Bett flüsterte! Das Zimmer füllte sich mit einem zischelnden Murmeln. Er faltete die Hände und glaubte, daß er einschlafe ...

Plötzlich sieht er seine Finger an und merkt, daß sein Ring fehlt. Sein Herz beginnt augenblicklich stärker zu arbeiten; er sieht genauer hin: ein schwacher, dunkler Rand um den Finger, aber kein Ring! Allmächtiger Gott, der Ring war weg, ja, er hatte ihn ins Meer geworfen, er hatte ja nicht geglaubt, daß er ihn noch brauchen würde, da er sterben sollte, daher hatte er ihn ins Meer geworfen. Aber jetzt war er weg, der Ring war weg!

Er springt aus dem Bett, zerrt die Kleider über und taumelt wie ein Verrückter durchs Zimmer. Es war zehn Uhr, um zwölf Uhr muß der Ring gefunden sein, dachte er, punkt zwölf war die letzte Sekunde, der Ring, der Ring ...

Er stürmte die Treppe runter, raus auf die Straße, in Richtung Anleger. Man beobachtet ihn vom Hotel aus, doch darum kümmert er sich nicht. Er ist wieder erschöpft, seine Knie schlottern unter ihm, und er merkt es nicht einmal. Ja, jetzt hatte er den Grund für diese schwere Angst gefunden, die den ganzen Tag auf ihm gelastet hatte, der

Eisenring war weg! Und die Frau mit dem Kreuz war ihm erschienen.

Völlig außer sich vor Entsetzen springt er am Kai in das erstbeste Boot hinunter. Es ist am Land befestigt, und er kann es nicht losbekommen. Er ruft zu einem Mann hinauf und bittet ihn, das Boot loszumachen; aber der Mann antwortet, das wage er nicht, das sei nicht sein Boot. – Ja, aber Nagel wollte alles auf sich nehmen, es ginge um den Ring, er wolle das Boot kaufen. – Könne er denn nicht sehen, daß das Boot festgekettet sei? Könne er die Eisenkette nicht sehen? – Na, dann nehme er ein anderes Boot.

Und Nagel sprang in ein anderes Boot hinüber.

Wo wollen Sie hin? fragt der Mann.

Ich will den Ring suchen. Sie kennen mich vielleicht, ich habe hier einen Ring gehabt, Sie können selbst den Abdruck sehen, ich lüge also nicht. Und jetzt habe ich den Ring weggeworfen, er liegt irgendwo da draußen.

Der Mann versteht diese Rede nicht.

Wollen Sie auf dem Meeresboden nach einem Ring suchen? sagt er.

Ja, genau! antwortet Nagel. Sie verstehen, wie ich höre. Denn ich muß doch meinen Ring haben, das sehen Sie doch wohl selbst ein. Kommen Sie und rudern Sie mich.

Der Mann fragt wieder:

Wollen Sie einen Fingerring suchen, den Sie ins Meer geworfen haben?

Ja, ja, und kommen Sie nun! Ich werde Ihnen dafür auch viel Geld geben.

In Gottes Namen, lassen Sie das lieber! Wollen Sie ihn mit den Fingern heraufholen?

Ja, mit den Fingern. Das ist mir gleich. Ich schwimme wie ein Aal, wenn es darauf ankommt. Vielleicht können wir statt der Finger etwas anderes finden, um ihn heraufzuholen.

Und der fremde Mann steigt wirklich ins Boot. Er setzt sich hin, um über die Sache zu sprechen; aber er dreht das Gesicht weg. Das sei doch Unfug, so etwas zu versuchen. Wäre es ein Anker oder eine Kette gewesen, dann hätte es einen Sinn haben können; aber ein Fingerring! Und wenn man nicht einmal genau wisse, wo er liege!

Nagel begann auch selbst einzusehen, wie unmöglich sein Vorhaben war. Aber dann konnte er es nicht fassen, dann war er verloren! Die Augen standen ihm starr im Kopf, und er wurde von Fieber und Angst geschüttelt. Er macht Anstalten, über Bord zu springen, und der Mann erwischt ihn; Nagel sackt auch sofort zusammen, matt, todmüde, viel zu schwach, um mit jemand ringen zu können. Himmlischer Vater, jetzt wurde es immer schlimmer und schlimmer! Der Ring war verloren, bald war es zwölf Uhr, und der Ring war verloren! Er war ja auch gewarnt worden.

In diesem Augenblick schimmerte ein Funken klaren Bewußtseins durch sein Hirn, und innerhalb von kurzen zwei, drei Minuten dachte er an unglaublich viele Dinge. Er erinnerte sich auch an das, was er bisher vergessen hatte, daß er bereits gestern seiner Schwester schriftlich Lebewohl gesagt und den Brief in den Postkasten gesteckt hatte. Er war noch nicht tot; aber der Brief war unterwegs, er konnte nicht aufgehalten werden, er nahm seinen Weg und war jetzt schon weit gekommen. Und wenn seine Schwester ihn bekam, mußte er auch tot sein. Übrigens war der Ring weg, alles war unmöglich geworden ...

Seine Zähne schlagen zusammen. Er sieht sich ratlos um, die See ist nur einen kurzen Sprung von ihm entfernt. Er schielt zu dem Mann auf der Ruderbank vorne, der Mann hält sein Gesicht ständig abgewandt, doch er paßt gut auf, ist förmlich zum Zugreifen bereit, wenn es nötig sein sollte. Aber warum wendet er die ganze Zeit das Gesicht weg?

Ich will Ihnen an Land helfen, sagt der Mann. Und er greift ihm unter die Arme und bringt ihn an Land.

Gute Nacht! sagt Nagel und dreht ihm den Rücken zu.

Aber der Mann beobachtet ihn mißtrauisch, er behält alle seine Bewegungen heimlich im Auge. Nagel dreht sich wütend um und sagt noch einmal gute Nacht; dann will er vom Kai hinunterspringen.

Und der Mann packt ihn wieder.

Das wird Ihnen nicht gelingen, sagt er dicht an Nagels Ohr. Sie schwimmen zu gut, Sie tauchen wieder auf.

Nagel stutzt und denkt nach. Ja, er schwamm zu gut, er würde wahrscheinlich wieder aufsteigen und sich retten. Er sieht den Mann an, starrt ihm ins Gesicht; die häßlichste Fratze schaut ihm entgegen – es ist Minute.

Minute wieder, abermals Minute.

Zur Hölle mit dir, du elende, kriechende Natter! schreit Nagel und läuft schnell davon. Er taumelt wie ein Betrunkner den Weg hoch, stolpert, fällt und steht wieder auf; alles tanzt vor ihm, und er läuft immer noch, läuft in Richtung Stadt. Jetzt hatte Minute zum zweitenmal seine Pläne durchkreuzt! Um Himmels willen, was konnte er denn noch tun? Wie es ihm vor den Augen schwirrte! Wie es über der Stadt brauste! Er fiel wieder hin.

Er hob sich auf die Knie und wiegte den Kopf qualvoll hin und her. Horch, jetzt rief es von der See! Es war bald zwölf Uhr, und der Ring war noch nicht gefunden. Und ein Wesen war hinter ihm her, er hörte dessen Geräusche, ein Schuppentier mit schlaffem Bauch, das über die Erde schleifte und eine nasse Spur zog, eine grauenhafte Hieroglyphe mit Armen, die aus dem Kopf ragten, und einer gelben Klaue auf der Nase. Weg, weg! Wieder rief es von der See, und heulend preßte er sich die Hände auf die Ohren, um es nicht zu hören.

Und wieder springt er auf. Noch war nicht alle Hoffnung verloren, er konnte zum letzten Mittel greifen, einem sicheren sechsschüssigen Revolver, die beste Sache der Welt! Und er weint vor Dankbarkeit, läuft, was er kann, und weint vor Dankbarkeit über diese neue Hoffnung. Plötzlich fällt ihm ein, daß es Nacht ist, er kann keinen Revolver bekommen, alle Läden sind geschlossen. Und gleichzeitig gibt er alles auf, sinkt vornüber, schlägt ohne einen Laut mit der Stirn auf der Erde auf.

In diesem Augenblick kamen endlich der Wirt und ein paar andere Leute aus dem Hotel, um zu sehen, wo er abgeblieben sei ...

Da erwachte er und starrte um sich – er hatte das Ganze

geträumt. Ja, er hatte doch geschlafen. Gott sei Dank, er hatte alles geträumt; er hatte das Bett nicht verlassen.

Er bleibt einen Augenblick liegen und denkt nach. Er betrachtet seine Hand, aber der Ring ist weg; er sieht auf seine Uhr, es ist Mitternacht, es ist zwölf Uhr, noch fehlen einige Minuten. Vielleicht entkam er allem, vielleicht war er trotz allem gerettet! Währenddessen schlägt sein Herz gewaltsam, und er bebt. Vielleicht, vielleicht würde es zwölf Uhr werden, ohne daß etwas geschah? Er nimmt die Uhr in die Hand, und seine Hand zittert; er zählt die Minuten ... die Sekunden ...

Dann fällt die Uhr zu Boden, und er springt aus dem Bett. Es ruft! flüstert er und sieht mit aufgesperrten Augen aus dem Fenster. Schnell zieht er ein paar Sachen an, öffnet die Türen und stürzt raus auf die Straße. Er sieht sich um, niemand beobachtet ihn. Dann rennt er zum Hafen hinunter, der weiße Rücken seiner Weste leuchtet die ganze Zeit. Er erreicht die Landungsbrücken, nimmt den Weg bis zum äußersten Kai und springt sofort ins Meer.

Ein paar Blasen steigen auf.

XXIII

Im Monat April dieses Jahres, spät eines Nachts, gingen Dagny und Martha zusammen durch die Stadt; sie kamen von einer Gesellschaft und wollten nach Hause. Es war dunkel, und hier und da waren die Straßen vereist, deshalb gingen sie ganz langsam.

Ich muß immer noch an all das denken, sagte Dagny, was heute abend über Nagel gesagt wurde. Vieles davon war neu für mich.

Ich habe nichts davon gehört, antwortete Martha, ich war hinausgegangen.

Aber eines wußten sie nicht, fuhr Dagny fort. Nagel sagte mir schon im letzten Sommer, daß es mit Minute noch einmal ein schlimmes Ende nehmen würde. Ich verstehe nicht, wie er das damals schon wissen konnte. Er sagte das, lange bevor du mir erzählt hast, was Minute dir angetan hatte.

Sagte er das?

Ja.

Sie waren auf den Weg zum Pfarrhof gekommen. Der Wald schloß sie dunkel und still ein, nichts war zu hören außer dem Laut ihrer Schritte auf dem harten Weg.

Nach langer Stille sagte Dagny wieder:

Hier pflegte er immer zu gehen.

Wer? antwortete Martha. Es ist glatt, willst du nicht meinen Arm nehmen?

Doch, aber nimm du lieber meinen.

Und sie gingen schweigend weiter, Arm in Arm, dicht aneinandergedrückt.

Anmerkungen zur Übersetzung

Eine Unzahl von Literaturübersetzungen scheint von dem Bemühen getragen zu sein, die fremdsprachlichen Werke so gründlich einzudeutschen, daß dem Leser jedes Sehen und Hören des Andersartigen verwehrt wird. Würde man dies jedoch z. B. im Falle eines stilistischen Meisters von weltliterarischem Rang, wie es Knut Hamsun ist, konsequent betreiben, hieße es, ihn herabzuziehen auf ein Niveau, das der jeweilige Übersetzer mehr oder minder zufällig und diffus als Norm eines guten Schriftdeutsch verinnerlicht hat.

Der Übersetzer und sein Leser dürfen aber davon ausgehen, daß auch und gerade das sprachlich Ungewöhnliche von Hamsun kalkuliert ist und in seiner Summe die stilistische Eigenart des Autors ausmacht. Die Herausforderung, die sich dem Übersetzer hier u. a. stellt, liegt darin, in der Zielsprache eine Stillage zu treffen, die jener entspricht, die das Original im ausgangssprachlichen Kontext hat. Dazu gehören bei Hamsun auch so diffizile Merkmale wie der in Norwegen oft gerühmte Rhythmus seiner Prosa. Der Versuch, dies nachzubilden, kann zwar nicht zum leitenden Prinzip einer Romanübersetzung gemacht werden, doch er bestimmt in zahlreichen Fällen, wo der Übersetzer vor zunächst scheinbar gleichwertigen Alternativen steht, die Entscheidung für oder gegen eine Satzbauvariante. Doch Hamsuns Stil ist keineswegs nur von solch diskreten, sondern auch von ganz markanten Eigenheiten geprägt.

»Nein«? stutzt der aufmerksame Leser der vorliegenden

Übersetzung bei vielen Sätzen, die mit dieser Negation anfangen und dann so enden, daß, hätte er sie selbst gebildet, er sie eher mit einem »Ja« eingeleitet hätte. Der Übersetzer hofft jedoch, daß sich die Brauen auf der gerunzelten Stirn jenes Lesers allmählich nicht mehr skeptisch nach unten hin zusammenziehen, sondern optimistisch aufwärts gekrümmt den Verdacht unterstreichen: So sprechen diese Norweger wohl. Denn dieser Verdacht ist begründet.

Die Wiedergabe der Sprechweise jener Leute mag dabei helfen, im Kopf des Lesers wachzuhalten, daß Deutsch nicht die Muttersprache dieser Romanfiguren ist und die Handlung sich nördlich des Skagerrak abspielt. Dies allein rechtfertigt vielleicht noch nicht eine solche gewissermaßen unidiomatische Übersetzung. Notwendig erscheint sie dem Übersetzer, weil sie Teil jener artifiziellen Mündlichkeit ist, die Hamsuns Romane ganz wesentlich prägt.

Mündlichkeit bedeutet hier nicht die naturalistische Nachbildung des Lautbildes gesprochener Sprache – dafür finden sich im Roman nur zwei Beispiele. Sie bedeutet vielmehr, daß es in den Repliken der Figuren von modulierenden ›Füllwörtern‹ wimmelt, daß sie voller Redundanzen sind, daß sie oft nicht ganz logisch erscheinen und schließlich jenem mit Übertreibungen gepaarten Understatement Platz geben, aus dem sich die für Hamsum typische Form von Ironie speist. Alle diese Stilelemente finden sich auch in den Redeanteilen des fiktiven Erzählers, die häufig unentwirrbar mit jenen der Figuren verquickt werden. Um dies zu erreichen, läßt Hamsun u. a. Figuren wie Erzähler unvermittelt das Tempus wechseln, bedient er sich gleitender Übergänge zwischen direkter und indirekter Rede sowie der erlebten Rede, in der Erzähler- und Figurenperspektive verschmelzen.

Zu der eigentümlichen Form von Mündlichkeit in Hamsuns Prosa gehört auch, daß Aussagesätze mit einem Fragezeichen und Fragesätze mit einem Ausrufungszeichen enden können, wodurch dem Leser eine Intonationsanweisung gegeben wird. Ferner gehört die Markierung des Ungesagten dazu – was in *Mysterien* sinnfällig wird, indem Sätze 470mal in Auslassungspunkten münden. Stockungen in der Rede werden 49mal dadurch kenntlich gemacht, daß es heißt: »Pause.« Dieser fast schon aufdringliche Lakonismus findet seine Parallele in den stereotypen Inquit-Formeln und in dem von Hamsun oft gewählten Satzbaumuster, demgemäß das Wichtige einer Aussage ein- oder, lieber noch, nachgeschoben wird.

Wie bewußt Hamsun die Informationsvergabe lenkt und die Verknüpfung von Aussagen abstuft, zeigt sich u. a. auch an den 825 Semikola in *Mysterien* – was für den norwegischen Leser noch weit auffälliger sein dürfte als für den deutschsprachigen.

Wenn sich nun der Übersetzer gegen ein forciertes Eindeutschen ausgesprochen und sich sogar dafür entschieden hat, selbst in der Interpunktion Stilzüge zu sehen, die es unbedingt zu wahren gilt, mag es unverständlich erscheinen, daß er Eigennamen übersetzt. Dies geschieht jedoch nur in Fällen der »sprechenden Namen« jener Figuren, die einzig in Nagels Phantasie auftreten und keine Funktion innerhalb der äußeren Handlung haben.

Im Roman werden Namen und Sachverhalte erwähnt, die vermutlich auch vielen zeitgenössischen Lesern des Originals nicht unmittelbar verständlich sind. Der originalsprachliche Leser hat jedoch gegenüber dem deutschsprachigen Publikum einen natürlichen Informationsvorsprung; das Lokalkolorit ist ihm geläufiger und die kulturspezifischen Eigenheiten sind ihm selbstverständlich. Diese werden jedoch in ihrem Kontext hinreichend deutlich für ein angemessenes Verständnis des Romans. Punktuelle Erklärungen sind überflüssig. Wollte man einen ernsthaften Versuch unternehmen, das gegebene Informationsgefälle zwischen ausgangs- und zielsprachlichem Leser auszugleichen, müßte ein umfänglicher Anmerkungsapparat angelegt werden. Ein solcher würde das Lesevergnügen nicht unbedingt steigern, er wäre auch nicht im Sinne des Titels.

Siegfried Weibel
Kristiansand, im Juni 1994

Nachwort

Hol doch der Teufel den wahren Zusammenhang der Dinge

I

Die Figur des Arztes ist in vielen kritisch-realistischen und naturalistischen Romanen die Verkörperung des modernen, aufgeklärten Menschen: wissenschafts- und fortschrittsgläubig, tatkräftig und illusionslos human engagiert. Er stellt Diagnosen, nennt die Übel beim Namen, sucht ihre Ursachen und bekämpft sie. Nach diesem Modell will der Naturalismus auch gesellschaftlich Verkehrtes aufdecken, es der verschleiernden Doppelmoral und »Realpolitik«, der verklärenden traditionellen Ästhetik entreißen, um die Leser zur Behebung der Mißstände zu provozieren. Ibsen hat gesagt, er sei mit einem Chemiker zu vergleichen. Für Zolas Poetik gab die medizinische Wissenschaftstheorie Claude Bernards das Grundmuster ab.

Knut Hamsun nannte diese Literatur »Quacksalberdichtung«. In seinen *Mysterien* kommt ebenfalls ein Arzt vor, Doktor Stenersen. Er ist Rationalist und Parteigänger der »Venstre«, was eigentlich die Linke bedeutet, aber der Name der bürgerlich-liberalen Partei ist, die damals Norwegens Politik bestimmte und für Parlamentarismus und soziale Reformen eintrat. Der »Held« des Romans, Johan Nilsen Nagel, echauffiert sich über diesen Doktor, legt sich ständig mit ihm an. Er spielt Volksmedizin und Aberglaube gegen die moderne Medizin aus: »das eine sei beinah so gut wie das andere«, behauptet er, und die Romanhandlung, die Hamsun erfand, gibt Nagel vorerst prompt recht. Der Doktor kommt wütend von einem Krankenbesuch zurück. Ein Bauerntölpel ist von einer Hautkrankheit geheilt worden, obwohl er die Anweisungen des Arztes mißachtet, die Salben so widersinnig angewendet hat, daß sein Gesicht eigentlich total verätzt hätte sein müssen.

Nagel diskutiert auch viel über Politik mit dem Doktor. Er regt sich über Gladstone auf, den der Doktor verehrt. In einer maßlos polemischen Tirade verhöhnt Nagel den englischen Realpolitiker, der so selbstgerecht und ohne jede Spur von Selbstzweifel als »Ritter des unbestreitbaren Rechts« und des Richtigen auftritt: »Und was für Schlachten er nicht gewinnt! Zwei und zwei ist vier, die Wahrheit hat gesiegt, die Ehre dafür gebührt Gott! ...« Bei der Infragestellung dieses Rechenstücks durch Nagel kann nun nicht einmal Hamsun seinem Helden recht geben. Die Pointe ist indes, daß die mathematische Tatsache banal ist: die Kritik an Gladstone ist ästhetisch motiviert. Unter anderem heißt es, er habe bei einer politischen Veranstaltung in Glasgow zwei Baumwollspinner gelangweilt. Und die zweite Pointe: Nagel ist eben, wie er selbst sagt, »ein lebender Widerspruch«, ein zwanghafter und besinnungsloser »Denker, der nicht gelernt hat zu denken«, sondern sich auf die »Logik seines Blutes« verläßt.

Einem solchen Denker glich Knut Hamsun um 1890 selbst. Vieles, was Nagel sagt, entspricht fast wörtlich dem, was Hamsun in seinen berüchtigten Vorträgen über die neue Literatur und die Entdeckung des Seelenlebens verkündet hatte – unverschämt polemisch unter anderem gegen Ibsen, der bei den Vorträgen mit steinerner Miene in der ersten Reihe saß. Hamsun sagte da zum Beispiel: »Er«, das heißt der moderne Dichter und Psychologe, »scheut nichts, er bestreitet offen die Wirklichkeit, präsentiert die hartnäckigsten Lügen – direkt entgegen aller Wissenschaft und gesunden Vernunft –, bringt die Wissenschaft in fürchterlichste Verlegenheit, verhöhnt sie, indem er sie auf das rücksichtsloseste ignoriert.«

Man kann ein solches Manifest verschieden auffassen. Man kann es für reinen Nonsens halten. Man kann es zustimmend drehen und wenden, bis es Sinn ergibt: Die gesunde Vernunft und die Wissenschaft haben sicher ihre Begrenzungen. Oder man kann ganz einfach die Frechheit, die Provokation an sich goutieren und sich dann auch mit der Romanfigur identifizieren, die solches verwirklicht. Henry Miller hat dies getan: »Wer wäre nicht lieber ein solcher Masochist als ein berühmter Psychologe!« Schließlich muß man, um Hamsun gerecht zu werden, sich bewußtmachen, was die Entdeckung des Unbewußten, an der damals die Literatur und die Fachpsychologie gleichzeitig beteiligt waren, für das Denken hatte. Etwa gleichzeitig mit Hamsuns Manifest und dem Roman mit dem hysterischen Nagel arbeiteten Sigmund Freud und Josef Breuer an ihren Studien zur Hysterie und diagnostizierten diese lange für eine bloß weibliche psychische Störung gehaltene Erscheinung auch bei Männern.

Es ist tatsächlich so, daß Nagel, wie phantasievoll und umwerfend er auch seinen notorischen Widerspruch entfaltet und seine Projektionen (fast) erfolgreich in Tatsachen umsetzt, daran leidet und schließlich daran zugrunde geht. Mag Hamsun ihm in vielen Punkten recht geben und die Sympathie des Lesers auf ihn lenken, die Gesamthandlung nimmt unter der Hand ja doch ein anderes, ein tragisches Gefälle an.

Bereits beim Gespräch über Wissenschaft und Aberglaube läßt Hamsun Nagel sich *unfreiwillig* in einen Widerspruch verstricken. Nagel behauptet, der eiserne Ring, den er am Finger trägt, habe ihn von »Nervosität geheilt, [...] ihn fest und stark gemacht«. Dies ist nun ganz offensichtlich nicht der Fall. Er ist ein Nervenbündel, ständig geplagt und gejagt von Idiosynkrasien, in die Irre geleitet und hin und her gerissen von seiner Intuition, auf die er sich so viel einbildet. Er wird aus der Bahn geworfen von »Kleinigkeiten«, auf die er sich so gut zu verstehen glaubt. Und wenn ihm eine Aktion gelingen will, übertreibt er seine Strategie, bis, bei den nächtlichen Liebeserklärungen etwa, Dagny fragt, wie spät es sei, oder sie von einem losen Knopf an seiner Jacke abgelenkt wird.

In Hamsuns Briefen und Manifesten wird eine solche psychische Labilität als Kennzeichen des modernen Geistesaristokraten bezeichnet. Hamsun kokettiert mit seiner eigenen Reizbarkeit: »In den letzten Wochen mußte ich ein Taschentuch um die linke Hand binden, während ich schrieb, weil ich meinen eigenen Atem darauf nicht ertragen konnte; auch habe ich ein Streichholz nur *unter* dem Tisch anzünden können, so daß ich das Aufflammen nicht sehen konnte. Das ist eben Nervosität«, schrieb er 1888 an einen potentiellen Verleger.

Doch Hamsun war zwiespältig. Einerseits empfahl er sich mit solchen Eigenheiten als wirklich moderner und hochsensibler Künstler, er suchte entsprechende abnorme Zustände und Grenzerfahrungen als Bedingung für sein Schaffen. Andererseits versicherte er im selben Brief, daß er eigentlich groß und stark sei wie ein Riese. Seine Nervosität werde schon wieder vergehen, bereits eine kleine Reise über den Øresund – er hielt sich damals in Kopenhagen auf – habe ihn »fast wieder gesund gemacht«. Fast!

Die Selbstcharakteristik in diesem Brief erinnert an die widersprüchliche Erscheinung Nagels. Von diesem wird gesagt, er habe breite Schultern, ein braunes Gesicht, aber einen zarten, femininen Mund, einen merkwürdig dunklen Blick, und er sei, obwohl nicht über dreißig, bereits grau an den Schläfen. Nagel erweist sich sowohl als guter Boxer wie als virtuoser Geiger. Er prahlt mit ähnlichen Ticks und Zwangsimpulsen wie Hamsun. Ein Bild muß sofort aus seinem Hotelzimmer entfernt werden – »Napoleon der Dritte hatte nämlich keinen so grünen Bart«. Oder: »Oft könne er zum Beispiel eine Treppe nicht hochgehen, ohne sich bei jedem Schritt umzudrehen und zu schauen, ob nicht jemand hinter ihm sei. Was war das? [...] Wissen Sie [Dagny], daß ich in diesem Augenblick Lust hätte, von dieser Straße in eine andere abzubiegen, weil diese Häuser hier, diese Kantsteine links [...], das alles zusammen einen antipathischen Einfluß auf mich ausübt, mich mit einem dumpfen Schmerz erfüllt. Wenn ich allein gehe, nehme ich niemals den Weg durch diese Straße, ich gehe außen herum, selbst wenn es ein Umweg ist. Was ist das nur?« Dem Minute erzählt er, daß ein schweigender dreizehnter Mann in einer geselligen Runde ihn vollständig aus dem Konzept bringen könne.

In solchen Szenen ist der Roman *Mysterien* natürlich unerhört witzig und amüsant. Der Effekt beruht wahrscheinlich darauf, daß hier einer all den dreisten Unsinn tatsächlich tut, den wir uns versagen (müssen?), obwohl auch wir manchmal Lust dazu verspüren – nachträglich sagen wir dann z. B. gerne, eigentlich hätte ich dem Mann mein Glas Bier ins Gesicht schütten sollen. Nagel tut es. Und wie viele Filmkomiker wagt er es, sich lächerlich zu machen. Er erinnert oft an die Stadtneurotiker Woody Allens.

Zu denken gibt allerdings nicht nur der tragische Ausgang von Nagels mitreißend neurotischer Selbstentfaltung, sondern, von heute aus gesehen, Hamsuns eigene Biographie. Ist er im Alter Nazi-Sympathisant geworden aus eigener Lust am »hartnäckigen Widerspruch« gegen alles unbestreitbar – und banal – Richtige? Nagel läßt sich in der Polemik gegen den Doktor, in einem seltsamen inneren Dialog mit einer imaginierten Dame und an anderen Stellen im Roman dazu hinreißen, vom »Herrenmenschen«, dem »großen Terroristen«, vom »Weltgeist zu Pferde«, von der Masse und vom Pack als bloßem Dünger für die Weltgeschichte zu schwadronieren. Der angebeteten Dagny versucht er mit der Geschmacklosigkeit Eindruck zu machen, er könnte einem Eskimo die Haut abziehen, um daraus für sie eine Briefmappe zu machen. An Minute irritiert Nagel gut nietzscheanisch die christliche Demuts- und Unterwerfungshaltung. Ein norwegischer Literaturhistoriker hat gemeint, mit Nagel habe Hamsun gefährliche Tendenzen bei sich selbst ausgelebt, Tendenzen, von denen er später versucht habe sich zu befreien, die er aber nie überwunden habe. Hier liege ein Zusammenhang zwischen Hamsuns innovativstem dichterischem Werk und seinem späteren tragischen Schicksal vor.

Einen Versuch Hamsuns, sich von diesen »gefährlichen Tendenzen« zu befreien, stellte bereits ein Jahr nach *Mysterien* der Roman *Neue Erde* (1893) dar. Hamsun überraschte seine gerade gewonnenen konjunkturgerechten Bewunderer hier mit einem Buch, das ganz nach dem traditionellen, eben noch verhöhnten Muster etwa eines Alexander Kielland gestrickt war. Der Typus des nervössensiblen Ästheten, den er selbst verkörpert und proklamiert und mit Nagel gestaltet hatte, wird gnadenlos der Lächerlichkeit und der moralischen Verurteilung ausgeliefert. Der Dichter Irgens macht sich genauso frech an verlobte und verheiratete Frauen heran wie Nagel. Der untalentierte Prosalyriker Øien (in *Mysterien* noch »Student Øien«) leidet darunter, über Teppiche zu gehen, weil er einen Knopf verlieren könnte, ohne es zu merken. Er wird von Zwangsvorstellungen über die Anzahl der Treppenstufen heimgesucht, die er hinaufgeht. »In den letzten paar Wochen hatte seine Nervosität neue Mittel erfunden, ihn zu plagen, er konnte nur in Paaren zählen, zwei, vier, sechs, er hatte sich dunkle Kleider mit hellen Knöpfen angeschafft, und das brachte ihm Erleichterung. Aber da war noch diese schwarze, unsichtbare Schnur am Zwicker – konnte man sicher sein, daß man einen Zwicker hatte, wenn man die Schnur nicht sah?« Die Dichter werden in diesem Roman als Schmarotzer dargestellt, während die Kaufleute kreative, ehrliche und nützliche Arbeit leisten!

Warum ist Hamsun trotzdem nicht von diesen Tendenzen losgekommen? Diese Frage kann umgedreht werden: Warum halten wir *Mysterien* auch heute noch für eines von Hamsuns besten Werken und für einen weltliterarischen Meilenstein? Und *Neue Erde* für ein schwaches Buch?

Nach langem, mühsamem autodidaktischem Bildungsweg war es dem über dreißigjährigen Hamsun mit *Hunger* und *Mysterien* und mit seinen programmatischen Vorträgen gelungen, sich einen Platz an der Spitze der europäischen Avantgarde zu erkämpfen, sofort ins Deutsche übersetzt zu werden und neben Ibsen und anderen lange anerkannten Größen in die Charts zu kommen. Gefragt waren damals gerade exotische, psychische *sensations* – eben Mysterien. Und geschätzt wurde Artistik, Ästhetizismus. Daran gemessen ist tatsächlich *Neue Erde* mit seiner unbestreitbar richtigen und deutlichen Moral einfach uninteressant und langweilig. Hamsun ging darin keine Risiken ein, setzte sich und die Leser keinen schmerzhaften Erfahrungen aus. Sein nächstes Buch glich wieder den *Mysterien*, er nannte es modegerecht neuromantisch *Pan* (und es zählt heute noch zu seinen besten).

Thomas Mann ist in einem ähnlichen geistigen Klima zum Schriftsteller geworden. Er hat starke Eindrücke von Hamsun empfangen und wohl ebensolche »gefährliche Tendenzen« in sich gespürt. Aber spätestens nach 1933 sah er die Zeit gekommen für die Abkehr von einem, wie er im Zusammenhang mit Hamsun schrieb, in den 90er Jahren teilweise berechtigten Irrationalismus zugunsten einer »anständigen Rationalität«. Faschismuskritik war für ihn auch Selbstkritik, ist gesagt worden.

Hamsun verpaßte den Moment, wo sein artistisch so erfolgreiches »Renegatentum« (Mann) schlicht unverantwortlich geworden war. Es gibt dafür vielfältige Gründe außer der hier angedeuteten starken Prägung in den für ihn fruchtbarsten 90er Jahren. Schon bald danach fing er an, sich alt zu fühlen, zehrte vom »Kapital«. So war während der Arbeit an *Mysterien* auch noch ein boshaft ironisches Porträt seines damaligen Aufenthaltsorts Lillesand entstanden, die Novelle *Kleinstadtleben*. Fast dreißig Jahre später entfaltete Hamsun diese Skizze zum Roman *Die Weiber am Brunnen* (1920). Er rang sich seine »dicken Bücher mit hunderten von Personen« nur unter großen Mühen ab. Sie tragen resignative Titel wie *Gedämpftes Saitenspiel* (1909), *Die letzte Freude* (1912), *Das letzte Kapitel* (1923), *Der Ring schließt sich* (1936) und schließlich – nun war er tatsächlich neunzig Jahre alt – *Auf überwachsenen Pfaden* (1949). (Dabei ist es keineswegs so, daß ihm darunter und dazwischen keine Geniestreiche gelungen wären!)

Als Emporkömmling aus ärmsten und abgelegensten Verhältnissen ambivalent geprägt durch die Entsagungs-, Arbeits- und Wohlverhaltensmoral des Landproletariats einerseits und den (später verwirklichten) Traum vom sozialen Aufstieg andererseits, dachte er politisch konservativ. Aber seine artistische Begabung, mit der er die literarische Schreibweise genial erneuerte, entfaltete sich bis zuletzt am besten, wenn er als ein »lebender Widerspruch« und über einen solchen schrieb. Dabei »wußten« übrigens seine Romantexte stets mehr von den damit verbundenen Gefahren als der Manifestverfasser und politische Zeitungsartikel- und Briefschreiber Hamsun.

Knut Hamsuns späteres Nazi-Mitläufertum gehört zum Horizont, in dem wir heute nicht umhin können auch seine *Mysterien* zu lesen. Es braucht hier aber nicht weiter zum Thema gemacht zu werden. Dagegen werde ich noch auf die Frage zurückkommen, was uns berechtigt, den bis jetzt als reichlich problematisch dargestellten Roman zu einem Meisterwerk der Moderne zu erklären. Man braucht dazu keineswegs den Geist der 1890er Jahre geschichtsblind zu verabsolutieren und formale Neuerungen, inhaltliche Komplexität, psychischen Kitzel und moralischen Affront zum Selbstzweck und Fetisch zu machen.

2

Knut Hamsun ist 1859 geboren und in kärglichen kleinbäuerlichen Verhältnissen in Nordnorwegen, in Hamsund, aufgewachsen. Er hieß eigentlich Knud Pedersen, und so hießen Tausende von anderen Norwegern auch. Er erwarb sich bei der Kinderarbeit für seinen strengen Onkel eine schöne Schrift und kam an Bücher, weil der Onkel die Gemeindebibliothek verwaltete. Die Bibelstunden im Hause des Onkels, in denen er aus erbaulichen Traktätchen vorlesen mußte, waren soziale Auszeichnung und Stigma zugleich, verhaßter Frondienst, der ihn von seinen Gleichaltrigen isolierte. Den Weg fort und über diese Verhältnisse hinaus sah und suchte der junge Mann in der Schriftstellerkarriere, die ihm – gegen alle Wahrscheinlichkeiten – gelang. Der Weg war langwierig, entbehrungsreich und von vielen Rückschlägen gesäumt. Hamsun hatte seinen dicken Schädel und seine starken Muskeln wirklich nötig.

Am Anfang standen Trivialromane wie *Bjørger* (1879) und ungelenke Versuche, sich mit einem Zwicker auf der Nase und vielen Fremdwörtern im Mund in der Provinz als Literat zu profilieren. In Kristiania (Oslo) und Kopenhagen mußte er schmerzhaft erfahren, daß die »neue Schreibweise«, die er von Bjørnson abgekupfert hatte, um 1880 längst aus der Mode gekommen war. Er lernte schwimmen, indem er sich ins kalte (laue?) Wasser stürzte und in Amerika vor emigrierten Skandinaviern Vorträge über moderne Literatur hielt, soweit er sich nicht, um zu überleben, wenn das Mäzen-Geld alle war, als Straßenbauarbeiter in der norwegischen Provinz oder als Straßenbahnschaffner in Chicago und Saisonarbeiter auf Farmen in Nord-Dakota abrackern mußte. Als Sekretär eines norwegischen Unitarierpfarrers und Dichters in Minneapolis bekam er Zugang zu einer anders ausgestatteten Bibliothek als der seines Onkels. Er lernte Zola, Flaubert, Strindberg, Mark Twain, Dostojewski kennen (und mit deren Ansichten sein biederes Publikum zu schockieren). 1888 gab er seinem Status als Literat in Kopenhagen den letzten Schliff. Er verblüffte mit extravagantem Auftreten die literarische Szene in der Kulturhauptstadt des Nordens, wurde in die bohemischen Künstler- und Kaffeehauskreise aufgenommen, schlug mit einem süffisanten Buch *Vom modernen Geistesleben Amerikas* (1889) ein. Ein Kapitel aus *Hunger* wurde anonym in einer Avantgarde-Zeitschrift abgedruckt, die Literaturpäpste Georg und Edvard Brandes entdeckten ihn.

Er braute sich aus Strindberg, den französischen Décadents und aus Deklarationen dänischer Kollegen, aus Schlagwörtern, die – auch in Deutschland – in der Luft lagen, ein modernes literarisches Programm um das Reizwort Psychologie zusammen. Hermann Bahr schrieb 1890 in einer literarischen Zeitschrift über »Die neue Psychologie«: »[Sie] wird die Anfänge in den Finsternissen der Seele suchen, die Psychologie wird aus dem Verstande in die Nerven verlegt, das ist der ganze Witz.« Es gelang Hamsun, diesen Verschnitt als neue, als seine Losung zu lancieren. Und vor allem gelang es ihm, sie mit *Hunger* besser als alle anderen einzulösen. Jetzt konnte er dem großen Georg Brandes zeigen, was um 1890 moderne Literatur war, nämlich nicht mehr der von diesem zwanzig Jahre früher geforderte gesellschaftskritische Realismus, ja nicht einmal mehr Ibsen, dessen Schauspiele Nagel dann als »dramatisierten Holzschliff« bezeichnen wird. (Dagegen ließ Hamsun merkwürdigerweise den sehr viel schlichteren und unbezweifelbar ständig richtig liegenden Bjørnson gelten – vielleicht, weil der, anders als der Psychologe und Ironiker Ibsen, keine ernstzunehmende Konkurrenz darstellte?)

Erst jetzt ging der verlorene Sohn wieder nach Kristiania, und dort schlug er dann gehörig auf die Pauke: nicht nur in den berüchtigten Vorträgen, sondern auch mit Zeitungsartikeln, in denen er gegen den Pietisten Lars Oftedal (aus dessen Blatt er beim Onkel hatte vorlesen müssen), den ewigen Skiläufer Fritjof Nansen, den »eitlen Menschen« und »unklaren Symbolisten« Ibsen usw. vom Leder zog.

Dazwischen brachte er sich in Hotels in den Provinzstädtchen Lillesand und Sarpsborg in Sicherheit und arbeitete an seinem neuen Roman, *Mysterien*. An seinen dänischen Kollegen und Freund Erik Skram schrieb er am 18.6.1890 aus Lillesand: »Ich werde, Gott strafe mich, schreiben, daß die vier großen Propheten hier zu Hause [Ibsen, Bjørnson, Kielland und Lie] nicht mehr wissen, wo ihnen der Kopf steht. Ich bin voll, stockbesoffen von Stoff und stark wie ein Löwe.« An den schwedischen Schriftsteller und Verleger Gustaf af Geijerstam, im Juli: »Überhaupt interessieren mich Typen und ›Charaktere‹ nicht besonders; es sind die einsamstehenden Existenzen, die Sonderwesen, die mich anziehen, weil ich meine, daß im

Nerven- und Seelenleben *dieser* Menschen mimosenhafte Bewegungen vor sich gehen, die jedenfalls die norwegische Charakter-, Moral- und Quacksalberdichtung unbeachtet gelassen hat. Es gibt zu wenig jähe Gemütsbewegungen in der norwegischen Literatur ... Ich werde dies [...] im Vorwort zu meinem neuesten Buch ein wenig erläutern – wenn es endlich fertig wird.« Dieses Vorwort hat Hamsun geschrieben, aber es ist nie gedruckt worden – die Manifeste gaben die Erläuterungen ja schon im voraus. Es ist aber erhalten, Robert Ferguson hat es in seiner Biographie *Knut Hamsun. Leben gegen den Strom* (1990) abgedruckt.

Wieder an Erik Skram schrieb Hamsun: »Eine elendige Kleinstadt [Lillesand], kein Mensch, bloß ein Pfarrer und ein hinkender Schneider – ein Bruder des Komponisten Haarklau. Ich habe hier leider bereits einen Skandal gemacht. Das ging so zu, daß ich zu einer späten Abendstunde meinen Hut gezogen und ehrerbietigst eine junge Dame gegrüßt habe, der ich nicht vorgestellt worden war [...], es war bloß ein dummer Einfall, für den ich jetzt grausam büße.« Diese Szene erscheint wieder, zwischen Nagel und Dagny, in *Mysterien*. Worin die bösen Folgen des Faux-pas bestanden, teilt Hamsun einem anderen Adressaten mit: »Eine jämmerliche Stadt [...]. Ich hätte hier auch gern einen Vortrag gehalten, aber die jungen Damen des Ortes streikten; sie wollen nichts zu tun haben mit dem Autor von *Hunger.* Und das kann ich ihnen nicht verübeln. Ich wünsche sie übrigens allesamt zum Teufel.«

Hamsun schrieb später, *Mysterien* sei »während Verliebtheiten« entstanden. Man kann annehmen, daß obige Dame ihn vor allem gestraft hat, indem sie seine amourösen Annäherungen abwies. Für Dagny haben noch zwei weitere Damen, eine in Sarpsborg und eine in Kristiansund, Stoff geliefert, und eine »Witwe«, die durch die damaligen Briefe geistert, könnte mit Martha in Verbindung gebracht werden. Auch die Figur des Minute hat ein Vorbild in Lillesand, einen Mann, der wirklich Grøgaard hieß, wie wiederum aus einem Brief hervorgeht.

Vieles deutet also darauf hin, daß Hamsun sich in Lillesand, in Kopenhagen, Kristiania und Sarpsborg und »während Umzügen«, als er an diesem Roman arbeitete, bis in zahlreiche Einzelheiten hinein von aktuellen Erlebnissen leiten ließ. Eine *well made novel* konnte so nicht entstehen, sie war auch nie beabsichtigt. Die Inkonsistenzen, auf die Hamsun selbst hinwies, begründen ja gerade sein modernes Erzählen, heute fallen sie uns gar nicht mehr so auf. Georg Brandes, der *Hunger* die Bezeichnung Roman abgesprochen hatte, bekam von Hamsun zu hören: »Mein Buch darf nicht als Roman betrachtet werden. [...] Und wenn es der Mangel an Romanhaftem ist, der das Buch vielleicht monoton macht, dann ist dies ja gerade eine Empfehlung, nachdem ich mich ganz einfach entschlossen hatte, *keinen* Roman zu schreiben.«

Wie in *Hunger* bearbeitete Hamsun in *Mysterien* eigene Erfahrungen. Lillesand in Südnorwegen darf zweifellos als das Modell für das Küstenstädtchen gelten, das »wie ein seltsames, verzweigtes Rieseninsekt« daliegt und in dem Nagel strandet. Andeutungen, daß Nagel ein »Kvæn« sei (d. h. ein nordnorwegischer Same), daß er sich an Gjøvik erinnert (wo Hamsun im Straßenbau gearbeitet hatte), daß ihm eine Jugendliebe von einem Telegraphisten weggeschnappt worden sei (wie die Tochter des Kaufmanns Walsøe, bei dem der 17jährige Hamsun im Laden gearbeitet hatte), sowie frühere Erlebnisse Nagels, wie sie auch von der Hauptperson in *Hunger* berichtet werden, verankern den neuen Roman in der Biographie seines Autors und lassen ihn auch bedingt als Fortsetzung von *Hunger* erscheinen.

Mehr noch als konkret Dokumentierbares entfaltete Hamsun in *Mysterien* indes artistisch improvisierend und bis zur körperlichen Erschöpfung inspiriert Wunschträume und »gefährliche Tendenzen« in seinem Inneren. »Übrigens ist Minute in meinem Buch die ganze Zeit als Nagels zweites Ich gedacht, deshalb die mystischen Zusammentreffen ...«, schrieb er an seinen Verleger. Während er sein rebellisches Künstler-Ich in Nagel auf die Spitze trieb, verkörpert Minute die konformistischen Neigungen

Hamsuns in komplementärer Radikalität. Der Selbstmord Nagels erscheint denn auch wesentlich als Trotzhandlung gegenüber Minute!

Es treten auch modische literarische Motive auf, u. a. von Strindberg geliehen, wie der sogenannte Kampf der Gehirne – vielleicht bis zum Psycho-Mord (was hat es eigentlich mit dem »schlimmen Ende« auf sich, das Minute nimmt?). Und es findet sich bis ins Strukturelle hinein bedeutend mehr von Dostojewski, als die wörtlichen Übereinstimmungen mit dem *Spieler* vermuten lassen, die ein Plagiatsvorwurf Felix Poppenbergs anläßlich der deutschen Veröffentlichung der Novelle *Hazard* (später: *Vater und Sohn)* 1819 an den Tag brachte.

Hamsun verarbeitete all dies umwerfend humoristisch und ehrlich verzweifelt zugleich. »Ich schrieb in einem Zug von nachmittags um fünf bis drei Uhr nachts. Du lieber Gott, wie ist das herrlich, wenn es so läuft! Ich schrieb fast ein ganzes Kapitel, mindestens zehn Druckseiten. Und es wird dir später im Buch auffallen – es ist das Kapitel XIX – eines der desperatesten im ganzen Buch, ist das nicht toll?«, schrieb er, als er bereits die ersten Druckfahnen vorliegen hatte. »Ich fühle mich heute unendlich trist, ich schreibe gut, großartig«, heißt es an anderer Stelle. Und: »Denke Dir einen Bund Fischköpfe, klaffende Mäuler, unsagbar tote Augen, Köpfe, die ganz einfach jede Gehirntätigkeit eingestellt haben, nur noch Dummheit, Leere – dann hast Du meinen Kopf. So bin ich an den Abenden. Aber ich arbeite ja auch mit Händen und Füßen.« In der letzten Arbeitsphase berichtet Hamsun: »Und das Buch schwillt an und schwillt an, ich verstehe es nicht mehr [...], ich will, daß es bald jemand untersucht, der sich auskennt, der Teufel mag es holen.«

Was diese von der Romanfigur ausgelebten Wunschträume und Obsessionen zu großer Literatur macht und sie abhebt von den im Grundriß verwandten Kompensationsphantasien der frühen Trivialromane Hamsuns, ist der Umstand, daß hier aus dem Helden ein Antiheld geworden ist; daß die ekstatischen und sadomasochistischen Triebe ausgelebt werden, ohne daß der Preis, der dafür zu entrichten ist, verschwiegen würde.

In Hamsuns Trivialroman von 1877 mit dem Titel, der auch auf *Mysterien* passen würde: *Der Rätselhafte*, entpuppt sich ein zugereister Außenseiter als in Wirklichkeit reicher Kaufmannssohn aus der Hauptstadt namens Knud Sonnenfield! Er gewinnt denn auch das Mädchen, das er liebt. Der zugereiste Sonderling in *Mysterien* heißt mit vornehmem Doppelnamen Nilsen Nagel (wobei Nilsen genauso verbreitet war wie Pedersen!). Er blufft wohl nur bezüglich seines Reichtums. Auch wie er eigentlich heißt, bleibt im unklaren, eine Bekannte, die aus seinem sonst verschwiegenen Vorleben auftaucht, nennt ihn Simonsen. Er betört auf ausspekulierteste Weise gleich zwei Frauen, aber gewinnt, verheddert in seine eigenen Intrigen, keine von beiden. Er will das Geheimnis um den Selbstmörder Karlsen aufdecken, als psychologischer Meisterdetektiv den bedauernswerten Minute dieses Mordes überführen. Aber es war wohl nur ein tragisch-trivialer Unfall – und Nagel endet selber als Selbstmörder. Wenn der Romantitel an *Les mystères de Paris* anklingt, dann ist die Kleinstadt, von der hier die Rede ist, chemisch frei von Geheimnisvollem – bis auf Nagel, der es, und damit sich, auf selbstzerstörerische Weise hineinprojiziert.

Während Hamsun noch an *Mysterien* schrieb, erschien Arne Garborgs Roman *Müde Seelen. Hunger* und *Mysterien* weisen viele Parallelen zu den Romanen des heute zu Unrecht vergessenen Garborg auf. Aber, wie Hamsun damals aufgekratzt schrieb, sein Buch werde viel dicker, und sein Held gehe am Schluß nicht zu Gott – »das ist ein verdammter Unterschied!«.

3

Hunger wurde bereits im Erscheinungsjahr des Originals von Marie von Borch ins Deutsche übersetzt und in Fortsetzungen in der Berliner Avantgarde-Zeitschrift *Die Freie Bühne* veröffentlicht, wo auch Garborgs neuer Roman sowie Novellen von Hamsun zu lesen waren. 1891 kam der Roman als Buch im Fischer Verlag heraus.

Dann lernte Hamsun den reichen Industriellensohn Albert Langen kennen, der eigens für die deutsche Lancierung von *Mysterien* den Verlag gründete, der später, u. a. mit dem *Simplicissimus*, erfolgreich wurde und der gerade mit Hamsuns Werk bis zum Ende des Zweiten Weltkrieges ein außerordentlich gutes Geschäft machen sollte. Übersetzerin war wiederum Marie von Borch. Als sich das 21. Tausend 1929 verkauft hatte, erschien die Neuübersetzung von Julius Sandmeier, in der *Mysterien* 1940 in Langens Hamsun-Gesamtausgabe das 41. Tausend erreichte. Es folgten Einzel-Lizenzausgaben in so gediegenen Reihen wie der Manesse-Bibliothek (1960, Nachwort von Edzard Schaper) und der Bibliothek Suhrkamp (1976, Nachwort von Henry Miller). 1950 erschien *Mysterien* mit der Nummer 7 als rororo-Taschenbuch. In der List-Gesamtausgabe Hamsuns von 1977 war der Roman bis vor kurzem noch greifbar. Die Übersetzung ins Französische und Holländische folgte 1894, ins Italienische 1899, ins Englische 1927, ins Spanische 1941, usw. usf.

Hamsun hat anläßlich der ersten norwegischen Gesamtausgabe seiner Werke 1908 den Roman noch einmal überarbeitet. Diese Fassung liegt der Übersetzung Sandmeiers und der hier vorliegenden Neuübersetzung von Siegfried Weibel zugrunde. Die Erstausgabe erschien 1992 in Norwegen wieder als photomechanischer Nachdruck.

Als die Erstausgabe im September 1892 bei Philipsen in Kopenhagen erschien, war die Aufnahme in der skandinavischen Presse alles andere als begeistert. Natürlich identifizierte man Nagel mit dem Autor, und daran war Hamsun nicht ganz unschuldig. Man verurteilte die uns heute so geläufige unzuverlässige Erzählerinstanz, die es unterläßt, Nagels Phantasmen von der »Wirklichkeit« abzuheben und den Helden im Klartext zu verurteilen. Es war ein Einwand, der ja längst Ibsen hätte treffen müssen und der gerade aus der Feder Edvard Brandes', des Förderers alles Modernen, erstaunt. Eine andere, durchaus zutreffende Beobachtung, aber wieder in negativer Formulierung, ist die Verwandtschaft, die zwischen der Malerei Edvard Munchs und der Schreibweise und dem Menschenbild Hamsuns besteht: »Man kann hier nicht von Natur sprechen, sondern nur noch von verquerer Phantasie, delirierenden Stimmungen, fieberhaften Halluzinationen.«

Hamsun wehrte sich ganz ähnlich wie Ibsen anläßlich der Mißverständnisse, die *Die Gespenster* oder *Ein Volksfeind* auslösten: »Doch im übrigen will ich nicht die Schuld für alle Ansichten Nagels übernehmen, die Frage ist nur, ob er [...] so hinlänglich lose mit sich selbst zusammenhängt, daß er fast auseinanderfällt«, schrieb er an Erik Skram.

Seither ist *Mysterien* in Norwegen als zentrales Werk der Moderne kanonisiert und, auch international, Gegenstand zahlreicher Abhandlungen geworden. 1993 wurde in Oslo eine Oper über Nagel uraufgeführt. Viele Romane sind verfilmt worden. Die Literaturwissenschaft betont, daß *Mysterien* James Joyce' *stream of consciousness* vorweggenommen hat, und man weiß, daß Joyce, Kafka, Breton, Thomas Mann, Hemingway, Henry Miller und viele andere diesen Roman hochschätzten und von ihm beeinflußt waren.

In Deutschland und Österreich ist Hamsun in den 1890er Jahren im Erwartungshorizont des Fin de siècle, der Neuromantik und des Jugendstils enthusiastisch aufgenommen worden. Die Stichwörter Überwindung des Naturalismus, Seele, Mystik, Dostojewski, (nordische) Natur prägten die Rezensionen. Überhaupt enthält die Sekundärliteratur zu Hamsun – erst recht seit *Pan* (1894) – mehr und vor allem naivere Naturschwärmerei als seine Romane. Maximilian Harden schrieb 1890 eine Polemik gegen »Alltags-Poesie«, und stellte Hamsuns *Hunger* dagegen. Er sah sich von dem Norweger in seiner Verachtung der »kindlich revolutionierenden Anklageliteratur« und des »neumodischen Entrüstungspessismimus« bestätigt. Er selbst ist noch neumodischer und »sehnt sich nach einem heißen, subjektiven Menschen« und, mit dem französischen Reizwort, nach »états d'âmes«. Genau dies brachte dann *Mysterien*. Eine Verlagsanzeige von Langen – »Preis eleg. broschiert 5 Mark« – konnte kurz nach Erscheinen des Buches bereits positive Rezensionen zitieren: »Das will gelesen, langsam eingeschlürft werden.« *(Berliner Tageblatt)*

Solch glattem und kulinarischem Konsum stellten sich allenfalls in der sozialdemokratischen Presse kritischere (und die Problematik der modernistischen Zerrissenheit Hamsuns bezeichnende) Leseweisen entgegen: »Hamsun [...] zeugt von einer starken Neigung zu verzerren und den Leser zu foppen [...]. Und wenn die Abgerissenheit der Gespräche, die Abgerissenheit der Szenen, die Abgerissenheit der ganzen Handlung des Romans – soweit überhaupt von Handlung die Rede sein kann – nicht in der Blasiertheit oder Nervosität des Verfassers wurzeln, so sind sie jedenfalls sehr geeignet, den Leser nervös und blasiert zu machen.« *(Die Neue Zeit)*

Hamsun fordert den rationalen Widerstand beim Lesen geradezu heraus – und er verträgt ihn. Und es ehrt ihn, daß die nationalsozialistische Vereinnahmung beim Frühwerk auf ihre Grenzen stieß. Zwar gibt es eine fatale Konstante seit 1890 in der Beschwörung des »mystisch-naturhaften Zuges«, den Alfred Rosenberg bei Hamsun schätzte. Aber eine faschistische Anpreisung von *Segen der Erde* (1917) mußte 1939 von der *frühen* Zivilisationskritik Hamsuns, »die die Loslösung von der Scholle nach sich zieht«, Abstand nehmen.

Nach 1945 und einer Pause in der Rezeption, die von eher peinlich unkritischen Rettungsversuchen des als Landesverräter Verurteilten unterbrochen war, stellte man in Deutschland endlich Hamsun – und gerade den Hamsun der 1890er Jahre – in den weltliterarischen Zusammenhang, in den er gehört: in eine Reihe von Kierkegaard, Nietzsche,

Dostojewski, Rilke, Kafka, Sartre bis Beckett. Man gab der Verwunderung Ausdruck, daß den Nazis »die neurasthenischen, ja schizoiden Züge im Werk und Wesen des großen Norwegers, die sich so wenig in ihr Programm einfügen ließen, nicht aufgefallen sind«. Tatsächlich prägen solche Züge, eine tiefgreifende Ironie, ja auch die späteren, scheinbar »gesunden« epischen Romane Hamsuns.

Peter de Mendelssohn nahm 1953 in seinem Buch *Der Geist in der Despotie* eine geistreiche, scharfe Abrechnung mit dem »Nebelkönig« Knut Hamsun vor. Er bemerkt, daß in »diesem Zerrissenen« »Expressionismus, und Futurismus, Dadaismus und Surrealismus, Nihilismus und Existentialismus samt und sonders vorgeahnt [sind]: Die Zerspaltung und Zerfledderung der modernen Menschenseele«. *Mysterien* sei »eigentlich Hamsuns erstes und einziges komplexes Meisterwerk«.

Dieter Wellershof hob in *Literatur und Lustprinzip* (1973), im Kontrast zu Becketts *Endspiel*, den positiv utopischen Impuls über den tragischen Romanschluß hinaus hervor. Er spricht von *Hunger*, aber es läßt sich auch auf *Mysterien* beziehen: »Daß es zu Ende zu gehen scheint, wird zur Bedingung der Innovation.«

Für eine solche utopische Aneignung muß der Leser, wie bei aller moderner Literatur, die Verantwortung und die Anstrengung auf sich nehmen, wenn denn Etikettierungen wie Meisterwerk, Nietzsche-Einfluß, Kafka- und Beckett-Vorwegnahme, Modernität, Zerrissenheit und Innovation mehr sein sollen als kniefällige Leerformeln. Daß das Buch uns dies abverlangt, gehört zu seinen Qualitäten.

4

Dieser Roman sei in mehr als einer Beziehung ein Mysterium, sagte Hamsun. Wo also könnten, hinter dem genialen, exzentrischen und tragischen Spaß, die Erkenntnisse festzumachen sein, die die mystifizierende Handlung und Erzählweise hervortreiben?

Der Grundriß ist derselbe wie in Ibsens *Stützen der Gesellschaft* (1877) und *Die Frau vom Meer* (1890), und, deutlicher noch, wie in Strindbergs Roman *Am offenen Meer* (1890). (Kafka verwendete ihn später in *Das Schloß*!) Eine fremde Person taucht, ohne konventionelle Rücksichten zu nehmen, ohne die örtlichen Umstände zu kennen und in die Gepflogenheiten und Traditionen eingebunden zu sein, in einem kleinen Gemeinwesen auf und bringt alles durcheinander. Bei Ibsen ist der Sinn dieser Anordnung klar. Lona Hessel in den *Stützen der Gesellschaft* und der Unbekannte Seemann in der *Frau vom Meer* wirken als Katalysator, lösen eine heilsame Krise aus, die zur moralischen bzw. psychischen Gesundung führt. Ganz so eindeutig, wie Hamsun es wohl unterstellt hätte, ist das zwar bei Ibsen auch nicht, sicher aber soll der Zuschauer, wenn es schon nicht die dramatis personae tun, die positiven Konsequenzen aus dem sichtbar gemachten Mißstand ziehen.

Strindberg (und später Kafka) kehrt das Modell um: Der Clinch der Inselgemeinde mit dem vermeintlichen Übermenschen Axel Borg, der in titanischem Wahn alles umkrempeln wollte, bringt in Borg selbst eine Krise zum Ausbruch, eine psychische Auflösung, die zum Selbstmord führt. Strindberg nimmt so, seiner künstlerischen Logik folgend, Abstand von seiner ursprünglich nietzscheanischen Arbeitshypothese. Und so verhält es sich wohl auch mit *Mysterien*. Hamsun kannte Strindbergs Werk sehr gut. Vieles in seinen Manifesten, z.B. die Konzeption der »Charakterlosigkeit« und der »unregelmäßig arbeitenden Gehirne«, bezog er aus dem epochemachenden Vorwort zum naturalistischen Drama *Fräulein Julie* (1888) des Schweden. Aber als ihn ein Freund auf die Verwandtschaft zwischen *Mysterien* und *Am offenen Meer* aufmerksam machte, bestritt er, diesen Strindberg-Roman gelesen zu haben, wie er ja auch leugnete, Dostojewski zu kennen. Einen Unterschied gibt es sicher. Hamsun ist nicht so offen Moralist wie Strindberg. Das Artistische als scheinbarer Selbstzweck überspielt beim jüngeren Norweger gewiß auf weite Strecken die »Botschaft«, die sich mit oder ohne Bewußtsein des Autors aus den im Roman präsentierten »Mysterien« aufdrängen möchte.

Nagel verrät an vielen Stellen seine Absicht, Selbstheilung, eine authentischere Existenz finden zu wollen – und auch die Spießbürger des Küstenstädtchens heilsam aus ihrem »ehrsamen Blinddarmdasein« aufzurütteln. Er kennt ihr soziales Theater und übertreibt es ins Groteske, doch der Hohlspiegel, den er vorhält, bringt weder sie noch ihn selbst zu einer Erkenntnis. Nagel kennt auch die Sehnsucht danach, seine schöpferische Phantasie in eine »lebende und flammende Tat« umzusetzen. Es endet heillos für ihn und in einer heillosen Verwirrung der kleinen Modellgesellschaft, aus der sich diese dann aber doch rasch erholt, um zur alten Tagesordnung überzugehen. Ihr Selbst- und Einverständnis ist am Schluß durch frischen Klatschstoff neu gekittet.

Der Roman hat also durchaus eine sozialpolitische Dimension. Sie geht auf harte persönliche Erfahrungen des Autors zurück. Er hatte sich lange genug in einer Stigma-Position wie Minute und neuerdings in der *splendid isolation* des Avantgarde-Künstlers wie Nagel befunden. Und der Roman verweist auf tatsächliche gesellschaftliche Schiefheiten seiner Zeit. Nur daß diese Erfahrungen auf eine verwickelte, beunruhigende Weise verquer zu Tage treten. Es sind Erfahrungen des Autors mit der Konkurrenzgesellschaft, mit der Macht des Warendenkens gerade auch im literarischen Markt; Leiden am machtverzerrten zwischenmenschlichen Umgang und an der Instrumentalisierung menschlicher Beziehungen in der hierarchischen und kapitalistischen Gesellschaft, kurz: Reflexe auf Entfremdung und Verdinglichung. Die Inhalte von Nagels politischen Tiraden und die Formen seines eigenen sozialen Agierens sind nicht aus der Luft gegriffen. Sie bezeichnen die Unglaubwürdigkeit des bürgerlichen Sinnangebots und die zutiefst fragwürdige gesellschaftliche Praxis. Was Nagel über Gladstones Politik sagt oder über die »Steuerzahler« und »Fleischfresser«, »die kleinen, langohrigen

Menschen« im Küstenstädtchen, ist zwar vorerst rein ästhetisch motiviert und idiosynkratisch, und es schießt weit übers Ziel hinaus, tendenziell ist es richtig.

Eigenartig ist dabei nur, daß Nagel die Ausdrucksformen der Entfremdung, allerdings ohne ein politisches Verständnis zuzulassen, bei seinen Mitmenschen bemerkt und verhöhnt – sie aber in mystifizierter Form selbst reproduziert. Es ist in *Hunger* und *Mysterien* auffällig viel von Geld die Rede, obwohl die Protagonisten keines besitzen oder sich angeblich nichts daraus machen. Mit seinen fiktiven Telegrammen an sich selbst und mit den Anstalten, die er trifft, um Martha den famosen alten Stuhl abzukaufen, baut Nagel zu seinem Nutzen illusionäre, karikierte Marktgesetze auf. Aber ist es Geiz oder Bluff, daß bei ihm erst ganz am Schluß doch noch Geld gefunden wird? Woher dieses »Kapital« kommt, verschweigt Hamsun – und blufft also selber mit.

Fataler für seine Sehnsucht nach Reinheit, wie sie in den Wald-Visionen sichtbar wird – mit einer Silberangel fischen heißt soviel wie nicht im trüben fischen! –, fataler ist es, daß Nagel seine Träume und Ekstasen, ja sogar seine Todesangst jeweils sofort profitbringend in Umlauf zu setzen versucht. Oft flunkert er sie auch im Dienste einer aktuellen sozialen Strategie ad hoc zusammen. Gladstone (und ganz ähnlich Tolstoi) wirft er aber vor, »ein Zwischenhändler«, »ein Agent in Waren« zu sein. Dagny (und am Schluß auch Minute) erklärt er ehrlich-frech seine Taktik des Bluffens, seine »Methode« mit den ewigen Geschichten, die er erfindet, wobei diese Ehrlichkeit nur eine höhere Stufe des Manipulierens darstelle: »Auf jeden Fall heimse ich also meinen Profit ein, egal was Sie nun glauben oder nicht glauben.« Der Handlungsverlauf zeigt, daß Nagel sich verrechnet. Er macht, wie er es Tolstoi vorwirft, Umsatz »mit schwingelerregenden Verlusten«.

Der Profit solcher trickreicher Aktionen hätte die Liebe Dagnys sein sollen. Handfester versucht sich Nagel die Liebe Marthas buchstäblich zu erkaufen, ebenso wie die Gefügigkeit Minutes. Fast alle Menschen, mit denen Nagel zu tun hat, äußern den berechtigten Verdacht, daß er über sie zu irgendeinem unausgesprochenen Zwecke verfügen will – wobei er feigerweise nur die wirklichen Schurken, die Machtinhaber wie den Doktor und den Assessor, trotz gelegentlicher Ausfälle letztendlich unangetastet läßt. (Und Hamsun überläßt die Abrechnung mit Karl Marx Doktor Stenersen!) Alle entziehen sich schließlich seinem Einfluß. Sogar der unbedarfte Minute tanzt lieber wieder auf dem Markt für zehn Öre, als sich für viel Geld dem Psychoterror Nagels auszusetzen. »Auch ich bin ein Mensch«, hält er Nagel vor. Sie stürzen ihn – er stürzt sich selbst – dadurch in bodenlose Einsamkeit und Verzweiflung. Indem er sie in *eigennütziger* Berechnung zu einem echten Du, zu einem »Wir beide« (Nagels hinterlistiges Solidaritäts-Angebot an Minute) machen wollte, übt er Gewalt an sich selbst und ihnen, pervertiert er seine Sehnsucht, verliert er im ökopsychischen Rollenspiel seine Identität.

Peter Bürger hat von der literarischen Doktrin und Praxis der 90er Jahre gesagt: »Zu den beunruhigendsten [...] Seiten des Ästhetizismus gehört seine Nähe zur Gewaltsamkeit. Das dem Ästhetizismus zugrunde liegende Prinzip der beliebigen Transposition der Wirklichkeit [...] ist weniger harmlos, als es den Anschein hat: denn es enthält stets ein Moment der Vergewaltigung von Wirklichkeit. Die Krise des bürgerlichen Individuums am Ende des 19. Jahrhunderts scheint Verhaltensstrukturen hervorzutreiben, die, ohne unmittelbar ökonomisch bedingt zu sein, dennoch in frappierender Analogie zum Imperialismus stehen.«

In der Beziehung Nagels zu Minute wird dies deutlich. Zuerst scheint Nagel großmütig und mutig den beklagenswerten Minute vor der Trakassierung und dem rüden Pennalismus durch die Stützen der Gesellschaft, den Assessor und andere Amtspersonen, retten zu wollen, aber doch nur, um ihn auf subtilere und tiefer greifende Weise selbst psychisch zu vergewaltigen, ihn als Projektionsobjekt zu mißbrauchen. Vielleicht wird er dadurch schuldig daran, daß Minute »ein schlimmes Ende« nimmt?

Anders als in dem Roman *Culte du moi* (1889–90) von Maurice Barrès, der Peter Bürger Anlaß zu der oben zitierten Feststellung gab, ist aber der Zweck, den Nagel mit seinen Manipulationen verfolgt, dem Romanhelden Hamsuns selbst unklar. Hamsuns Anliegen ist nur an der Oberfläche ästhetizistisch, und der »Held« verfehlt es wie gesagt. Wo bei Barrès die Frau sterben muß, um dem Mann in der Erinnerung den Genuß der reinen Schönheit zu ermöglichen, stirbt bei Hamsun der Mann. In der selbstherrlichen Phantasieentfaltung stülpt er einen Krimi-, einen Liebesroman- und einen Übermenschplot über das Städtchen und verfängt sich selbst in diesem Wirrwarr. Typisch Hamsunscher Witz: Es nützt Nagel nichts, daß er im Hotel Central wohnt! Der Widerstand, den die harmlosen Bürger ihm entgegensetzen, das Chaos, zu dem das übersichtliche, harmlose Städtchen für ihn wird, demoralisieren ihn. Zu Minute sagt er: »Ihre Reinheit brutalisiert mich.« Falls alles im Grunde den Zweck einer Selbsttherapie gehabt haben sollte, scheitert diese an den Mitteln, die Nagel so virtuos eingesetzt hat.

Es ist von Nagel gesagt worden, er sei ein *small-time Zarathustra* und ein *deficient Nietzschean*. Er ist auch ein scheiternder Ästhetizist. Dies ehrt Hamsun, insofern Nietzscheanismus und Ästhetizismus »gefährliche Tendenzen« sind. Vielleicht hat sein Roman denselben Sinn, wie Adorno ihn schon bei Nietzsche selbst finden wollte: »der normalen Welt die Maske des Bösen [entgegenzuhalten], um sie das Fürchten vor der eigenen Norm zu lehren«. Daß Nagels Menschenverachtung auch ihn selbst umfaßt und dem bitteren Ende zu in fast kindliche Verzweiflung, Selbstmitleid und – nun endlich – in rührende Sorge um die anderen umschlägt, macht ihn erst sympathisch (aber nicht mehr so *interessant*!).

Nun war Hamsun aber eben auch selbst ein Taschenspieler. Sein Erzählkonzept ist, wie die Gesprächsstrategie Nagels, auf Verwirrung, Bluff angelegt. Ständig gehen innerer Monolog, direkte, indirekte und erlebte Rede durcheinander und in Erzählerrede über, ohne daß je ein allwissender Erzähler Klarheit schaffte. Viele Leser – und biographisch auf lange Sicht sich selbst – hat er damit verwirrt. Wenn das Handlungsgefälle, das zu Nagels Untergang führt, diesen eindeutig zum Antihelden macht, ist da noch das eigenartige Nachspiel. Dagny und Martha unterhalten sich ein Jahr später über Nagel. Sie behaupten, er hätte nachträglich mit seiner intuitiven Verdächtigung Minutes doch noch recht bekommen. Für *sie* ist Nagel jetzt ein Held. Oder sie selbst halten sich für die Helden, Nagels Tod hat ihnen in ihrem beschränkten Dasein recht gegeben. Hamsun gibt uns überhaupt keine Anhaltspunkte, diese Behauptung zu verifizieren. Was Nagel allerdings erreicht hat: Die beiden Frauen bleiben nostalgisch über seinen Tod hinaus an ihn gebunden, was wohl doch ein Pyrrhus-Sieg ist. »Die subjektive Logik des Blutes« ist zum reinen Fetisch verkommen! Nagel: »Und ich habe meine Aufgabe gut gemacht, ich habe euch eine Menge außerordentlich reichhaltigen Gesprächsstoff gegeben und euer Leben in Unordnung gebracht, ich habe eine bewegte Szene nach der anderen in euer ehrsames Blinddarmdasein gepflanzt. Hoho, wie die Mühlen klapperten, wie die Mühlen klapperten!« Solche »Hohos« und »Hehes« werden in den späteren Romanen Hamsuns immer wieder auftauchen – in der Erzählerrede, die sich partout nicht von der Figurenrede unterscheiden will. Oder ist es Hamsun selbst, der da höhnisch meckert? Sollten wir mitmeckern?

Insofern *Mysterien* auch als Künstlerroman gelesen werden kann, stellt er eine scharfe Abrechnung mit Positionen dar, die Hamsun damals einnahm, und der Rolle, die ihm der Literaturbetrieb zuwies. Er hat sie virtuos verkörpert und ist nie mehr ganz davon losgekommen.

5

Meine Lektüre des Romans als desillusionierter politisch-sozialer Diagnose und Zerrspiegel seiner Zeit und als einer impliziten Demontage des Ästhetizismus stemmt sich gegen eine Interpretationstradition, in der Nagel als umwerfender clownesker Held zustimmend goutiert wurde und die in diesem Roman kritiklos die irrationalistische Psychologie und nietzscheanische Moral der vorausgegangenen Hamsunschen Manifeste bestätigt sah. Die aber auch, damit unvermittelt und naiv, Nagels Generosität, seine naturmystischen und pseudoreligiösen Visionen und den Traum vom einfachen Leben mit Martha auf dem Land für bare Münze nahm.

Ich habe mich bei meinem Widerstand gegen die Umkehrung aller Werte an die Dialoginhalte und den Handlungsverlauf gehalten. Die Komplexität des Romans erschöpft sich jedoch nicht darin, daß der Text mehr weiß als sein Autor bzw. daß er uns heute mehr und anderes sagt, als Hamsun damals sah oder zugegeben hätte. Was hier mit schlafwandlerischer Sicherheit und intrikater Präzision an Sozialpsychologie und Tiefenpsychologie mit dem soziologischen Thema verflochten ist, zeugt von einem stupenden Wissen über den Menschen. Der Roman ist eine Fundgrube für psychoanalytische Analysen. Sie sind geleistet worden und setzen vor allem bei der Symbolik in *Mysterien* an. Ich will dem hier nicht weiter nachgehen, wichtig ist mir der Hinweis darauf indes, weil auch so gelesen *Mysterien* keine Verherrlichung eines neuen, sensiblen Menschentypus ist. Während Nagel den Inbegriff dessen darstellt, was schon Hermann Bahr zweideutig »Neuro-Mantik« genannt hat, ist der Roman über ihn auf weite Strecken ein naturalistischer Text über eine gefährdete Gesellschaft und noch mehr über eine gefährdete Existenz, ein bis zur Selbstentblößung radikales Experiment mit einem »Ausländer des Daseins«, der laut Claudio Magris seine Seele wie einen umgestülpten Handschuh nach außen trägt. Die Naturvisionen, die so viele Leser begeisterten, erscheinen in dieser Sicht als Symptome psychischer Regression. Die Silberangel, von der Nagel einmal träumte, taucht am Ende als tödlicher Angelhaken auf, der sich im Hals einer Katze festgesetzt hat. Nagel fabuliert so über seinen eigenen, bereits besiegelten Tod.

Was an der Erzählweise selbst artistisch ist, ist wiederum zweideutig. Es ist kritisch-mimetische Verdoppelung von Nagels Verhältnis zur Welt und zu seiner eigenen Existenz. Aber auch: kreativer poetischer Überschuß, der der gnadenlos lustigen inhaltlichen Desillusion eine utopische Hoffnung wenigstens gestisch entgegenhält. Modern und wahr wäre Hamsun mit seinen *Mysterien* dann insofern, als er sich und uns einen poetischen (Ent-)Wurf zumutet, der zugleich seinen eigenen kritisch-dekonstruktiven Impuls enthält. Weil er ruhelos und beunruhigt die Bedingungen des Menschseins in unserer Welt – sie hat sich seit 1892 nicht so entscheidend verändert – bildhaft auslotet und das Verdrängte symbolisch inszeniert, kann es nicht anders sein.

Wohl legt Nagels tödlicher Ästhetizismus eine literarische Ideologie der Jahrhundertwende bloß. Aber noch in seinen pervertierten Ausdrucksformen – Henry Miller mag das gespürt haben – ist er Ausdruck einer enttäuschten Hoffnung und Anklage einer Wirklichkeit, die der Ästhetisierung so scharfe Grenzen setzt und Hamsun/Nagel dazu provoziert, »dem wahren Zusammenhang der Dinge« mit »hartnäckigsten Lügen« zu begegnen.

Walter Baumgartner